改訂第3版

救急撮影ガイドライン

救急撮影認定技師標準テキスト

監修　日本救急撮影技師認定機構

へるす出版

改訂第３版発刊によせて

日本救急撮影技師認定機構は，2010年に設立して10年を迎えました。これまで，多くの方々からご指導とご協力を賜りながら救急放射線技術向上に努めてまいりました。その一環として本書の刊行・改訂を行ってきましたが，この10年間で救急医療における放射線診療を取り巻く環境は，医療技術や医療機器の進歩，あるいは各種ガイドラインの整備や法改正に伴い大きく変わってまいりました。とりわけ，エビデンスに基づいた医療（evidence-based medicine；EBM）が求められる現在においては，放射線診療についても，正確な病態検出を目的とした，すなわち最適化されたプロトコル（撮影条件）での撮影と画像構築が求められています。また，診療放射線技師による読影の補助は，マンパワーの不足しがちな救急診療において，異常所見の見逃し防止など救急医療チームの一員として，その取り組みが大きく期待されています。このように，救急医療における放射線診療は，救急診療の一翼を担っていることに鑑みますと，そこに携わる診療放射線技師・救急撮影認定技師は，救急診療の質の向上に大きく関与しているといえます。

本書「救急撮影ガイドライン」は，2011年の初版から2016年の改訂を経て，このたび改訂第3版を上梓する運びとなりました。このガイドラインは，救急診療の基本的な流れから，外傷・内因性疾患ごとに各項目を立て，特徴的な画像所見と推奨される撮影方法はもとより，病態の特徴や治療方法，災害時の対応や安全管理などを盛り込んだ，まさしく救急放射線技術書として他に類を見ないものです。

改訂第3版では，新たなエビデンスやガイドラインの加筆に加えて，全体の構成を見直し，読影補助としての「救急診療と画像診断」「外傷CTの読影」などを項目として整理するとともに，近年初療室としての導入例が増えている「ハイブリッドERシステムにおける役割」などを新規項目として追加しました。

今回の改訂においても，可能なかぎり最新の知見を盛り込んだ内容となっていますが，救急放射線技術は診療放射線技師自らが研究し構築していくべき課題であり，永遠のテーマといえます。異常箇所を認知できる読影補助と最適な撮影条件や画像構築は，それぞれ独立しているものではなく，相互にリンクすることによって，救急放射線技術と救急診療の質の向上につながると考えます。本書を救急診療の座右の書としていただくとともに，今後の救急放射線技術構築に活用していただくことを願っています。

最後に，今回の改訂作業に精力的に取り組んでいただきました執筆者の皆様に，心より感謝する次第です。

令和2年3月

日本救急撮影技師認定機構
代表理事　西池　成章

改訂版発刊によせて（第２版）

日本救急撮影技師認定機構が設立されて５年を過ぎるこの年，本ガイドラインが改訂されますことは，ことさらに感慨深く感じています。この機構が立ち上がったことが，全国の救急撮影に従事する診療放射線技師にとって，一筋の光明と感じた方は少なからずおられたと思います。診療放射線技師の属する学会や団体では，救急診療に特化した放射線技術の調査・研究や，各種情報発信手段としてのセミナー，講習会はありませんでした。今日では，救急撮影講習会や救急撮影セミナーの開催が定着し，多様な講師の先生方や多くの技師の方々に参加していただき，一定の成果をみているところです。

今回の改訂では，可能な限り最新の知識を網羅すべく心がけました。「FACT（focused assessment with CT for trauma）」「PPP（pre-procedural planning：IVR 手技支援・術前計画）」などの新規項目を追加し，また「X 線 CT 撮影における標準化～GALACTIC～改訂2 版（日本放射線技術学会）」といった最新のガイドラインに則した記述を盛り込み，全体の頁数も約 2 割強，増加しています。

この救急撮影ガイドラインは，今日の救急診療における放射線診療の基本を提示するものとなりますが，診療放射線技師が研究し，開発した技術でこのガイドラインが満たされる日まで，この活動を継続する必要があります。次代を担う，全国に多くおられる救急診療に従事する診療放射線技師諸兄の日々たゆまぬ研鑽を期待し，改訂版発刊のご挨拶とさせていただきます。

平成 28 年 4 月

日本救急撮影技師認定機構
代表理事　坂下　恵治

発刊によせて（初版）

平成22年2月19日に設立した日本救急撮影技師認定機構は，多くの方々に対し講習会やセミナー，認定試験，実地研修，メーリングリストなどを通じて救急診療における放射線技術の情報を発信し続けてきました。本書をご覧になる皆様にはご存じのとおり，本機構の理念は，関連する団体が統一した基準の下に認定制度を実施し，場所と時間を問わずに発生する救急患者の診療に貢献し，国民の保健・衛生の向上と社会の発展に寄与することです。その実現の根幹にあるのが，救急撮影認定技師の認定事業であります。全国に多数ある救急医療施設の診療放射線技師は，自身のもつ救急放射線技術の能力を担保する手段として救急撮影認定技師資格を取得し，所属する施設において救急放射線業務のリーダーシップをとることになります。

ここに発刊される『救急撮影ガイドライン』は，昨年度機構が準備した救急撮影認定技師資料集の拡張版となり，当機構の出版委員各位の知識と努力の結晶として完成した，今日における救急放射線技術の最先端を表わす成書です。本書は，日本救急撮影技師認定機構が監修した救急撮影技師認定試験の標準テキストでもあります。

救急診療は，急性期の病態に加え，重症例が多くあるため，診療に時間的猶予がない場合が多くあります。加えて，時間を選ばずに行われる必要があり，救急診療体制も施設によって人的資源や物的資源はさまざまです。このような救急診療の現場において，診療放射線技師は救急医の依頼を受け，迅速に，適切な画像を安全に提供することにより，救急医療チームの一員として機能しています。とりわけ近年の画像診断機器は長足の進歩を遂げており，従来では不可能であった救急診療における撮影業務の適応が，撮影時間の短縮や装置の安全性の改善により，導入できる状況になりつつあります。救急診療において，安易な画像診断の適応は予後を悪化させるという報告もありますが，今日では各種の救急診療にかかわるガイドラインが発表され，救急患者の安全性を確保したうえで，より多くの精度の高い画像情報を提供し，予後の改善を達成する取り組みは世界の各地で行われています。本書に書かれている事柄は，一般にいうところの学生対象のテキストの範疇を超え，救急医療に特化した技術をもつ専門家向けとした見地から書かれている内容もあります。

わが国における診療放射線技師の技術レベルは，先人たちの絶え間ない努力の積み重ねと，近年の教育制度の急速な充実により，世界に類をみないレベルに達しているといわれています。しかしながら，今日まで課題としてもちながら実現し得なかった事柄に，業務ごとの申し送りによる情報共有と，カンファレンスなどの「振り返り」作業による症例検討および技師全体のスキルアップに関する取り組みがあります。本書を学び救急撮影認定技師となられた皆様が，ご自身の救急医療施設において記載されている救急放射線技術を基盤とし，診療情報の共有や振り返りの作業を行うことにより，その施設の診療放射線技師全体の救急医療に対する臨床能力を向上すべく，日々の診療に活躍されることを期待いたします。

本書の監修には，日本救急撮影技師認定機構の監事であり，日本臨床救急医学会および日本外傷学会の代表理事であります市立堺病院副院長の横田順一朗先生と，同じく当機構の理事であり日本救急放射線研究会代表幹事，日本放射線科専門医会・医会前理事長であります聖マリアンナ医科大学放射線医学講座教授の中島康雄先生に多大なるご支援をいただきました。ここに心より感謝いたします。

本書が適切で安全な救急放射線技術を広め，救急診療に役立つことを願っています。

日本救急撮影技師認定機構
代表理事　坂下　惠治

執筆者一覧

五十嵐隆元	国際医療福祉大学成田病院	（Ⅵ章-3）
伊藤　大助	米盛病院	（Ⅴ章-7）
上野登喜生	福岡大学病院	（Ⅲ章-3・5，Ⅵ章-2）
大島　信二	山梨大学医学部附属病院	（Ⅱ章-6・7）
亀田　順一	医療法人社団醫光会おうら病院	（Ⅵ章-4・7）
近藤　　誠	関東労災病院	（Ⅳ章-4・5）
坂下　惠治	りんくう総合医療センター	（Ⅴ章-1～5）
竹井　泰孝	川崎医療福祉大学	（Ⅰ章-8，Ⅵ章-5・6）
田中　善啓	国立病院機構水戸医療センター	（Ⅲ章-1・4，Ⅴ章-6）
土橋　俊男	日本医科大学付属病院	（Ⅵ章-1）
対馬　義人	群馬大学大学院医学系研究科	（Ⅵ章-4）
長岡　　学	JA神奈川県厚生連相模原協同病院	（Ⅲ章-2，Ⅵ章-1）
中田　正明	兵庫県災害医療センター/神戸赤十字病院	（Ⅰ章-7，Ⅱ章-7）
福田　篤久	大阪医科大学三島南病院	（Ⅰ章-9）
藤村　一郎	りんくう総合医療センター	（Ⅱ章-4，Ⅳ章-1～3）
船曳　知弘	済生会横浜市東部病院	（Ⅱ章-5）
松本　純一	聖マリアンナ医科大学	（Ⅱ章-1）
横田順一朗	地方独立行政法人堺市立病院機構	（Ⅰ章-1～7）
米田　　靖	横浜市立大学附属市民総合医療センター	（Ⅱ章-2・3）

（　）：執筆・改訂担当項目

目　次

Ⅰ章　救急医療概論

Ⅱ章　救急撮影総論

Ⅲ章　内因性疾患診療における救急撮影

Ⅳ章　外傷診療における救急撮影

Ⅴ章　その他救急疾患・診療における撮影

Ⅵ章　安全管理の技術と知識

Ⅰ章　救急医療概論

1 救急医療と診療

救急診療と救急医療

健康状態が急変し，何らかの医学的介入なくしては病勢の悪化を阻止できない状態にある者を「救急患者」という。救急患者を診察し，医学的な介入や施術をもって病勢の悪化を阻止し，治療を行うことを「救急診療」という。この診療を支援する人的・財政的資源を含めた仕組みを「救急医療」とよび，そのシステム化が「救急医療体制」である。救急の診療および医療体制を研究するのが「救急医学」であり，基礎から臨床医学に及ぶだけでなく，診療科を横断する広さと地域社会との関連性が強いことに特徴がある。

救急診療は医学の進歩とエビデンスによって支えられ，ある程度，普遍的なものである。しかし，救急医療およびその体制は医療資源，経済や社会構造によって大きく左右され，国際的にはかなりの格差がある。

救急医療の質

前述したように，救急患者は健康状態が急変し，何らかの医学的介入なくしては病勢の悪化を阻止できない状態にある。状態の悪化する速度が早ければ「緊急度が高い」といい，適切な医療介入を行っても死亡したり，重篤な後遺症を残したりする傷病を「重症度が高い」という。緊急度および重症度が高い場合には，一刻も早い処置による介入が必要である（図1）。したがって，重症度の高い傷病者を救うには診療の質の向上とともに，時間軸に焦点を当てた医療体制の工夫が重要である。

このような観点から，救命率の向上や良好な転帰を求める救急の方程式を

$$\text{救命率の向上，良好な転帰} = \frac{\text{診療の質} \times \text{医療資源の量}}{\text{時間}}$$

として，表現できる。

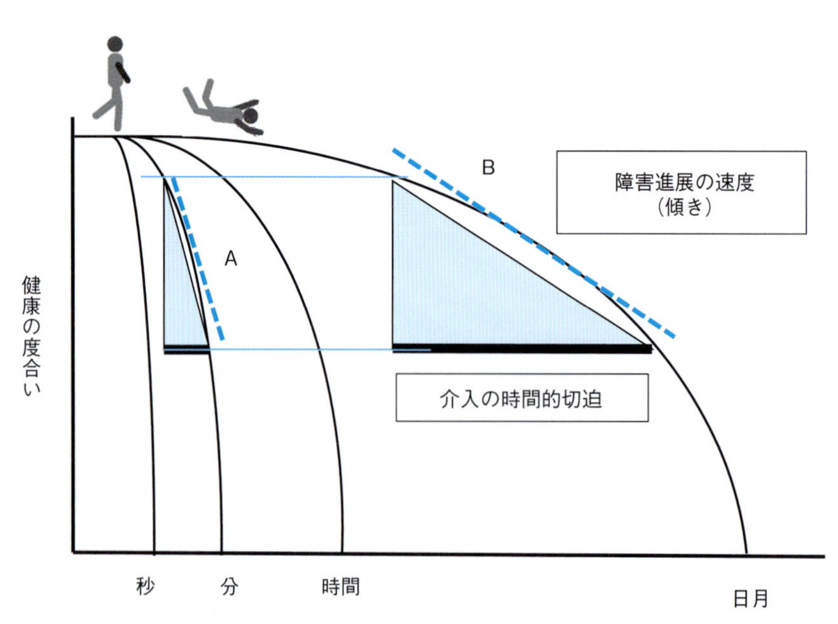

図1　緊急度と救急診療
緊急度は，健康度合いが損なわれる速度を意味し，結果として医学介入などの時間的余裕のなさ（切迫）を表している。「B」より「A」のほうが緊急度が高い。緊急度の高い傷病が救急診療の対象となる

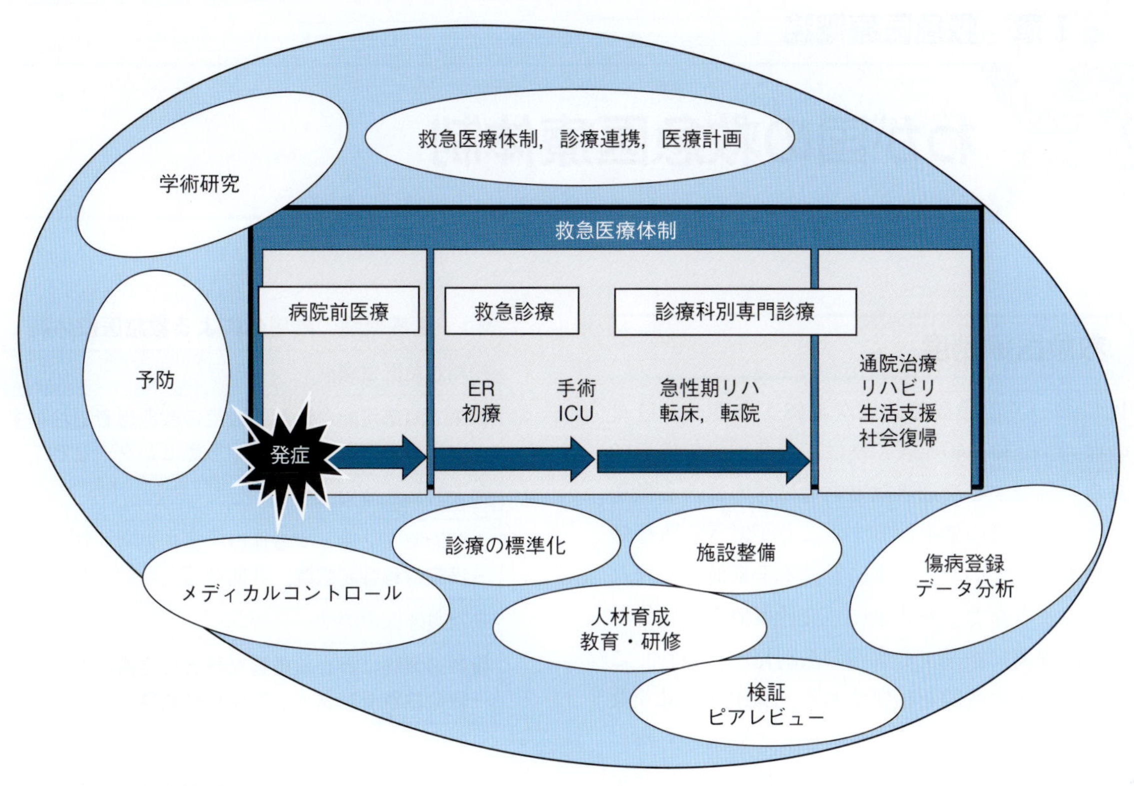

図2 救急診療体系
救急診療の質向上には，診療や体制の整備に加え，診療の標準化や人材育成，症例の検証とフィードバック，データ登録と分析など，さまざまな活動が求められる

時間を短くする工夫の例として，ドクターカーやドクターヘリなどによる一刻も早い診療行為の開始がある。一方で診療の質については，エビデンスなどを基本にした標準診療の実施，診療スタッフの修練，安全医療への取り組みなど，一般診療における取り組みと同様の努力が必要である。救急ではこれに一時に費やせる医療設備やマンパワーといった医療資源の豊富さが診療展開を左右する。放射線領域でいえば，CTや血管造影をただちに行うことができる設備と人的確保はいうに及ばず，その技術力や質の高い読影も救急医療の質を左右する。さらに，救急隊員との連携と地域を俯瞰したメディカルコントロール活動も切り離せない。

このように，救急診療のための急性傷病の研究だけでなく，体制整備の構築も含めた研究も合わせて，学問としての「救急医学」が存在する。そしてこれら救急医療の質を保証する仕組みを包括して，「救急診療体系」と呼ぶ（図2）。

2 わが国の救急医療体制

救急医療制度

わが国において救急医療制度が誕生するきっかけとなったのは，昭和30～40年代にかけての交通事故件数の増加である。急増する交通事故傷病者に対応できる搬送システムと，その傷病者を診療することができる医療機関が相当数不足していた。診療に対する学術研究も遅れていた。このようなことを背景に，交通事故など屋外の傷病者を医療機関に搬送する業務の法制化が行われ，これに対応できる医療機関を確保すべく，1964年には「救急病院等を定める省令」が厚生省令として発出された。医療機関からの申告により知事が承認し施設名を公にすることから，「救急告示制度」と呼ばれてきた。すなわち，救急告示病院は救急搬送される傷病者の受け入れを円滑化するために生まれたのである。

この救急告示制度とは別に，救急医療機関を機能的に階層化し，救急医療体制を整備するものが「救急医療対策事業（国庫補助制度）」であり，1977年に登場した。今日の医療計画でも使われる，初期・二次・三次救急医療機関の始まりである（表1）。1998年には救急告示病院を二次・三次救急医療機関として組み入れ，一元化が求められたが[1]，現実には二重構造になっている（図1）[2]。

近年，医療計画に記載された特定疾患（脳卒中，急性心筋梗塞）と救急医療や災害医療などに焦点を当て救急医療体制の強化・充実が図られつつある。さらに，2018年12月には「脳卒中・循環器病対策基本法（健康寿命の延伸等を図るための脳卒中，心臓病その他の循環器病に係る対策に関する基本法）」が成立し，同疾病の予防対策はもとより，救急医療の質向上が求められている。

表1　医療機関の階層化による救急医療体制

初期救急医療機関
外来で対応可能な比較的軽症の救急患者を診療する →在宅当番医制，休日夜間急患センターなど
二次救急医療機関
入院治療を必要とする比較的重症患者を診療する →病院群輪番制病院，共同利用型病院など
三次救急医療機関
複数診療科にわたる重篤な患者の治療にあたる →救命救急センター，高度救命救急センター

病院前救護とメディカルコントロール

治療成績向上のためには，ごく早期の対応が重要であることはいうまでもない。そのためには，医療機関の診療機能に限定せず，発症から病院到着までを含めた包括的な体制を視野に入れる必要がある。救急患者の搬送の担い手である消防機関の救急業務を単に「救急搬送」としていた概念から，「病院前救護」に変えようとするのは当然の発想である。その表れの一つが，1991年に創設された救急救命士制度である。

2000年に厚生省から出された「病院前救護体制のあり方に関する検討会報告書」を受け，総務省消防庁では「メディカルコントロール体制のあり方」が討議され，この体制を整備促進することとなった。その結果，救急救命士は2003年4月から「包括的指示による除細動」，2004年7月から「気管チューブを用いた気道確保」，2006年には「薬剤（アドレナリン）の使用」が認められ，さらに2014年4月からは心肺停止前の特定行為（低血糖に対するブドウ糖液の投与やショックに対する輸液）も拡大されて，病院前救護の内容は法制上，急速に変化してきた。

しかし，救急隊員への処置拡大など病院前救護の質向上を図っても，救急患者収容の困難さはなかなか解決されない。救急隊員は傷病者の状態を的確に把握し，病態に応じた医療機関へ迅速に搬送することが望ましいが，この本質的な業務遂行に支障のあることが浮き彫りになった。これを受け，2009年には改正消防法が施行され，「傷病者の搬送及び受入れの実施基準」を設けるなど法制が整備されてきた（図2）[2]。

平成25年度の「救急医療体制等のあり方に関する検討会報告書」によれば，厚生労働省はメディカルコントロール業務を救急業務に限定せず，受け入れ先の調整も含めた地域の救急医療体制における管制塔機能を期待している。ドクターカー・ドクターヘリの運用も含め，「病院前医療体制」として体制構築を図ろうとしている。

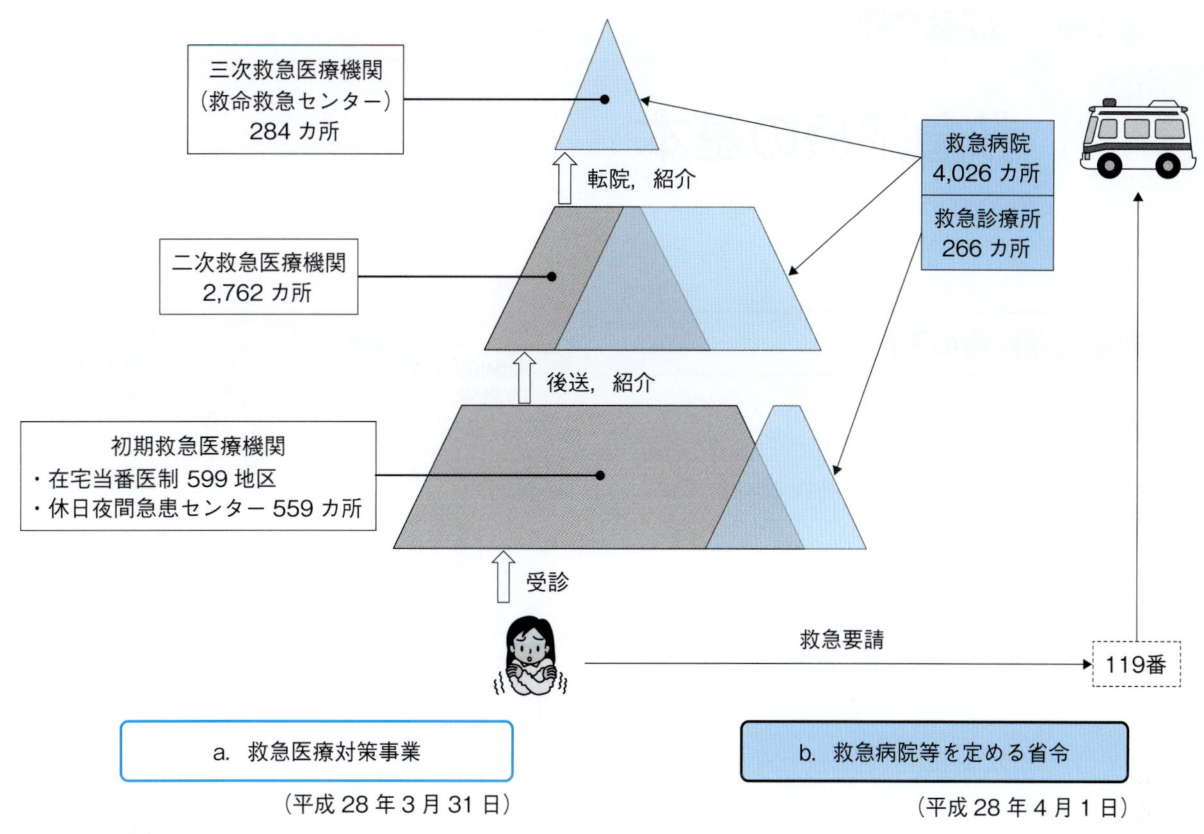

図 1　救急医療機関の階層化　〔文献 2）より引用〕

救急医療対策事業（a）では，救急医療機関を機能別に階層化し，初期・二次・三次の患者の流れを期待している。一方で，救急病院を定める省令（b）では，救急車の受け入れ医療機関としての救急告示病院（診療所）が整備され，救急隊員の判断で医療機関を選定している。制度の一元化が求められているが，地域によっては二重の構造となっている

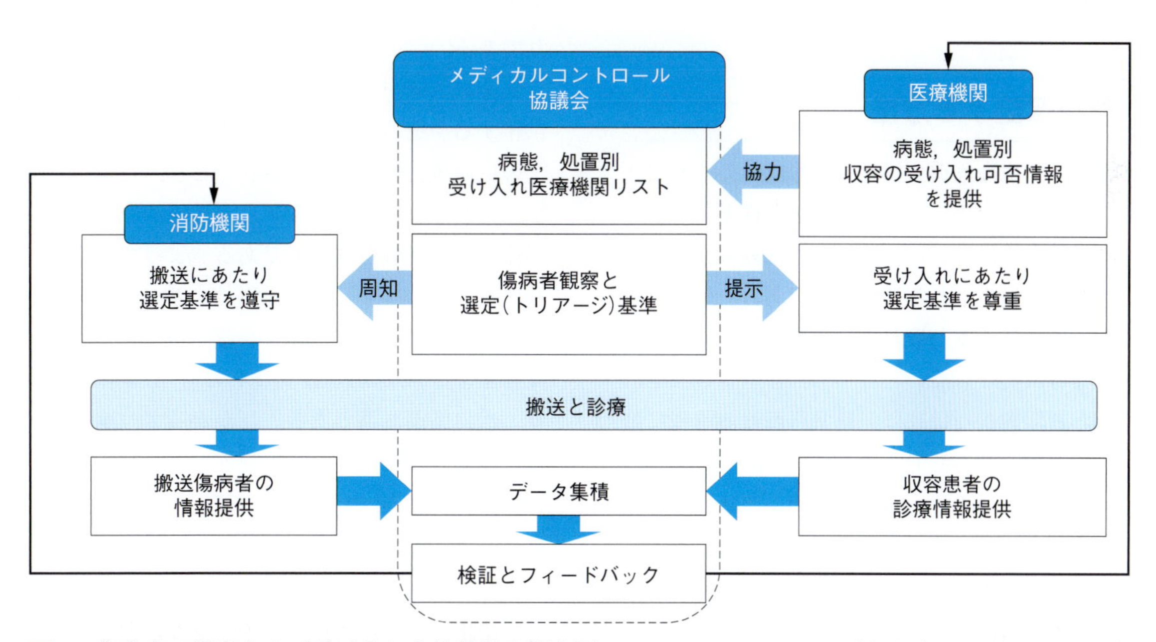

図 2　傷病者の搬送および受け入れ実施基準の概念図　〔文献 2）より引用して作成〕

消防機関と救急医療機関が密に連携して，傷病者の病態に応じた医療機関を選定し迅速に収容させようとするもの。メディカルコントロール業務の拡大ととらえることができる

【文　献】

1）横田順一朗：救急医療体制．標準救急医学，第 5 版，日本救急医学会監，医学書院，東京，2014，pp8-18.

2）日本救急医学会メディカルコントロール体制検討委員会，他監：救急医療におけるメディカルコントロール，へるす出版，東京，2017.

3 救急診療の基本

救急初期診療の原則

救急初期診療の第一の目標は，生命の安全を保証し，病勢の悪化を食い止め，そのうえで根本治療が必要な傷病を検索することである。救急患者の特性である容態の急激な変化に対して，迅速な観察と介入が要求される。このため，救急診療や患者の急変時対応でもっとも重視される概念は，「緊急度」の評価である。緊急度とは，健康度合いが損なわれる速度を意味し，結果として医学介入などの時間的制約の強さ（切迫）を表している（p.2 参照）。

救急の現場では，緊急度を判定する方法としていくつかの基準が工夫されてきたが，基本的な考え方は共通しており，救急電話相談（# 7119 など），通信指令，救急隊，救急外来などいたるところで活用されている。以下，緊急度の尺度を取り入れた代表的な成書[1]やガイドライン[2]を引用しつつ，救急診療の基本を紹介する。

命を保証する方法

最初の行動は，生命危機の状態を早く認知し，蘇生することである。そのためには，蘇生の必要性を判断する目的で生理学的な徴候を評価することが求められ，緊急度判定でもっとも優先される観察事項である。生命を維持する生理学的徴候を感じ取れなければ，ただちに心肺蘇生を行わなければならない。

命にかかわる問題がなければ，通常行われる診療に進む。内科診療録の記載方法で定着している問題志向型診療録（problem-oriented medical record；POMR）に代表されるように，自覚症状，他覚所見を収集し，評価・分析後，診療の計画を立てる。外傷診療では“secondary survey”に相当する。

緊急度評価と ABCDE アプローチ

外傷初期診療の標準的なガイドラインであるJATEC™では，まずはじめに評価する生理学的徴候のとらえ方を“ABCDE”に則って行うよう指導している[2]。これは生命維持の仕組みと蘇生の観点から考案された線

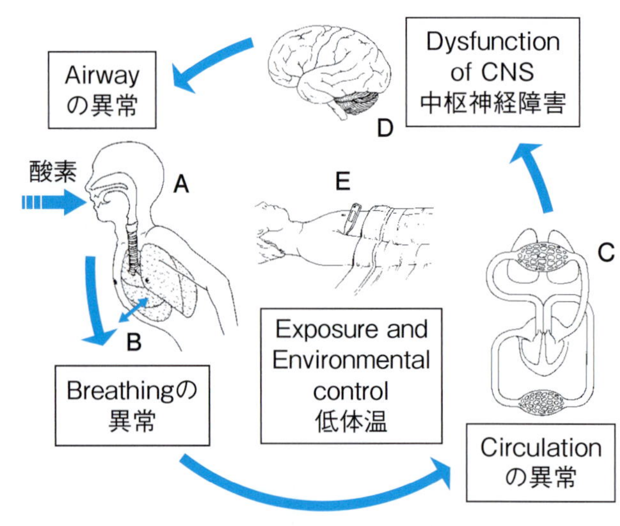

〔文献 2）より引用〕

図 1　生命維持の仕組みと ABCDE アプローチ

型のアルゴリズムであり，その誕生の背景は以下のとおりである。

生命は大気中の酸素を体内に取り込み，全身に酸素を供給する一連の作業によって維持されている（図 1）[2]。この生命維持の輪が障害されたとき，ただちにこの連鎖を立て直さなければならず，支持療法を行う順番は酸素の流れに従うのが理論的である。よって，空気を吸い込む気道（Airway）が最初であり，次に呼吸器系，循環器系，中枢神経系という順となる。現時点の医療レベルで支持療法が簡便かつ確実なのは呼吸器系に対してであり，次に循環器系である。したがって，蘇生の順番が気道の開放（Airway），呼吸管理（Breathing），循環管理（Circulation）となる。これらの頭文字をとって，“生命維持の ABC（基本という意味）”，または“蘇生の ABC”という。

脳が生命維持にとって重要なことはいうまでもない。呼吸中枢が存在し，無意識でも適切な呼吸ができるよう外呼吸の命令を出している。脳卒中，頭部外傷でこの働きが危機的になることは，周知のとおりである。しかし，脳こそ酸素不足にもっとも弱い臓器であり，絶えず酸素化と脳血流を維持しておく必要がある。すなわち，頭蓋内占拠性病変の有無を検索して治療することはたしかに重要であるが，まず ABC の安定化を図って，二次性脳

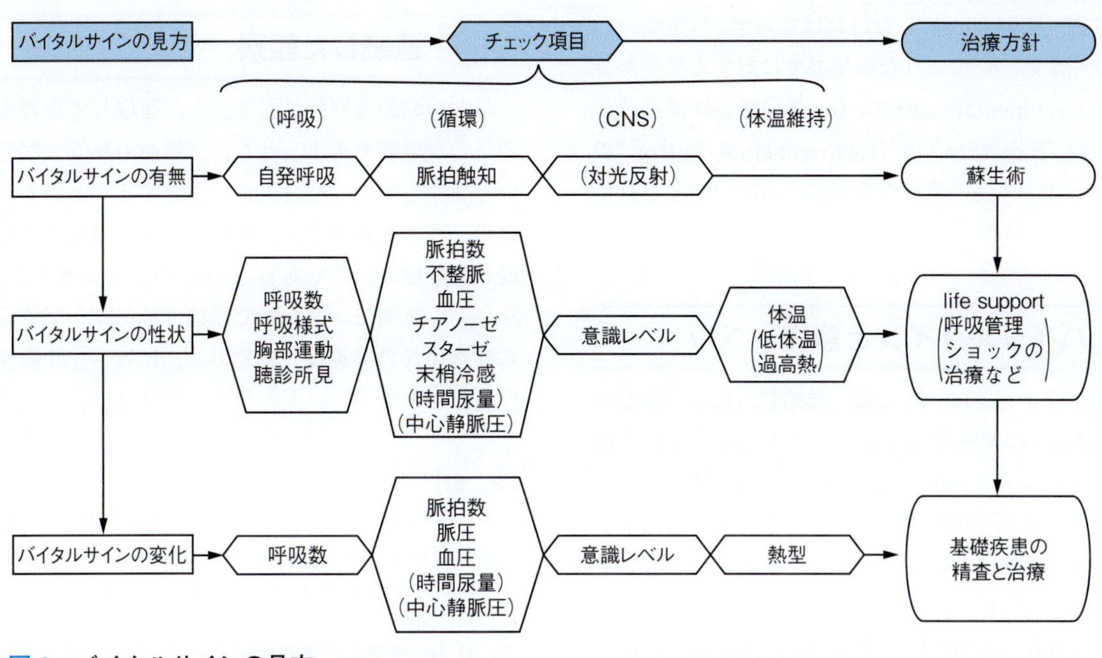

図2 バイタルサインの見方

表1 Glasgow Coma Scale (GCS)

評価項目	分類	スコア
E：開眼 (eye opening)	自発的に	4
	呼びかけにより	3
	痛み刺激により	2
	開眼しない	1
V：言語音声反応 (verbal response)	見当識あり	5
	混乱した会話	4
	不適当な発語	3
	無意味な発声	2
	発声がみられない	1
M：最良の運動反応 (best motor response)	指示に従う	6
	痛み刺激部位に手足をもってくる	5
	痛みに手足を引っ込める（逃避屈曲）	4
	上肢を異常屈曲させる（除皮質肢位）	3
	四肢を異常伸展させる（除脳肢位）	2
	まったく動かない	1

損傷の回避を優先しなければならない。この中枢神経機能の重要性を銘記させるために“ABC”に続く“D”を推奨するが，これは中枢神経機能の障害の是非を評価するという意味の英語“Dysfunction of CNS（central nervous system）”または“Disability”の頭文字である。

ヒトは恒温動物である。外気温の変化に対し，平熱を維持する仕組みが備わっている。たとえ発熱と呼ばれる熱の上昇を認めても，通常は感染や炎症に対する生体の代償反応である。しかし，35℃以下（低体温）あるいは41℃以上（過高熱）になると生命維持の障害となる。低体温では血液凝固機能の異常が生じ，著しい低体温では呼吸抑制や心室細動の出現により死亡する。一方で，過高熱では多臓器不全となる。このような理由から，体温は生命維持評価の一角を占める。救急患者は適切なケアがなされないとただちに外気温の影響を受けてしまい，偶発性低体温や熱中症はその例である。さらに，診察のために脱衣（Exposure）しなければならず，外気温の影響を受けやすい。このような環境温度に対する細やかな配慮（Environmental control）も，生命維持には必要である。この“Exposure”と“Environmental control”の“E”をとって，体温の重要性を認知する暗記法とされている。

バイタルサインと意識レベル

バイタルサインとは，呼吸数，脈拍数，血圧，体温を指す。意識レベルの評価を加えることもある。これらは前述した緊急度の評価項目（ABCDE）に含まれている。身体所見から生理学的な評価をすることに加え，定量的な数値で緊急度あるいは病状の変化を伝える方法として重要である（図 2）[3]。

また，意識レベルの評価は通常，Glasgow Coma Scale（GCS）で行う（表 1）。これに瞳孔所見や神経学的評価を加えて，①昏睡状態（GCS 合計点≦8），②急激な意識低下（GCS 合計点≧2），または，③脳ヘルニア徴候（瞳孔不同，片麻痺または Cushing 現象）のいずれか 1 つでも認められれば，中枢神経あるいは頭蓋内病変としてきわめて危険であると評価する。JATEC™ではこれを「切迫する D」と表現し，注意を促している[2]。

連続した観察

最初の緊急度評価に引き続き，連続して患者を観察することが重要である。とくに，最初の評価で緊急度は低いと判断しても，救急患者は急変することがある。そのため，バイタルサイン，意識レベル，瞳孔所見などの継続した評価が必須である。通常，バイタルサインに加え，SpO_2，心電図モニタなどで連続モニタリングする。これら観察項目の経過は，救急外来，ICU，一般病棟でも，熱型表やフローシートとして記録される。

【文　献】

1）日本臨床救急医学会緊急度判定体系のあり方に関する検討委員会翻訳：Emergency Severity Index（ESI）Version 4；救急外来緊急度判定支援ツール，へるす出版，東京，2017
2）日本外傷学会外傷初期診療ガイドライン改訂第 5 版編集委員会編：外傷初期診療ガイドライン JATEC™，第 5 版，へるす出版，東京，2016.
3）横田順一朗：救命救急処置 Vital sign の見方．外科 MOOK 38：82-91，1984.

4 急病患者の診療

救急患者とは健康状態が急変した者で，何らかの医学的介入なくしては病勢の悪化を阻止できない傷病者である。その例として，心肺停止，急激なショックの進行，意識障害などがある。しかし救急診療では，疼痛や麻痺といった自覚的な訴えのなかに緊急性を否定できず，さらに精神的要素や社会的な事情から過大に表現される愁訴も少なくない。そのため，一般診療との境界は必ずしも明確ではない。救急診療においてはこのような多様な患者に対応しても命を守ることを最優先しなければならないため，前項で述べた緊急度の評価を優先させる。

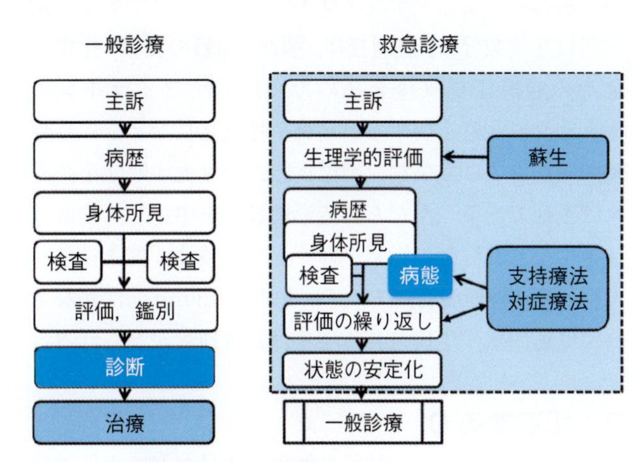

図1　一般診療と救急診療の違い

一般診療と救急診療

救急医療の特異性を診療の手順から眺めてみると，日常の一般診療との相違がよくわかる。日常診療では主観的・客観的な情報収集後，評価・分析をして診療の計画を立て，治療に入る。とくにいくつかの治療オプションを想定し，患者にとっての利益とリスクを天秤にかけて判断する。これができるのは，状態が安定していること，時間的な猶予があることである。一方，急変した患者を目前にしたとき，情報量が乏しく，生命危機の差し迫っていることが多い。このような場合，蘇生要否の判断から始まり，状態に応じ，蘇生や生命維持に対する支持療法が優先される。さらに，状態の安定を図るための各種介入（処置，投薬など）により，その反応を評価し，介入のあり方を模索する。状態が悪いほど，緊急処置や初期治療は原因疾患に対してよりも，現状の病態に対してなされるという特徴がある（図1）[1]。

緊急度の評価と蘇生

緊急度の評価は，ABCDE アプローチで行われる。ABCDE が異常であれば，ABC の安定化が優先される。

A：気道閉塞をきたす疾患

シーソー呼吸や陥没呼吸を呈する呼吸困難やチョークサインを示す患者は気道閉塞がある。内因性疾患で急に上気道閉塞をきたす疾患には口腔底蜂窩織炎（Ludwig angina），急性喉頭蓋炎およびクループ症候群（急性喉頭気管炎，急性喉頭蓋炎，血管性喉頭浮腫，痙性クループ）などがある。経口気管挿管を行うことができないこともあり，しばしば緊急で輪状甲状靱帯切開による気道確保が行われる。

B：急性呼吸不全または換気障害

呼吸困難，低酸素血症による意識障害，慢性閉塞性肺疾患（chronic obstructive pulmonary disease；COPD）による CO_2ナルコーシスなど呼吸器疾患の急病が多い。しかし，急性心筋梗塞や左心不全など循環器疾患でも呼吸困難，低酸素血症の原因となる。酸素療法もしくは気管挿管による呼吸管理が必要となる。

C：ショック

ショックは循環異常の代表的な病態であり，末梢組織への有効な血流量が減少することにより，臓器・組織の生理機能が障害される状態と定義されている。以下に示す4つの分類がある。

①循環血液量減少性ショック：出血や脱水による循環血液量の不足が原因。

②心原性ショック：心臓のポンプ機能が障害されることが原因。

③心外閉塞・拘束性ショック：心・血管回路の閉塞が原因。心タンポナーデ，緊張性気胸，肺動脈血栓塞栓症などがある。

④血液分布異常性ショック：血管の緊張に異変が生

じ，血管容量の分布が不均衡となるのが原因。敗血症やアナフィラキシーが原因の場合や，神経原性のショックが含まれる。

治療はショックの原因に応じて，輸液・輸血療法や薬物療法などがなされる。

とくに診療放射線技師にとって遭遇することの多いのが，造影剤によるアナフィラキシーショックである。造影剤投与後数分で，皮膚掻痒，顔面・口唇の発赤・腫脹，全身の蕁麻疹様皮疹を認めたら，アナフィラキシーショックに注意を要する。喘鳴や呼気延長などを伴う呼吸困難，および尿失禁，不穏状態，繰り返す嘔吐を認めれば重症である。ただちに造影剤投与を中止し，輸液投与を増量して医師の指示を仰ぐ。急速輸液，酸素投与，大腿外側（外側広筋）にアドレナリン 0.3 mg 筋注がなされ，気道閉塞が危惧される場合は気管挿管がなされる。

D：切迫する D

意識レベルの低下，神経学的異常所見などで中枢神経系の一次・二次障害の原因検索がなされる。一次性頭蓋内疾患としては脳卒中，脳腫瘍，てんかんが代表的であるが，低血糖，高血糖，ビタミン欠乏，電解質異常など頭蓋外の疾病によるものも存在する。したがって，CT などによる頭蓋内の病変検索のみならず，内分泌，代謝関連の諸検査から総合的に判断される。

E：体温

低体温（35℃以下）や過高熱（41℃以上）は重症であり，ただちに体温制御が必要である。発熱は，多くは感染症に対する反応であり，他の所見と合わせて評価される。

症候学を中心にした診療

緊急度の評価と必要な蘇生がなされた後，あるいは蘇生の必要がなければ，症候学を中心にした診察が進められ，根本治療のための原疾患が検索される。内因性疾患診療の第二ステップであり，外傷診療でいう secondary survey に相当する。したがって，容態が安定していることが条件である。

診察の進め方はいわゆる“SOAP（Subjective data, Objective data, Assessment, Plan）”に従うことが多い。これは診療録記載（problem oriented medical record；POMR）と同じであり，すなわち，医療面談として主訴や過去の病歴，現病歴などに関して情報を収集する。そのうえで系統立った身体診察が行われ，プロブレムリストを作成し，必要な検査のオーダーが出て，情報が整理される。その結果，総合的な評価・分析がなされ，治療が展開される。

救急の現場では，「糖尿病を診てください」「高血圧を治療してほしい」「胃癌の精査をしてほしい」といった疾患名よりも，患者の訴えや症候を糸口に診療が進められることが多い。

1. 救急でみられる症候

意識障害，失神，めまい，頭痛，痙攣，運動麻痺，感覚障害，胸痛，動悸，血圧異常，呼吸困難，咳嗽，喀血，吐血，下血，腹痛，悪心，嘔吐，下痢，腰背部痛，乏尿，血尿（着色尿），発熱，倦怠，脱力感，皮疹，精神症候など，訴えや症状を中心に可能性の高いものに焦点を当て，診断が進められる。このために画像診断および臨床検査がオーダーされる。

2. 情報収集

1）病　歴

患者本人からの情報収集が困難であれば，家族や付添人から情報が聴取される。かかりつけ医がいれば，診療情報を提供してもらうこともある。

2）身体所見

系統立った診察をするが，アセスメント後，焦点を絞って再び所見を見直すことがある。

3）検査所見

スクリーニング検査，除外診断および確定診断まで，無駄にならない検査が選ばれる。

疾病における緊急度判定のポイント

外傷・疾病を問わず，第一印象として緊急度を評価するには「生理学的徴候の異常」を最優先する。疾病では，これに「疼痛の強さ」「発症の急激さ」を加える。ヨーロッパで普及し，わが国にも救急外来で普及しつつあるマンチェスタートリアージシステム（MTS）では，ABCDE とともにすべての症候に共通する一般識別子として位置づけている[2]。また，日本臨床救急医学会がカナダから導入し定着させた JTAS（Japan Triage and Acuity Scale）でも同様の仕組みで緊急度を判定し，いまや多くの救急外来で「院内トリアージ」のツールとして採用されている[3]。例として，胸痛を主訴とする患者の緊急度判定の両者のフローを図 2 に示す。

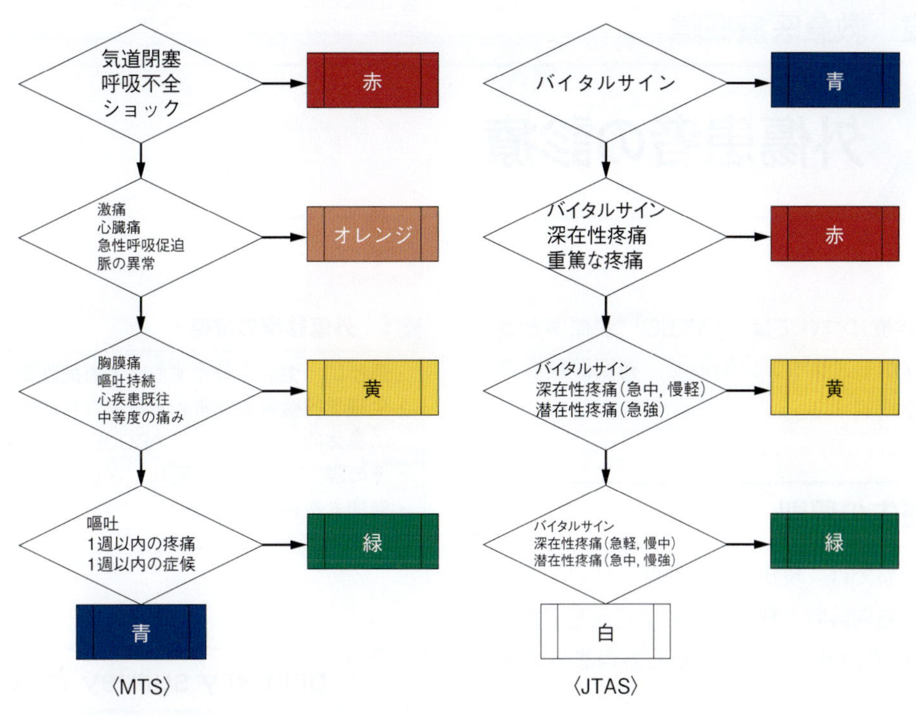

図2　「胸痛」患者の緊急度評価アルゴリズム
左はマンチェスタートリアージシステム（MTS），右がJTASであるが，いずれも生理学的徴候の異常と疼痛の強さを基準にして緊急度を評価している。MTSの赤，JTASの青はいずれも同じであり，蘇生レベルと考えてよい

診療放射線技師の役割

1．緊急度・重症度の高い患者への対応

外来での蘇生や救命処置中は，患者を移動させることができないため，ポータブルX線装置での撮影を求められる。処置を妨げず，迅速に対応し，そして安全管理を怠らない注意が必要である。とくに，一般診療に比べて検査中の急変が多いため，看護師など他の医療スタッフとの情報交換を行い，臨機応変に対処する。

2．一般診療との違いを理解する

救急診療は，一般診療における予約検査や段階を踏んだ検査計画とは異なる。救急外来での情報あるいは状態の変化によって，緊急の検査が多くなる。時間外・専門外といった理由で検査を拒否し，その結果として患者が不利益を被らないようにしなければならない。とくに，脳梗塞に対するMRIだけでなく，t-PA投与中のCTでのフォローなど，診療や治療に対するガイドラインを共有する姿勢が重要である。

3．救急撮影認定技師としての助言

救急や時間外では，放射線科医の立ち会いや読影を得ることが難しい。その意味で，救急担当医に診療放射線技師としての助言や，撮影の工夫を提案する。また読影に際しては，診断ではなく異常所見の発見に協力する。

4．IVRへの迅速対応

救急医療の領域でのIVRの需要が増えつつある。例えば，急性冠症候群に対する経皮的冠動脈形成術（percutaneous coronary intervention；PCI），脳動脈瘤破裂に対する塞栓術など救命に必要なIVRは，医師のみならず診療放射線技師にとっても重要な分野である。

【文　献】

1）横田順一朗：救急医療と医学研究．シリーズ生命倫理学（第10巻）；救急医療，丸善出版，東京，2013，pp 161–182.
2）Manchester Triage Group：Emergency Triage, 3rd ed, John Wiley & Sons, 2014.
3）日本救急医学会，他監：緊急度判定支援システムJTAS2017ガイドブック，へるす出版，東京，2017.

5　外傷患者の診療

急性期の外傷診療については，JATEC™が標準とされている[1)]。このガイドラインに沿って，初期診療の理論と診療の手順を概説する。

救命優先の原則

疾病に対する診察では，現病歴や既往歴を聴取し，身体所見をとって，鑑別診断を行う。必要な諸検査を経て確定診断後に初めて治療に入る。しかし外傷患者の場合，一般の診断学とはまったく異なる方法をとらなければ目前で患者の命を失うことがある。この特殊な診察プロセスは「外傷診療の戒律」（表1）に集約されるように，生命維持を重視することから必然的に生まれた結果である。すなわち，生理学的な徴候の異常からただちに蘇生を開始し，状態の安定化を確認したうえで，各部位の本格的な診断や治療に移行していく。

したがって，診療の手順は2つのステップからなり，それぞれの過程で行う観察を外傷診療における“primary survey”および“secondary survey”という。前者は蘇生の必要性を判断する目的で生理学的な徴候を評価することであり，後者は治療を必要とする損傷を検索するために解剖学的な評価を行うことである[2)]。primary surveyはABCDEアプローチで行われるが，その理論的背景は前項までで述べてきたため，ここでは診療の手順を具体的に解説する（図1）。

外傷患者受け入れの準備

外傷患者の収容依頼があれば，表2に示すような準備を行う。救急車が到着したら，初療担当の医療スタッフは救急車車寄せまで患者を迎えに出る。処置室まで動線の長い医療機関では，車内に医師が乗り込んで，救急隊員による処置を継続する。通常，頸椎固定のなされたバックボード上の患者はそのままストレッチャーに移される。

処置室への移動の間に，primary surveyの一環として簡単なABCDEアプローチで患者の第一印象が把握される。処置台に患者を移したら，モニタの装着とバイタルサイン測定の指示が出される。

表1　外傷診療の戒律

・最初に，生命を脅かすもっとも危険な状態を治療する
・生理学的徴候の異常から危険な状態を把握する 　具体的な方法としてABCDEアプローチで行う
・その際，確定診断に固執しない
・時間を重視する
・二次損傷を加えてはならない

primary surveyと蘇生

A：気道評価・確保と頸椎保護

まず患者に話しかけて，気道が開放されているかどうかが確認される。気道が開放されていれば100%酸素が10〜15 L/minで投与される。気道の閉塞，意識低下，酸素化が不十分であれば，気管挿管が行われる。

B：呼吸評価と致命的な胸部外傷の処置

頸胸部の視診，聴診，触診，打診が行われ，呼吸様式の異常と胸部外傷を示唆する所見が把握される。呼吸数とSpO_2をチェックし，異常があればポータブル胸部X線撮影の指示が出る。呼吸に異常をきたす多くは頭頸部や胸部外傷に由来する。例えば，気道出血，フレイルチェスト，緊張性気胸，開放性気胸，大量血胸などがあり得るためである。処置として気道確保と人工呼吸，胸腔ドレナージなどが必要となる。

C：循環評価および蘇生と止血

ショックの早期認知は，脈拍数，毛細血管再充満時間，皮膚所見および意識レベルなどから総合的に判断される。当然，脈拍数と血圧が測定され，心電図モニタが装着される。ショック状態であれば出血部位と閉塞性ショックの有無が検索される（図2）[1)]。同時に初期輸液療法が開始される。

1）外出血

ただちに止血される。

2）静脈路の確保と初期輸液療法

保温した細胞外液補充液の急速投与（1〜2 Lまたは20 ml/kg）が開始され，循環の反応で治療方針が決定される。

収容依頼の対応と受け入れ準備

⇩ 救急車の出迎え

primary survey と蘇生

第一印象　呼びかけに対する応答（A，D），呼吸様式の視診（B），皮膚・脈などショック徴候の視・触診（C，E）<救急車から初療室の間で>
⇒（前胸部露出，モニタ装着，バイタルサイン測定の指示）

↓

A：気道　気道の閉塞またはその危険性
・なし⇒酸素投与（15 L/分）
・あり⇒下顎挙上，異物除去，口腔内吸引，経口気管挿管など

↓

B：呼吸　呼吸様式，頸胸部の身体所見，呼吸数，SpO_2，（胸部X線）で異常
・なし⇒酸素投与（15 L/分）
・あり⇒経口気管挿管など＋補助換気＋酸素投与

↓

C：循環　皮膚・脈所見，脈拍数，血圧で異常
・なし⇒輸液路確保＋（採血）
・あり⇒輸液路確保＋初期輸液療法＋（採血）
外出血⇒あり→圧迫止血
緊張性気胸の徴候⇒あり→胸腔穿刺，胸腔ドレナージ
FAST，胸部X線，骨盤X線から次の所見
・大量血胸あり⇒胸腔ドレナージ→緊急手術を考慮
・腹腔内出血あり⇒緊急手術を考慮
・骨盤骨折あり⇒創外固定，TAE を考慮

↓

D：意識　GCS 合計点 8 以下，急な意識レベル低下，脳ヘルニア徴候など
・なし⇒ secondary survey で神経学的所見を再評価
・あり（切迫する D）⇒ A，B，C 安定の確認
secondary survey で頭部外傷精査を優先

↓

E：体温　体温測定，全身脱衣の完了
・低体温⇒保温

⇩

転院の判断　自施設で蘇生を完了できそうにない⇒転院

secondary survey

A，B，C 安定の確認
受傷機転，病歴の聴取
系統的身体所見　頭部→顔面→頸部→胸部→骨盤→尿道・会陰・肛門（直腸診）→四肢→背面→神経学的所見
画像診断　X線撮影，CT 検査，超音波診断，MRI など
「切迫する D」のとき⇒secondary survey の最初に CT 検査を優先
血液検査　感染予防（創処置，破傷風予防など）

⇩

転院の判断　自施設で根本治療を行えない⇒転院

入　院：損傷に対する根本治療

⇩

tertiary survey：主要な損傷の根本治療後，全身損傷の再検索

図1　外傷初期診療手順の概要

表2　医療機関の外傷患者受け入れ準備

・搬入前情報の連続した入手
・処置室（蘇生室）の確保
・外傷診療チームの外来待機（医師，看護師，診療放射線技師など）
・標準感染予防対策（ガウン，マスク，ゴーグル，手袋など）
・気道確保道具の準備とチェック
・加温輸液の準備
・モニタ類の準備
・超音波検査とポータブルX線装置の準備
・検査室，放射線室，手術室の使用状況の確認

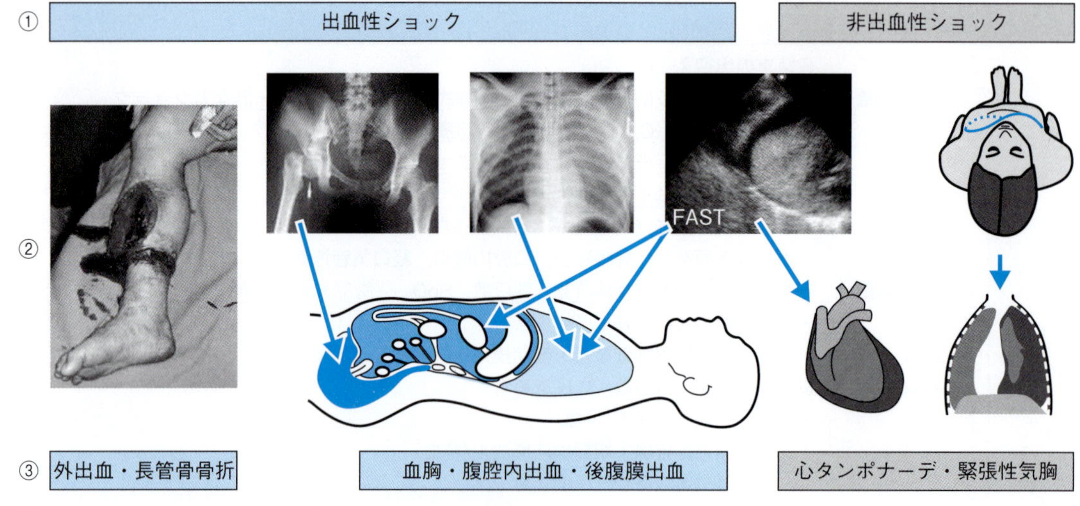

図2　primary survey におけるショックの原因検索　〔文献1）より引用〕
①ショックが出血性か非出血性かを考える，②検査をする，③診断に至る

3）出血源の検索と治療の選択

外出血や身体所見で判断できる四肢外傷以外に，出血源として胸腔，腹腔，後腹膜腔の3部位への出血の有無が調べられる。このために胸部X線，骨盤X線および超音波検査（US）が使用される。したがって，診療放射線技師は事前にポータブルX線装置の準備が必要である。USは腹腔内出血のみならず心タンポナーデ，血胸まで診断できる優れた検査であり，“FAST（focused assessment with sonography for trauma）”として外傷初期診療における必須の手技となっている。

4）閉塞性ショックの検索と解除

出血と輸液療法で説明のつかないショックの多くは閉塞性ショックである。緊張性気胸なら胸腔ドレナージが行われ，心タンポナーデなら心囊穿刺が行われる。

D：生命を脅かす中枢神経障害の評価

意識レベル，瞳孔径，対光反射，四肢運動が評価される。GCS 合計点≦8，急速な意識低下，ヘルニア徴候などがみられる「切迫するD」であれば，脳外科医のコールまたは転送の判断がなされる。ABCの安定化を確認できない時点では頭部CT検査は行われないが，「切迫するD」であればsecondary surveyの最初に指示が出されるため，診療放射線技師は事前にCT装置を準備する。

E：脱衣と体温管理

患者を脱衣させて簡単な体表観察がなされ，体温が測定される。

以上，状態の安定が確認されればsecondary surveyに移る。自施設で対応が困難であると予測されれば，可能なかぎりの蘇生に努めつつ，転院搬送されることがある。

secondary survey ―系統的な損傷検索

外傷初期診療の第二の目標は，患者に適切な根本治療の機会を与えることである。そのためには，見落としのない全身の損傷検索と，根本治療が必要かどうかの判断が求められる。この第二のステップをsecondary surveyといい，生命危機の状態を脱していることが絶対条件となる。具体的には頭頂から足のつま先までの系統的な身体所見，諸検査，病歴や受傷機転の詳細な聴取からなる。

1．受傷機転や既往歴の聴取

病歴聴取からアレルギー，常用薬，既往歴，妊娠，最終食事時間，受傷機転などが聴取される。

2．系統的に診る身体所見

頭，上顎顔面，頸部，胸部，腹部，会陰・直腸・腟，四肢および神経系など，系統的な身体診察がなされる。画像診断など必要とされる諸検査の指示が出されるが，突発的な急変に対応できる設備と熟練した医療従事者とともに診療・検査を進めることが重要である。

3．「切迫するD」の場合，頭部精査を優先

primary surveyで「切迫するD」と判断された場合，secondary surveyを行う際には最優先で頭部外傷の精査が行われる。

外傷初期診療とチーム医療

JATEC™の改訂第4版からは初期診療におけるチーム医療の重要性が特筆されており，『外傷専門診療ガイドライン JETEC』でも専門性の高い「チームアプローチ」が強調されている[3)]。

primary survey と蘇生の段階では，リーダーとなる医師の指示に従い，診療を補助する看護師，X線撮影を担当する診療放射線技師などが手際よく行動することが求められる。さらに，secondary survey や根本治療に至るまでは，検査の選択や手順，複数損傷の治療順位，治療方針の決定に，さまざまな診療科の医師，複数部署の看護師や技師が関与する。外傷診療のこのような特徴は欧米ではしばしば“multi-disciplinary approach”と表現され，これを遂行するチームのパフォーマンスが診療の質を左右するとされている。

外傷診療における診療放射線技師の役割

1. 蘇生に必要な画像の提供

primary survey の目的は外傷によって生じた生理学的な異常（例：呼吸や循環の異常）を立て直すことにある。気道や呼吸の異常に対しては，画像に頼ることなく気管挿管などの呼吸管理で蘇生が可能である。しかし，循環異常の治療にはショックの鑑別，ことに出血源の検索や心タンポナーデなどの閉塞性ショックとの鑑別が重要であり，簡易で短時間に行えるポータブルX線撮影とUSが活用される。現在，外来処置室で最低限必要な画像検査として，胸部X線，骨盤X線，USを用いたFASTが標準となっている。

2. 損傷検索に必要な画像診断

呼吸・循環が安定すれば，secondary survey に入る。ここでは通常の診断学としてさまざまなモダリティが活用されるが，中心となるのはCT検査である。ただし，造影を必要としない頭蓋内精査と損傷の描出がよい造影検査とのタイミングを考えた撮影が必要である。近年，全身を系統的に撮影する検査法（外傷全身CT撮影；trauma pan-scan）が，予期せぬ損傷の発見や時間の短縮に有用であるとされている。また，びまん性軸索損傷や脊髄損傷など中枢神経系の損傷評価にはMRIが欠かせない。

3. IVRの進化と治療戦略の変化

一昔前までは，腹腔内出血の診断に腹腔穿刺や診断的腹腔洗浄（diagnostic peritoneal lavage；DPL）がなされ，状態が比較的安定していても試験開腹術が行われた。現在では，USによる腹腔内出血量のモニタ，診断力の向上したCT検査，血管造影による経カテーテル動脈塞栓術（trans-catheter arterial embolization；TAE）などの活用によって，非手術療法（non-operative management；NOM）が行われるようになっている[4)]。NOMとは，いつでも手術を行うことができる施設で患者の状態を厳重に観察し，可能なかぎり手術療法を避けようとする治療戦略である。

また，蘇生を目的とした緊急手術では新たな治療戦略として damage control surgery（DCS）が行われるようになった[5)]。DCSとは，初回の手術は止血や汚染回避を目的に簡略な術式を採用し，ICU管理で状態の安定化を図った後に二期的に手術を行う方法である。この初回手術の補助手段として，しばしば術後にTAEが活用される。さらに，二期的手術のアプローチや術式を術前に決定できるようになったのも，画像診断の進歩によるところが大きい。

【文　献】

1）日本外傷学会外傷初期診療ガイドライン改訂第5版編集委員会編：外傷初期診療ガイドライン JATEC™，第5版，へるす出版，東京，2016.
2）横田順一朗：JATEC（Japan Advanced Trauma Evaluation and Care）が教える外傷初期診療理論．日外傷会誌 17：88-92，2003.
3）日本外傷学会外傷専門診療ガイドライン改訂第2版編集委員会編：外傷専門診療ガイドライン JETEC，第2版，へるす出版，東京，2018.
4）Kozar RA, et al：Western Trauma Association critical decisions in trauma：Nonoperative management of adult blunt hepatic trauma. J Trauma 67：1144-1148, 2009.
5）横田順一朗：循環が不安定な腹腔内出血の蘇生．消化器外科 32：445-450，2009.

6 重症患者管理の基礎

救急医療と集中治療

集中治療の目的は，外科系および内科系疾患を問わず，呼吸，循環，代謝，脳神経などの重篤な急性臓器不全に対して，強力かつ集中的な治療とケアを行うことで臓器機能を回復させ重症患者を救命することである。集中治療を行う場所を集中治療室（intensive care unit；ICU または critical care unit；CCU）といい，これを専門とする医師は集中治療専門医または救急科専門医である。わが国の救急科専門医は欧米の ER 医師（救急外来のみを担当）とは異なり，ER 診療と救急患者の集中治療の専門家（emergency and critical care physician）である。これは，二次・三次の重症な救急患者を外来から集中治療まで継続して診療する体制に由来する。

重症度の評価

1. APACHEⅡスコア

Knaus らにより提唱され，改良後 APACHE（acute physiology and chronic health evaluation）Ⅱスコアとして広く使われている。3つのカテゴリー（生理学的変数，年齢要素，既存症評価）を合計して，高値ほど重症となる（最高 71 点）。生理学的変数として体温，血圧，心拍，呼吸数，意識レベルに加え，酸素化〔肺胞気-動脈血酸素分圧較差（$A\text{-}aDO_2$），PaO_2〕，動脈血 pH，血清電解質，クレアチニン値，ヘマトクリット，白血球数検査数値を階層的にポイント化する。ICU 入室 24 時間以内の重症度評価に用いる。予後予測には適さないが，院内死亡率と有意な相関を示す（図 1）[1]。

2. SOFA スコア

SOFA（sequential organ failure assessment）スコアは，Vincent らにより提唱された多臓器不全患者の経時的な評価スコアである。治療に対する反応を評価でき，転帰も予測できる[2]。

急性呼吸不全と呼吸管理

1. 急性呼吸不全

集中治療での呼吸管理の対象となる代表的な病態が，急性肺傷害（acute lung injury；ALI）と急性呼吸促迫症候群（acute respiratory distress syndrome；ARDS）である。これらはさまざまな原因で生じる肺水腫であり，心不全，腎不全または体液過剰では説明し得ない病態の総称である。ALI/ARDS 以外では，静水圧肺水腫，各種肺炎，脂肪塞栓症候群，びまん性肺胞出血なども急性呼吸障害をきたす。原因に応じて薬物療法（ステロイド，好中球エラスターゼ阻害薬，抗菌薬など）がなされるが，重症例では人工呼吸管理が必要となる。

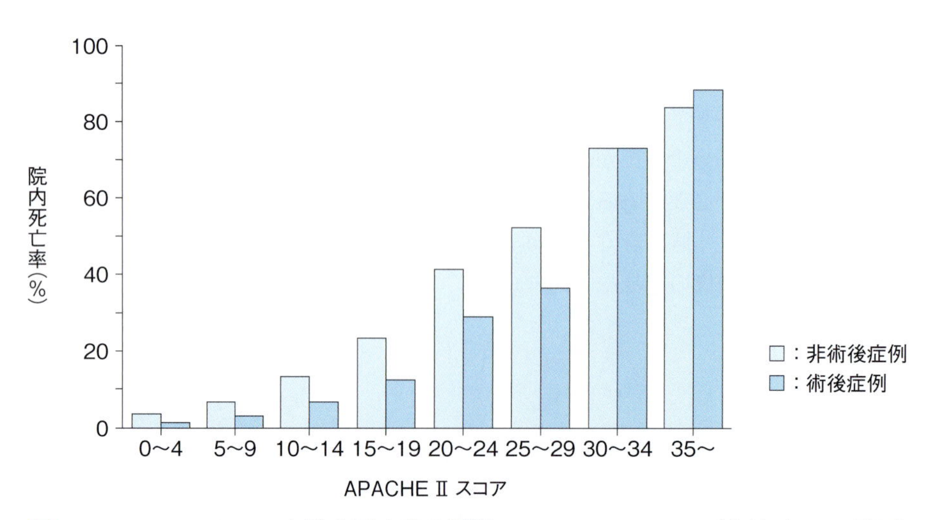

図 1 APACHEⅡスコアと院内死亡率の関係 〔文献 1）より引用〕

2. 人工呼吸管理

従来，気管挿管をしたうえでの機械的呼吸管理が主流であったが，近年，非侵襲的陽圧換気法（non-invasive positive pressure ventilation；NPPV）の実用化が進んでいる。NPPVによる呼吸管理は慢性閉塞性肺疾患（COPD）急性増悪，急性心原性肺水腫，術後呼吸不全などで採用され，覚醒下で比較的安全に行うことができる。一方，重症例では気管挿管による機械的人工呼吸法に頼らざるを得ないが，人工呼吸器関連肺炎（ventilator-associated pneumonia；VAP）や人工呼吸器関連肺傷害（ventilator-induced lung injury；VILI）などの合併症に注意が必要とされる。また，気管内チューブや回路の狭窄，屈曲，予期せぬ抜管，条件設定の誤り，停電などで医療事故につながりかねない。病室撮影時のカセッテの出し入れには注意が必要である。

循環不全と循環管理

1. 循環不全

循環は，①心臓のポンプ機能，②循環血液量，および③血管の緊張性，によって維持される。このいずれかが障害されれば循環異常を呈し，末梢組織の有効な血流が低下して，組織代謝が障害される。これが“ショック”である。これを改善し，正常な循環を維持するために以下のような循環管理がなされる。

2. 循環管理

1）輸液・輸血療法

細胞外液や循環血液量の不足を補う。

2）心電図モニタ

不整脈や虚血性変化を監視する。

3）心エコー

心臓機能と循環血液量の評価などを行う。

4）中心静脈圧測定

循環血液量の過不足および心不全状態を総合的に評価する。

5）肺動脈カテーテルによる循環動態測定

心機能，血管の緊張性，酸素需給バランスを測定する。

6）心血管作動薬の投与

心拍出量，血管の緊張性を調節し，不整脈を制御する。

7）その他

循環補助として大動脈内バルーンパンピング（intra-aortic balloon pumping；IABP），経皮的心肺補助法（percutaneous cardiopulmonary support；PCPS）が使用されたり，症候性徐脈に緊急ペーシングがなされたりする。また，心室細動などの重篤な不整脈に対し電気ショックが使われる。

頭蓋内圧亢進と頭蓋内圧の制御

頭部外傷，脳血管障害，脳腫瘍などの占拠性病変のみならず，低酸素や代謝異常などによる脳浮腫などにより頭蓋内圧が上昇する。上昇を放置すると，瞳孔不同，対光反射消失，片麻痺，Cushing現象などが出現し，脳ヘルニアをきたす。頭蓋内圧は20 mmHg以下，脳灌流圧（平均動脈圧－頭蓋内圧）は50～70 mmHg以上に維持することが推奨される。

占拠性病変の場合は手術療法が考慮され，保存的には表1に示すような種々の工夫がなされる。病室撮影時には頭蓋内圧モニタの引き抜きや不用意な頸部屈曲を放置しないように注意する。

表1 頭蓋内圧の制御方法

- 軽度の頭高位（15～30°）
- 頸部屈曲の回避
- 高浸透圧利尿薬（マンニトールなど）の投与
- 軽度の過換気（$PaCO_2$ 30～35 mmHg）
- SpO_2≧98％

【文　献】

1）Knaus WA, et al：APACHE Ⅱ：A severity of disease classification system. Crit Care Med 13：818-829, 1985.
2）Vincent JL, et al：Use of the SOFA score to assess the incidence of organ dysfunction/failure in intensive care units：Results of a multicenter, prospective study：Working group on “sepsis-related problem” of the European Society of Intensive Care Medicine. Crit Care Med 26：1793-1800, 1998.

7 災害医療の原則とトリアージの概念

災害医療と災害医学

災害とは「人と環境との生態学的関係における広域な破壊の結果，被災社会がそれと対応するのに非常な努力を要し，被災地域以外からの援助を必要とするほどの規模で生じた深刻かつ急激な出来事」とされる（William Gunn）。このような状況のなかで医療サービスを提供することを「災害医療」といい，その目標は，限られた医療資源で最大多数の集団に対して最良の結果をもたらすことである。このためには研究が必要であり，この学術分野を「災害医学」という。災害医学は，災害によって生じる健康問題の予防と迅速な救援・復興を目的として行われる応用科学であり，救急外科，感染症学，小児科，疫学，栄養，公衆衛生，社会医学，地域保健，国際保険などのさまざまな分野や，総合的な災害管理にかかわる分野を包含した医学分野とされている。

災害の種類

災害は以下のように分類されている。

1）自然災害

地震，津波，台風，竜巻，洪水，干ばつ，噴火など，自然がもたらす災い。

2）人為災害

交通機関の大規模事故，工場の爆発，火災，テロ行為，地域紛争など人工物の破損により生じる災い。

3）特殊災害

原因が複合したり，対応に特殊な医学管理が必要とされるもの。例として，核被ばく，生物兵器被害，薬毒物による災害など。

災害医療の実践

災害現場での活動は“CSCATTT”で要約される骨組みが重要とされる。すなわち，まず現場では，指揮命令体制（Command & Control）を明確にし，自らの安全，二次被害の防止（Safety）に努め，情報網（Communication）を確立して，対応策を検討（Assessment）する。この骨子が英語の頭文字から“CSCA”と呼ばれる。さらに，負傷者を救出し，応急救護に至るまでの過程では，まず緊急度を評価し（Triage），優先順位の高いものから順次，治療（Treatment），搬送（Transportation）することになる。この英語の頭文字をとって“TTT”または“3T's”と称され，日常の混雑する救急医療現場と同様の行動規範とされる。例として，災害現場や医療機関での指揮体制の組織化を図1に示す。

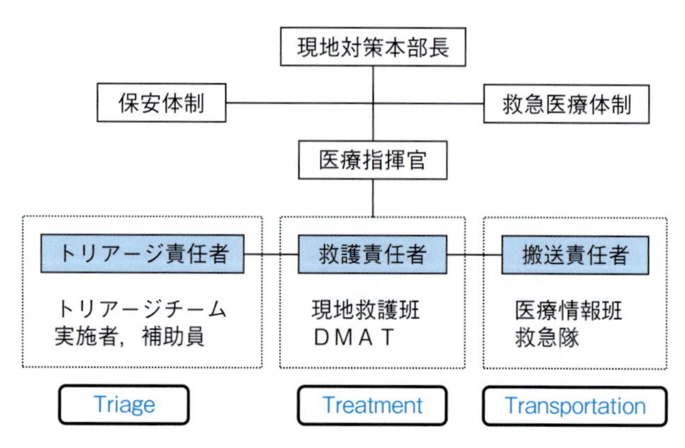

図1　現場指揮体制の例

CSCATTTの原則に従い，現場での医療救護組織はトリアージ部門，医療救護部門，搬送部門からなり，全体を統括する医療指揮官を置くことが重要である

トリアージとは

トリアージとは，限られた医療資源のなかで最大多数の傷病者に最善を尽くすために，緊急度，重症度および予後を考慮して治療や搬送のための優先順位をつける作業をいう。優先順位のもっとも高いものを区分Ⅰとし，救助者全員に状態を認知できるよう赤色で示して識別できるようにする。第二優先は区分Ⅱ・黄色で，第三優先を区分Ⅲ・緑色で表す。死亡もしくは救命不能例が最後となり，区分0・黒色である（表1）。トリアージは，傷病者の状態が変化することと，誤差を修正するために複数回行われる。

最初の一次トリアージは医師だけでなく消防・警察職員により行われるが，医療機関内ではコメディカルも関与しなければならないため，覚えておくことが望ましい。通常，STARTと呼ばれる方法で行われることが多い。これは外傷診療のprimary surveyを応用した簡易

表1　トリアージのカテゴリー

順位	名称	色	番号	定義
第一優先順位	緊急治療群（重症）	赤色	Ⅰ	ただちに治療を開始すれば救命の可能性が高いもの
第二優先順位	準緊急治療群（中等症）	黄色	Ⅱ	治療の必要性はあるが緊急性は低いもの
第三優先順位	待機群（軽症）	緑色	Ⅲ	損傷は存在しているが待機可能なもの
第四優先順位	死亡群	黒色	0	すでに死亡しているか治療しても救命の可能性のないもの

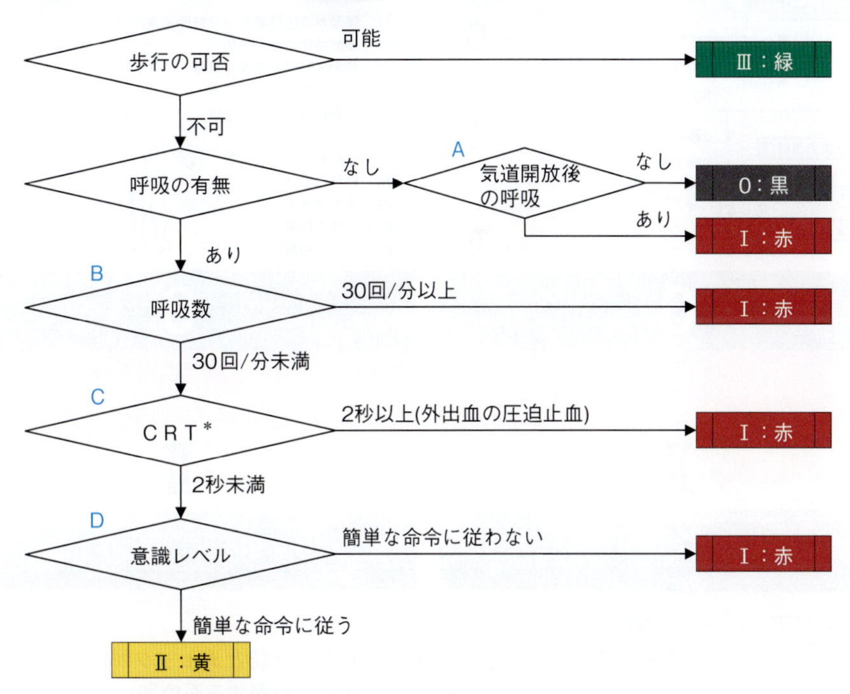

図2　START 変法による一次トリアージ
ABCDE アプローチで構成されていることを理解する。トリアージ中の処置は，気道開放のための体位変換と外出血の止血のみである
* capillary refill time。爪床を強く圧迫し，圧迫を解除した後の毛細血管の再充満時間を指す。小児では，前額や脛骨前面の圧迫がよい。循環の評価は CRT 以外に，脈拍数（120 回/分以上）や末梢動脈を触れるか否かの判定方法もある

版であり，歩行できるか否かと ABCDE アプローチを組み合わせたものである（図 2）。

また，トリアージの結果を第三者に伝え，病院前救護の情報を記録するツールとしてトリアージタグが使用され，傷病者に付けられる（図 3）。

災害時に備えた体制

1. DMAT

大地震および航空機・列車事故などの災害時に，被災者の生命を守るため，被災地に迅速に駆けつけて救急治療を行えるよう，厚生労働省の認めた専門的な研修・訓練を受けた災害派遣医療チームが，日本 DMAT（Disaster Medical Assistance Team）である。

DMAT の構成メンバーには，医師・看護師に加えて「調整員」と呼ばれる職種がある（図 4）。この調整員は，医師・看護師以外の多職種の病院職員で構成されており，診療放射線技師も DMAT では調整員となる。2019 年 4 月現在で DMAT 調整員となっている診療放射線技師は 374 名であり，医療職種のなかでも 2 番目に多い（表 2）。

調整員の役割はロジスティクスと呼ばれ，医師・看護師の診療の支援と考えられているが，実際の業務内容は多岐にわたる。災害医療にかかわるさまざまな連絡・調

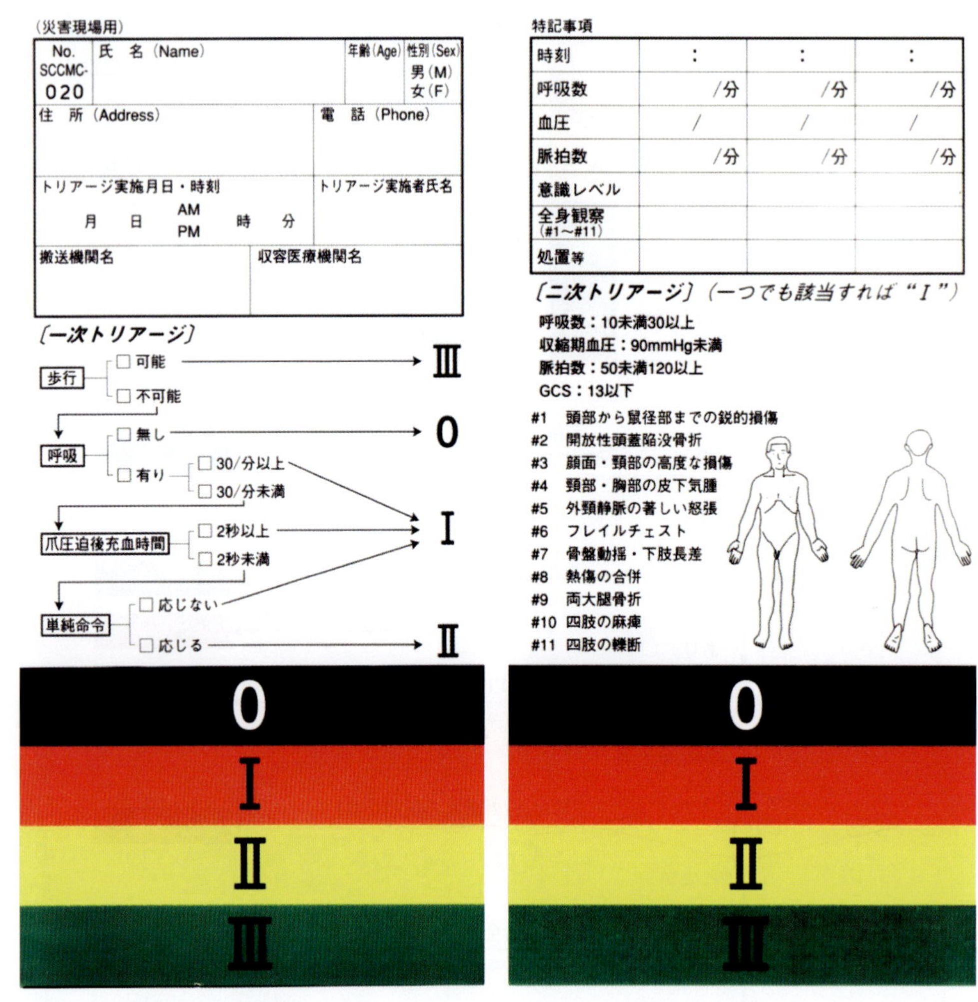
（災害現場用）

No. SCCMC-020	氏　名（Name）	年齢（Age）	性別（Sex） 男（M） 女（F）
住　所（Address）		電　話（Phone）	
トリアージ実施月日・時刻　月　日　AM PM　時　分		トリアージ実施者氏名	
搬送機関名		収容医療機関名	

〔一次トリアージ〕
歩行　□可能 → Ⅲ　□不可能
呼吸　□無し → 0　□有り　□30/分以上　□30/分未満
爪圧迫後充血時間　□2秒以上　□2秒未満 → Ⅰ
単純命令　□応じない → Ⅰ　□応じる → Ⅱ

特記事項

時刻	：	：	：
呼吸数	/分	/分	/分
血圧	/	/	/
脈拍数	/分	/分	/分
意識レベル			
全身観察（#1〜#11）			
処置等			

〔二次トリアージ〕（一つでも該当すれば“Ⅰ”）
呼吸数：10未満30以上
収縮期血圧：90mmHg未満
脈拍数：50未満120以上
GCS：13以下
#1　頭部から鼠径部までの鋭的損傷
#2　開放性頭蓋陥没骨折
#3　顔面・頸部の高度な損傷
#4　頸部・胸部の皮下気腫
#5　外頸静脈の著しい怒張
#6　フレイルチェスト
#7　骨盤動揺・下肢長差
#8　熱傷の合併
#9　両大腿骨折
#10　四肢の麻痺
#11　四肢の轢断

0
Ⅰ
Ⅱ
Ⅲ

0
Ⅰ
Ⅱ
Ⅲ

図3　トリアージタグの例

表面の上段以外は自由裁量で構成できる。トリアージ基準の確認とチェックが同時にできるフローチャートを採用することで使用しやすくしている（筆者の所属する医療圏）
左：タグ表面には，START式トリアージ基準に準拠した判定基準が示されている
右：タグ裏面には，二次トリアージの基準に沿った評価項目が列挙されている

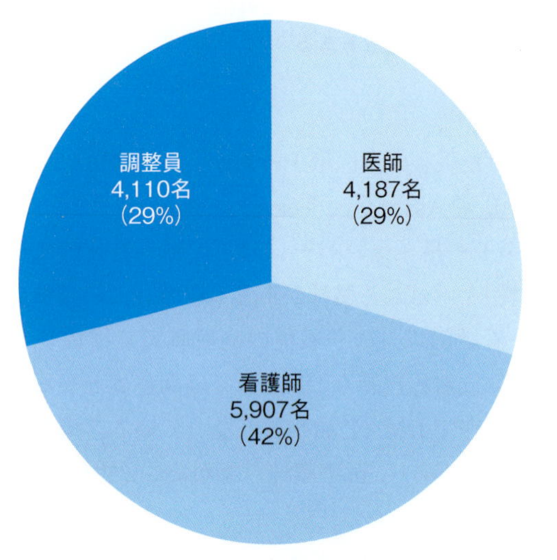

〔DMAT事務局よりデータ提供〕

図4　DMAT隊員数（2019年4月）

DMAT隊総数：1,686チーム，DMAT隊員総数：14,204名

表2　DMAT調整員の職種別人数（2019年4月）

職種	人数（割合）
薬剤師	749名（18%）
診療放射線技師	374名（9.1%）
臨床工学技士	358名（9%）
理学療法士	218名（5%）
臨床検査技師	206名（5%）
救急救命士	76名（2%）
看護師・准看護師	50名（1%）
作業療法士	44名（1%）
事務・その他	2,035名（50%）

〔DMAT事務局よりデータ提供〕

整・管理を担い，災害医療活動に必要なマネジメントを実施する。そのため，災害医療活動の成果は，ロジスティクスの能力によって大きく左右されるともいわれている。

このようなロジスティクス業務を担当する職種が多くいるなかでも，診療放射線技師にはその適性があると考えられており，①日常業務において外傷患者の対応に慣れている，②DMATメンバーである医師・看護師と連携した日常業務が多く，コミュニケーションもよくとれている，③IT化が進む災害医療において日常業務からIT機器の取り扱いに慣れている，といったことが理由としてあげられる。

2. 災害拠点病院

災害時に中心的な役割を果たすために，医薬品の備蓄，人員の育成，訓練などを行う医療機関をいう。

3. 広域搬送計画

被災地区から非被災地区へ多数の傷病者を移送して，効率よく医療サービスが提供できるよう広域搬送を行う計画を指す。DMATが担い手となり，ドクターヘリを含む各種航空機を活用する。

4. 広域災害救急医療情報システム（EMIS）

広域災害救急医療情報システム（Emergency Medical Information Service；EMIS）は，災害時の病院の情報を医療機関および行政が共有するために設置されたホームページ上の情報システムである。DMATの医療活動を支援する。

8 救急蘇生法

救急蘇生法とは

救急蘇生法とは，急性の疾病や外傷により生命の危機に瀕している，もしくはその可能性がある傷病者や患者に対して緊急に行われる手当，処置，治療などを意味する。一連の対応の流れは「救命の連鎖」として表現され，これには，①小児の不慮の事故や成人における急性心筋梗塞・脳卒中などの初期症状の発見による心停止の予防，②心停止の早期認識と通報（応援要請と緊急通報），③心停止や気道異物による窒息などに遭遇した際にただちに行われるべき一次救命処置（basic life support；BLS），④その後に医療従事者によって行われる二次救命処置（advanced life support；ALS）と心拍再開後の集中治療が含まれる。

一次救命処置（BLS）

一次救命処置（BLS）には，胸骨圧迫と人工呼吸による心肺蘇生（cardiopulmonary resuscitation；CPR），自動体外式除細動器（automated external defibrillator；AED）による除細動，および異物による気道閉塞への対応が含まれる。

BLSは誰もがすぐに行うことができる処置であるが，心停止患者の社会復帰にきわめて大きな役割を果たす。心停止患者に遭遇した場合はまずBLSを開始することが重要であり，また質の高いBLSは蘇生の成否と予後を決定する最大の因子でもある。そのため医療従事者にとっても，質の高いBLSを実践できることがもっとも重要である。

二次救命処置（ALS）

二次救命処置（ALS）では，BLSのみでは心拍が再開しない心停止患者に対して，気管挿管などの器具を用いた気道管理，除細動器を用いた除細動，静脈路・骨髄路の確保と薬剤投与，心停止の原因となる病態の検索と解除などが，BLSに引き続いて行われる。

ALSが行われる間も絶え間なく効果的な胸骨圧迫が不可欠であり，胸骨圧迫の質はBLSだけでなくALSの成功条件ともなる。また，体温管理療法をはじめとする心拍再開後の集中治療などもALSに含まれる。

院内急変時対応の基本

患者が急変した場合には，迅速に対応することは当然のことであるが，まずは患者のいる環境が安全であるかを確認することが重要である。例として，MRI室での急変時には，磁場の影響によって酸素ボンベやマニュアル除細動器などの緊急用資器材を持ち込むことができない。また，医療従事者の不用意な検査室への入室によって，ポケット内の金属製品の飛び出しによるけがなどの危険性も考えられる。

呼名しても反応がない，開眼しないなど，迅速な対応が必要な状態と判断された場合には，すぐに応援を呼んで緊急通報を行い，必ず複数のスタッフで速やかに患者を検査室外へ移動させて処置を行うことが求められる。

患者を安全な場所に移動させた後はBLSの手順に則って対応するが，複数スタッフでのBLSではリーダーを中心に，胸骨圧迫，人工呼吸，除細動，静脈路・骨髄路の確保とルート管理，そして記録係と役割を分担し，チームで急変に対応していくことが求められる。

心肺蘇生のガイドライン

従前の心肺蘇生ガイドラインとしては，1974年，1980年，1986年，1992年に発表されたアメリカ心臓協会（American Heart Association；AHA）によるガイドライン，また1992年，1996年，1998年に発表されたヨーロッパ蘇生協議会（European Resuscitation Council；ERC）のガイドラインなど，世界各地の蘇生協議会が独自にさまざまなガイドラインを作成していた。1992年にそれらのガイドラインの統合を目的に国際蘇生連絡委員会（International Liaison Committee on Resuscitation；ILCOR）が設立され，2000年には初めて国際的に統一されたガイドラインとして「AHAガイドライン2000」が発表された。

その後の，2005年のガイドライン改訂では，ILCORによる国際コンセンサス（International Consensus on Cardiopulmonary Resuscitation and Emergency Cardiovascular Care Science With Treatment Recommendations；CoSTR）を基礎資料として，各国がそれぞれの事情に合わせて独自のガイドラインを作成する方針となった。わが国でも2005年版の「日本版救急蘇生ガイドライン」や「救急蘇生法の指針」が作成されたが，これらはCoSTRやAHA・ERCのガイドラインを参考に作成されたため，時間的にも遅れを生じた。

その後，わが国も国際的なガイドライン策定に関与する必要性が唱えられ，日本蘇生協議会（Japan Resuscitation Council；JRC）が設立された。JRCがアジア蘇生協議会（Resuscitation Council of Asia；RCA）を通じてILCORに加盟したことにより2010年に向けたCoSTR策定に関与することができ，AHAやERCの2010年版ガイドラインの公表と同時にわが国でもドラフト版のガイドラインが発表され，その後に確定版の『JRC蘇生ガイドライン2010』がウェブサイトおよび出版物として発行された[1]。

JRC蘇生ガイドライン2015

2015年10月，ILCORのCoSTR2015に基づいた『JRC蘇生ガイドライン2015』が改訂され，JRCのウェブサイトでオンライン版が公開された後，2016年2月に書籍として発行された[2]。『JRC蘇生ガイドライン2015』の医療従事者向けBLSパートにおいては，以下の項目が重要なポイントとして強調されている。

1）訓練された医療従事者は，反応がみられず，呼吸をしていない，あるいは死戦期呼吸のある傷病者に対してはただちに胸骨圧迫を開始する。心停止かどうかの判断に自信がもてない場合も，心停止でなかった場合の危害を恐れずに，ただちに胸骨圧迫を開始する。

2）心停止を疑ったら，気道確保や人工呼吸より先に胸骨圧迫からCPRを開始する。

3）胸骨圧迫は，5 cm以上，6 cmを超えない深さで行う。

4）胸骨圧迫のテンポは，1分間あたり100〜120回。

5）圧迫を行うたびに胸郭が完全に元の位置に戻るよう，力がかからないようにする。

6）人工呼吸用デバイスの準備ができていない場合には，胸骨圧迫のみのCPRを行う。

7）医療従事者が人工呼吸の訓練を受けており，それを行う技術と意思がある場合には，胸骨圧迫と人工呼吸を30：2の比で行う。とくに小児の心停止では，人工呼吸を組み合わせたCPRを行うことが望ましい。

8）胸骨圧迫の中断は10秒以内とし，胸骨圧迫比率（CPR時間のうち，実際に胸骨圧迫を行っている時間）をできるかぎり大きくとり，最低でも60％とする。

9）AEDが到着したら速やかに電源を投入し，電極パッドを貼付する。AEDの音声メッセージに従ってショックボタンを押し，電気ショックを行った後はただちに胸骨圧迫を再開する。

10）CPRとAEDの使用は，ALSを行うチームに引き継ぐか，呼びかけへの応答，普段どおりの呼吸や目的のある反応が出るまで繰り返し続ける。

医療用BLSアルゴリズム

『JRC蘇生ガイドライン2015』の医療用BLSアルゴリズムを**図1**[2]に示す。

医療従事者は卒倒する患者を目撃したり，患者の容態の異常に気づいたら，ただちに反応を確認する。反応がなければALSチームへの緊急コールとマニュアル除細動器を依頼する。マニュアル除細動器がなければ，AEDを依頼する。

医療従事者であっても市民と同様に，反応・呼吸がない，あるいは死戦期呼吸であれば心停止と判断してただちにCPRを開始するが，医療従事者は反応のない患者にはまず気道確保を行って呼吸を観察する。蘇生に熟練した者であれば，呼吸を観察しながら，同時に頸動脈で脈拍の有無を確認する。ただし，脈拍の有無に自信がもてない場合は呼吸の確認に専念し，呼吸がないか，あるいは死戦期呼吸があれば速やかにCPRを開始する。なお，脈拍の確認のために迅速なCPR開始が遅れないよう，呼吸と脈拍の確認には10秒以上かけないようにする。

患者の呼吸はないが脈拍がある場合には気道確保を行い，5〜6秒に1回の間隔で人工呼吸を行いながら，ALSチームの到着を待つ。

心停止と判断されればCPRは胸骨圧迫から開始する。胸骨圧迫は，胸骨の下半分を約5 cm（ただし6 cmを超えない）の深さで，1分あたり100〜120回のテンポで中断を最小限にして行う。また，毎回の胸骨圧迫の後で完全に胸壁が元に戻るよう圧迫を解除する。ベッド上で胸骨圧迫を行う際には背板の使用を考慮するが，挿入のための胸骨圧迫の開始や中断の時間は最小にする。人工呼吸用デバイスの準備ができるまでは，胸骨圧迫のみのCPRを継続する。

バッグ・バルブ・マスクなどの人工呼吸デバイスの準備ができしだい，人工呼吸を開始する。この場合には胸骨圧迫と人工呼吸を30：2で行う。人工呼吸には気道確保が必要となり，この場合には頭部後屈顎先挙上法を用いるが，必要に応じて下顎挙上法を行う。

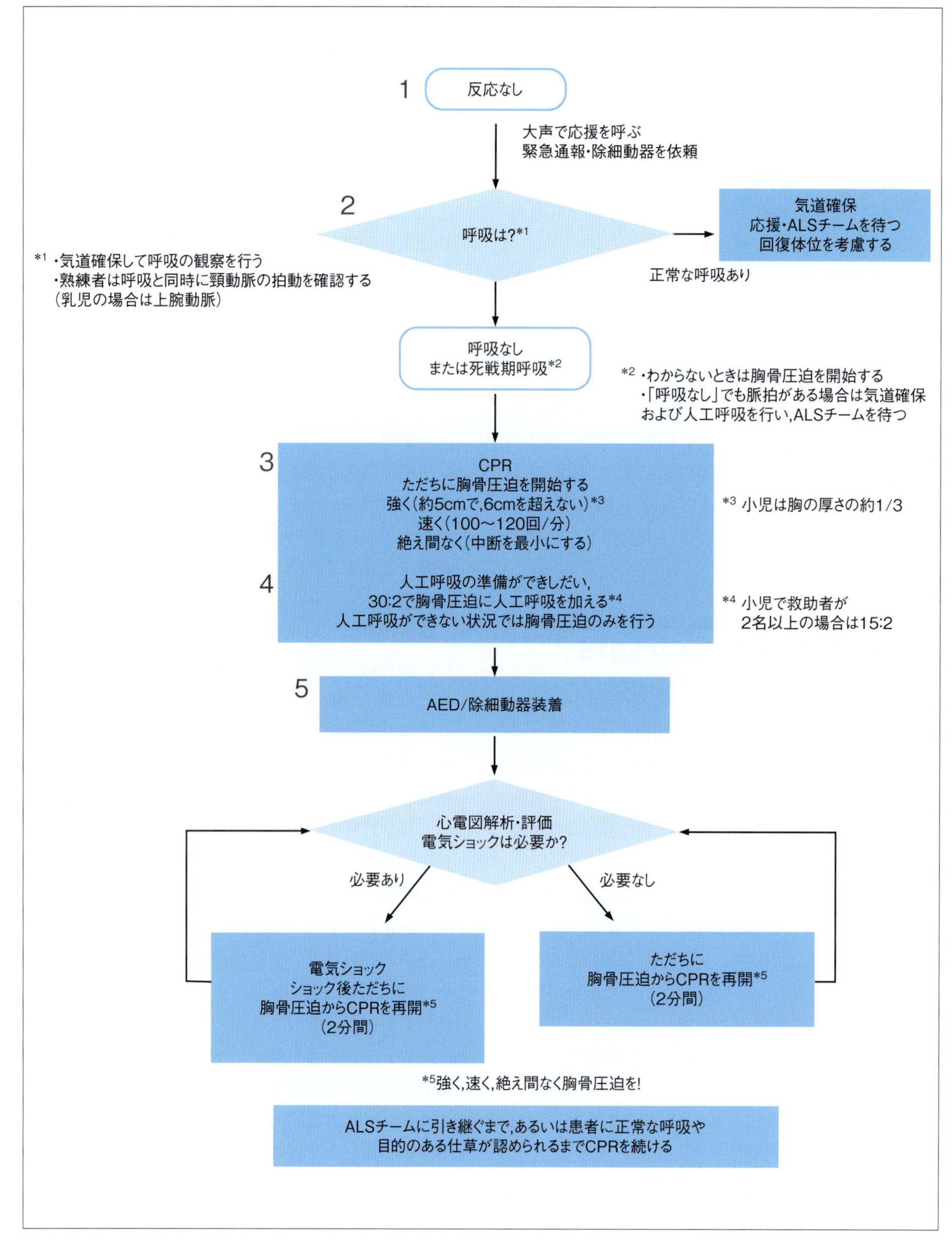

〔文献 2）より引用〕

図 1　「JRC 蘇生ガイドライン 2015」医療用 BLS アルゴリズム

BLSにおいて質の高い胸骨圧迫を継続して行うことは非常に重要であるが，救助者は大変な労力を要する。そのため，胸骨圧迫を行う救助者は 2 分間，もしくは 30：2 の CPR を 5 セット行うごとに交代し，質の高い胸骨圧迫を継続していくことが求められる。

CPR 中に除細動器（AED を含む）が到着したら，ただちに傷病者に装着して心電図の解析を行い，必要であれば迅速に除細動を行う。除細動終了後はただちに CPR を再開し，傷病者の反応が戻るか，応援チームに引き継ぐまでは，CPR を継続する。

心肺蘇生法の講習会

心肺蘇生法を学ぶ機会として，さまざまな団体が心肺蘇生法講習会を開催している。ここでは一部の講習会について紹介する。

1. AHA コース

AHA はあらゆる場所において「救命の連鎖」を強化し，心血管疾患および脳卒中とは無縁の，より健康な生活を築くことを使命とした救急心血管治療（emergency cardiovascular care；ECC）トレーニングプログラムの世界的な展開を推進しており，日本を含めて世界 100 カ国以上，5,000 以上のトレーニングセンターで AHA の ECC トレーニングが実施されている。

わが国では，BLS に関する知識とスキルを学ぶ「BLS ヘルスケアプロバイダーコース」，心血管緊急や脳卒中の二次救命処置の知識とスキルを学ぶ「ACLS プロバイダーコース」，乳幼児・小児への二次救命処置の知識とスキルを学ぶ「PALS コース」，ACLS コースよりもさらにレベルの高い内容を学びたい人向けの「ACLS-Experienced Provider（EP）コース」，応急処置の基本や CPR・AED の使用方法を学ぶ「ハートセイバーコース」などが展開されている。

2. ICLS コース

ICLS は，日本救急医学会が認定する医療従事者のための蘇生トレーニングコースである。緊急性の高い病態のうち，とくに「突然の心停止に対する最初の 10 分間の対応と適切なチーム蘇生」を習得することを目標に，講義室での講義はほとんど行わず，実技実習を中心としたコースとなっている。受講者は少人数のグループに分かれて実際に即したシミュレーション実習を繰り返し，約 1 日をかけて蘇生のために必要な技術や蘇生現場でのチーム医療を身につける。

ICLS コースの多くは受講生を限定したコース開催となっているが，一部のコースで受講生の公募を行っている。開催予定などは日本救急医学会の ICLS ウェブサイト（https://www.icls-web.com/）で確認できる。

3. 日本赤十字社救急法等講習会

日本赤十字社は，「苦しんでいる人を救いたいという思いを結集し，いかなる状況下でも，人間のいのちと健康，尊厳を守る」という使命に基づき，「救急法」「水上安全法」「雪上安全法」「幼児安全法」および「健康生活支援講習」の 5 種類の講習を行っている。

このうち救急法講習では，日常生活における事故防止，手当の基本，人工呼吸や胸骨圧迫の方法，AED を用いた除細動，止血の仕方，包帯の使い方，骨折などの場合の固定，搬送，災害時の心得などについての知識と技術を習得する内容となっている。

講習の開催情報などは，日本赤十字社のウェブサイトから各支部にアクセスして確認できる（http://www.jrc.or.jp/search/study-link/index.html）。

4. 普通救命講習，上級救命講習

「応急手当の普及啓発活動の推進に関する実施要綱」（平成 5 年 3 月 30 日消防庁次長通知）に基づき，全国各地区の消防本部が開催する応急処置技能認定講習会である。普通救命講習は，心肺蘇生法，AED の使用方法，窒息の手当，止血の方法などを学ぶコースとなっており，上級救命講習は普通救命講習に傷病者管理，外傷の応急手当，搬送法を加えた内容である。

講習の詳細な開催日程は各消防本部によって異なるため，地域の消防局や消防本部のウェブサイトなどで確認されたい。

【文　献】

1）日本蘇生協議会，他監：JRC 蘇生ガイドライン 2010，へるす出版，東京，2011.
2）日本蘇生協議会監：JRC 蘇生ガイドライン 2015，医学書院，東京，2016.

9 救急診療と臨床検査

「ガス言います…！」患者搬入直後の慌ただしい初療室に臨床検査技師の大きな声が響くと，スタッフ全員が作業を続けながらも，一瞬その声に注目するかのような緊張感が走る（図1）。

「O_2 59, CO_2 83, pH 6.89, BE − 15.7」

これを聞いた看護師は胸腔穿刺の準備を始め，臨床工学技士は人工呼吸器のセッティングを中断してモニタの確保を始めた。診療放射線技師は，患者の胸の動きをじっと観察している。

文字にすれば数行に過ぎないありふれた現場の情景であるが，実はこのなかには“チーム医療”と“患者情報の共有”という救急医療特有の要素が凝縮されている。

そもそも救急医療は，すべての医療行為において迅速性が求められ，瞬時の判断により治療が決定・開始される分野である。もちろん臨床検査も同様であり，優先順位の高い検査項目は緊急対応のうえ，結果の提供も迅速かつ的確であることは必然的である。

したがって，ここでは救急医療，とくに初療時における臨床検査の意義と役割について，“チーム医療”と“患者情報の共有”を交えて述べる。

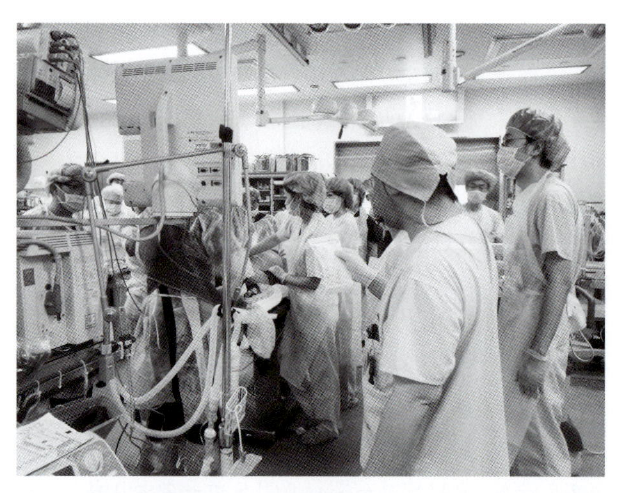

図1　臨床検査技師による動脈血ガス分析結果の口頭報告の様子

患者情報の重要性

近年の臨床検査の進歩には目を見張るものがあり，医療に多大な変革をもたらした。しかし，臨床検査はあくまでも正しい診断と治療に導くための補助手段であることは救急病院でも一般病院でも同じであり，たとえ設備や検査システムが格段に整えられたとしても，その本質は変わらない。救急病院での分析に用いる機器や検査項目などはおおむね一般病院と同じであるが，相違点を一つあげるとすれば，一般病院での臨床検査は確定診断を中心とするのに対し，救急病院での臨床検査（緊急検査）は確定診断に加えて患者の現在の病態を把握する要素が強いということである。そして，患者の病態を把握するには，患者情報が重要となる。

救急医療において患者情報の発信者は多くの場合，救急隊員（救急救命士）である。現場での救急隊員の観察・見極めと適切な判断こそ価値ある患者情報となり，効果的な治療や処置を導くとともに，無駄が少なく効率のよい臨床検査の準備にもつながる。患者情報がなくても臨床検査を進めることはできるが，患者情報をうまく利用すれば，多種多様な検査項目のなかから患者にとって最大の情報が短時間に得られるものを選択することができ，適切な優先順位のもとで検査が実施できる。

救急患者が搬入されると，医師や看護師は観察・処置などに手が取られるため，他の医療スタッフが患者の運搬や脱衣などを手伝うが，この間も臨床検査技師は患者の様子に目を配りつつ，現場状況や搬送中のエピソード，担当医とのやりとり，医師同士の会話，患者の病歴など，搬入依頼時の患者情報と相違がないか，初療時の検査に活かすことができる情報がないか，患者情報を収集し，初療時検査の修正点などを瞬時に判断する。

例えば，高所から落ちて出血性ショックを呈した患者が搬入されると，まず出血の程度を知るために血球算定検査（CBC）は必須となり，優先順位も高くなる。一方で，受傷直後のCBCは出血量の指標にはならないことを知っておく必要がある。これは，急激な循環血液量の減少に組織液の血管内移行が追いつかないためである。CBCの結果によっては輸血も必要となるため，血液型判定も迅速に実施できるよう準備しておかなければならない。さらに，臓器損傷の有無を知るためには，各臓器の特異的酵素の測定，意識障害の原因を見極めるための血中アルコール濃度測定なども忘れてはならない。このように，患者情報を活かすことで，救急医療における臨床検査を流動的に展開させていくことができる。

救急検査とは

臨床検査技師が行う「緊急臨床検査（緊急検査）」とは一般に，緊急対応が必要な患者に対して治療や処置を円滑に，また手遅れにならないように即時的に行う検査である。しかし，「迅速検査」「至急検査」などさまざまな名称が使用され，その定義はあいまいである。また，診療効率の向上や医師の都合，施設事情などにより「診察前検査」という緊急検査もある。そこで日本救急検査技師認定機構では，既存の緊急検査と区別した新しい概念として，急性期病態に特化した緊急検査を「救急検査」と定義している。この救急検査には，一般的な臨床検査に加えて，以下のようないくつかの条件がある。

1．迅速性

救急検査は，その検査が治療に速やかに反映される迅速対応が可能な検査でなくてはならない。とくに重症患者を対象とする場合に不可欠な条件であり，各種の呼吸循環モニタはもちろんのこと，動脈血ガス分析なども迅速性ゆえに有用な検査の一つである。

2．簡便性

救急検査は時間との戦いであると同時に，人的制約（マンパワー）のもとに実施されることが多い。複雑な検査は時間と人手を要するため救急検査には向かないが，測定技術の進歩により従来は複雑であった検査が簡便に行われるようになってきており，救急検査として利用可能な測定項目の種類も増えつつある。

3．随時測定

救急検査は，24 時間を通していつでも測定できる検査でなくてはならない。昼間には超近代的設備を誇っても，夜間になると何の検査もできない施設も多い。したがって救急検査の種類と質は，その施設の診療に対する取り組みとシステムの良否により大きく左右される。

4．ベッドサイド検査

血液・尿などはベッドサイドで検体を採取し，その場で検査を実施することができる。一方で，例えばCT 検査がいかに病態の把握に優れた検査方法であっても，離れた場所へ患者を移動させなければならないことは，救急検査として不向きである。

5．反復性

救急検査の対象となる患者は，時間とともに病態変化するのが特徴である。そのため 1 回のみの検査で十分であることは少なく，繰り返して検査を行うことが必要である。

救急検査の運用

このような救急検査に関する諸条件を満たしたとしても，救急検査を適切に施行して意義あるものにするためには，さらにいくつかの基本的な考え方を共有すべきである。

第一に，診療の流れのなかに救急検査をうまく組み入れることである。いかに立派な検査であっても治療の妨げになるようでは無意味であり，治療や処置の流れにスムーズに組み込まれてこそ，チーム医療や臨床支援という目標を達成することができる。

第二に，救急検査では無駄な検査を極力避けなければならない。一般的な臨床検査において無駄な検査が許されるという意味ではないが，救急検査ではよりいっそう強調されるべきである。さらに救急検査は，必要最小限の検査であり，かつ最大の情報が得られるものでなくてはならない。

第三に，救急検査の目的を明確にしなければならない。一般的な臨床検査は確定診断を目的として行われるが，救急検査の目的は現時点における病態を把握して適切な治療を導くために必要な情報を得ることであり，必ずしも確定診断を行う必要はない。

第四に，救急検査の結果はただちに治療や処置に反映できるものでなければならない。救急検査で対応しなければならない患者は急激に病態が変化することが特徴であるため，検査結果をすぐに患者にフィードバックしてこそ価値がある。

第五に，得られたデータの評価である。一般の臨床検査室では，著しい異常値が出るとまず検体・検査・記載などのエラーを考え，その原因を回避してから再検査を行う。しかし，救急検査では異常値を検査のエラーと決めてかかるのではなく，患者急変時には信じられないような値に遭遇することや，正常値が必ず患者の正常を意味するとは限らないことを理解し，検査値だけで病態を評価せず，必ず検査値と病態を一緒に評価する。

そして，救急検査はあくまで診察による全身状態の把握に従属すべきものであり，その病態に対応して正しくとらえられたものでなければ意味がない。救急検査が一人歩きしないように留意する必要がある。

救急検査の優先順位

重視すべきは緊急度であり，救急検査の優先順位も，酸素の流れに沿った項目が優先される。JATEC^{TM}では生理学的徴候の把握をprimary surveyとしており[1]，この間に必要な優先順位の高い検査としては，血液ガス分析や血算，血糖，電解質，血液型を含む輸血関連の検査などがある。

臨床現場ではprimary surveyにより生命の安全を確認したうえで，各身体部位の損傷および病変を検索（解剖学的徴候の把握）し，根本治療の必要性を決定する。そのため，臨床検査技師が行うほとんどの検査は生命の安全を確認したうえでオーダーされるものであり，生命危機の点から考える優先順位にこだわることはないと思われる。しかし，例えば時間外の検査で，検査の依頼部署や項目からその目的が生理学的徴候の把握，すなわち患者の生命危機にあると判断した場合には，その依頼を最優先で実施しなければならない。そのためには後述するPOCT（point of care testing）やサテライトラボの充実も重要であるが，日常から患者情報の入手や臨床現場とのコラボレートを図ることが，それら以上に重要である。

POCTとは

日本臨床検査自動化学会の『POCTガイドライン』では，POCTの和名として「臨床現場即時検査」が提唱されている[2]。あくまでも臨床現場で行われることがPOCTの重要なポイントであり，“bedside testing” や “near patient testing” などとも呼ばれるように，患者の近くで行われることが原則である。検査室への検体搬送時間を省略し，検査の待ち時間を大幅に短縮することによって，検査結果をより速く患者の治療や処置に活かす仕組み（システム）がPOCTとされる。

POCTという言葉は使用されていないものの，同様の概念の検査は相当以前より行われていたようである。例えば1980年代前半の救急医療では，集中治療室（ICU）のすぐ隣の部屋に血糖，電解質，血液ガスの分析機器が置かれ，看護師や研修医が患者急変時や人工呼吸器の条件変更時，処置の前後など必要に応じて検査を行っていた。さらにベッドサイドでは，看護師がスティックタイプの尿試験紙を用いて尿糖やケトン体を測定していた。このような検査体制は，現在のPOCTの原形といえるであろう。このことからもわかるように，救急外来やICUでは，刻一刻と変化する患者に対応するために，POCTのもつ迅速性が重要視されるのである。

“チーム医療”と“患者情報の共有”

重症患者を救命するには，医師の技量や看護体制はもちろんのこと，各種医療行為が優先順位や緊急度を軸として迅速に実施されなければならず，患者の病態を把握したうえでの諸検査や，疾病に応じた可変的な検査体制など，職域を超えた特殊な対応が求められる。とくに急性期にもっとも重要なことは，現場で作業するすべてのスタッフが患者情報を共有し，各職種が患者情報に基づいて専門性を活かしたチーム医療を迅速に展開することである。

本項の冒頭に示した状況を振り返ってみてほしい。ここには，まさしく“チーム医療”と“患者情報の共有”という救急医療特有の要素が凝縮されている。臨床検査技師が患者の最新の動脈血ガス分析（ABG）の結果を口答で臨床現場に報告した。臨床検査技師は医師に向けて報告したが，それを聞いた看護師は患者が緊張性気胸の状態であると判断し，胸腔穿刺の準備を始めた。一方で臨床工学技士は，緊張性気胸であれば人工呼吸器は使用できないと判断し，モニタ類の確保を始めた。そして診療放射線技師は，受傷機転や搬入前の患者情報から緊張性気胸を予測しており，ABGデータからそれを確信して，胸郭の動きを見ることで緊張性気胸を確認した。

このように，臨床検査技師が報告したABGの値から，各職種がそのデータのもつ意味を理解し，専門性に則した行動を迅速に行うことが，救急医療では重要となる。

救急撮影に活用する動脈血ガス分析（ABG）結果

ABGは従来，臨床検査のなかで肺機能検査に分類されていたが，救急医療の進歩に伴ってバイタルサインともいうべき必要不可欠な項目となっており，診療放射線技師だけでなく，救急外来や初療室にかかわる全職種が共有する患者情報として修得しておくべきである。以下，診療放射線技師による救急撮影の絞り込みを目的としたABGデータの解釈を概説する。

1. 酸素化能の評価

ABGにおいて，酸素化能の評価は動脈血酸素分圧（PaO_2）で行う。基準値は空気呼吸下（RA）で90～100 mmHgであるが，成人を過ぎると加齢に伴って低下傾向となる。RAにおいて150 mmHgを超えることはない。PaO_2が基準値以下の場合には酸素化能不良を意味し，60 mmHg以下では酸素投与の対象となる。ただし，酸素投与下に搬送されてきた場合は評価方法が異なる（後述）。

2. 換気（肺胞換気）能の評価

ABGにおいて，換気能の評価は動脈血二酸化炭素分圧（$PaCO_2$）で行う。基準値は35〜45 mmHgで，$PaCO_2$が基準値以下の場合は過換気状態を示し，基準値以上では低換気状態を示す。

3. 酸塩基平衡の評価

ABGにおいて，酸塩基平衡の評価はpHまたは過剰塩基（BE）で行う。pHの基準値は7.35〜7.45，BEの基準値は−2.0〜2.0 mEq/lである。pHおよびBEが基準値以上ではアルカローシス（アルカリ血症），基準値以下ではアシドーシス（酸血症）状態を意味する。

酸塩基平衡は肺と腎の機能バランスによってほぼ一定（pH 7.40）に保たれているため，酸塩基平衡の異常を認めた場合には肺と腎のどちらに機能障害があるか見極める必要がある。肺に機能障害を認めた酸塩基平衡異常を呼吸性，腎に機能障害を認めた酸塩基平衡異常を代謝性といい，それぞれの機能障害にアルカローシス・アシドーシスが存在するため，4つに分類される。4分類それぞれに特有の疾患や病態があるため，ABGの結果から分類することは，救急撮影の絞り込みにも有用であろう。

1）呼吸性アシドーシス

呼吸性アシドーシスは，低換気状態により二酸化炭素が蓄積され酸塩基平衡異常を引き起こしたもので，pHが基準値より低く，$PaCO_2$が基準値より高くなる。主たる原因として，呼吸抑制作用のある薬剤の過剰投与，脳幹障害，頸髄損傷，閉塞性肺疾患，睡眠時無呼吸症候群，高度の胸郭変形，高度の血気胸・胸水貯留，人為的原因，その他神経・筋・肺・胸郭疾患などがある。

2）呼吸性アルカローシス

呼吸性アルカローシスは，過換気状態により通常以上に二酸化炭素が体外に排出され酸塩基平衡異常を引き起こしたもので，pHが基準値より高く，$PaCO_2$が基準値より低くなる。主たる原因として，発熱，肺塞栓症，特発性過換気症候群，呼吸刺激剤による過換気，肝性昏睡などがある。

3）代謝性アシドーシス

代謝性アシドーシスは，体内における酸性代謝物の産生や体外からの酸負荷の増大によって生じるものと，炭酸水素イオン（HCO_3^-：基準値23〜27 mEq/l）が喪失することで酸塩基平衡異常を引き起こしたもので，炭酸水素イオンが低値となる点が特徴的である。ABG的にはpHとBEや炭酸水素イオンが基準値より低くなる。主たる原因として，重症の下痢，サリチル酸中毒，メチルアルコール中毒，糖尿病性アシドーシス，乳酸性アシドーシス，尿細管性アシドーシスなどがある。

4）代謝性アルカローシス

代謝性アルカローシスは，緩衝塩基（主に炭酸水素イオン）の高値もしくは水素イオンの喪失によって酸塩基平衡異常を引き起こしたもので，ABG的にはpHとBEや炭酸水素イオンが基準値より高くなる。主たる原因として，胃液の喪失，Cushing症候群，ステロイドホルモン投与，利尿薬投与などがある。

4. 酸素投与下における酸素化能の評価

酸素投与下における酸素化能の評価としてよく用いられるのがP/F ratioである。PaO_2/FIO_2（動脈血酸素分圧/吸入気酸素濃度）のことで，oxygenation indexと表記されることもある。

P/F ratioの評価としては，350以上で酸素化能良好，200〜350で要注意，200以下で不良とし急性呼吸促迫症候群（ARDS）や急性肺傷害（ALI）が疑われるため，ただちに治療や処置が必要となる。

例として，以下のような場合には，酸素化能はどちらがよいと判断すればよいだろうか。

A）空気呼吸下（FIO_2 21.0%），PaO_2 63.0 mmHg

B）FIO_2 50%，PaO_2 130.0 mmHg

各々のP/F ratioは以下のようになる。

A）63.0（PaO_2）÷0.21（FIO_2）=300

B）130.0（PaO_2）÷0.50（FIO_2）=260

P/F ratioはB）よりA）が高いため，酸素化能としてはB）に比してA）が良好となる。

5. 血　糖

原因不明の意識障害患者搬入時には積極的に血糖を測定し，低血糖の有無を確認する。低血糖状態が長時間持続すると，遷延性意識障害や不可逆性脳機能障害，さらには死亡につながる可能性もあり，その検出および原因検索は重要である。また，救急車で搬送された低血糖症例の約40%は非糖尿病治療薬によるもので，著しい意識障害例が多く，転帰としての入院死亡の全例を占めたという報告もある。さらに，心不全・肝不全・腎不全は非糖尿病症例における低血糖の原因となり得る。

6. 乳　酸

敗血症はcoronary care unit（CCU）を除く集中治療室における第2位の死亡原因であり，全人口における死亡原因としても第10位に位置づけられている。敗血症は全入院症例の2%，ICU入院症例の75%を占め，その死亡率は20〜50%と高率である[3)〜9)]。敗血症のうち，敗血症性ショックを発症すると臓器灌流低下（乳酸アシドーシス，乏尿，意識混濁）や低血圧から，臓器機能障害や

DICなどが惹起されて重篤な病態を呈する。したがって，早期診断・治療が重要である。

敗血症性ショックの予後を改善する重要な治療介入として診断早期の循環/酸素代謝蘇生があり，血中乳酸値測定は敗血症性ショックの診断および主な治療の目標とされている。

7．プロカルシトニン（PCT）

敗血症は，治療の遅れが転帰の悪化につながる。また，細菌感染症では適切な抗菌薬投与が必須であり，敗血症性ショックではショック発現後，適切な抗菌薬投与が1時間遅れるごとに7.6％ずつ死亡率が上昇することが報告されている[10]。

プロカルシトニン（PCT）は全身性細菌感染症で上昇するきわめて有力なマーカーであるとされており，1990年代前半にヨーロッパから発信され，わが国においても細菌感染症における認識が高まっている。PCTは甲状腺のC細胞で生成されるカルシトニンの前駆体であり，正常状態ではPCTとしては血中には放出されないが，重症細菌感染症においては甲状腺以外でも産生され，カルシトニンに分解されることなく安定したまま血中に分泌される。しかしC反応性蛋白（CRP）と同様に，手術や熱傷，重症膵炎などの感染症以外の侵襲でも上昇することがあることに注意が必要である。PCTの血中レベルが上昇する反応時間は約2〜3時間，半減期は約20〜24時間である。CRPはそれぞれ約6時間，半減期は4〜6時間であるため，有効な治療に対する反応はPCTのほうが迅速である。

1993年にAssicotらはPCTの有用性について，重症細菌感染症では著明に上昇し，治療により速やかに低下すること，局所細菌感染やウイルス感染では著しい上昇は示さないことなどを報告している[11]。このように，敗血症診断においてPCTはCRPに優るが，「PCTは特異的なマーカーであり，その上昇は細菌感染のみを示し，上昇がなければ細菌感染を否定できる」という誤った認識は改めるべきであり，安易にPCTのみから敗血症を診断してはならない。

8．安定化フィブリン分解産物（FDP D-dimer）

近年，各種血液生化学マーカの有用性に関する報告が相次いでなされており，抗DDモノクロナール抗体で測定されるFDPがD-dimerである。D-dimerは，plasminによる安定化フィブリンの分解産物(二次線溶)であり，一次線溶を反映しない。したがって，D-dimerの血中濃度の上昇は二次線溶，すなわち凝固機序の活性化に際して反応性に線溶機序が亢進していることを意味するため，深部静脈血栓症，肺血栓塞栓症，急性大動脈解離の診断に有用とされている。しかし特異度が低いため，胸痛・背部痛の評価ではむしろ除外診断のマーカーとしての意義が大きい。また，外傷患者（とくに頭部外傷）では受傷後早期より線溶亢進状態となるため，出血を増悪させ死亡リスクを上昇させる[12][13]。

なお，D-dimerは測定法や測定試薬の違いによって基準範囲が異なることに注意しなければならない。

救急患者搬入時における臨床検査の進め方とその役割について，“チーム医療”と“患者情報の共有”を含めて述べた。救急医療においては，全職種の医療行為に迅速性が要求されるため一発勝負的な要素が強く，危険度も非常に高い。それゆえに，“チーム医療”と“患者情報の共有”を駆使したうえで，見て・考えて・プランを練り・行動すること，そしてその行動を吟味する習慣が，診療放射線技師に限らず，救急医療に携わるすべての職種に必要である。

【文　献】

1）日本外傷学会外傷初期診療ガイドライン改訂第5版編集委員会編：外傷初期診療ガイドラインJATEC™，第5版，へるす出版，東京，2016.
2）日本臨床検査自動化学会：POCTガイドライン第4版．日臨検自動化会誌43（Suppl 1），2014.
3）Wheeler AP, et al : Treating patients with severe sepsis. N Engl J Med 340 : 207-214, 1999.
4）Angus DC, et al : Epidemiology of severe sepsis in the United States : Analysis of incidence, outcome, and associated costs of care. Crit Care Med 29 : 1303-1310, 2001.
5）Martin GS, et al : The epidemiology of sepsis in the United States from 1979 through 2000. N Engl J Med 348 : 1546-1554, 2003.
6）Dombrovskiy VY, et al : Rapid increase in hospitalization and mortality rates for severe sepsis in the United States : A trend analysis from 1993 to 2003. Crit Care Med 35 : 1244-1250, 2007.
7）Padkin A, et al : Epidemiology of severe sepsis occurring in the first 24 hrs in intensive care units in England, Wales, and Northern Ireland. Crit Care Med 31 : 2332-2338, 2003.
8）Vincent JL, et al : Sepsis in European intensive care units : Results of the SOAP study. Crit Care Med 34 : 344-353, 2006.
9）Dombrovskiy VY, et al : Facing the challenge : Decreasing case fatality rates in severe sepsis despite increasing hospitalizations. Crit Care Med 33 : 2555-2562, 2005.
10）Kumar A, et al : Duration of hypotension before initiation of effective antimicrobial therapy is the critical

determinant of survival in human septic shock. Crit Care Med 34 : 1589–1596, 2006.
11) Assicot M, et al : High serum procalcitonin concentrations in patients with sepsis and infection. Lancet 341 : 515–518, 1993.
12) Harhangi BS, et al : Coagulation disorders after traumatic brain injury. Acta Neurochir (Wien) 150 : 165–175, 2008.
13) Wafaisade A, et al : Acute coagulopathy in isolated blunt traumatic brain injury. Neurocrit Care 12 : 211–219, 2010.

Ⅱ章 救急撮影総論

1 救急診療と画像診断

画像診断機器の進歩，とくにCTの進歩により，救急診療において画像診断（以下，特別に記さない場合を除き，画像診断とは「画像検査＋画像診断」を指す）が活用される場面が増えている。救急診療に寄与するCTの進歩としては，短時間で広い範囲をスキャンできるようになったこと，被ばくを低減しながら画質を維持できる技術，また，得られたボリュームデータから説得力のある再構成画像が短時間で作成できるようになったこと，そして発生する非常に多くの容量の画像情報を短時間のうちに共有できるようになったこと，などがあげられる。

これらは救急診療における画像診断の積極活用において大きな背景要因ではあるが，過剰依存とも評される画像診断利用の背景には，人的資源が十分とはいえない環境下でも診療を継続しなければならない診療担当医にとって，効率よく安全に診療をこなす手段として，画像診断はこれ以上なく有用であるということもあげられるであろう。

24時間365日継続させなければならない救急診療において，人的資源が決して十分とはいえないなか，診療担当医は必死に患者やその家族，そして社会の要求や期待に応えようとしている。その実態を鑑みたとき，救急診療においては，画像検査の適応が通常診療におけるそれと比較して拡大されることはあり得る。

救急診療における画像診断の位置づけ

救急診療では，短時間のうちに，正確な診断に基づく適切なマネジメントを行わなければならない。短時間で「非観血的に」正確な病態生理学的・解剖学的情報を提供できる画像診断は，この過程において大きな役割を果たしている。鈴木ら[1)]は，急性腹症におけるCTの有用性の検討において，CT前後の診断と治療方針を比較して，正しい診断に変更になった症例が33%，診断確信度が高度になったものが49%，治療方針に変更が生じたものが27%あり，とくに治療方針変更においては，帰宅予定から入院となったものが16%，保存的加療予定から手術となったものが18%，入院させようとしていたが帰宅となったものが26%あったと報告し，画像診断は診断だけでなく，治療方針決定においても有用であるとしている。同時期には米国からも同様の報告[2)]が出ており，ここ最近でもイタリア[3)]やデンマーク[4)]から同様の報告がある。

詳細は他項に譲るが，以下に救急診療の各場面における画像診断について述べる。

1．外傷診療と画像診断

外傷診療においては，時間を意識した行動がとくに重要である。重症患者の診療にあたっては，患者来院前から病院前情報に基づいて放射線チーム（診療放射線技師，画像診断医，IVR医）が起動されるべきである。そうすることにより，primary surveyの段階から情報共有と迅速な検査施行，画像提供が可能となる。

CT施行にあたっては，primary surveyの過程から造影ルートの確認，不要異物の除去，四肢の固定などを行っておくと，CT室滞在時間を短縮できるが，そのためには初療段階から診療放射線技師も診療に加わるか，日ごろから初療室内・検査室内での動きについてディスカッションを行い，実際の動きのシミュレーションを行うことも効果的である。そうすることで，診療手順の共有が可能となり，各部門内の努力のみでは達成できないレベルの診療が可能となる。

このような活動の重要性は，外傷のみならず，脳卒中や急性心筋虚血，大動脈瘤破裂などの診療にも当てはまる。

2．集中治療と画像診断

重症患者に対して行われる画像検査としてもっとも頻度が高いものは，何といってもポータブル胸部単純X線撮影（以下，ポータブル撮影）であろう。ICUに収容される重症患者では急激に病態が変化し得るため，治療方針もそれに応じて時間単位や，時にはそれより短い単位で対応していく必要がある。そのような状況下では，ポータブル撮影から得られる情報も治療方針を決定するうえで非常に重要であり，正確な診断が求められる。

正確な診断のためには質の高い画像提供が求められるわけであるが，「ポータブルだから」と，いい加減な検査施行となっていないだろうか。ポータブル撮影だからこ

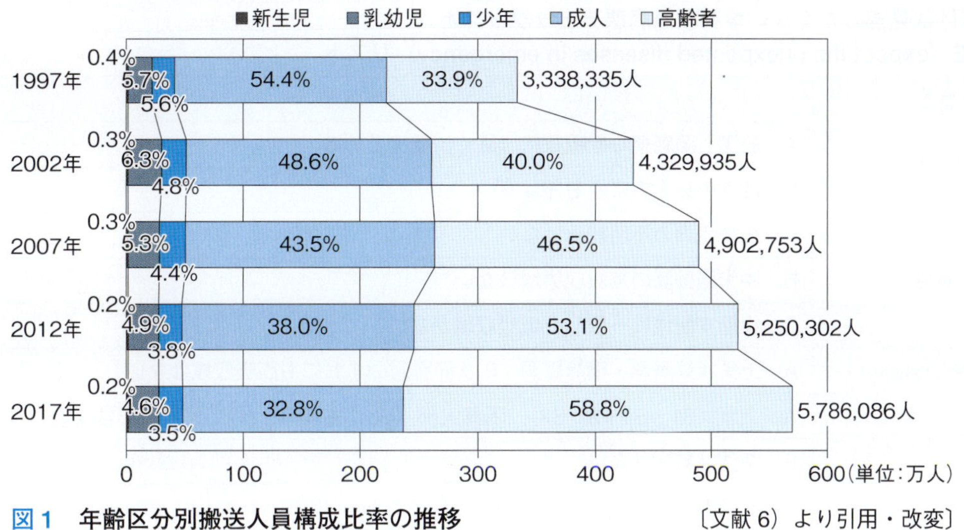

図1　年齢区分別搬送人員構成比率の推移　〔文献6）より引用・改変〕

そ，もっとも手をかけて，情報量の多い画像を提供しなければならない[5)]。対象患者は院内でもっとも重症な患者なのである。しかし現実には，これを達成するには多くの障壁が存在することは事実であり，時間をかけてチームとして取り組む必要がある。まずは，「なぜポータブル撮影が重要なのか」ということを依頼医，診断医，診療放射線技師，看護師で共有することから始めるべきかもしれない。

3. ER・救急外来と画像診断

救急診療における人手不足が叫ばれる一方で，救急車の患者搬送数は毎年増加傾向にある。とくに高齢者の搬送数増加が目立ち，およそ60％を占めている（図1）[6)]。高齢者では複数の既往歴を有することもしばしばであり，侵襲に対して余力がないため重症化までの時間が短く，また身体所見や画像所見が非特異的であったり，反応が遅れてみられることもあるため，客観的情報を得る手段として画像診断は有用である。

また，一般救急外来の受診者数も増えるなかで，効率的に，少ない人員で，安全に患者をマネージするうえでも，画像診断の果たす役割は大きいといえる。

診療放射線技師と「画像診断支援」

診療放射線技師の役割は，第一に，安全に検査を行って，質の高い画像情報を，必要な場所に提供することである。この業務の周辺には，画質や被ばくの管理だけでなく，他部署と共同した業務も含め，診療放射線技師にはさらに多くの役割が与えられており，求められる範囲は拡大している。「画像診断支援」はその一環であり，とくに画像診断医の不在の場面が多い救急診療の現場では，異常所見の有無について診療担当医から意見を求められる場面も少なからずあると考える。

一例として，限られた病態についての画像所見をテンプレートを用いて判定する（表1）という形であれば，比較的容易に異常所見の報告を行うことができ，臨床現場でのニーズにも応えることができると考えられる。

短い時間で適切なマネジメントを行うことが求められる救急診療において，そして，少ない人員で効率的に安全な医療を提供するうえでも，画像診断の果たす役割は大きい。現在の画像診断の位置づけを前向きにとらえ，患者のために尽くそうと日々身を粉にして働く診療担当医のために，チームの一員として，積極的に救急診療にかかわるようにしたい。

【文　献】

1）鈴木卓也，他：急性腹症の患者の診断におけるCT検査の有用性に関する研究．日腹部救急医会誌30：875-881，2010.
2）Abujudeh HH, et al：Abdominopelvic CT increases diagnostic certainty and guides management decisions：A prospective investigation of 584 patients in a large academic medical center. AJR Am J Roentgenol 196：238-243, 2011.
3）Pescatori LC, et al：Clinical impact of computed tomography in the emergency department in nontraumatic chest and abdominal conditions. Emerg Radiol 25：393-398, 2018.
4）Pies-Heje MM, et al：Utility of multiple rule-out CT screening of high-risk atraumatic patients in an emergency department：A feasible study. Emerg Radiol 25：357-365, 2018.
5）松本純一編：本当は教わりたかったポータブル胸部X線写真の読み方，メディカル・サイエンス・インターナショナル，東京，2019.
6）総務省消防庁：平成30年版消防白書；救急業務の実施状況，2019.

表1　これだけは見逃したくない重要救急病態チェックリスト：
ETUDE（expect the unexpected diseases in emergency）リスト

	疾患	所見
頭部	くも膜下出血	A. 脳溝も脳底槽も低吸収に（黒く）見えている
		B. 脳溝の見え方に左右差はない
	急性期脳梗塞	A. 皮髄境界の不明瞭化はない*
		B. 中大脳動脈の高吸収領域はない*
		C. 血管支配域に一致した低吸収域がない*
	脳静脈洞血栓症	A. 上矢状静脈洞・横静脈洞・S 状静脈洞いずれにも高吸収域はない*
胸部	結核	A. 上葉（S1，S1+2，S2），下葉尖部（S6）主体の分枝状 or 粒状影はない
		B. 空洞性結節はない
	心筋梗塞	A. 心筋の造影効果を認める**
	大動脈瘤（切迫）破裂	A. 拡張した大動脈周囲の脂肪織濃度上昇はない
	大動脈解離	A. 非造影 CT で大動脈壁の高吸収域はない*
		B. 単純 CT で大動脈内に偏位した flap も石灰化もない*
		C. 血性心囊液はない
	肺血栓塞栓症	A. 非造影 CT で肺動脈の高吸収域はない*
		B. 肺動脈に造影欠損はない**
		C. IVC 径の拡張も右室拡張もない（左室と比較して）
腹部	上腸間膜動脈閉塞症/解離	A. 非造影 CT で SMA の高吸収域はない*
		B. SMA の造影欠損はない**
		C. SMA の限局性の拡張も血管周囲の脂肪織濃度上昇もない
	消化管穿孔	A. フリーエアはみられない
	腸管絞扼	A. 領域性の腸管・腸間膜浮腫はない
		B. 腸管壁の造影効果は保たれている
		C. closed Loop（一定の範囲の腸管が他と隔離されて 2 カ所で狭くなっている所見）はない
	NOMI	A. 腸管壁の造影効果は保たれている**
		B. 血管径は SMV>SMA である
		C. 腎静脈レベルより上で IVC の虚脱はない

* WL/WW を調節した画像で確認するとよい
（頭部は 35/35 程度，胸腹部は 60/40 程度→脂肪肝でない肝実質が白く見えて，腎が見えなくなる程度）
高吸収（白い）=CT 値で 51 HU 以上
** 造影剤使用時に確認する所見

2 チーム医療

救急医療チーム

救急医療は「医療の原点であり，チーム医療の原点である」といわれる。そして，救急医療においてチーム医療を実現するためには，多職種との連携が不可欠である。良好な「連携」を確立するためには，「リーダーシップ」と「フォロワーシップ」を個々のチームメンバーが状況に応じて発揮する必要がある。

診療放射線技師は，救急医療チーム（図1）の一員として他のメンバーと協力しあい，常に患者の救命に貢献する技術提供を心がけなければならない。

救急医療チームのメンバーが共通認識しておくべき事項として，まず「①時間を重視する」ことがあげられる。救急患者の容態は刻々と変化することを常に念頭に置いた対応が求められる。次に，「②診療手順の構成を理解する」ことが重要である。各種のガイドライン・治療指針などの診療手順の構成を理解し，同時にそれらの診療手順から導かれる検査・治療の優先順位があることを理解する必要がある。

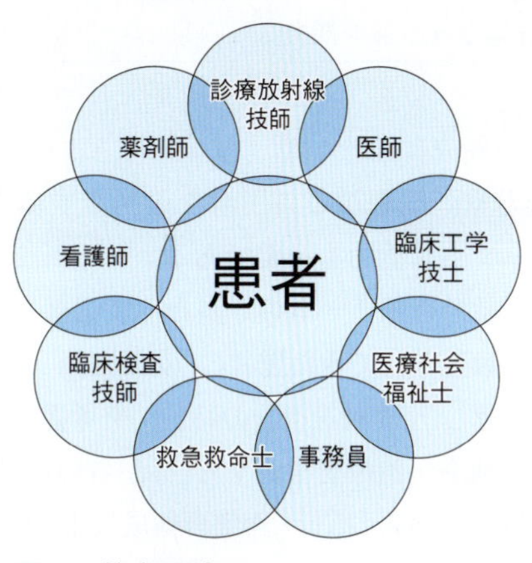

図1　救急医療チーム

表1　チームダイナミクスの要素

- 双方向の意思伝達
  クローズドループコミュニケーション：相手の意思を受け取り理解し，その受領を確認する
- 明確な指示
- 明確な役割と責任分担
- 自分の限界の認識
- 情報・知識の共有
- 建設的な介入（意見）
- 再評価とまとめ
- 相互の尊重

チームとは

チームは，メンバーの多様性を“エネルギー”として，達成すべき目標の共有を“推進力”として機能するものである。これを救急医療チームに置き換えると，「医師」や「コメディカル」などスタッフを“エネルギー”とし，「患者の救命」という達成すべき大きな目標を共有することが“推進力”となって，救急医療チームが機能する。そして，協調を通じてプラスの相乗効果を生んでいく必要がある。

検査・治療にかかわる医師やコメディカルが，お互いを認知し，尊重し，信頼を築くことがチーム医療実現への第一歩である。そして，それぞれの職種の専門的知識や技術を発揮しながら，患者のために最良の医療を提供するよう努め，チームとして，成功を目指すことが重要である[1]。そして，チームとして成功を目指すためには「チームダイナミクス」が重要である（表1）。

チームにおいては，リーダーの「リーダーシップ」（表2）とメンバーの「フォロワーシップ」（表3）が重要なスキルとなる。実際の診療現場，例えば2人体制当直の診療放射線技師間，あるいは他職種とのかかわりのなかで，状況に応じてリーダーシップ・フォロワーシップを発揮することが必要になる。すなわち，すべてのチームメンバーに両方のスキルが求められる。率先垂範のリーダーシップも重要であるが，自律的・主体的に支援・貢献できるフォロワーシップも重要であり，その相乗効果によって「チーム」は躍動する。

救急医療における診療放射線技師の役割と必要な知識・技術・能力

救急医療の現場における診療放射線技師の役割は，「迅速な検査の施行と的確な画像情報の提供」を行うことである。その役割を果たすためには，状況に応じてやる

表2　リーダーシップの要素

・目標設定 ・環境整備 ・手本になる ・メンバーの主体的行動を引き出す ・目標設定能力 ・学習能力 ・コミュニケーション能力	・育成能力 ・判断力 ・誠実さ ・責任を取る能力 ・業務実行能力 ・モチベーション管理能力 ・寛容性

表3　フォロワーシップの要素

・建設的意見の提案 ・より多くの利益への貢献 ・本来の目的に対して誠実に行動 ・異議申し立ても必要 ・自己アセスメント ・リーダーへの自律的支援 ・組織への主体的貢献

べきことの優先順位を判断・決定をしていくコーディネート能力や，他職種との円滑な連携をするためのコミュニケーション能力も必要である。

そして，救急医療チームの一員として必要な知識と技術がある。搬送されてきた患者の「受傷機転・身体所見・徴候」を確認し，「放射線機器の特性」を考慮に入れて，実施すべき検査・治療を推測する。「患者の保護的対応」を念頭に置きながら「撮影・画像再構成技術」を駆使し，検査・治療を実施する。同時に画像を「読影（損傷・疾患認識）」することで，次に行うべき検査・治療を推測していく。そのような救急診療中に一貫して「コーディネート能力」と他職種との「コミュニケーション能力」を発揮する必要がある。

チーム医療のための指導・教育

チーム医療に貢献できる診療放射線技師を育成するためにも，新任者や新人の指導・教育は重要である。業務習得の方法として大きく，on-the-job training（OJT）とoff-the-job training（Off-JT）という2つの方法がある。

医療現場においては，実際の臨床で学ぶOJTが中心となるが，新任者・新人の指導・教育を緊張感あふれる実際の臨床の場で行うことは，指導・教育をする側にとってもされる側にとっても大きなストレスとなる。「Experience is the best teacher（経験に勝るものはない）」という格言もあるが，救急に来院するあらゆる傷病と重症度の患者と接しながらの業務は，その一つひとつが貴重な経験であり，財産となる。大変ではあるが，臨床での教育を最優先に考えるべきである。

また，指導したいが人手が足りないといった人員不足の問題や，指導者の教育スキルアップをどのようにするかといった課題も出てくる。1対1の指導をするのか，あるいはグループで指導するのか，それぞれの施設の環境に合った指導・教育のシステム構築が望まれる。

他の分野と比較すると医療は特殊な分野であると考えられる。前述した「チーム」の概念や，チームメンバーのリーダーシップ，フォロワーシップ，コミュニケーション能力，コーディネート能力やそれ以外のスキル・能力開発について，医療以外の他分野での講習や研修に参加し，見聞・見識を広げる努力も必要であろう。

指導・教育システムのなかで基本となる指導・教育の鉄則“SEEA（シー）”の4要素は，①Show（目標）：目標を示す・やってみせる，②Explain（目的）：目的を示す・説明する，③Execute（実行）：実際にやらせる，④Assess（評価）：評価する・再確認する，である。この①〜④を繰り返し，スパイラルアップしていくことが重要である。

2010年に厚生労働省から「チーム医療の推進について」の報告書が提示されている[2)]。そのなかで，チーム医療がもたらす具体的な効果の一つとして「疾病の早期発見・回復促進・重症化予防など医療・生活の向上」があげられている。診療放射線技師の項目には，「放射線治療・検査・管理や画像検査に関する業務が増大するなか，当該業務の専門家として医療現場において果たし得る役割が大きくなっている」「例えば，画像診断等における読影補助や放射線検査等に関する説明・相談を行うことが可能である旨を明確化し，診療放射線技師の活用を促すべきである」とある。救急に限らず，われわれ診療放射線技師に求められる業務は増大しており，同時にチームの一員として専門知識・技術を患者あるいはチーム内にフィードバックする期待も大きくなっている。これらの期待に応えていく努力が必要とされる。

“個”があって，初めてチームが成り立つ。チームを構成する“個”それぞれの能力をチームで補うのではない。強力な“個”があり，その“個”が集結することによって，初めて“強力なチーム”となり得る。チームのスタッフがお互いを認知し，尊重し，信頼し合うためには，われわれ診療放射線技師のレベルアップが不可欠である。

【文　献】

1）American Heart Association：ACLSプロバイダーマニュアル：AHAガイドライン2015準拠，シナジー，東京，2017.
2）厚生労働省：チーム医療の推進について（チーム医療の推進に関する検討会報告書），2010.

3 外傷患者撮影の基礎

外傷診療に携わる診療放射線技師には，診断や治療上の時間的切迫状況を認識できる能力，患者の臨床症状や診療目的を把握して医師と共有できる能力，安全で効率的な診療を遂行するための検査環境の準備能力，疾患・損傷に対応した適切な撮影・画像再構成が行える技術力，そして，これらの能力を発揮するための読影能力という，5つの技術的要素が必要である。

ここでは，外傷診療の手順，外傷患者の受傷機転と臨床情報，撮影時の注意点，読影のポイントなど，診療放射線技師がチームの一員として具備すべき外傷初期診療の“鍵”について述べる。

外傷患者の初期診療と画像診断

外傷初期診療において，初療室にCT装置，あるいはCTに加えて血管撮影やインターベンションが可能なハイブリッド初療室を導入する施設もみられる。施設間で設備が異なっていても，その目指すところは患者の救命であり，そのための迅速な診断・治療であることに変わりはない。

外傷初期診療には，その緊急性から診療順序が存在しており，primary surveyとsecondary surveyと呼ばれる(p.12参照)。初期診療にこのような手順が存在するということは，検査・治療にも優先順位が存在するということを認識しておかなければならない（図1）。

1. 診療手順に応じた検査

初期診療で必要なX線撮影は，胸部と骨盤の背臥位正面撮影である。胸部の検査目的は，大量血胸，多発肋骨骨折，肺挫傷，気胸などの重症胸部外傷の検索や，体内に挿入されたチューブ・カテーテル類の位置と合併症の確認である。骨盤の場合は，出血性ショックの原因とされる不安定型骨盤骨折の診断が主な目的となるが，骨盤周囲の腫脹やその他の出血徴候を検出するための軟部組織の描出も必要である。心タンポナーデや大量血胸，腹腔内出血は，FAST（focused assessment with sonography for trauma）と呼ばれる超音波診断で検索可能であるが，後腹膜出血はX線撮影による骨盤骨折，出血徴候の有無から推定される。

図2に全身各部位の骨折に伴う推定出血量を示す。外傷によるショックの約90%は出血性ショック（表1）であるとされ[1]，大量の出血で血液循環が保たれていない状態，すなわち出血性ショックを伴う外傷患者の場合には即座に止血のための経カテーテル動脈塞栓術（tran-

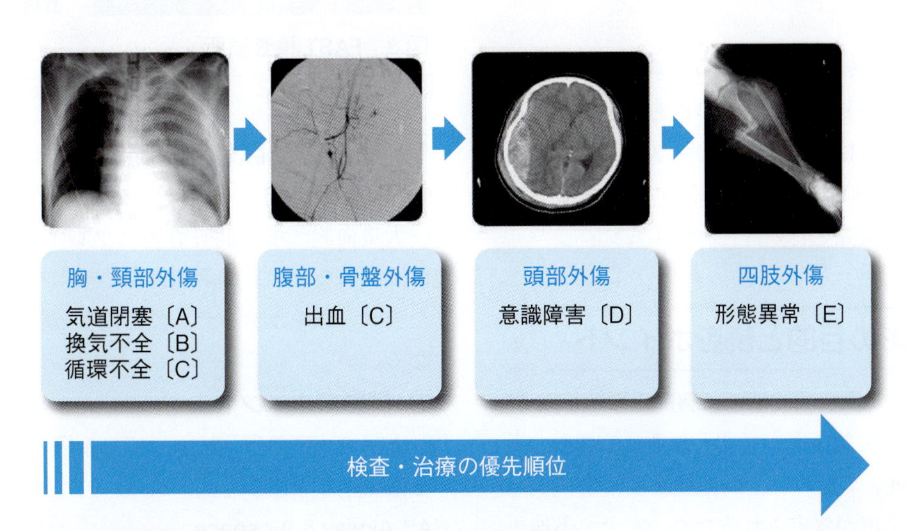

図1　ABCDEアプローチと検査・治療の優先順位
画像診断は，まず「胸部・骨盤X線撮影」を行い，循環が安定していなければ「血管造影検査と血管塞栓術」に進むことも考えられる。次に頭部外傷を検索するための「CT検査」を行い，その後，四肢外傷を検索するための「X線撮影」を行う

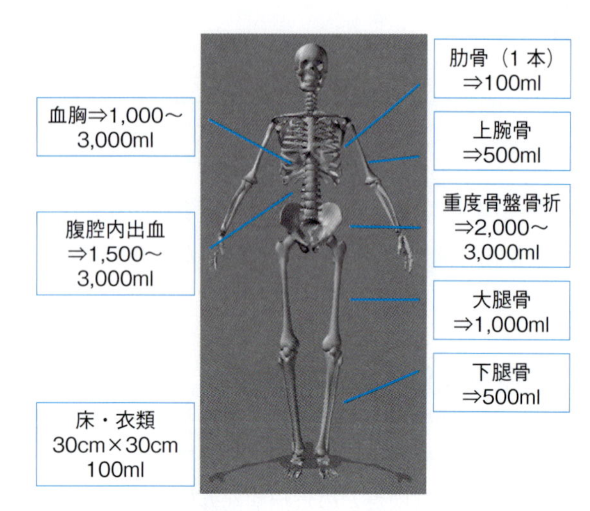

図 2　推定出血量

表 1　出血性ショックの重症度と臨床症状

ショックの重症度	出血量（ml）	減少血液量（%）	臨床症状
Class Ⅰ	0〜750	0〜15	無症状
Class Ⅱ 軽症	750〜 1,500	15〜30	軽度頻脈 （100〜120 回/分） 軽度血圧下降 軽度四肢冷感
Class Ⅲ 中等度	1,500 〜2,000	30〜40	頻脈（120〜140 回/分） 血圧（90〜100 mmHg） 蒼白，不穏，乏尿
Class Ⅳ 重症	2,000 〜2,500	40〜50	頻拍>140 回/分 血圧<60 mmHg 極度の蒼白，意識混濁， 虚脱状態，無尿

不安定型骨盤骨折，胸腔内出血（血胸），腹腔内出血では，重症（ClassⅣ）の出血性ショックに陥る場合がある

scatheter arterial embolization；TAE）を施行することがある。そのような状況も考慮した検査・治療の準備態勢を整えることが求められる。一方で非出血性ショックとしては，緊張性気胸や心タンポナーデによる閉塞性ショックが重要である。

外傷患者の X 線検査時には，検査中の患者の安全と容態に注意をはらいながら，呼吸の様子や体動にも留意して，撮影のタイミングを図る必要がある。また，生体監視モニタの心拍数の増加に注意し，変化に気づいたときは速やかに医師に伝えることで，出血性ショックをより早期に察知し適切に処置することにつながる。

2. FAST

FAST とは，primary survey で行う心嚢液貯留，大量血胸，腹腔内出血といった自由腔への出血検索に焦点を絞った迅速簡易超音波検査法である。図 3 に示す 6 カ所を対象に検索を行い，液貯留などを確認する（図 4）。必要に応じて繰り返し検査を行い，再評価する。

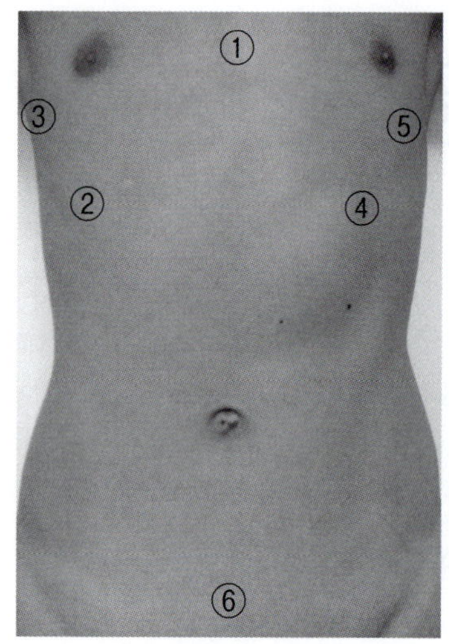

①心窩部〔心嚢〕
②右上腹部
〔肝腎陥凹（Morrison窩）〕
③右肋間〔右胸腔〕
④左上腹部〔脾腎境界〕
⑤左肋間〔左胸腔〕
⑥恥骨上〔直腸膀胱窩/
直腸子宮窩（Douglas窩）〕

図 3　FAST 検査箇所

X 線撮影の目的と読影ポイント

前述したように，外傷初期診療では胸部正面臥位 X 線撮影と骨盤正面臥位 X 線撮影が必要となる。これらの撮影は primary survey で行われ，画像診断の結果によって次に行う検査や治療が決定されるため，安全・迅速・確実な撮影が要求される。

1. 胸部正面臥位 X 線像

1）検査の目的

大量血胸，多発肋骨骨折（フレイルチェスト），肺挫傷，気胸などの重症胸部外傷の検索や，体内に挿入されたチューブやカテーテル類の位置確認などが主な目的となる。

2）読影のポイント

下記 A〜E の項目に沿って，損傷の程度や疾病の有無を確認する（図 5）。

A：Airway & Air space

気管支の状態（損傷，変位など），肺野の状態（透過性）を確認する。考えられる病態としては，気管・気管支損傷，血胸，気胸，肺挫傷があげられる。

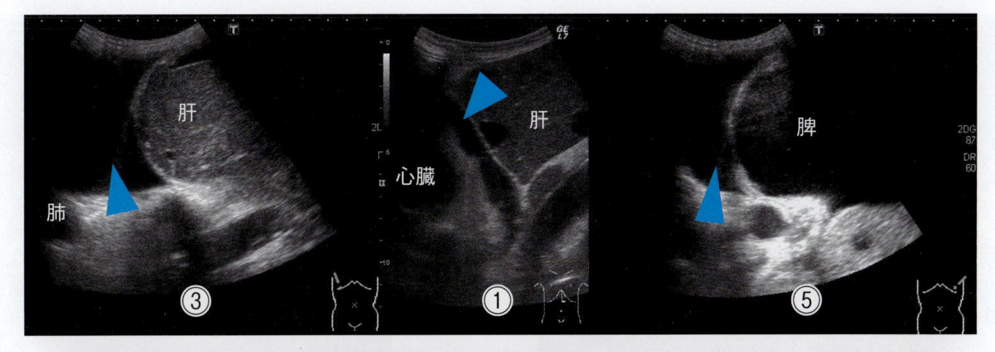

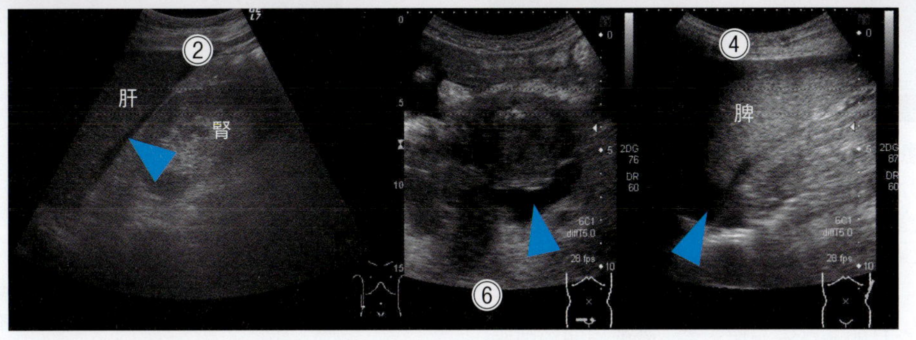

図 4　FAST 画像所見
矢頭は液貯留（エコーフリースペース）

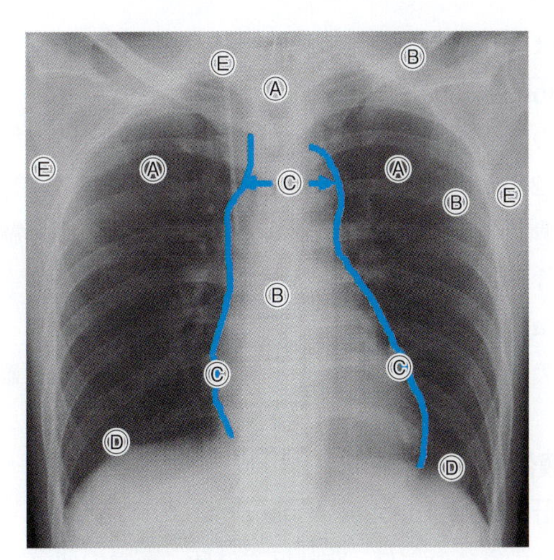

図 5　胸部外傷患者の読影ポイント
気管・気管支の位置異常Ⓐ，肺の X 線透過性や肺紋理の異常Ⓐ，骨折の有無Ⓑ，縦隔や心陰影の異常Ⓒ，横隔膜や肋骨横隔膜角の異常Ⓓ，軟部組織の皮下気腫や腫脹の有無Ⓔ，チューブ類の位置異常Ⓔ，などを確認する

B：Bone

肋骨，鎖骨，胸椎，肩甲骨，上腕骨（描出可能なかぎり）を確認する。考えられる病態として，鎖骨，肩甲骨，上位肋骨（第 1～3）の骨折では血気胸，気道損傷，大血管損傷が，中位肋骨（第 4～9）の骨折では血気胸，肺挫傷，フレイルチェストが，下位肋骨（第 10～12）の骨折では血気胸，肺挫傷，フレイルチェスト，腹腔内臓器（肝，脾，腎など）の損傷があげられる。

C：Central shadow

心臓，縦隔陰影を確認する。考えられる病態として，心陰影拡大では心タンポナーデ，上縦隔拡大（第 4 胸椎の高さで 8 cm 以上は異常）では大動脈損傷がある。

D：Diaphragm

横隔膜の確認を行う。考えられる病態として，横隔膜挙上で横隔膜損傷，腹腔内臓器の胸腔内脱出がある。

E：Extra

軟部組織の確認と，チューブ・カテーテル類の位置確認を行う。考えられる病態として，皮下気腫で気道損傷，胸壁損傷，気胸があげられる。

チューブ・カテーテル類の理想的な位置と注意点は，以下のとおりである。

- 気管チューブ：
  先端が両鎖骨胸骨端下縁を結んだ線上
- 中心静脈カテーテル：
  気管分岐の高さ〔上大静脈（右第 1 弓）の位置〕
- 胸腔ドレーン：
  側孔の胸腔外の逸脱に注意（皮下気腫の原因となり得るため）

2．骨盤正面臥位 X 線像

1）検査の目的

骨盤の場合，後腹膜腔内に大量出血することによる出血性ショックの原因とされる不安定型骨盤骨折と腰椎横突起骨折，および出血徴候として腸腰筋陰影の消失，腎陰影の消失，骨盤腔内の X 線透過性低下などの所見を検

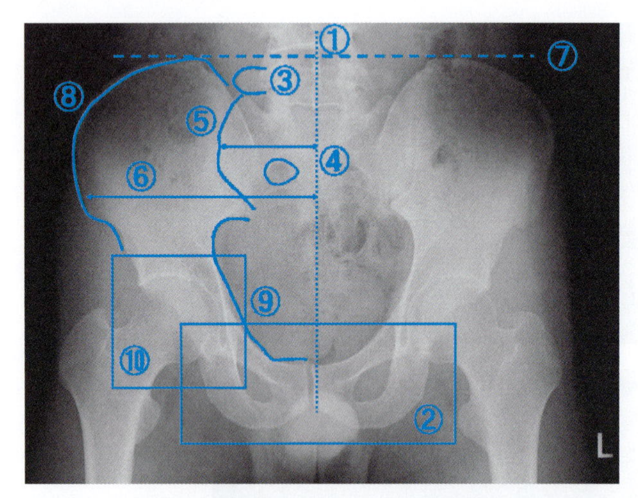

図6　骨盤外傷患者の読影ポイント（本文参照）
骨盤は左右対称であることを考慮に入れて，“左右の比較”を行う。輪上構造を呈していることから，前方構造に損傷があれば，後方構造にも損傷があるものとして確認する

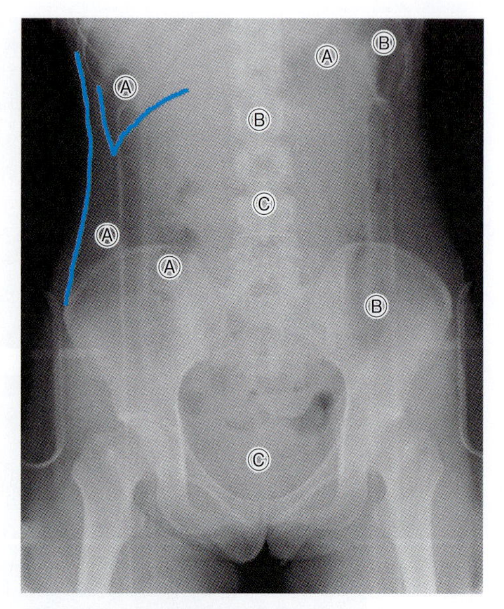

図7　腹部の読影ポイント
胃・腸管のガス像の異常Ⓐ，肝角徴候や側腹線状徴候などの異常Ⓐ，骨折の有無Ⓑ，カテーテルやチューブ類の位置異常Ⓒ，などを確認する

出することが主な目的となる。加えて，骨盤周囲の腫脹や皮下出血の徴候を検出するために軟部組織を描出する。

後腹膜出血については，骨盤X線画像の骨盤骨折の有無から推定する。また，骨盤骨折によって動脈損傷（内腸骨動脈損傷）や静脈損傷をきたす場合もあることを認識しておく。

また，同一画像に描出された腹部領域画像で，消化管穿孔によるフリーエア，腹腔内出血による徴候，骨折の有無，チューブ類の位置異常の有無などを確認する。

2）骨盤部画像の読影ポイント

下記①〜⑩の項目に沿って，骨傷・骨折の有無，形状の左右差，高さの左右差，連続性などを確認する（図6）。

①正面性
②前方要素の骨傷の有無
③腰椎横突起骨折の有無
④仙骨棘突起〜仙腸関節間の左右差，仙骨孔の形状の左右差
⑤仙腸関節の形状の左右差と仙腸関節の開大
⑥骨盤横径の左右差と腸骨翼形状の左右差
⑦腸骨稜の高さの左右差
⑧腸骨稜の連続性
⑨小骨盤の形状と小骨盤内周の連続性
⑩股関節およびその周囲の骨折の有無

外傷患者における骨盤X線撮影から得られる画像は，次に行う治療・検査を判断するうえで重要である。

3）腹部画像の読影ポイント

下記A〜Cの項目に沿って，損傷の程度や疾病の有無を確認する（図7）。

A：Air & Ascites

腸管ガス像，液体貯留を確認する。考えられる病態としては，異常ガス像で消化管穿孔がある。

B：Bone

骨の評価を行う。考えられる病態として，下位肋骨（第10〜12肋骨）骨折では肝損傷（右），脾損傷（左）が，腰椎骨折では尿管・腎など周囲臓器の損傷や脊髄損傷が，骨盤骨折では内腸骨動脈損傷があげられる。

C：Catheter

カテーテル，チューブ，ドレーンなどの位置を確認する。

4）液体貯留の読影ポイント

（1）肝角徴候（hepatic angle sign）の有無

少量の液体貯留は，背臥位では肝と右腎の間隙（Morrison窩）に溜まる。そのため，肝右葉下縁が見えなくなる。

（2）dog's ear signの有無

200〜300 mlの液体貯留では，骨盤内，膀胱の頭側に溜まる。膀胱を犬の顔とすると，Douglas窩に貯留した液体がそれに連続して上部の両脇に溜まり，耳の形に見える（dog's ear sign）。

（3）側腹線条徴候（flank stripe sign）の有無

さらに増加すると，骨盤内からあふれ出て上行・下行結腸の外側の傍結腸溝（paracolic gutter）に溜まり，腸管と腹壁の間が開く。傍結腸溝の間隙が5 mm以上は異常であり，10〜20 mmでは出血量1,000〜2,000 mlと概算される。

図 8　外傷患者の X 線撮影時の工夫
バックボードの下にスペーサーを挿入

(4) floating intestine sign の有無

さらに増加すると，貯留した液体の中を浮遊した腸管が臍周囲に集まる（centralization of the GI tract）。そして腹部全体の透過性が悪くなり，全体的にスリガラス様の写真となる（貯留液体量 2,000 ml 以上）。考えられる病態は，腹腔内出血である。

X 線撮影のテクニカルポイント

1. バックボード上での撮影

一般的に外傷患者はバックボードに乗ったまま救急車から初療室に運び込まれ，そのまま初期診療が行われる。バックボード上での臥床はできるかぎり短時間であることが望ましいが，初療室での X 線撮影時もバックボードの下にカセッテを挿入して撮影する場合がある。挿管チューブや多数のルート（点滴，圧ライン，ドレーン）などに注意して撮影を行う。

患者の安全と撮影時間の短縮，およびポジショニング時の撮影者の負担を軽減する目的から，バックボードの下にスペーサーを挿入し，患者が乗っているバックボードと初療台との間にスペースを作って，その隙間にカセッテを挿入して撮影を行う方法もある（図 8）。

2. 大きめのサイズで撮影する

初療室で行う X 線撮影では，半切サイズ以上のカセッテ，あるいは FPD（flat panel detector）などを使用して，1 回の撮影でできるかぎり多くの画像情報・所見を得られるよう配慮する。

3. 患者の臨床情報の把握

初療室での撮影は，患者の受傷機転や身体所見を確認する絶好の機会でもあり，それらの臨床情報は，その後の検査・治療の準備をするための重要な情報となる。撮影時に確認できる臨床所見の例として，パンダの眼徴候（図 9），耳出血（図 10），腕の変形（図 11）などがある。

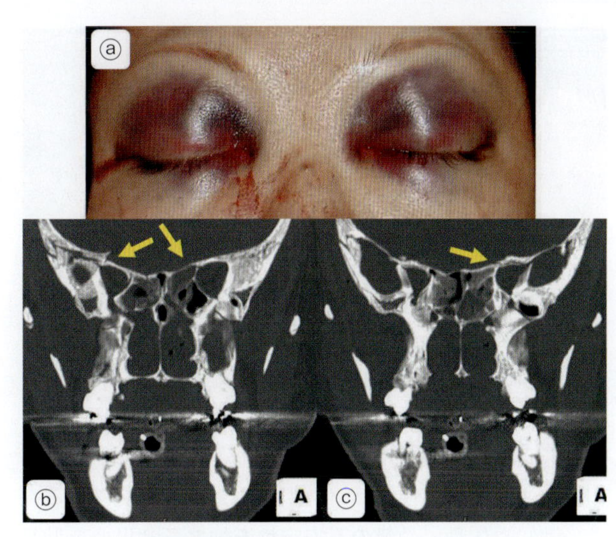

図 9　パンダの眼徴候（black eye）
a：眼瞼周囲の皮下出血（両側）。前頭蓋底骨折を示唆する。
b，c：前頭蓋底部の骨折を認める（矢印）（CT-MPR coronal 像）

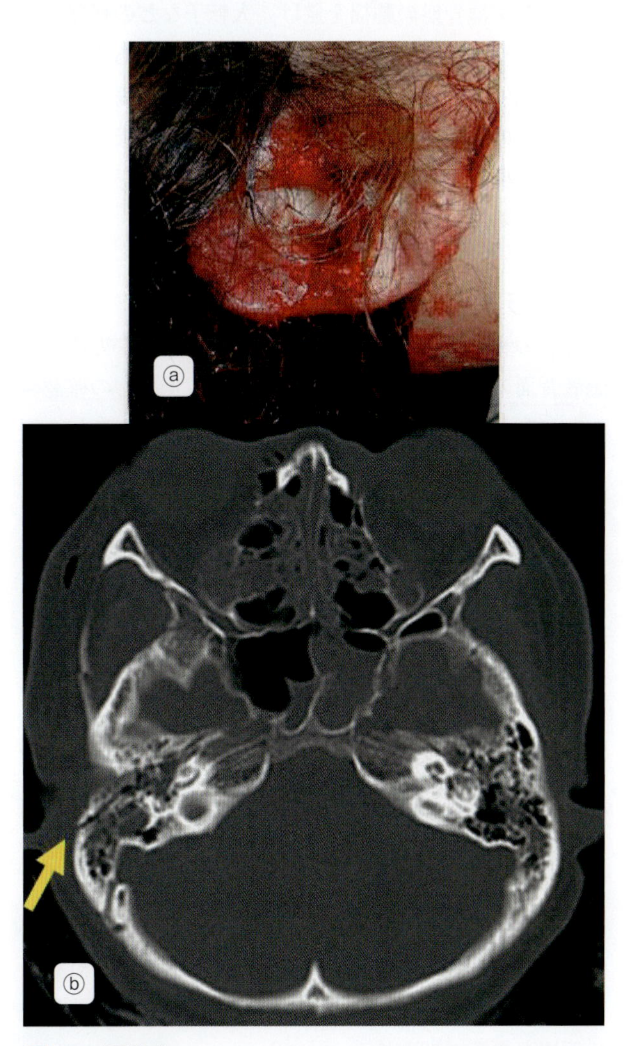

図 10　耳出血
a：頭蓋底部，錐体骨骨折を示唆する。b：右錐体骨に骨折を認める（矢印）（CT 像：骨条件）。ほかに，耳介後部に皮下出血を認める Battle's sign（中頭蓋底骨折を示唆する）などがある

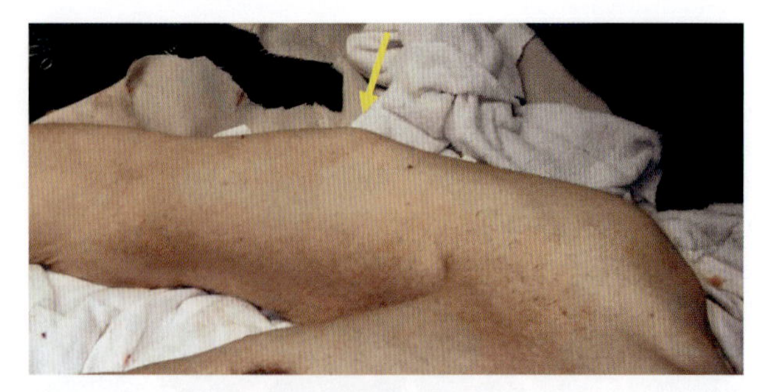

図11　右上腕の変形（矢印）
secondary survey での撮影を考慮に入れておく

4. 患者の保護的対応

骨盤骨折は出血性ショックの原因となる損傷であるため，触知や体動で骨盤の不安定性を増悪させ出血を助長しかねない。そのため，骨盤X線撮影においては，患者の骨盤周囲をむやみに触知したり，体位を調整したりしないように注意しなければならない。そのため，ポジショニングは骨盤の動揺を避け，大転子などの軽度の触知，もしくは基準点の目視により行うべきである。

また，外傷患者には必ず頸椎損傷（脊椎損傷）が潜んでいるものと考えて，頭部・頸椎は愛護的に扱う必要がある。脊椎保護をせずに搬送や移動を行うと脊髄損傷を増悪させる可能性がある。

5. フラットリフトとログロール

患者の脊椎軸に捻れや屈曲を加えずに動かす方法で，患者背面の創傷・出血・変形・圧痛の有無などの確認時などに利用する[2)]。フラットリフトは，患者の身体を平ら（flat）な状態で，脊椎軸に捻れや屈曲を加えずに持ち上げる（lift）。ログロールは，患者の身体を1本の丸太（log）に見立て，脊椎軸に捻れや屈曲を加えずに回す（roll）。なお，骨盤の動揺や穿通性異物がある場合，出血の助長や損傷を増悪させるおそれがあるため，ログロールは禁忌である。

Ⅹ 蘇生を必要とする外傷例

1. 心タンポナーデ

1）病　態

心臓の収縮期に損傷部から心嚢内に血液が流入し，心嚢内に貯留した血液によって心臓の拡張が阻害され，大静脈から心臓への血流も阻害されることで，早期心停止の原因となる（閉塞性ショック）。

2）画像所見

診断は通常FASTによって行われるが，胸部X線像では左第1～4弓の直線化や巾着型心陰影拡大があるときに心タンポナーデを疑う（図12）。ただし急性の心タンポナーデでは，このような所見がなくてもその存在を否定できない。

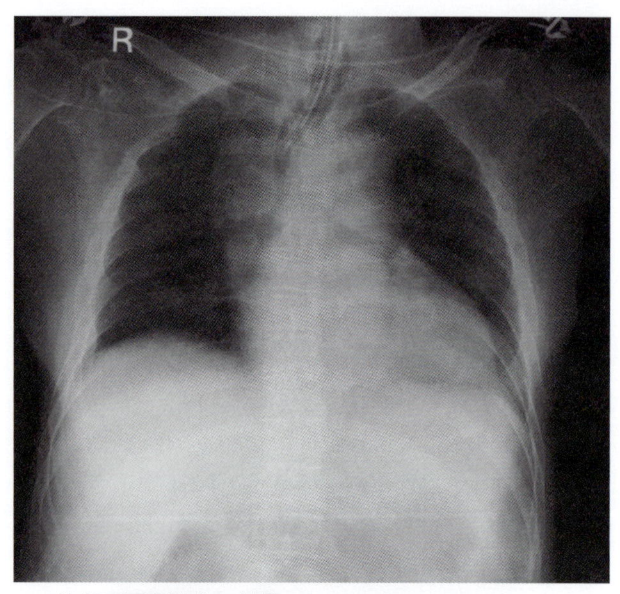

a：胸部正面背臥位X線像

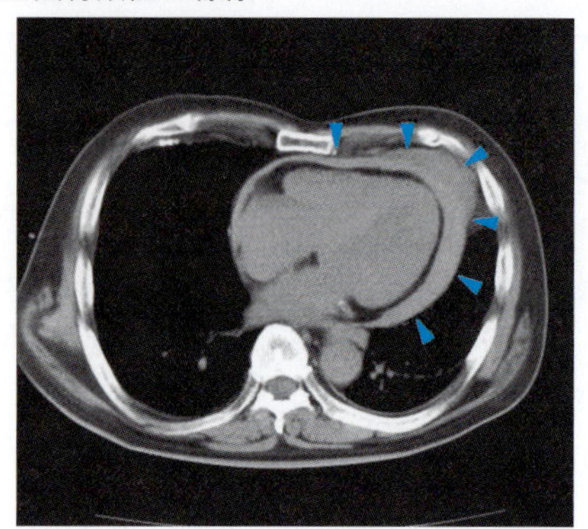

b：単純CT像。心嚢内への血液貯留がみられる（矢頭）

図12　心タンポナーデの画像所見

2. 気道閉塞

顔面外傷，頸部外傷，頸部気管損傷，喉頭損傷，気道系の出血あるいは顔面・気道熱傷などが気道閉塞の主な原因となる。primary survey では，身体所見から同定すべき症状である。

3. フレイルチェスト（多発肋骨骨折）

1）病　態

1本の肋骨が2カ所以上で骨折し，さらに2本以上の肋骨で連続して骨折が発生した状態で，胸壁の一部が他の胸郭との骨連続性を失ったとき（フレイルセグメント）に発生する。具体的には，正常な胸郭の動きとは反対の動きをする（奇異呼吸）。激しい疼痛，高度な呼吸困難，低酸素血症を伴う。フレイルチェストによる呼吸不全は，胸壁の不安定性そのものが原因になることは少なく，併存する肺挫傷と疼痛による胸壁運動の制限が相互

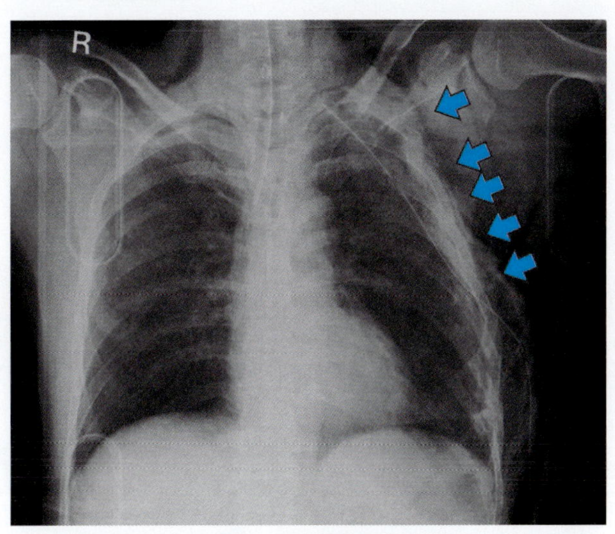

a：胸部正面臥位 X 線像。左多発肋骨骨折（第 3～第 9 肋骨：矢印）。両側肺挫傷，左皮下気腫を伴う

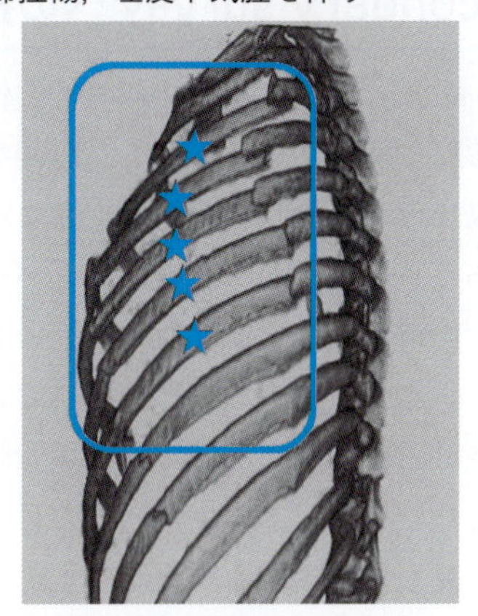

b：3D-CT 像。第 3～第 7 肋骨でフレイルセグメントを形成（枠内星印）

図 13　フレイルチェストの画像所見

に関与しあった結果であるといわれる。

2）画像所見

胸部 X 線像では，肋骨の多発骨折とともに，肺挫傷，血胸などの X 線透過性の低下，あるいは気胸や皮下気腫などを伴った画像として描出される場合が多い（図 13）。

4．開放性気胸

胸壁に大きな開放創（気管径の 2/3 以上）が存在すると，正常気道よりも空気抵抗の低い胸壁開放創から空気が胸腔内に流入するようになり，肺は虚脱し，低換気と低酸素が生じる。

5．緊張性気胸

1）病　態

肺もしくは胸壁に一方向弁（チェックバルブ）が生じたときに発生する。吸気のたびに空気が胸腔内に流入して閉じ込められ，損傷側の肺がしだいに萎縮し，ついには完全に虚脱する。さらに縦隔は対側に圧排され，大静脈の圧排により静脈還流が減少し，対側の肺も圧迫されて循環障害（閉塞性ショック）と呼吸障害を伴う。

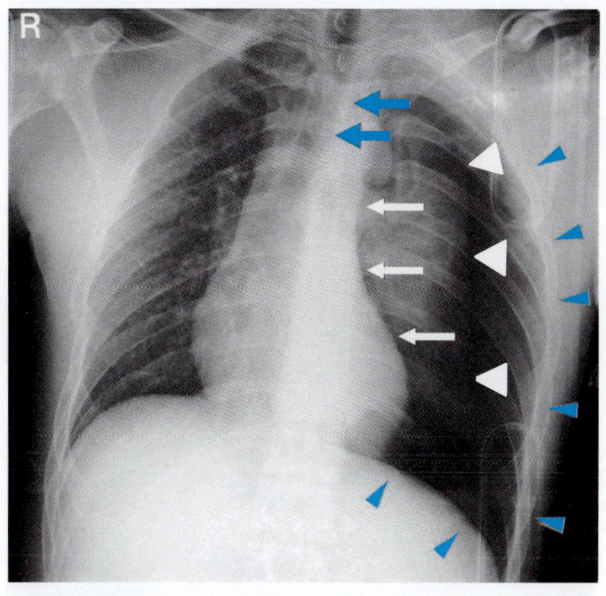

図 14　緊張性気胸の胸部正面臥位 X 線所見

左緊張性気胸。左肺は気胸を呈し（青矢頭），虚脱する（白矢頭）。縦隔を圧排し（白矢印），気管は対側に偏位する（青矢印）

緊張性気胸は閉塞性ショックを呈する気胸であるため，患側胸郭膨隆，頸静脈怒張，触診での皮下気腫，血圧低下，患側呼吸音減弱などの身体所見で診断すべき病態である。

2）画像所見

患側は気胸を呈し，虚脱する。縦隔を健側に圧排し，気管も健側に偏位した画像となる（図 14）。鎖骨骨折や肋骨骨折を伴う場合もある。

標準的診断手段である胸部正面臥位 X 線像では，気胸は 200～400 ml の胸腔内空気貯留がないと診断困難である。仰臥位では気胸の分布が前胸壁下や肺下部に移動することから，縦隔辺縁の明瞭化（medial stripe sign），肋骨横隔膜角（costphrenic angle；CP angle）の透過性の亢進（図 15），肋骨横隔膜角の下垂（deep sulcus sign）などの特徴的な所見に注目する。

6．大量血胸

1）病　態

穿通性，鈍的外傷による血管損傷（胸部大動脈，肺動静脈，肋間動脈，内胸動脈，奇静脈など），心損傷，肺損傷などで生じる。成人では一側の胸腔内に 2,000～3,000 ml の血液が貯留し得るが，1,000 ml 以上の出血が急速に起こると，循環血液量の減少と胸腔内圧の上昇による静脈還流の障害により循環不全に陥る。また，大量の血液による肺の圧迫は呼吸不全をまねく。

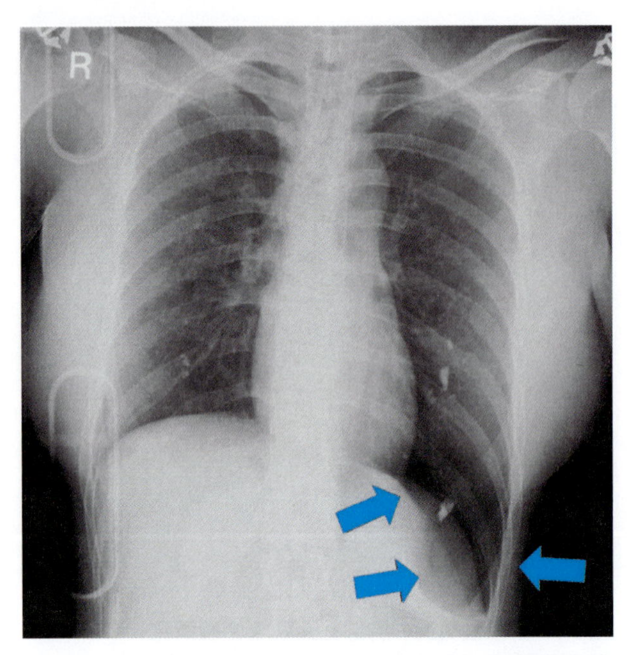

図 15　肋骨横隔膜角の透過性の亢進（胸部正面臥位 X 線像）

左肋骨横隔膜角の X 線透過性の亢進がみられる（矢印）

2）画像所見

一般的には聴診，FAST により診断される。胸部正面臥位 X 線像では，血胸は 200～300 ml の血液貯留がないと診断困難である。両側または片側の X 線透過性の低下として描出される。

7．胸部大動脈損傷

1）病　態

外傷性大動脈損傷は，約 85％が現場で即死し，残りの 15％が病院に搬送されて治療の対象となる。好発部位として，左鎖骨下動脈を分岐した直後の下行大動脈で約 90％を占めるといわれる。

2）画像所見

胸部 X 線画像では，上縦隔開大，気管の右方偏位，大動脈陰影の不鮮明化など，縦隔血腫の存在を示唆する所見が認められる。従来では血管造影が診断の主流であったが，今日では胸部造影 CT 撮影が用いられる。

8．骨盤骨折

1）病　態

骨盤骨折は胸部外傷，腹部外傷と並んで出血性ショック（骨盤腔，後腹膜腔は約 2,000 ml の血液を溜め込むことができる）となる可能性が高い損傷の一つである。

安定型骨折，不安定型骨折，寛骨臼骨折の 3 つに分類され，治療方針の決定や予後の推定に有用な分類法である。安定型骨折は骨盤の輪状構造に破綻がみられない骨折で，比較的予後は良好である。一方で不安定型骨折は輪状構造に破綻をきたした骨折で，骨盤内の血管損傷や多臓器損傷合併の頻度が高い。したがって，後腹膜への出血量は多く，安定型骨折に比べて予後は不良である。また，股関節は広範な可動域を有し，荷重時に大きな負荷を担うことから，寛骨臼骨折に対しては正確な整復と強固な内固定が必要となる。

2）画像所見

加わった外力の方向や大きさによって，骨折，離解，ずれとして描出される。dog's ear sign や膀胱の変位所見など，出血徴候としての所見が多い。

secondary survey への技術貢献

secondary survey では，根本治療の必要性を決定するための画像診断や治療が進められる。時間を重視する救急医療の現場では，無駄な時間を費やさないことがきわめて重要であり，救急医療チームのメンバーには，受傷機転の情報や画像情報などから次の検査の準備を怠らない姿勢が求められる。診療放射線技師においても，患者が救急搬送される前の情報や初療での撮影時に医師や看護師から得られた情報，あるいは自らの目で患者の受傷機転や身体所見などの情報を収集して，どこを，どのように損傷しているか，どのような検査が求められるかを判断し，事前に準備態勢を整えることが重要である。

secondary survey における主力はマルチスライス CT（MSCT）である。技術の進歩により短時間で検査を行うことができるようになり，得られる情報も多いため有用である。損傷・疾患の診断目的に合った適切な再構成画像の構築や，迅速な画像提供が求められる。また，診断や治療方針の決定に必要と考えられる損傷部位などの撮影を撮り漏らさないように，受傷機転についての知識も身につけておくことが必要である。

検査時には患者の安全に注意をはらいながら，呼吸の様子や体動に留意し，撮影のタイミングを図る。四肢の撮影では，損傷や変形の程度によりシーネなどの固定具を付けたまま撮影する場合があるため，体表の撮影基準線や基準点にとらわれずに，シーネの正面と側面を撮影するなどの臨機応変な対応も必要となる。ポジショニング時の肢位の調整は必ず医師と確認しながら行い，損傷部位の負担を軽減し，出血を助長することがないよう配慮する。

高エネルギー外傷の損傷様式と徴候

高エネルギー事故の例を表2に示す。

表2　高エネルギー事故の例

・自動車から放出された場合
・同乗者が死亡していた車に同乗していた場合
・車の横転事故
・車の高度な損傷を認める車輌事故
・車外に救出するのに20分以上を要した場合
・搭乗者が飛ばされたバイク事故
・車に轢かれた/5m以上跳ね飛ばされた歩行者・自転車事故
・機械器具に巻き込まれた
・体幹部が挟まれた
・6m以上の高所からの墜落事故

1．交通外傷

歩行者，自動車の運転者・同乗者，オートバイなどそれぞれの受傷機転によって損傷様式は異なる。

1）歩行者

図16に示すWaddleの三徴候は歩行者の外傷の典型で，脛骨・腓骨骨折，体幹部損傷，頭部・顔面外傷のうち2カ所を認めた場合，残りの1カ所の損傷が存在する可能性を念頭に置いて検査を進める（図17）。

2）自動車の運転者・同乗者

自動車の正面衝突時の運転者および同乗者の場合，エアバッグの有無やシートベルトの着用/未着用によっても損傷形態が異なる。

シートベルト着用の場合は接触部位に外力が加わり，鎖骨，胸骨の骨折や腹腔内の臓器損傷，頸動脈損傷，鎖骨下動・静脈損傷，大動脈損傷などを合併する。一方でシートベルト未着用の場合は，ハンドルに胸腹部を，ダッシュボードに膝蓋部を，フロントガラスに頭部・顔面を，ペダルに足部を強く打ちつける。ダッシュボード損傷では，膝蓋部で受けた外力が大腿骨や大腿骨頭へ伝わり，大腿骨骨折や寛骨臼蓋部の損傷，あるいは股関節脱臼をきたす場合もある（図18）。

〔自動車対歩行者～成人～〕

・第一段階
　バンパーとボンネット前面に骨盤から下肢を強打

・第二段階
　車両の上に跳ね上げられ，ボンネットで胸腹部を，フロントガラスで顔面および頭部を強打

・第三段階
　身体が路上にたたきつけられる

図16　Waddleの三徴候

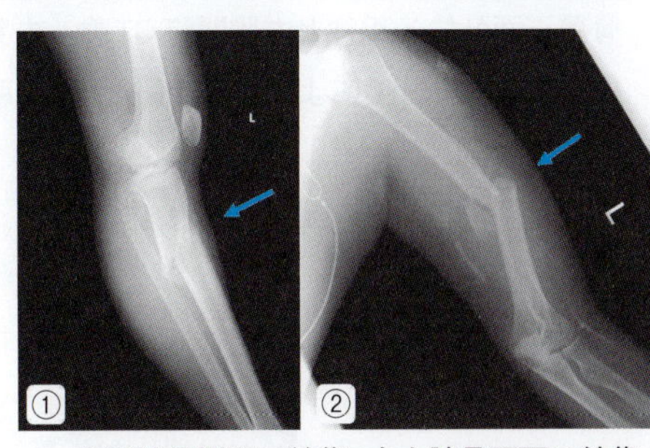

a：左下腿骨側面X線像・左上腕骨正面X線像。①左下腿骨骨折（矢印），②左上腕骨骨折（矢印）

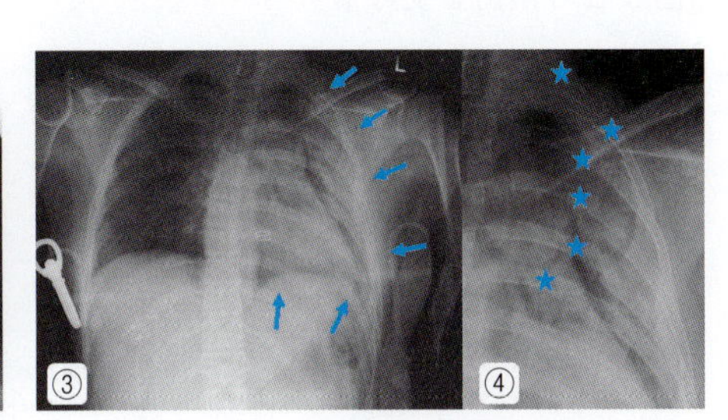

b：胸部正面臥位X線像。③第1～第6肋骨骨折（矢印），④フレイルチェスト（星印）

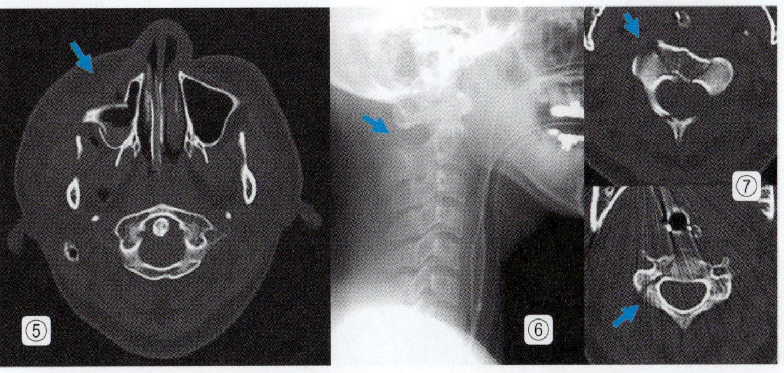

c：顔面・頸椎単純CT像・頸椎側面X線像。⑤顔面骨骨折（矢印），⑥⑦第2・第3頸椎骨折（矢印）

図17　Waddleの三徴候の典型症例

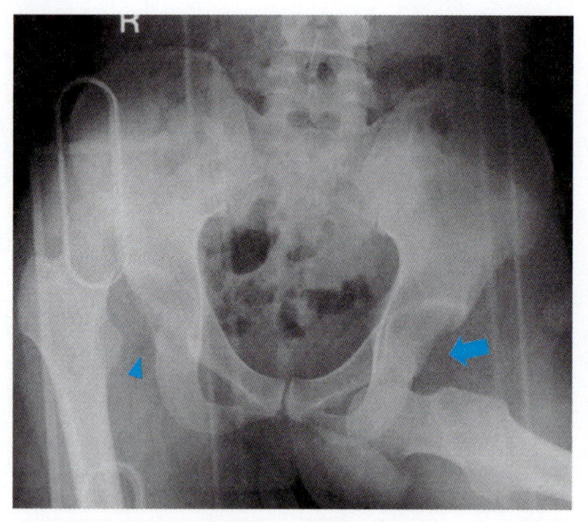
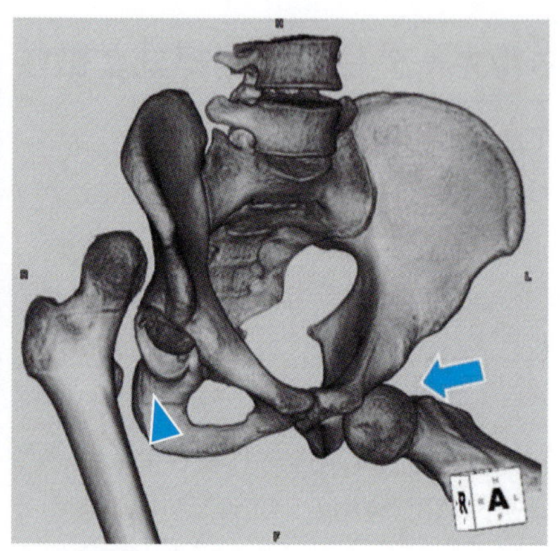

右大腿骨骨頭後方脱臼・骨折（矢頭），左大腿骨骨頭前方脱臼（矢印）

図 18　ダッシュボード損傷（自動車助手席）

側面衝突では，肩，側胸部，側腹部，骨盤，大腿骨の大転子などに外力が加わり，鎖骨，上腕骨，前腕骨，肋骨，骨盤，寛骨臼などの骨折と，肝・脾・腎などの損傷を合併する（図 19）。

3）オートバイ事故

オートバイ事故では，運転者の身体のすべての部位に直接外力が作用し，衝突，投げ出され，転倒などにより多様な損傷様式を呈する。衝突では，ハンドルによる腹部臓器損傷や燃料タンクによる会陰部や骨盤の損傷（図 20）を，投げ出されでは地面や構造物に衝突することによる二次損傷や上腕神経叢の引き抜き損傷を，転倒では広範な擦過傷や熱傷などの損傷を受ける。

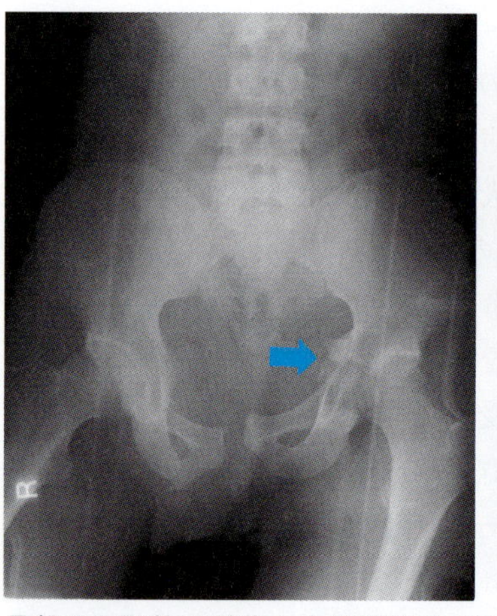
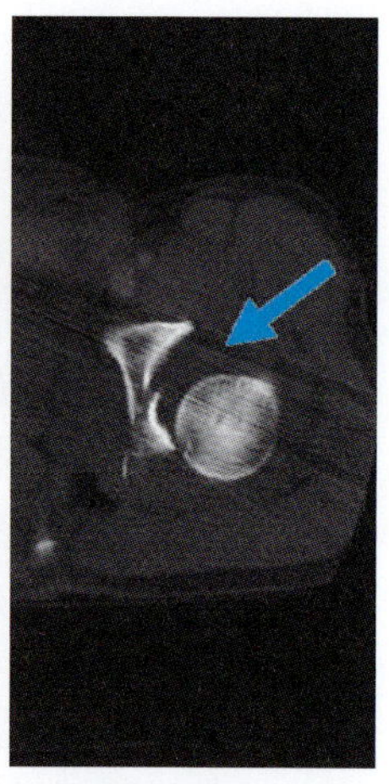

骨盤正面臥位 X 線像と左股関節 CT 像。左寛骨臼骨折（矢印）

図 19　側面衝突による損傷（トラック助手席）

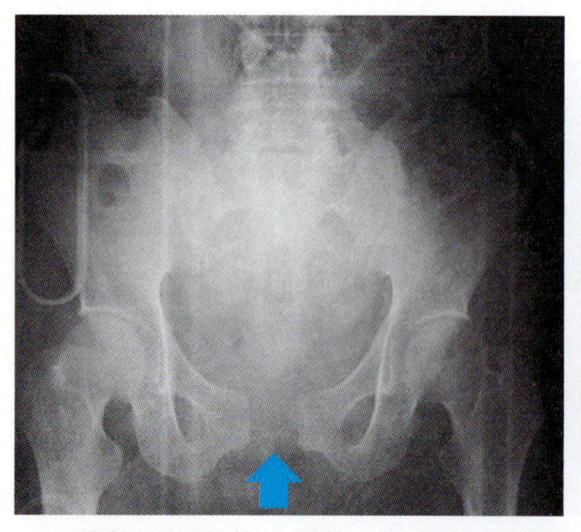

a：骨盤正面臥位 X 線像。恥骨結合離解を認める（open book 型骨折：矢印）

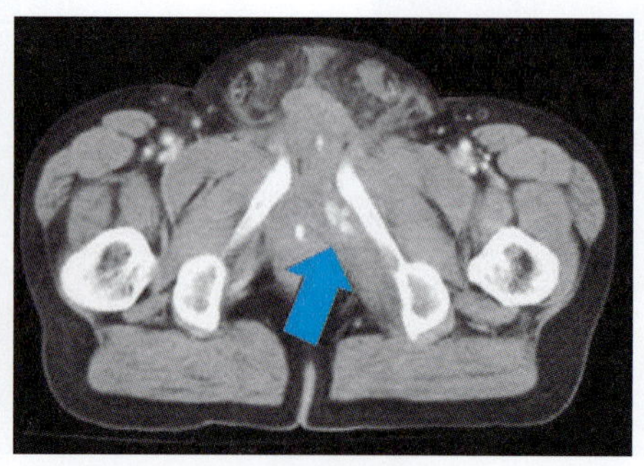

b：造影 CT 像。左内陰部動脈から造影剤の血管外漏出像を認める（矢印）

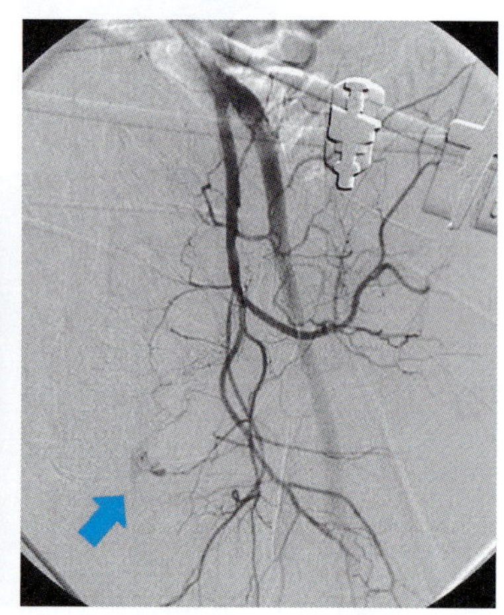

c：血管造影像。左内陰部動脈から造影剤の血管外漏出像を認める（矢印）

図 20　燃料タンクによる骨盤損傷（オートバイ運転手）

2. 墜落・転落

墜落は高所からの落下であり，転落は斜面や階段を転がり落ちることである。

墜落では，高さや衝突面の性状（コンクリート，土など），地面との接触部位，落下途中の構造物の有無などで損傷部位や重症度が異なる。足から墜落した場合は，踵骨などの骨折から下肢，骨盤，椎体などの骨折を合併する（図 21）。また，大動脈損傷や腹腔内臓器損傷を合併する場合がある。

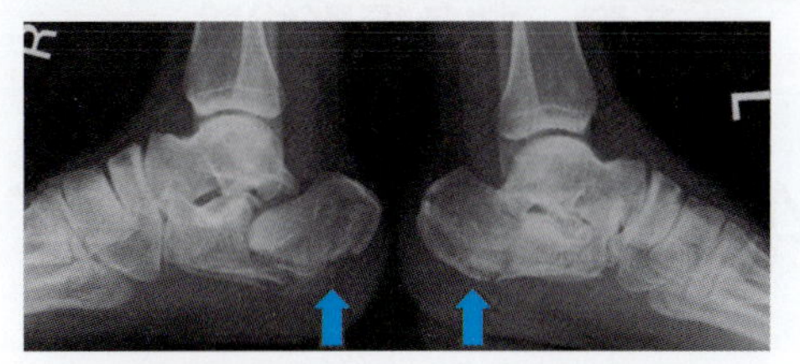

a：両踵骨側面 X 線像。両側踵骨の骨折を認める（矢印）

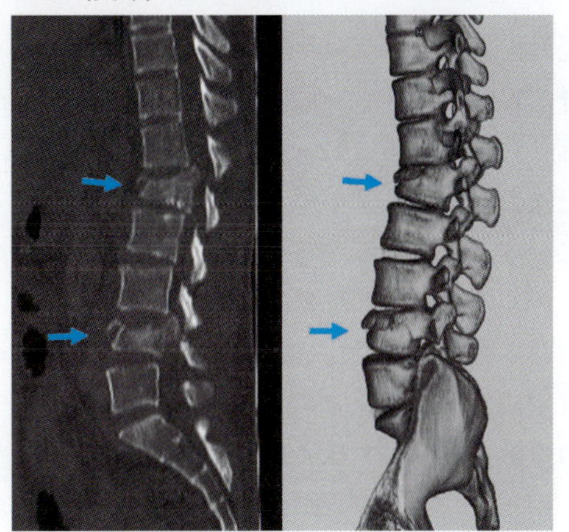

b：CT-MPR/3D 像。第 1 腰椎（L1）と第 4 腰椎（L4）に破裂骨折を認める（矢印）

図 21　踵からの墜落による損傷

【文　献】

1）日本外傷学会外傷初期診療ガイドライン改訂第 5 版編集委員会編：外傷初期診療ガイドライン JATEC™，第 5 版，へるす出版，東京，2016.
2）JPTEC 協議会編：JPTEC ガイドブック，第 2 版，へるす出版，東京，2016.

4　外傷全身 CT の撮影

多発外傷患者の早期全身観察に CT 撮影法を用いる外傷全身 CT 撮影（以下，全身 CT）は，trauma pan-scan とも称され，1997 年に Low らから報告[1]されて以降，病変検出能の向上のみならず，死亡リスクの低減や初期診療時における診断から治療開始までに要する時間の短縮など，多くのメリットが明らかにされてきた[2)~5)]。わが国においてもその有用性が認知され，平成22年度の診療報酬改定にて保険点数加算が認められた。

その撮影方法に関する記述は「64 列のマルチスライス CT を用いた，全身打撲症例における初期診断のために行う，頭蓋骨から少なくとも骨盤骨までの連続した CT 撮影」というものにとどまっており，詳細な撮影プロトコルは不明瞭であったが，2012 年に発行された『外傷初期診療ガイドライン JATEC™』の改訂第 4 版[6]にて新しく「画像検査」の章が設けられ，全身の動脈損傷の評価を念頭に置いた全身 CT のプロトコルの概要が示された。さらに，2015 年に発行された『X 線 CT 撮影における標準化～GALACTIC～改訂 2 版』[7]では全身 CT の具体的な撮影プロトコルや技術的な工夫が示され，適応対象や技術面においては課題を残すものの，標準的な全身 CT の基盤が確立されてきた。さらに 2016 年に発行された JATEC™ の改訂第 5 版[8]では，「切迫する D」がある場合，secondary survey の最初に頭部 CT が撮影されるが，その後に続けて全身 CT 撮影を行うことが許容され，新しい全身 CT の適応基準の一つが確立された。

全身 CT の適応

全身 CT の主たる検査目的は，見逃しが多いとされる脳血管や胸部大動脈などの血管損傷の評価である。その発生率が高くなる高所からの墜落などの高エネルギー外傷，多発外傷や血管・脊髄損傷を強く疑う解剖学的所見および生理学的所見をもとに適応対象を検討すべきであるが，過度に厳密になりすぎず，検査を受ける患者にとって利益があり，被ばく，造影剤のリスクおよび経費のバランスがとれていることにも配慮すべきである[9]。

鈍的脳血管損傷（blunt cerebral vascular injury；BCVI）のスクリーニング基準としては，Denver 基準（表 1）[10]や Memphys 基準（表 2）[11]が代表的である。頭蓋底骨折（とくに中頭蓋底骨折および内頸動脈孔を含む骨折），Le Fort Ⅱ・Ⅲ型顔面骨骨折，下顎骨骨折，第 1 肋骨骨折，びまん性軸索損傷は内頸動脈損傷の危険因子であり，頸椎横突起骨折，脊椎側部の骨折，亜脱臼，上位頸椎（C1～2）骨折は椎骨動脈損傷の危険因子である[12]。頭蓋底骨折を疑う身体所見としては，眼窩周囲皮下出血（パンダの眼徴候），耳介後皮下出血（Battle's sign），髄液漏，鼻出血，耳出血があり，CT で副鼻腔内・乳突蜂巣内の血液貯留，ニボー形成を認める場合も危険である。そのほかに，顔面変形，頸部腫脹，口腔出血にも注意が必要であり，シートベルトサインは局所に力が集中した証拠である[13]。

胸部大動脈損傷は，胸部単純 X 線撮影の異常 X 線徴候

表 1　Denver 基準

所見・症状	リスクファクター
首，鼻，口からの動脈性出血	高エネルギー外傷による Le Fort Ⅱ or Ⅲ型骨折
50 歳以下の頸動脈雑音	頸動脈管を含む頭蓋底骨折
増大傾向にある頸部血腫	椎体，横突孔骨折，亜脱臼，靱帯損傷，C1～2 の骨折
局所神経障害（一過性脳虚血発作，片頭痛，椎骨脳底動脈領域の症状，Horner 症候群）	GCS 合計点<6 のびまん性軸索損傷を伴う閉鎖型頭部外傷
CT もしくは MRI における脳卒中所見	低酸素脳症を伴う縊頸
頭部 CT 所見と矛盾する神経学的欠損	著名な腫脹，痛み，もしくは精神状態の変化を伴う物干し網状の擦過傷，もしくはシートベルトによる擦過傷

〔文献 10）より引用・改変〕

表 2　Memphis 基準

・頚椎骨折
・画像所見と矛盾する神経学的異常所見
・Horner 症候群：顔面を支配する交感神経系の障害により生じ，瞳孔縮小，眼瞼裂狭小，眼球陥凹を主徴とする。患側の顔面の発汗障害などがみられることもある
・Le Fort Ⅱ or Ⅲ型骨折
・破裂孔を含む頭蓋底骨折
・頚部軟部組織損傷（シートベルト外傷，縊頚など）

〔文献 11）より引用・改変〕

（上縦隔開大，aortic knob の消失，左胸腔内液体貯留，apical cap，第 1・2 肋骨骨折，気管偏位，左右気管支下方偏位，胃管偏位）から疑うことができるが，感度・特異度ともに高くないため，墜落（転落）事故，自動車事故などの重大な減速作用や，胸部への直接的打撲・圧迫などの受傷機転があればCT 撮影によるスクリーニングを行い，胸部大動脈損傷に対し感度の高い縦隔血腫の有無を評価して，CT angiography の適否を検討する。

このように，全身 CT の適応は，血管損傷が疑われる身体所見，症状およびリスクファクターの有無がポイントとなる。ただし，前述したように，「切迫する D」がある場合には頭部 CT 撮影が優先されるのに伴って E の評価が省略されているため，頭部 CT の後に引き続いて行う全身 CT では，これらのポイントを評価したうえで撮影プロトコルや撮影範囲を決定する必要がある。

全身 CT の撮影方法

1. 概　要

表 3 に外傷 CT 撮影プロトコルの一例を示す[14]。最初に非造影の頭頚部 CT を撮影し，引き続いて胸部〜骨盤の動脈優位相と平衡相の造影 CT を撮影する。病態によって造影 CT の撮影範囲が異なるのが特徴であり，頭蓋底から頚部にかけて外傷所見がある場合には動脈優位相の撮影開始位置は頭蓋底からとなり，顔面外傷の活動性出血を検索する目的の場合には平衡相の撮影開始位置は顔面からとなる。また，非造影の体幹 CT 撮影の必要性について JATEC™では，造影 CT で必要な情報をほぼ取得できるため，撮影時間と被ばく線量を考慮し，場合によって追加を検討すればよいとされている[8]。

BCVI の形態は，壁不整（wall irregularity），解離（dissection），壁内血腫（intramural hematoma），剝離内膜（intimal flap），仮性動脈瘤（pseudo aneurysm），閉塞（occlusion），断裂（transection），および動静脈瘻（arteriovenous fistula）に分類され，それぞれ脳卒中の発生率が異なるため，形態診断は重要である。微細な所見を見逃さないよう，再構成スライス厚，FOV，window 幅/window レベル，再構成関数の最適化（図 1）を行い，MPR を用いて多断面から評価する。

2. 上肢のポジショニング

全身 CT では，頭頚部と体幹のどちらかが，上肢の障害によるストリークアーチファクトおよびビームハードニングアーチファクトの影響を受けるため，上肢のポジショニングについては議論の分かれるところである。しかし，上肢からのアーチファクトにより脳血管損傷の評価における特異度が低下するという報告[15]や，アーチファクトによる腹部診断への影響は少ないという報告[16]を考慮すると，両上肢を挙上するよりは，両上肢を内旋し下垂するほうが適正であると考えられる。

ただし，画像ノイズの簡易的指標値である standard deviation（SD）を維持するために X 線管電流を自動制御する自動露出機構（CT automatic exposure control；CT-AEC）を使用する場合，上肢の X 線吸収分，線量が増加するため[17)〜19]，乳腺被ばくを考慮すると片側だけでも挙上したほうがよい。この場合，頭部から骨盤の動

表 3　全身 CT の撮影プロトコルの一例

	スキャン範囲		タイミング
	頭蓋底〜頚部外傷の所見*なし	頭蓋底〜頚部外傷の所見*あり	
単純（非造影）	頚部〜頭部	頚部〜頭部	
動脈相	胸部〜骨盤	頭蓋底〜骨盤	3 ml/秒で造影剤注入後，ボーラストラッキング法でスキャン開始
平衡相	胸部〜骨盤	胸部〜骨盤（ただし，顔面外傷の extravasation の検索目的では顔面を含む）	造影剤注入開始から，100〜110 秒後

*頭蓋底骨折のサイン（鼓膜内出血，パンダの眼徴候，髄液耳漏・鼻漏，Battle's sign），鼻腔・耳孔・口腔からの持続性出血，顔面の変形，頚部の鋭的外傷（穿通性外傷），頚椎損傷など

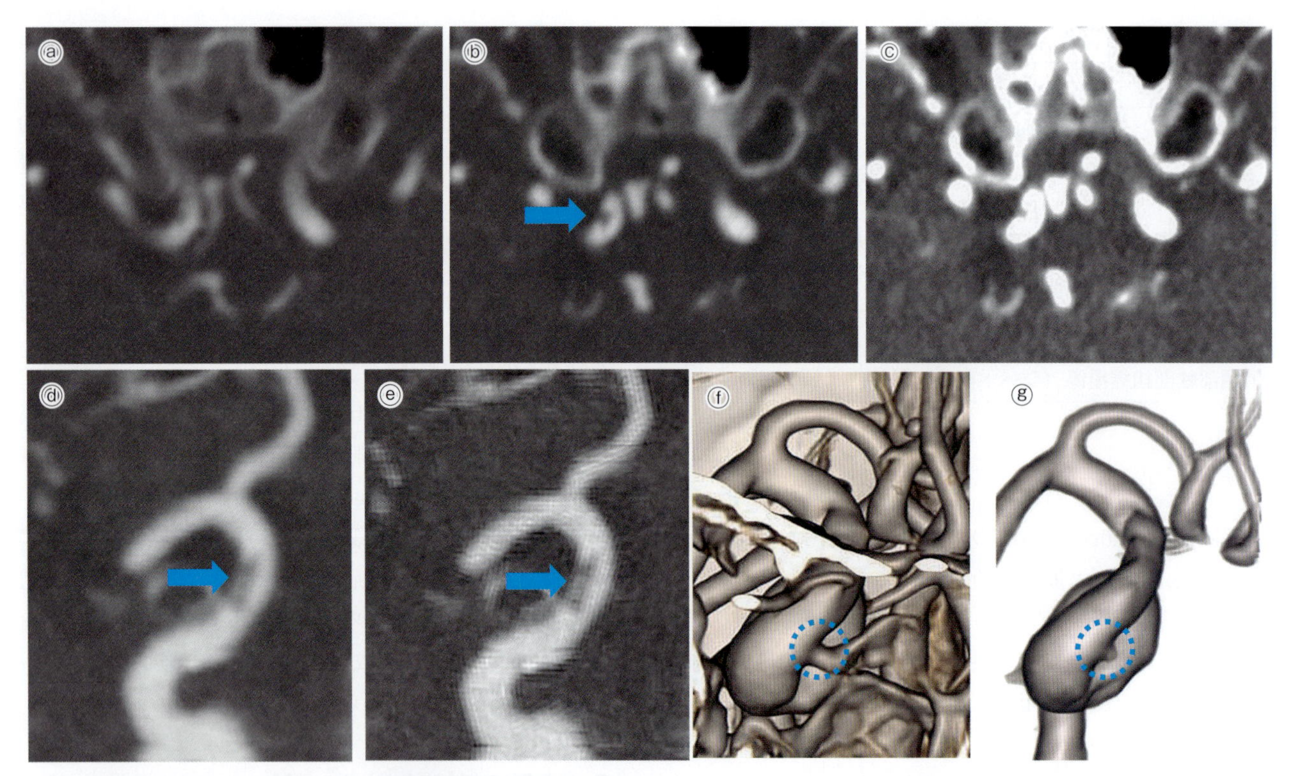

図1　画像再構成法とBCVI（内頸動脈損傷）の描出

BCVIの検出には，thin-slice，window条件の適正化，sharp関数，骨を外したVRが有効である

a〜e：壁不整（矢印），f〜g：仮性動脈瘤（丸印）

a：5 mm厚（WW/WL：1,200/300），b：1 mm厚（WW/WL：1,200/300），c：1 mm厚（WW/WL：500/100），d：CPR，e：CPR（エッジ強調処理画像），f：VR，g：VR（骨除去画像）

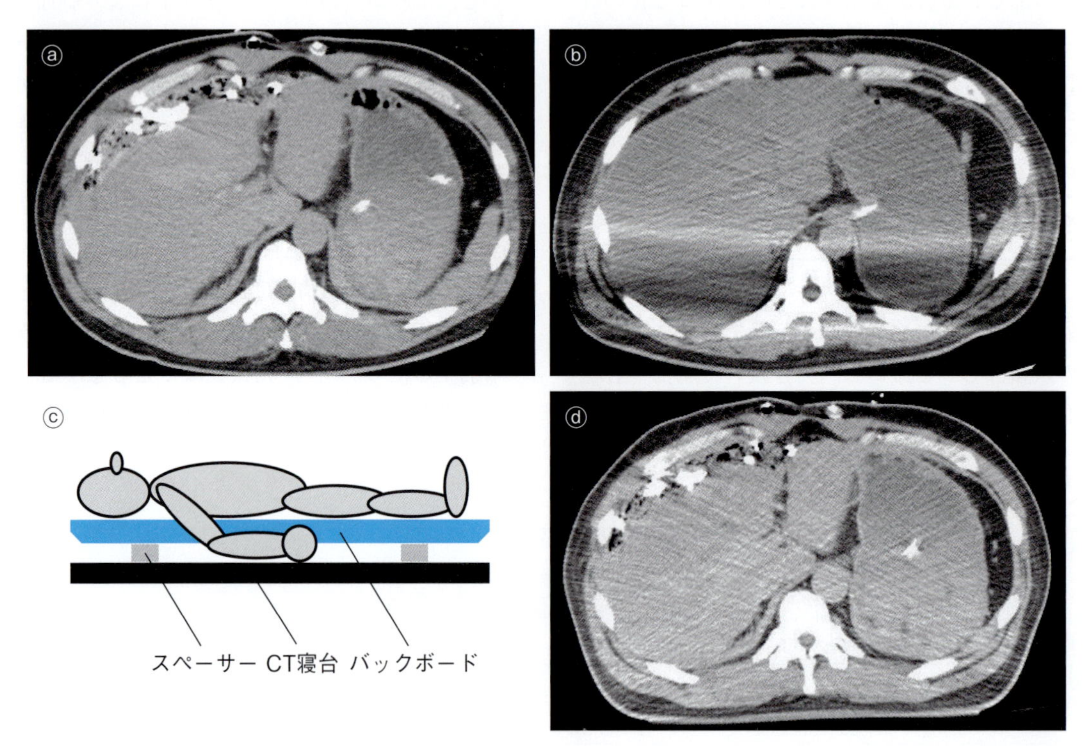

図2　上肢のポジショニングと画質

a：上肢挙上位

b：上肢下垂位（上肢：体幹の真横）

c，d：上肢下垂位（バックボードあり，上肢：体幹より背側）

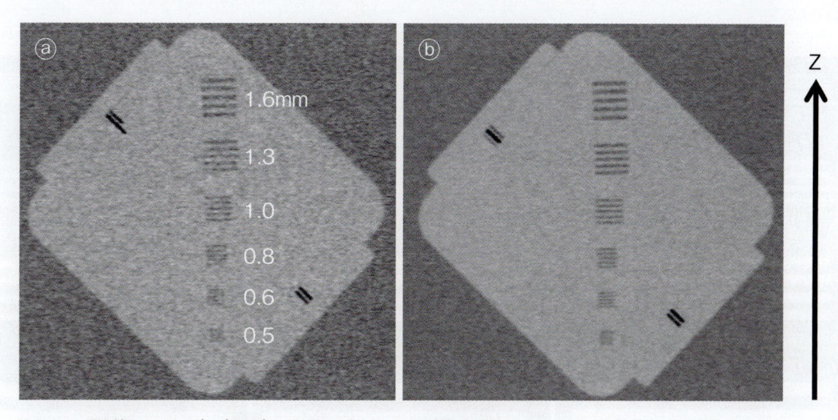

図 3　画像ノイズ（SD）とスリットの描出能
a：SD＝10，b：SD＝5
SD＝10 は SD＝5 と比較してスリットの分離が不良

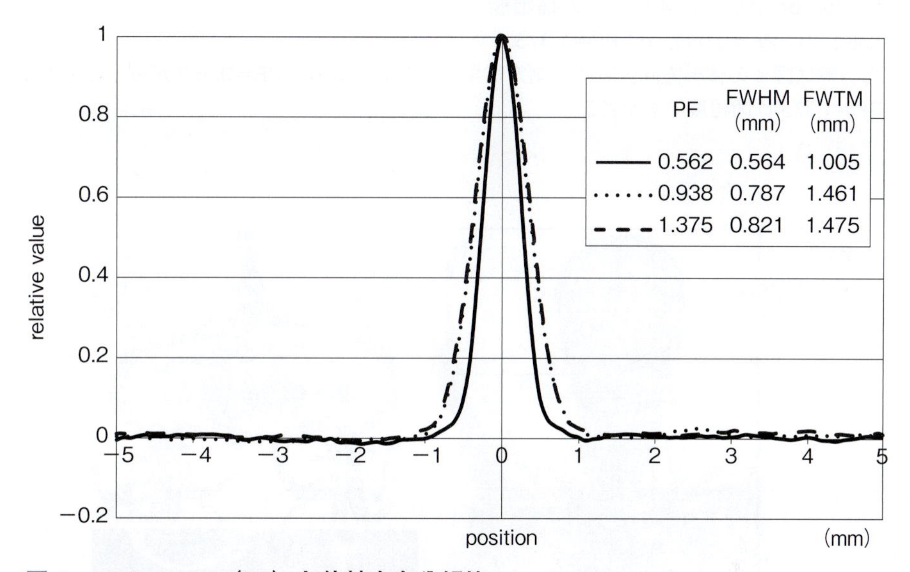

図 4　pitch factor（PF）と体軸方向分解能
グラフは異なる PF における section sensitivity profile at Z-axis（SSPz）であり，full width at half maximum（FWHM），full width tenth at maximum（FWTM）を計測
PF により体軸方向分解能が異なる

脈優位相は片側挙上位で撮影し，胸部～骨盤の平衡相は両上肢挙上位で撮影するのが理想的である。

不安定型骨盤骨折患者など，移動に伴う体動が患者病態に影響を及ぼす可能性のある場合には，患者をバックボードに固定したまま CT 撮影を行うこともあるが，患者固定にはバックボード付属の固定具を利用する。さらに，バックボードと CT 寝台の間に発泡スチロールなど X 線透過性のスペーサーを挿入して空間を設けることで，上肢を体幹より下方に下垂できるようになり，アーチファクトをその空間に逃がすことが可能である（図 2）。

3. 画質と被ばくの適正化

全身 CT では脳血管の内膜剥離など微細な病変も評価の対象となるため，ノイズ特性や体軸方向分解能の優れた撮影条件が望ましい（図 3～5）。一方で，胸腹部領域において時間分解能は無視できない要素であり，single-pass scan を基本とする本撮影ではその両立は難しい。

variable Helical Pitch（vHP）スキャン（キヤノンメディカルシステムズ）は 1 つのスキャン計画で CT-AEC の設定 SD とピッチを 1 回変更可能であり，本来は冠動脈と大動脈の両方を 1 回の造影検査で撮影したい場合に有効な機能として認知されているが，全身 CT への活用も期待できる（図 6）[20]。GALACTIC ガイドライン[7]では，頭部の設定 SD として，脳動脈瘤の検索，周囲血管との関係把握が主目的で 3D を念頭に置いた 6～9（設定スライス厚：最小値）を推奨し，腹部の設定 SD として，出血の検出を念頭に置いた 10～12（設定スライス厚：5 mm）を推奨している。また，このような機能を有しない CT 装置においても single-pass scan ではなく頭部と頭部以下を分割して撮影する segmented scan が推奨さ

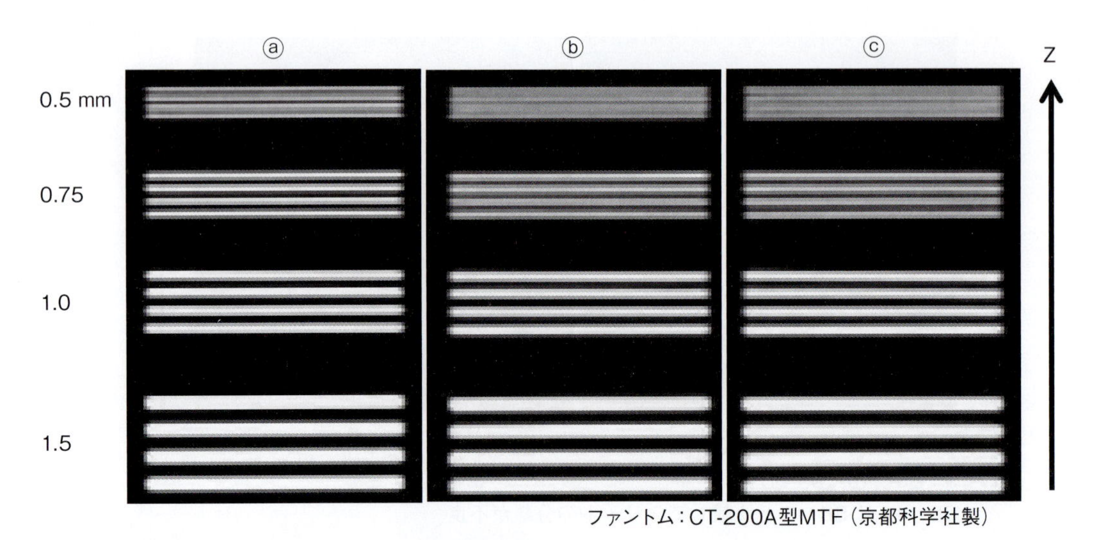

図 5　pitch factor（PF）とスリットの描出能

a：PF＝0.562，b：PF＝0.938，c：PF＝1.375

スリットの分離は図 4 の体軸方向分解能の測定結果に依存しており，PF＝0.562 がもっともよく，PF＝0.938 と PF＝1.375 は同程度でやや劣る

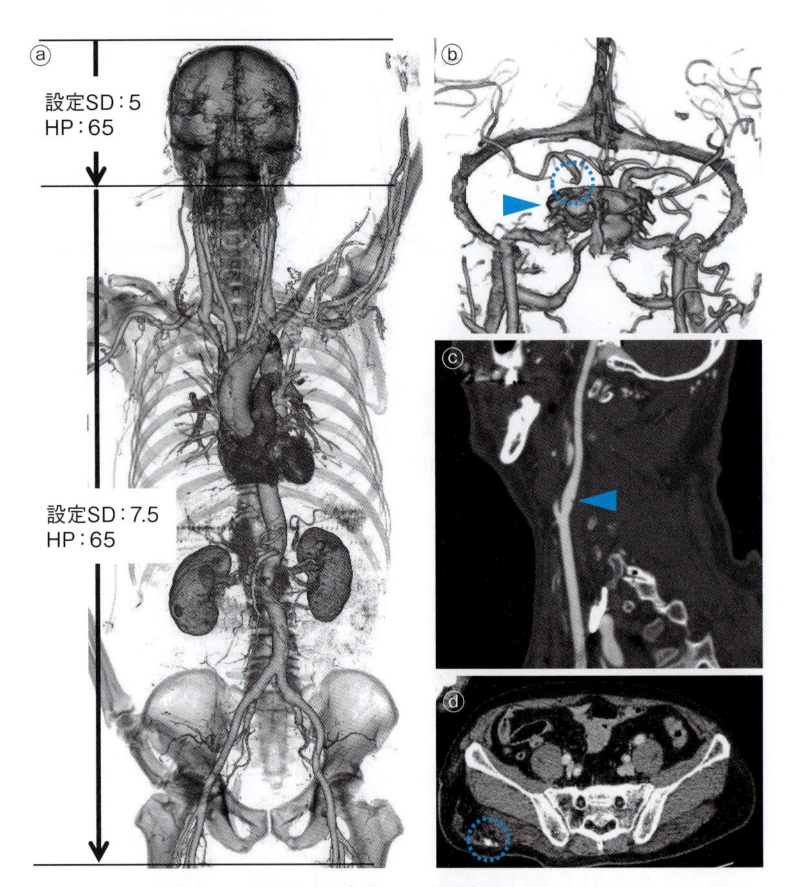

図 6　vHP スキャンを用いた全身 CT 撮影の一例

70 歳，男性。道路を横断中車に跳ね飛ばされ受傷

a：頭部および頸部～骨盤における設定 SD と HP

b：右内頸動脈断裂（丸印）と内頸動脈海綿静脈洞瘻（矢頭）

c：左内頸動脈内膜剝離（矢頭）

d：右殿部背側に extravasation（丸印）

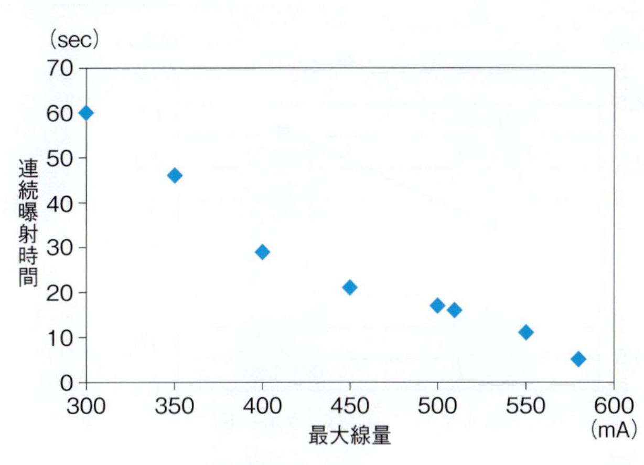

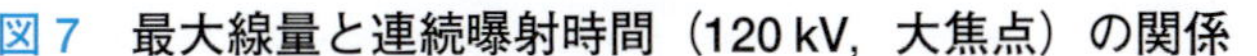
図7 最大線量と連続曝射時間（120 kV，大焦点）の関係

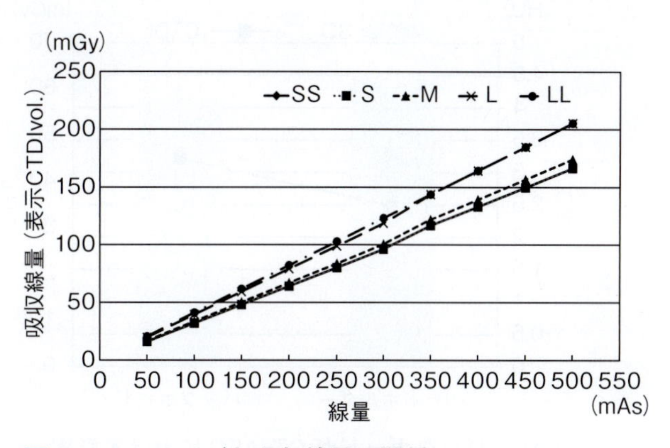

図8 FOV サイズと吸収線量の関係

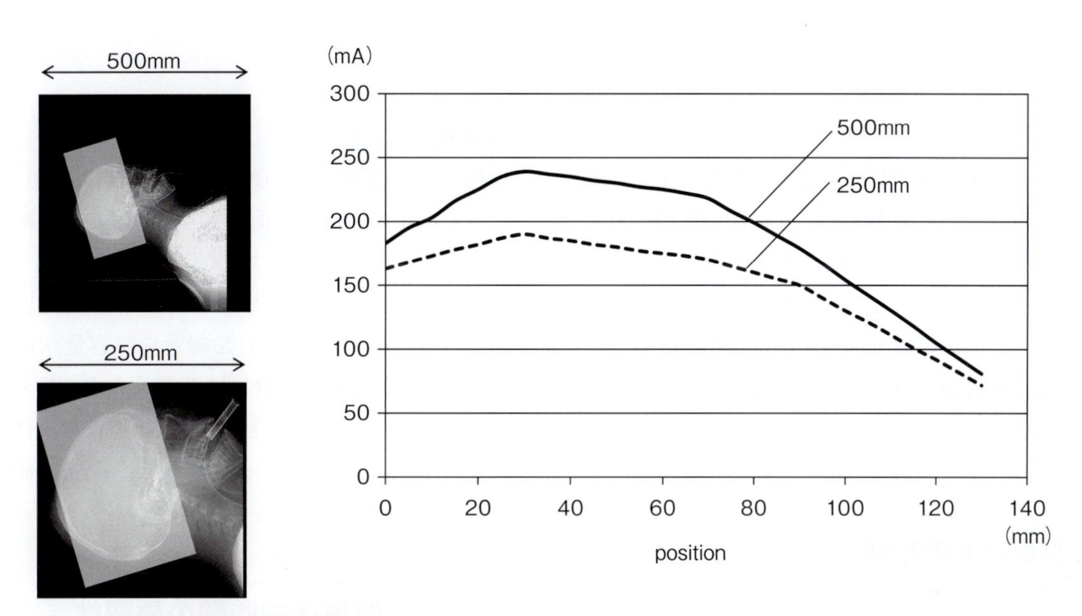

図9 位置決め画像の収集範囲と CT-AEC の動作特性

れており，画質と被ばくの適正化に有効である[7]。

CT-AEC を使用した CT 撮影では，装置によってはスキャン中の最大線量により連続撮影時間が規定される（図7）。したがって，被写体によっては最大線量を下げないかぎり必要とする範囲を撮影することができない場合があるが，segmented scan では分割して撮影を行うため１回当たりの撮影距離（撮影時間）が短く，このような制限も受けにくい。

CT 装置には面内の CT 値および画像ノイズの均一性を向上させるハードウエアとして，X 線管のコリメータ部にボウタイフィルタが装備されており，一般に収集時の被写体サイズに合わせて頭部用と躯幹部用の２種類が用意されている[7]。しかし，calibration-field of view（C-FOV）が固定であり被写体サイズに応じた適正なボウタイフィルタが選択されない single-pass scan では，ボウタイフィルタの理想的な効果が得られず被ばくの増加（図8）をまねくだけでなく，画像再構成も不正確になる[21]。

また，single-pass scan を基本とする全身 CT では，位置決め画像の収集範囲も segmented scan と比較して大きくなる。装置によっては位置決め画像の収集範囲により CT-AEC の動作特性が変わるタイプもあるため，CT-AEC の動作特性の確認と noise index の見直しが必要である（図9）。

さらに，上肢からのアーチファクトは上肢の X 線吸収により入射線量が減少することが原因で発生するため，線量の付加でアーチファクトを低減することが可能であるが，一方で被ばくが増えるため，ストリークアーチファクト低減ソフトや逐次近似画像再構成法を適応すべきである[22)23]。

このように，全身 CT では画質の最適化が難しく，画像ノイズも増加傾向にあるため，造影剤はできるかぎり濃度の高いものを使用し，注入速度もできるかぎり高速で注入することで，造影コントラストが上昇してノイズ

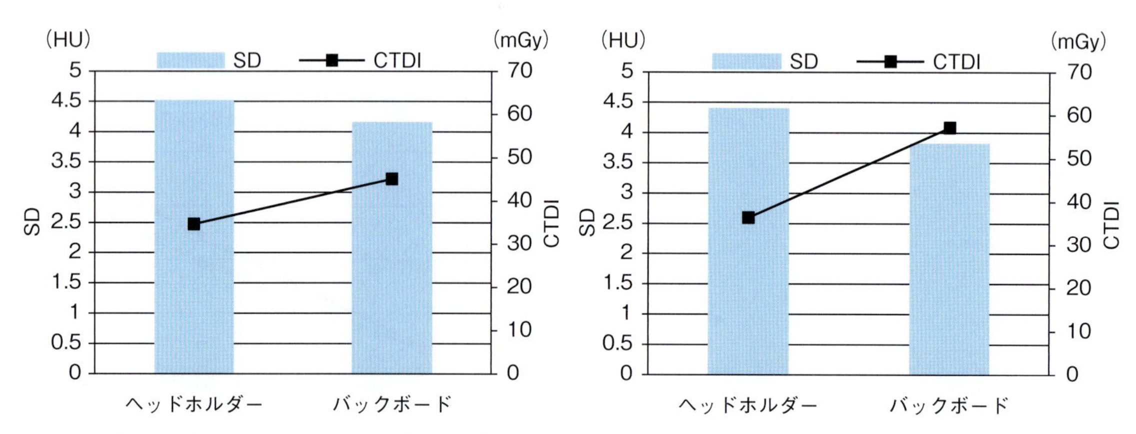

図10　バックボードがCT-AECに及ぼす影響
左：位置決め画像＝正面，右：位置決め画像＝側面
線量はヘッドホルダー固定よりバックボード固定のほうが多く，とくに位置決め画像が側面のときにその差は顕著である

の影響を受けにくくなる[15)24)25)]。

外傷患者に対する造影CTは，造影剤を単相注入して動脈優位相と実質相の2回撮影を行うのが一般的であるが，造影剤の注入を2回に分割し，1回目の注入の実質相到達直前に2回目を注入して動脈優位相を撮影することで，両時相を1回の撮影で取得することができる。このような方法はsplit bolus techniqueとして認知されており，被ばく線量の削減や，装置のスペックによって2回撮影が困難な場合に有効である[26)～28)]。

4. バックボードの影響

撮影線量が同じ場合，バックボードを含むCT撮影はバックボードを含まない撮影と比較して透過X線が減弱し，ノイズが増加する[29)]。一方でCT-AECを使用した場合，バックボードの位置決め画像が正面方向と側面方向で異なるため，CT-AECが自動調整する線量も位置決め画像の撮影方向によって異なることが考えられる。

横町ら[30)]は，CT-AECを使用した頭部CT撮影において，頭部固定具の違いが線量に及ぼす影響ついて報告し，簡易的にCT寝台上に固定した場合，側面方向の位置決め画像撮影ではX線がCT寝台の接線方向に入射するため，形状が半円型の頭部用固定具（ヘッドホルダー）を使用した場合よりX線吸収が高く，線量が高くなることを明らかにした。したがって，バックボードを含むCT撮影では，CT寝台のX線吸収にさらにバックボードのX線吸収が加わるため，位置決め画像の撮影方向がCT-AECに及ぼす影響はさらに大きくなる。図10は，バックボード固定下でのCT撮影における位置決め画像の収集方向がCT-AECの動作特性に及ぼす影響を，ヘッドホルダー使用時と比較した結果である。撮影対象は円柱水ファントムで，CT-AECのNIは4とした。その結果，バックボード使用時はヘッドホルダー使用時と比較して，位置決め画像が正面のときに約10 mGy増加し，位置決め画像が側面のときに約20 mGy増加した。

全身CTの撮影範囲は広く，撮影時間も長くなる。そのため，バックボードの影響は被ばくの増加のみならず，検出器列数が少なくX線管の熱容量が低いロースペックのCT装置の場合にはX線管の冷却待ちのため検査が一時中断する可能性もあり，位置決め画像の撮影方向に応じたCT-AECの条件設定を，画質評価と合わせて行う必要がある。

画像再構成時間の重要性

緊急度が高く早期診断が求められる全身CTにおいて，画像再構成時間は無視できない要素であり，とくにデータ量が多くなる本撮影においてはなおさらである。そのため，使用装置における撮影パラメータと画像再構成時間との関係を把握しておくことが重要である。

表4に装置の撮影パラメータと再構成時間の関係の例を示すが，このなかでも検出器列数＝160列，C-FOV＝500 mmは再構成時間が遅く，できれば避けるべきパラメータである。一方で，ローテーションタイム＝0.35秒，ピッチファクター＝1.484は再構成時間が早く，画質への影響が許容範囲であれば積極的に変更を検討すべきパラメータであるといえる。

全身CTの課題と展望

全身CTは多発外傷患者に潜む重大な損傷の見逃しを削減する手法として有用である。しかし，適応対象や撮影部位に応じた画質と被ばくの適正化が十分に確立され

表4 撮影パラメータと再構成時間（T）

【基準パラメータ】

検出器配列：64×0.5 mm，RT：0.5 秒，PF：0.828，関数（FBP）：abdomen（BHC＋），C-FOV：400 mm，画像枚数：201 枚

検出器列数	T（秒）	ローテーションタイム（秒）	T（秒）	関数（FBP）	T（秒）
64	22	0.35	18	bone	19
80	27	0.5	24	lung	19
100	23	0.75	22	abdomen（BHC－）	20
160	42	1.0	23	abdomen（BHC＋）	22
		1.5	32	head（BHC＋）	23
				high resolution	40
PF	**T（秒）**	**C-FOV（mm）**	**T（秒）**	**関数（逐次近似応用）**	**T（秒）**
0.641	28	180	22	weak	23
0.828	22	240	22	mild	23
1.484	15	320	21	standard	24
		400	23	strong	23
		500	28		

RT：rotation time，PF：pitch factor，BHC：beam hardening correction

実際の全身CTの画像枚数は本検証の枚数より多く，各パラメータ間の時間差はさらに大きい

ていない現状をふまえると，全身CTを安易に適応すべきでなく，症例検討の蓄積に基づく撮影対象の絞り込み，ならびにvHPスキャンを筆頭とする現有機能の応用と，全身CTに適した新しいシステム開発が望まれる。primary surveyとしての適用についても，撮影中の急変や緊急処置を要する場合もあること，循環動態によっては来院後に短時間で緊急手術となる可能性や死亡するリスクもあるため，「防ぎ得た死」を回避するためには急変時に対応可能な十分な施設環境とスタッフが確保されていることが前提となる[31]。

segmented scanの診断参考レベル（diagnostic reference levels；DRLs）が公表され[32)33)]，適切な線量管理が可能になったが，宮安らの報告[34)]では，全身CT撮影における被ばく線量（CTDIvolとDLP）の国内実態調査を行い，格差が生じていることを明らかにされている。近い将来，全身CTにも診断参考レベルが制定され，全身CTが安全かつ低侵襲な患者救命に有効な撮影法として普及することを望む。

【文 献】

1) Low R, et al：Whole body spiral CT in primary diagnosis of patients with multiple trauma in emergency situations. Rofo 166：382-388, 1997.
2) Sampson MA, et al：Computed tomography whole body imaging in multi-trauma：7 years experience. Clin Radiol 61：365-369, 2006.
3) Huber-Wagner S, et al：Effect of whole-body CT during trauma resuscitation on survival：A retrospective, multicentre study. Lancet 373：1455-1461, 2009.
4) Jiang L, et al：Comparison of whole-body computed tomography vs selective radiological imaging on outcomes in major trauma patients：A meta-analysis. Scand J Trauma Resusc Emerg Med 22：54, 2014.
5) Wurmb TE, et al：Whole-body multislice computed tomography as the first line diagnostic tool in patients with multiple injuries：The focus on time. J Trauma 66：658-665, 2009.
6) 日本外傷学会外傷初期診療ガイドライン改訂第4版編集委員会編：外傷初期診療ガイドラインJATEC™，第4版，へるす出版，東京，2012.
7) 日本放射線技術学会：放射線医療技術学叢書（27）：X線CT撮影における標準化：GALACTIC，第2版，2015.
8) 日本外傷学会外傷初期診療ガイドライン改訂第5版編集委員会編：外傷初期診療ガイドラインJATEC™，第5版，へるす出版，東京，2016.
9) Harvey JJ, et al：The right scan, for the right patient, at the right time：The reorganization of major trauma service provision in England and its implications for radiologists. Clin Radiol 68：871-886, 2013.
10) Nagpal P, et al：Blunt cerebrovascular injuries：Advances in screening, imaging, and management trends. AJNR Am J Neuroradiol 39：406-414, 2018.
11) Miller PR, et al：Prospective screening for blunt cerebrovascular injuries：Analysis of diagnostic modalities and outcomes. Ann Surg 236：386-393, 2002.
12) Sliker CW：Blunt cerebrovasucular injuries：Imaging with multidetector CT angiography. Radiographics 28：1689-1708, 2008.

13）Rozycki GS, et al：A prospective study for the detection of vascular injury in adult and pediatric patients with cervicothoracic seat belt signs. J Trauma 52：618-623, 2002.
14）並木淳：外傷パンスキャンの適応．救急白熱セミナー；頭部外傷実践マニュアル，中外医学社，東京，2014.
15）Sliker CW, et al：Diagnosis of blunt cerebrovascular injuries with 16-MDCT：Accuracy of whole-body MDCT compared with neck MDCT angiography. AJR Am J Roentgenol 190：790-799, 2008.
16）Loupatatzis C, et al：Whole-body computed tomography for multiple traumas using a triphasic injection protocol. Eur Radiol 18：1206-1214, 2008.
17）Brink M, et al：Arm raising at exposure-controlled multidetector trauma CT of thoracoabdominal region：Higher image quality, lower radiation dose. Radiology 249：661-670, 2008.
18）Karlo C, et al：Whole-body CT in polytrauma patients：Effect of arm positioning on thoracic and abdominal image quality. Emerg Radiol 18：285-293, 2011.
19）Loewenhardt B, et al：Radiation exposure in whole-body computed tomography of multiple trauma patients：Bearing devices and patient positioning. Injury 43：67-72, 2012.
20）藤村一郎，他：外傷パンスキャンの被ばくと画質に関する検討．日臨救急医会誌 15：617-624，2012.
21）Mahesh M：MDCTのハードウェア構成．MDCTの基本パワーテキスト，メディカル・サイエンス・インターナショナル，東京，2010，pp35-44.
22）福永正明，他：低線量腹部CT撮影におけるアーチファクト低減処理法を用いたダークバンドアーチファクト低減効果の検証．日放線技会誌 71：316-324，2015.
23）Grupp U, et al：Reducing radiation dose in emergency CT scans while maintaining equal image quality：Just a promise or reality for severely injured patients? Emerg Med Int 2013：984645, 2013.
24）Boacak AR, et al：Optimizing trauma multidetector CT protocol for blunt splenic injury：Need for arterial and portal venous phase scans. Radiology 268：79-88, 2013.
25）Nguyen D, et al：Evaluation of a single-pass continuous whole-body 16-MDCT protocol for patients with polytrauma. AJR Am J Roentgenol 192：3-10, 2009.
26）Beenen LF, et al：Split bolus technique in polytrauma：A prospective study on scan protocols for trauma analysis. Acta Radiol 56：873-880, 2015.
27）Leung V, et al：Implemental of a split-bolus single-pass CT protocol at a UK major trauma centre to reduce excess radiation dose in trauma pan-CT. Clin Radiol 70：1110-1115, 2015.
28）Loupatazi C, et al：Whole-body computed tomography for multiple traumas using a triphasic injection protocol. Eur Radiol 18：1206-1214, 2008.
29）Hemmes B, et al：Effect of spinal immobilisation devices on radiation exposure in conventional radiography and computed tomography. Emerg Radiol 23：147-153, 2016.
30）横町和志，他：頭部CT撮影における頭部固定具が画質と線量に及ぼす影響．日放線技会誌70：1166-1172，2014.
31）金史英，他：鈍的外傷に対する全身CTはprimary surveyとなりうるか？　日外傷会誌 28：39-45，2014.
32）ICRP：Diagnostic reference levels in medical imaging：Review and additional advice. Ann ICRP 31：33-52, 2001.
33）医療被ばく研究情報ネットワーク，他：最新の国内実態調査結果に基づく診断参考レベルの設定，2015.
34）宮安孝行，他：外傷全身CT撮影における被ばく線量(CTDIvolとDLP)の国内実態調査．日臨救急医会誌 22：715-722，2019.

5 外傷CTの読影

外傷CT読影で求められること

CTは解剖学的損傷の情報量に富んでおり，外傷診療において治療方針決定に有用であることは周知の事実であるが，その画像情報を治療に結びつけるためには，迅速に，かつ正確に読み取って臨床情報と結びつけなければならない。所見のなかでも造影剤の血管外漏出像は，現在進行形の出血を把握することができるという意味で，超音波とは異なる大きな長所の一つである。もちろん，血管外漏出像を描出するためには撮影プロトコルも重要となる。

正確に画像情報を読み取るためには，医師としても専門的な教育が必要である。画像診断医（放射線科医）が主体となって画像を解釈することが必要となるが，24時間365日対応可能という施設は少なく，外傷医・救急医・外科医などの担当医や，診療放射線技師が自ら画像を読み取ることが求められる。とくに医師の数が限られている状況では，診療に従事する医師は画像を十分に読み取ることが時間的にも困難であり，診療放射線技師がその役割の一部を担ってチームとして情報を共有し，治療に役立てていかなければならない。

外傷診療では，受傷から止血完了までの時間を短縮させることが重要であり，そのためには読影にゆっくりと時間を費やすことができず，通常の読影方法とは異なる方法で読み取る必要がある。ポイントを押さえて情報を読み取る方法として，JATEC™では3段階に分けて読影する方法が推奨されている[1)]。

この読影の第一段階を「FACT（focused assessment with CT for trauma）」と呼び，外傷診療において超音波を用いるFASTと同様に，必要な情報だけを読み取る方法である。超音波検査については救急医・外傷医の専門でないため，必要最小限の部位だけに焦点（focused）を当てて評価する（assessment）ことを，超音波検査装置（sonography）を用いて行っている。FACTでは，同様のことをCTで行い，短時間で必要な情報を読み取るのである。評価（assessment）のために，超音波の場合はその部位だけを「スキャン（scan）」することになるが，CTでは全身をスキャンしていることが多いため，その部位だけ「サーチ（search）」すると考えるとよい。

読影の第一段階（FACT）

1．いつ読影するか

CT撮影終了後，患者が寝台からストレッチャーに移乗するまでの間に喫緊の治療の必要性を判断する。時間にすれば約3分程度であるが，3分かけて読影するというわけではなく，CT室を出るまでの間に読影を行う。

2．誰が読影するか

通常，重症外傷診療はチームで行い，チーム内には医師が2名以上含まれていることが多い。その場合，1名は撮影終了とともにCT撮影室内に入って患者の状態変化を観察し，もう1名が操作室のコンソール上で第一段階の読影（FACT）を行う。施設の状況などによって医師が1名のみの場合には十分に画像を観察できない可能性もあり，診療放射線技師のサポートが必要になる。

3．何を読影するか

喫緊の処置を要する損傷を把握する（表1）[1)]。

1）頭　部

はじめに頭部の単純CTを撮影するため，まずこれを観察し，緊急減圧開頭血腫除去が必要な血腫の有無を観察する（図1）。細かな外傷性くも膜下出血の有無やsalt and pepperと呼ばれるような脳挫傷（図2）は第二段階で読影すればよい。もちろん，体幹のスキャンに移行するまで若干の時間があるため，その時間内に読影できるのであれば所見として認識する。

2）胸部（大動脈峡部）

頭蓋底(頸部)付近から尾側に向かって撮影するため，

表1　FACT（読影の第一段階）で観察するべき項目

1. 頭蓋内	緊急減圧開頭が必要な占拠性血腫
2. 大動脈峡部	大動脈損傷，縦隔血腫
3. 下肺野から肺底部	広範な肺挫傷，血気胸，心嚢血腫
4. 直腸膀胱窩	腹腔内出血
5. 骨盤・腰椎周囲	骨盤骨折，椎体周囲の血腫
6. 腹部臓器，腸間膜	実質臓器損傷，腸間膜血腫

〔文献1）より引用・一部改変〕

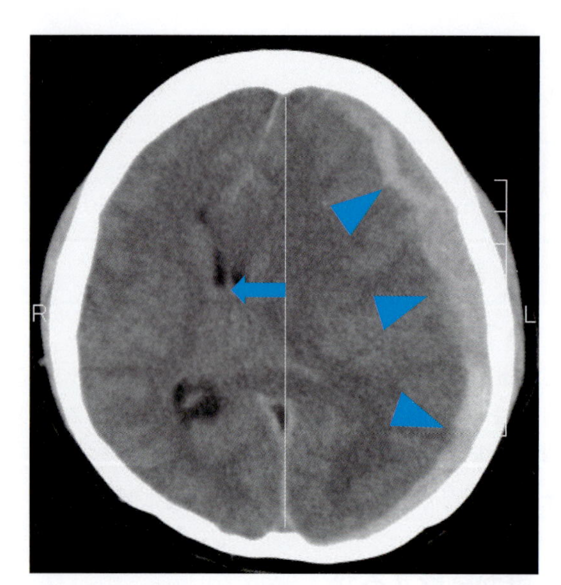

図 1　第一段階：急性硬膜下血腫
左側に急性硬膜下血腫（矢頭）がみられ，正中偏位を伴っており（矢印），緊急減圧開頭血腫除去が必要である

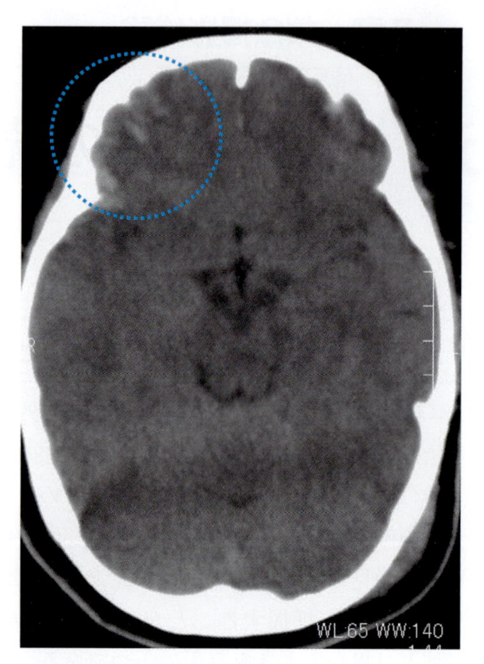

図 2　第一段階：脳挫傷
右前頭葉に“salt and pepper”と呼ばれる散在する高吸収と低吸収がみられる（丸印）

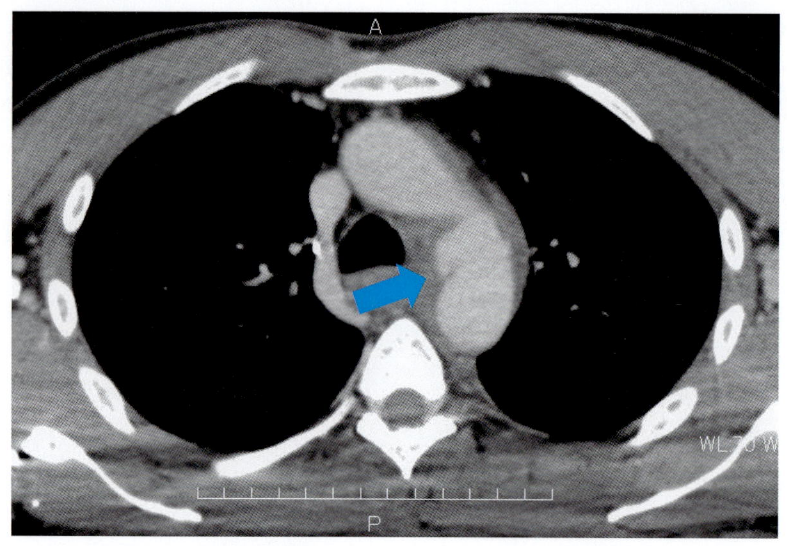

図 3　第一段階：大動脈損傷
大動脈弓部遠位に大動脈損傷による亀裂を認め（矢印），少量の縦隔血腫を伴っている

その順に画像がコンソール上に現れる。まずは大動脈損傷の有無と縦隔血腫の有無を判断する（図 3）。大動脈損傷の好発部位は，大動脈峡部と呼ばれる左鎖骨下動脈分岐直下の動脈管が存在している部位である。大動脈損傷に伴って縦隔血腫が少なからず存在するため，縦隔血腫があれば大動脈損傷があると思って読影する。第二段階では矢状断や冠状断でも観察する必要がある。

3）胸部（中下肺野）

大動脈損傷の有無を確認した後，肺野条件に変更して中下肺野の肺挫傷の有無を読影する（図 4）。上肺野の肺挫傷だけで生命に危機を及ぼすことは少ないため，大動脈峡部の観察後に，これより尾側を肺野条件に変更して観察すれば十分である。肺野条件に変更しなくてもわかるような肺挫傷はダメージが大きく，呼吸不全につながる可能性がある。また，臥位の状態であれば血気胸は肺底部で観察しやすくなるため同時に読影する（図 5）。心嚢血腫の有無（図 6）も観察するが，一時的に縦隔条件で観察することは厭わない。心嚢血腫に関してはFAST

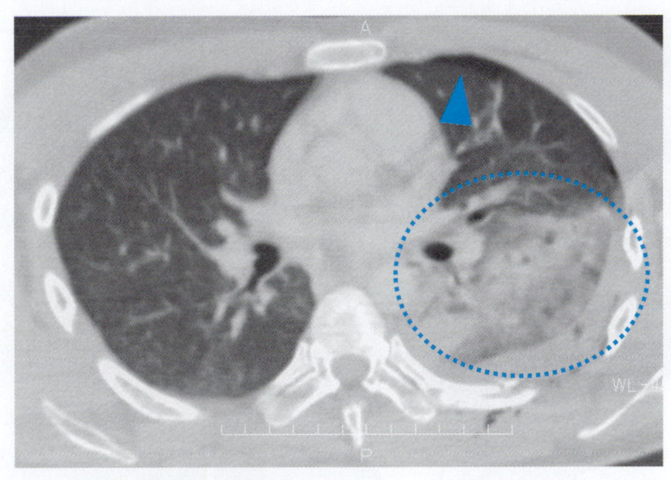

図4　第一段階：肺挫傷
左肺に非区域性の浸潤陰影を認め（丸印），左気胸も伴っている（矢頭）

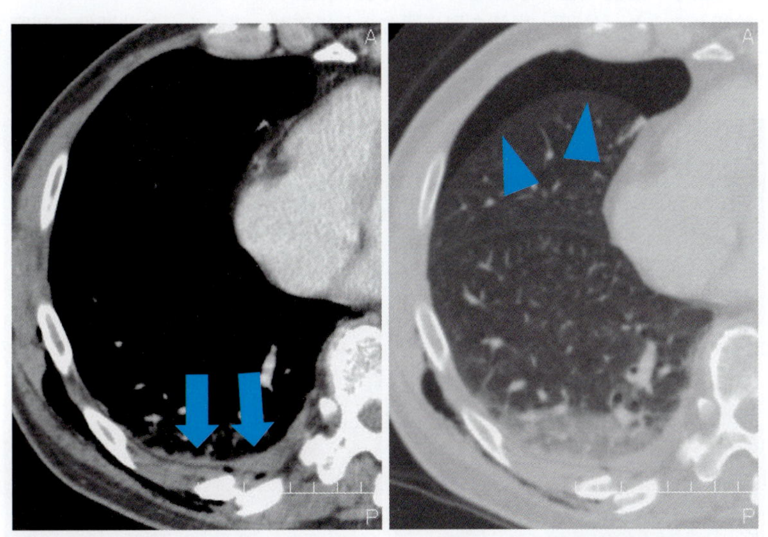

図5　第一段階：少量の血気胸（左：縦隔条件，右：肺野条件）
臥位では，血胸（矢印）および気胸（矢頭）は肺底部のほうが検出しやすい

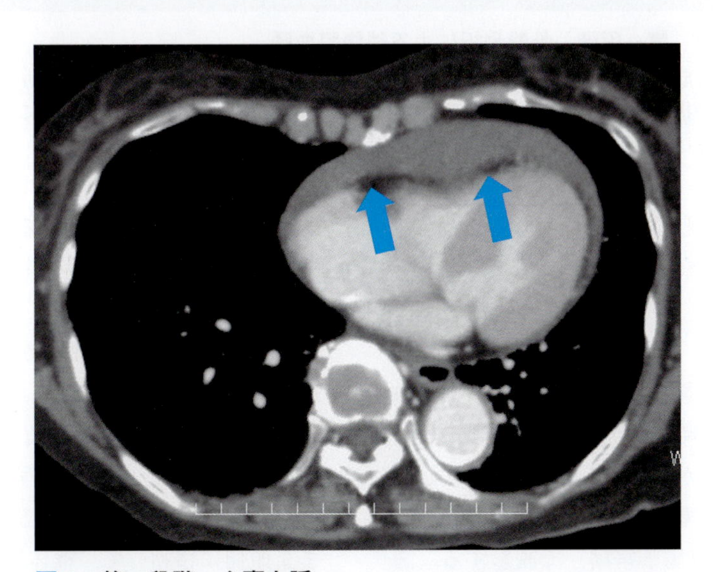

図6　第一段階：心嚢血腫
心臓周囲に，血液よりも若干高吸収の液体貯留がみられる（矢印）。血管内は造影剤のため高吸収になっており，血腫の吸収値が高いことはこの画像ではわかりにくい

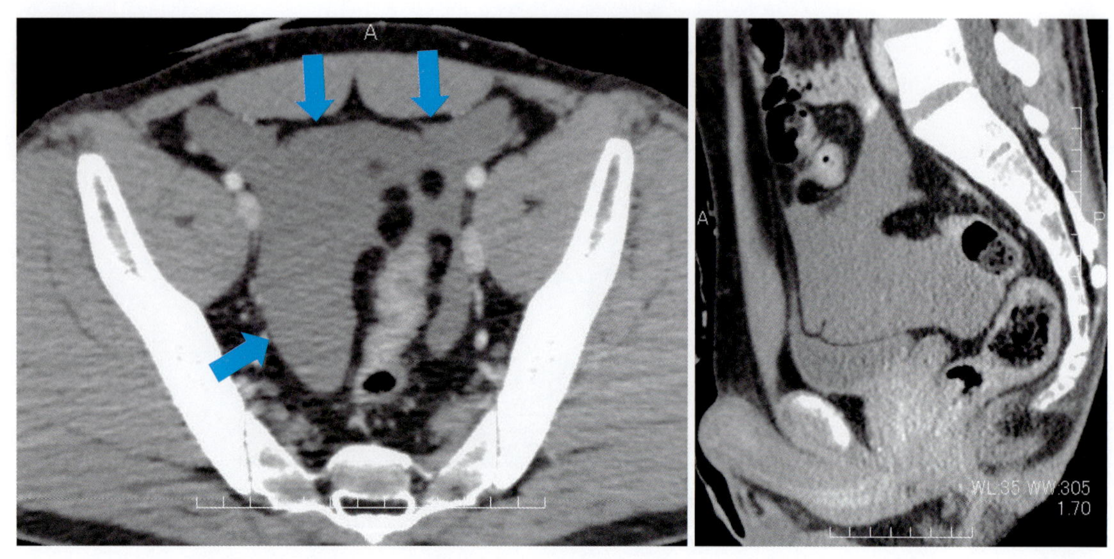

図7　第一段階：骨盤内の血腫（左：横断像，右：矢状断像）
直腸膀胱窩に液体貯留がみられ（矢印），腸管を取り囲むように広がっている。矢状断像で観察すると，直腸膀胱窩から腸管周囲にかけて血腫が広がっているのがわかる

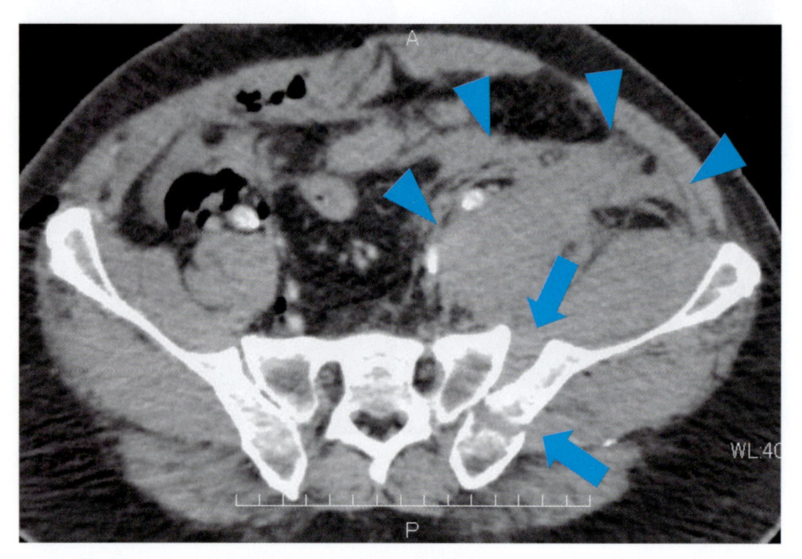

図8　第一段階：骨盤骨折による後腹膜血腫
前方成分（恥坐骨）の骨折は単純X線写真でもわかるが，後方成分の骨折（仙骨骨折や仙腸関節など）はCTのほうがわかりやすい（矢印）。骨盤骨折による血腫は腹腔内に広がらず，後腹膜に沿って広がる（矢頭）

でも観察するが，そのときとの違いを観察することができ，また皮下気腫などで観察しにくいこともあるため第一段階で確認しておく。

4）腹部（直腸膀胱窩）

上腹部には肝や脾など実質臓器が存在しており，出血源となることが多いため，時間をかけて観察することが最終的には必要である。しかし，そこに時間を費やしてしまわないように上腹部を素通りして，まずは腹腔内出血の有無を直腸膀胱窩（直腸子宮窩）で読影する（図7）。直腸膀胱窩は，重力によって仰臥位の場合は液体が貯留しやすい部位であり，腹腔内出血が多くなるとこの場所に貯留する。したがって，まずはこの部位に出血が貯留していないかを確認する。

5）骨盤・腰椎周囲

直腸膀胱窩まで見た後に，骨が見やすい条件（骨条件にしてしまうと周囲の血腫がわかりにくくなるため，過度にwindow幅を広げたり，window中心を上げたりしないようにする）で観察する。骨盤は単純X線写真でも観察しているが，単純X線写真では後方成分の骨折（図8）がわかりにくいこともあるためCTで観察する。そのまま頭側に移動して，椎体周囲の血腫を確認する（図9）。横隔膜レベルまでの椎体周囲を観察するが，第一段階で椎体骨折を細かくみる必要はない。骨盤骨折に伴ってみられる血腫の中の造影剤血管外漏出像や，椎体周囲

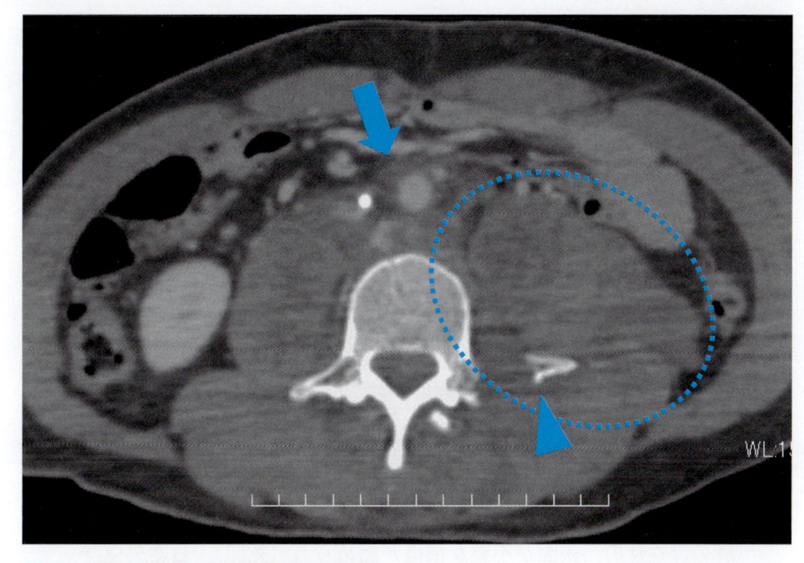

図 9　第一段階：椎体周囲の血腫
椎体骨折にこだわらず，筋肉の左右差を比較するとわかりやすい。左腸腰筋の腫大（丸印）および大動脈周囲に及ぶ血腫を認め（矢印），腰椎横突起骨折を伴っている（矢頭）

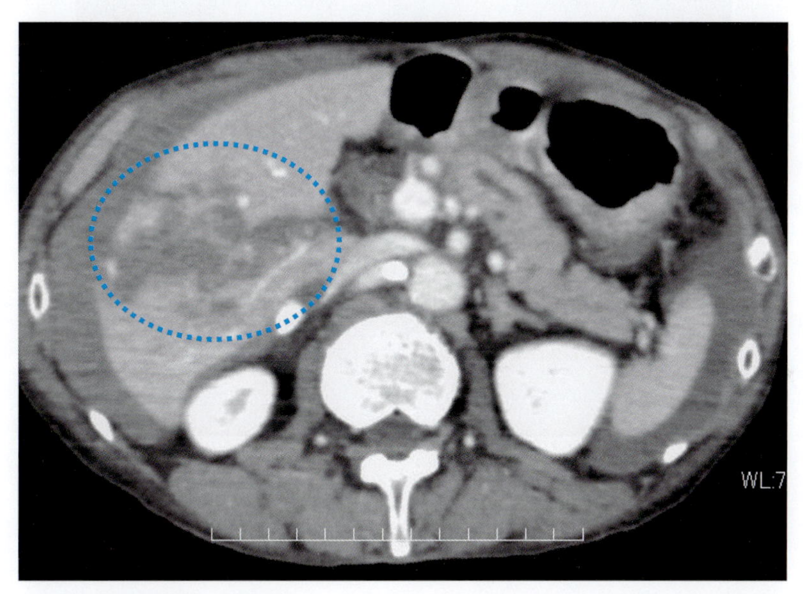

図 10　第一段階：肝損傷
肝右葉に低吸収域（丸印）がみられ，被膜の断裂を伴う深在性の損傷であり，日本外傷学会臓器損傷分類 2008 の肝損傷Ⅲb 型である。脾周囲にまで腹腔内出血が及んでいる

の血腫の中の血管外漏出像を探す必要はないが，目にとまるような血管外漏出像を無視する必要もない。椎体に関しては，第二段階で矢状断にして再度観察する。

6）腹部（腹部臓器，腸間膜）

画像条件を再度腹部条件に変更し，肝（図 10），胆嚢，脾（図 11），腎（図 12），膵など腹部実質臓器損傷の有無をみる。また，腸間膜内に血腫（図 13）がとどまるとFAST で腹腔内出血として検出することができないことがあるため，CT で確認する。この場合も，血管外漏出像の検出にこだわると読影に時間を要してしまうため血管外漏出像を探す必要はないが，目にとまるような血管外漏出像を無視する必要はなく，所見として認識して治療方針決定に役立てる。

4．FACT positive の場合

読影の第一段階で見つけるべき所見は，基本的に緊急処置を要する病態である。したがって，「FACT positive」であるならば，手術室や血管造影室へすぐ移動（準備）しなければならない。CT 寝台からストレッチャーに移乗するまでの間に第一段階を終わらせているはずで

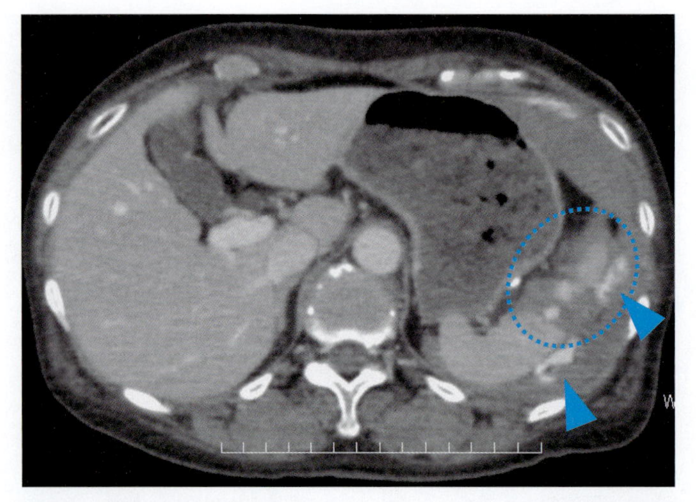

図 11　第一段階：脾損傷
脾の深在性の，表面が不整な損傷が認められ（丸印），日本外傷学会臓器損傷分類 2008 の脾損傷Ⅲb 型である。血管外漏出像を伴っている（矢頭）

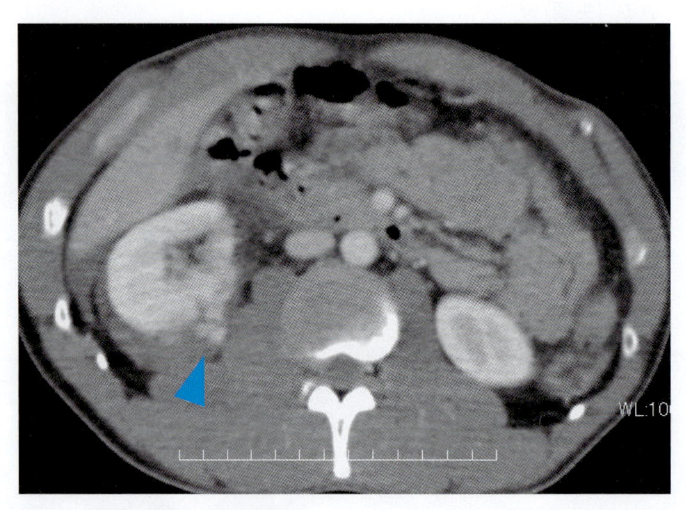

図 12　第一段階：腎損傷
右腎に潜在性の損傷があり，辺縁が不整。血管外漏出像を伴っている（矢頭）。日本外傷学会臓器損傷分類 2008 の腎損傷Ⅱ型（H1）である

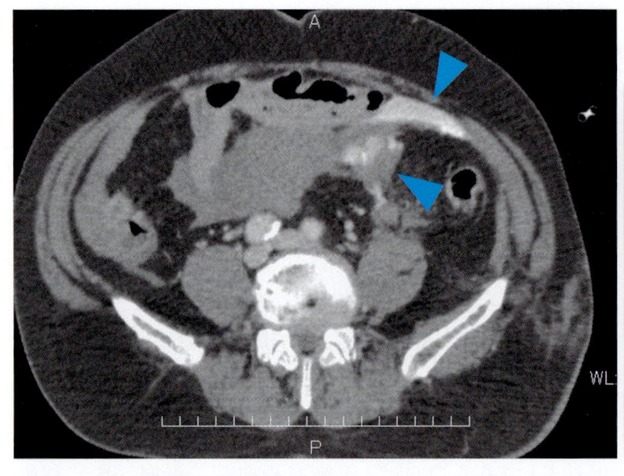

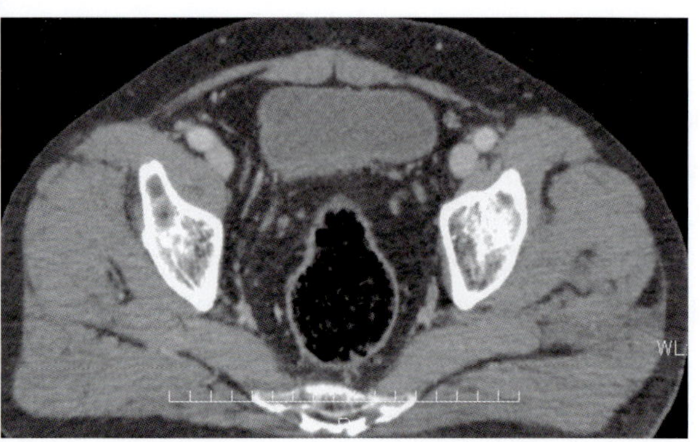

図 13　第一段階：腹腔内出血にならない血腫（左：臍レベル，右：骨盤レベル）
小腸腸間膜に沿って血腫が認められ，一部に血管外漏出像がみられる（矢頭）。しかし，骨盤腔内には血腫は認められないため FAST では negative になる

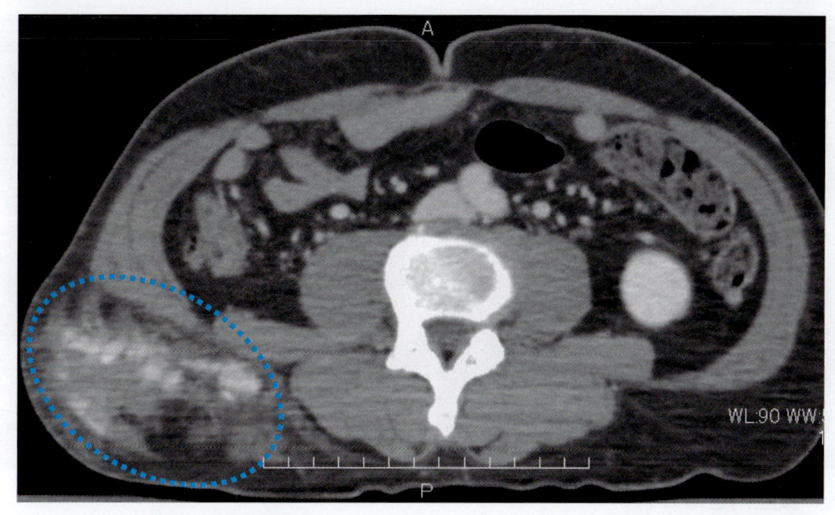

図 14 第二段階：皮下血腫
右腰背部に皮下血腫および血管外漏出像がみられ（丸印），内部に血管外漏出像を認める。背筋群には異常所見はなく，本症例では骨盤骨折も認めなかった

あるため，患者の移動先を指示することができる。移動もしくはその準備をしながら，読影の第二段階を行う。

5. FACT negative の場合

読影の第一段階が陰性であれば緊急処置を要する所見がないかのように感じるが，実際にはそうではない。当然，前述した6つのエリアだけ観察すればすべてが判断できるというわけではない。「FACT negative」であれば患者の移動先は初療室になるが，緊急処置を要する病態が存在し得るため可及的速やかに第二段階の読影を行う必要である。

読影の第二段階

1. いつ読影するか

前述したように，FACT が positive か negative かによって読影するタイミングは多少異なるが，基本的に第一段階の読影終了後，速やかに第二段階の読影を行う。FACT positive であれば手術室へ移動しながら，もしくは移動の準備を行いながら読影を行い，FACT negative であれば初療室へ帰室後にまもなく読影を行う。

2. 誰が読影するか

医師が2名以上かかわっている場合には画像読影に長けた医師が担当し，医師が1名の場合には初療室に戻って看護師がモニタや点滴類を整理している間に読影を行うとよい。画像を読影するためには電子カルテなどの画像モニタに向かう必要があるため，一時的に患者から離れるようにみえるが，患者の解剖学的損傷の程度を正確に理解することができる。したがって，第二段階の読影を行うということは，患者の状態を正しく把握することになる。そのため，画像を理解している医師が可及的速やかに第二段階の読影を行わなければならない。診療放射線技師はこのサポートをするうえで重要であり，後述するような画像を的確に提供するために再構成を行って，状況により読影を補助する。

3. 何を読影するか

まずは横断像から血腫が存在している部位を確認し，動脈優位相と実質相を比較しながら，血管外漏出像の有無を判定する。第一段階で読影した部位のみならず，皮下や筋肉内などにも着目する（図 14）。細かな骨折や外傷性くも膜下出血・脳挫傷，腹腔内遊離ガスなどにも着目する。骨折自体は骨条件でないと判断できない。骨折があればその部位に強い外力が加わっているということであるため，骨折とともに血腫が存在していないかを確認する。

外傷性くも膜下出血や脳挫傷などは，それ自体は積極的治療を要さないことが多いが，その後の治療方針に影響を及ぼしたり，治療経過のなかで増悪した場合には生命に危険を及ぼす可能性があるため，読影の第二段階で把握する必要がある。

鈍的外傷における腹腔内遊離ガスの存在（図 15）は消化管損傷を示唆する。消化管損傷は保存治療の適応にはならず，開腹（もしくは腹腔鏡）での修復術が必要になるため見逃してはならない。もちろん，消化管損傷があっても，とくに小腸損傷であれば腹腔内遊離ガスが出現しないこともあるため，消化管損傷を完全に否定するのは困難である。受傷機転や患者の訴えから疑わしい場合には，身体所見の変化を十分に観察し，必要に応じて

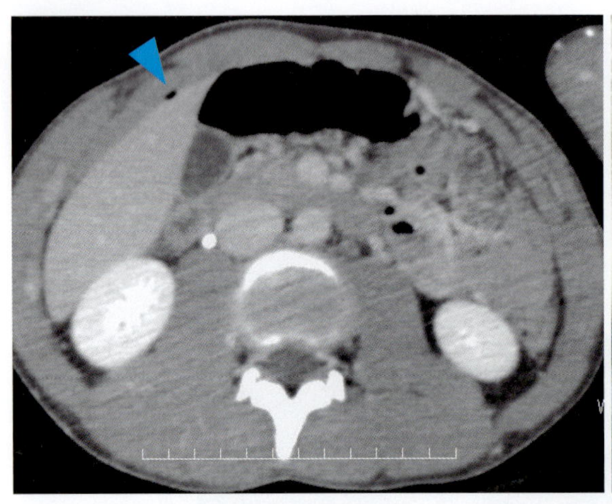

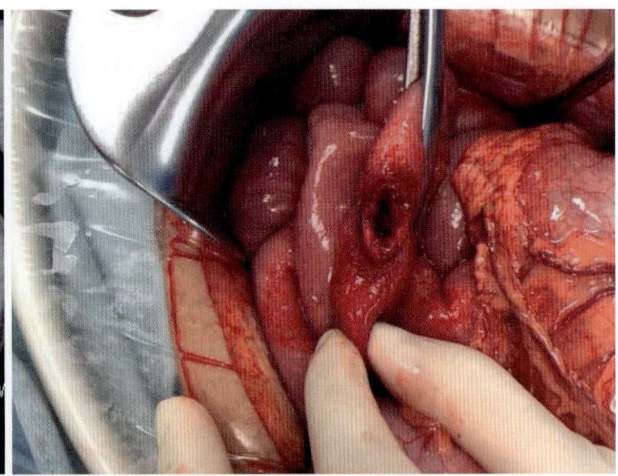

図 15　第二段階：腹腔内遊離ガス
肝表面に腹腔内遊離ガスを認める（矢頭）。手術で小腸損傷が確認された（右写真）。小腸出血では腹腔内遊離ガスがわずかであることが多い

CT を再検することも厭わない姿勢が必要である[2)]。

さらに，矢状断像や冠状断像を利用して情報を読み取る。とくに脊椎に関しては，矢状断像でなければ読影できない。顔面であれば冠状断像が必須である。腹部に関しても，横断像だけでなく冠状断像でも確認するとよい。

4. どのように解釈するか

正しく異常所見を読み取り，異常所見から臨床に結びつけた解釈を行うことで，的確な治療方針につなげることができる。例えば，同じ「骨盤骨折」でも，患者が青年の場合と高齢者の場合では血腫の広がりが異なる。また，抗凝固薬を内服中の場合とそうでない場合でも血腫の広がり方は異なり，治療方針も異なってくる。さらに，肝硬変がある人とそうでない人とでも治療方針が異なる。このように，年齢や背景疾患，内服薬などによって解釈を変える必要がある。また，「血管外漏出像」と一言でいっても，多発の場合と単発の場合，広がりやすいスペースに出ている場合とそうでない場合，受傷から時間が経過していない場合と経過している場合などでは治療方針が異なる。そして「肝損傷」といっても，被膜損傷を伴っている場合とそうでない場合，多臓器損傷（とくに頭部外傷など）を伴っている場合とそうでない場合とで異なる。

このように，画像所見だけで治療方針を決定することはできず，画像所見を読み取って，その画像情報に臨床情報を加味して最終的な解釈を行う。

読影の第三段階

1. いつ読影するか

患者診療が落ち着いた時点で，読影の第三段階を行う。場合によっては翌日でもかまわない。落ち着いて，見逃しがないようにゆっくり読影する。

2. 誰が読影するか

担当医が読影することはもちろんであるが，そのほかに画像診断をもっぱら得意としている者が行う。通常は放射線科医が中心となっている。少なくとも画像診断のトレーニングを受けた者が行うとよい。診療にかかわっていない第三者が読影を行うと，先入観なく画像を読影することができる。

3. 何を読影するか

生命に危機を及ぼさない，骨折や損傷の有無を読影する。鼻骨骨折や腰椎横突起骨折，微細な肝損傷などがないか確認する。

また，外傷とは関係のない肺癌などの偶発的な所見が発見されることもあるため，画像診断のレポート内容が主治医に適切に伝わるようにしなければならない。

外傷診療において，適切な画像検査を選択し，その画像結果を正確に解釈することは，救命のために不可欠な要素である。常に放射線科医が対応できれば，このような読影方法は不要かもしれない。もちろん，放射線科医にとっても通常の画像診断とは異なる時間軸で，かつ異なる読み方が必要になるためトレーニングが必要である。

3 段階読影は，多少画像に不得手な医師であっても最低限押さえなければならない項目を第一段階（FACT）に含めることで，喫緊の問題を検出できるようになっている。最低限の項目であるため，画像に長けた者が読影をする場合には，第二段階で読影すべき項目を第一段階に含めて解釈することも可能であろう。

そして，最終的に読影で得られた所見を治療に結びつけなければ，その場で読影を行う必要はない。同じ所見であっても，患者の背景（年齢，性別，既往など）や合併損傷などによって治療方針は異なるため，画像情報だけにとらわれることなく，「画像を治療する」のではなく「患者を診療する」という気持ちを常にもちながら対応すべきである。

【文　献】

1）日本外傷学会外傷初期診療ガイドライン改訂第5版編集委員会編：外傷初期診療ガイドラインJATEC^{TM}，第5版，へるす出版，東京，2016.

2）Hamidian Jahromi A, et al：Delayed small bowel perforation following blunt abdominal trauma：A case report and review of the literature. Asian J Surg 39：109–112, 2016.

6 小児患者の撮影

厚生労働省の人口動態統計によると，小児（0〜14歳）の死因のなかで，不慮の事故はいずれの年齢区分においても上位を占めている。主な要因は，交通事故，墜落，転落，溺水，火事，そして児童虐待による外傷である。若年層が後々社会にもたらす生産性を考えれば小児救急医療の責任は重大であり，「防ぎ得た外傷死（preventable trauma death；PTD）」を少しでも減らすためにも，診療放射線技師はその知識と技術をもって撮影条件や検査手順の構築を行い，常に診断能の高い画像を提供しなければならない。

小児は成人と異なるさまざまな特徴があり，外傷診療のみならず内因性疾患においても画像診断・検査に特有の技術を要する。小児は放射線に対する感受性が高く，体格や体組成により画像コントラストが得にくい。また，当然のことながら検査に対する理解が乏しく，自ら体動を抑制できないため，適切な固定法によってモーションアーチファクトをなくす必要がある。

各モダリティの適応と注意点

1．X線撮影

小児救急におけるX線撮影の主な役割は，primary surveyの評価，胸・腹水，ガス，石灰化，異物検出，骨折などの評価であり，比較的容易で情報量も多いため第一選択として用いられる。

体動を抑制する固定法には，人間の手（技師，その他の医療スタッフ，付き添い）によるものと，器具・道具を使用する方法がある。いずれの場合でも安全性を第一に考えて年齢や状況に適した固定法を選択し，体軸の捻れ，左右非対称，体動による再撮影を軽減する。固定具としては，発泡スチロール，小児撮影用固定具，タオル，固定バンドなどがあげられる。

撮影においては，成人と違って患者自らの訴えが不明瞭であるため，体位変換，関節の伸展，屈曲には十分注意し，病態の変化，患児の状態を常に把握しておく。また，できるかぎり短時間で撮影を行い，患児の体格，診断目的に則したフィルムサイズを選択して，体格に合わせ照射野を絞ることにより被ばく線量低減に留意する。

2．CT検査

CT検査は，救急医療のなかで頻度が高く，診断能も高い検査である。マルチスライスCT（MSCT）の出現により短時間でスライス厚の薄い画像が得られ，体動のある小児においては非常に有用な検査である。ボリュームデータを利用した矢状断，冠状断像，3D画像の構築は多方向からの観察が可能になり，骨折，血管走行，臓器の連続性，その他あらゆる診断においても有用である。また，JATEC™ではsecondary surveyにおいて全身CTを行うことが推奨されており[1]，高エネルギー外傷における全身CTのプロトコルとしては，頸部〜頭部の単純CT，動脈優位相で頭蓋底〜骨盤までの造影CT，平衡相で胸部〜骨盤までが基本とされている。

頭部においては白質・灰白質のコントラストの低下，また体幹部においても小児は体厚が薄く，体組成からみても臓器と周辺組織との吸収差が少ないため，低管電圧での撮影や，逐次近似法（interative reconstruction；IR）を利用するなど，CT装置の性能やアプリケーションを熟知して最適な画像を提供することが重要である。

しかし昨今，CT検査における被ばくが重要視されている。小児は放射線感受性が高いため，ARALA（as low as reasonably achievable）の原則[2]に基づいて放射線被ばくのリスクを考慮し，CT検査の意義をふまえて施行する必要がある。一方で，小児だからといってむやみに撮影線量を下げることや，逆にコントラストを上げるための過度な線量増加を回避するため，画質と被ばく線量の観点から各施設で小児CT・DRLsをもとに各装置の撮影線量最適化を検討しておく必要がある[3]。

体動抑制の固定器具および方法としては，寝台付属のマジックテープバンド，吸引式固定具Vac-Lock®，人間の手によるものなどがある（介助や抑制に伴う手指被ばく線量については後述）。薬剤を投与して患児の体動を抑制する場合には，状態を把握しつつ，バイタルサインの評価を怠らないことが重要である。また，鎮静により神経学的所見が得られにくい場合もあるため，薬剤投与の決定には依頼医と読影医の連携が必要である。

造影剤の使用量は小児の身体，生理的機能を考慮して必要最低限にとどめ，高い浸透圧の製剤はできるかぎり避ける。目安として，450〜600 mgI/kg，最大投与量は

1,500 mgI/kg（新生児は1,200 mgI/kg），もしくは300 mgI/ml製剤で100 ml以下である[4]。

3. 超音波検査

超音波装置は容易に移動ができるため，患児の搬送状況や搬送場所を選ばず検査可能であり，何よりも放射線被ばくがないことは小児にとってメリットである。急性腹症の診断に有用であり，腸重積症，急性虫垂炎などは特徴的な所見がみられる。

検査手順・方法はさまざまであり，とくに決まりはない。固定方法としては，両上肢を頭側へ挙上させ布状のものでしっかり包み，布，マジックテープバンドなどで膝も固定する。これにより固定できれば，とくに鎮静させる必要はない。

4. X線透視，血管造影検査（心臓カテーテル検査）

X線透視は主に骨折の整復，腸重積の治療，イレウス管挿入などの際に使用される。手技に没頭して透視時間が長くならないよう注意する。また，患児の体格に合わせて照射野を絞り，ハレーションや余計な被ばくを最小限にする。

緊急時の心臓カテーテル検査は重症の心疾患が適応となり，全身麻酔下および呼吸管理下にて行われる場合が多い。そのため，検査に伴って搬入される麻酔器や呼吸器などが他の装置と干渉しないことを確認し，スタッフの作業動線の邪魔にならないよう周辺機器を配置する。また，手技中の低体温を防ぐため保温マットを使用するとともに，検査室内の温度にも注意をはらい，常にバイタルサインをチェックして全身管理を行う。

患児の体格は超低出生体重児から乳幼児までさまざまであるため，大きさ，幅の異なった数種類の固定具をあらかじめ用意して，ガーゼ布，マジックテープバンドなどで両手足と膝をしっかり固定し，急な動きに対処できるようにしておく。

検査手技によっては透視時間が長く撮影枚数も多くなるため，付加フィルタ（銅板0.1 mmまたは0.2 mm），低レートパルス透視を用いて被ばくの低減に努める。ただし，透視時のパルスレートの選択は心拍数によって臨機応変に対応する。

5. MRI検査

昨今，機器の進歩によって高速撮像が可能となり，救急医療においてもMRI検査の施行が増加している。その反面，救急医療の現場ではスタッフ人数や医療器具が多く，検査室内へ磁性体を持ち込むことによる医療事故のリスクも高くなる。

小児の場合，MRI検査に対する問診は主に両親や付き添い者に頼ることになる。そのため，患児の情報をできるかぎり早く・正確に得て，検査を安全に行うためには，普段MRIを担当していない診療放射線技師も検査や禁忌事項を熟知していなければならない。

小児MRI検査の主な適応疾患は，脳炎・脳症などの頭蓋内疾患や髄膜炎・髄膜瘤などの脊髄疾患である[4]。撮像においては患児の体格に合わせてコイルを選択し，撮像対象がコイルの中心になるようにする。

患児の固定としては主に薬剤を投与した鎮静が行われるが，その投与方法は統一されておらず，重軽症問わず合併症の事例が存在するのも事実である。2013年には日本小児学会，日本小児麻酔学会，日本小児放射線学会より「MRI検査時の鎮静に対する共同提言」[5]が発表されており，必須事項も含めて，検査中の観察方法や緊急時のバックアップ方法も記載されているため，医療スタッフ間で共通認識として把握しておくことが重要である。

頭・頸部の検査と所見

1. 頭部外傷

転倒，転落，虐待などにより頭部を強打したことで発生する。骨折や，まれに硬膜外血腫，硬膜下血腫，くも膜下出血，脳挫傷などの重症脳疾患があり，頭部X線検査，CT検査が行われる。

頭部X線検査として正面，側面，Towne撮影が行われるが，主に頭蓋骨骨折の診断に用いられ，その形状から主に線状骨折（図1）と陥没骨折に分類される。乳幼児（とくに3歳以下）の線状骨折に，硬膜・くも膜の裂傷を伴うと，骨折線の隙間に髄液や損傷された組織の瘢痕により骨折線が拡大する。損傷が閉鎖性の線状骨折のみであれば臨床的意義はそれほど示さず，治療の必要はない。しかし，出血・血腫などの重症脳疾患を呈する場合があり，CT検査において硬膜外血腫（凸レンズ型），硬膜下血腫（三日月型）などは，成人とほぼ同様の特徴的な所見を示す。また，直接外力が加わった部位とは反対側の損傷（contre-coup injury）によって起こる脳損傷も少なくない。

2. 急性脳症，髄膜炎

急性脳症は，小児感染症のなかでもっとも重篤な合併症である。感染症治療経過中，突発的に意識障害，痙攣が出現して神経学的後遺症が残ったり，死亡に至る例もある。病理学的には脳浮腫で，感染が契機となることが多い。感染性の病原体は頻度順に，インフルエンザウイ

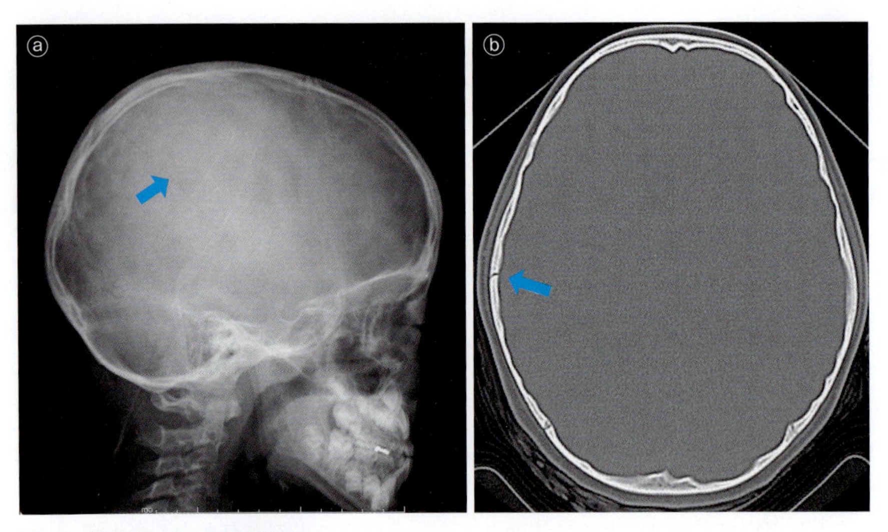

図1　線状骨折の画像所見
a：L→R像，b：CT axial画像
6歳，女児。学校にて転倒，右側頭部強打。頭蓋骨線状骨折（矢印）

表1　小児急性脳症の分類と画像所見

痙攣重積型（二相性）急性脳症（ASED）
第1～2病日のCT・MRIは正常。第3～9病日，拡散強調像にて皮質下白質高信号（BTA）を認める。T2・FLAIRにてU-fiberに沿った高信号を認める。第9～25病日に拡散強調像のBTAは消失し，T2・FLAIRでは皮質下白質に高信号を認める。2週以降，CT・MRIにて前頭部，前頭・頭頂部に脳萎縮委の存在を認める
可逆性脳梁膨大部病変を有する軽症脳炎・脳症（MERS）
急性期の脳梁膨大部病変は，T2で高信号，T1で等信号ないしわずかに低信号であり，信号異常は軽度である。造影効果はなく，拡散強調像では著明な高信号を認める。これらは一過性であり，2カ月以内に消失する。萎縮，信号異常を示さない
急性壊死性脳症（ANE）
急性期には，浮腫性壊死性病変が視床を含む特定の領域で左右対称に生じ，T1で低信号，T2で高信号を認める。拡散強調画像では病変の拡散能は低下する。第3病日以降に出血性変化を反映し，視床の低吸収域にCTで高吸収，T1で高信号，T2で低信号が同心円状に出現する。拡散強調像視床病変中心部で拡散能上昇，その周囲拡散能低下，さらにその外側拡散能上昇を認める。2週以降に脳萎縮が進行し，視床病変は嚢胞形成ないし縮小する

ルス，ヒトヘルペスウイルス6型（HHV-6），ロタウイルス，RSウイルスがある。症候群分類（表1）としては，痙攣重積型（二相性）急性脳症（acute encephalopathy with biphasic seizures and late reduced diffusion；ASED，図2），可逆性脳梁膨大部病変を有する軽症脳炎・脳症（clinically mild encephalitis/encephalopathy with a reversible splenial lesion；MERS，図3），急性壊死性脳症（acute necrotizing encephalopathy of childhood；ANE）の順に頻度が高く，CTおよびMRI検査が推奨される。いずれも脳浮腫が特徴的な所見であり，MRI検査においてはFLAIR・T2強調画像・拡散強調画像にて高信号を示す[6)]。

髄膜炎は，髄膜腔に感染が及んで血液脳関門の破綻や脳浮腫に至る。いずれも麻痺，頭痛，嘔吐，意識障害などの症状を伴って神経後遺症を残し，致死的疾患となり得るため緊急性が高い。

3. クループ

喉頭狭窄症状を呈する疾患の総称をクループ症候群と呼び，気道狭窄は窒息の危険があるため緊急を要する。急性感染によるウイルス性クループは3歳以下で好発し，感冒症状の後，比較的緩徐に発症する。嗄声や犬吠様の金属性咳嗽を呈し，声門下部に炎症が起こって声門下組織が肥厚して狭窄する[6)]。頸部X線正面像の気管透亮像にて，通常は逆さワイングラス様に肩があるが，クループではペンシル様（pencil sign）またはワインボトル様（wine bottle sign，図4）の所見がみられる。

頻度は低いものの，細菌性クループである急性喉頭蓋炎は，喉頭蓋を含む声門上部の炎症・腫脹を伴って急速に症状が進行し，数時間で気道閉塞をきたす。頸部側面X線写真にて喉頭蓋が母指状に腫れている所見（thumb sign）を認める[6)]。

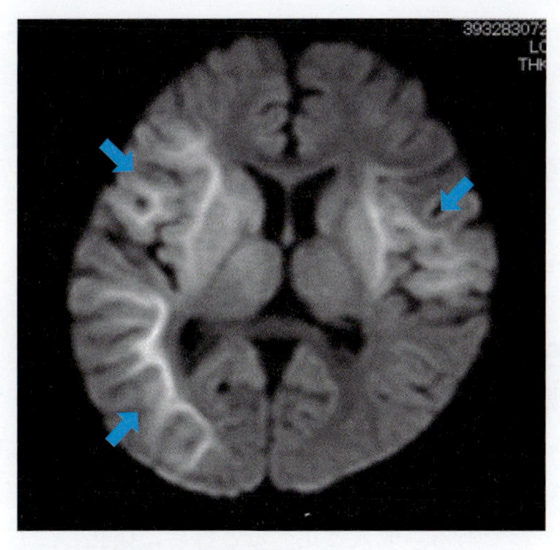

図2 ASEDの画像所見
1歳，女児。痙攣重積。発症後5日，皮質下白質に拡散強調像にて高信号を認める

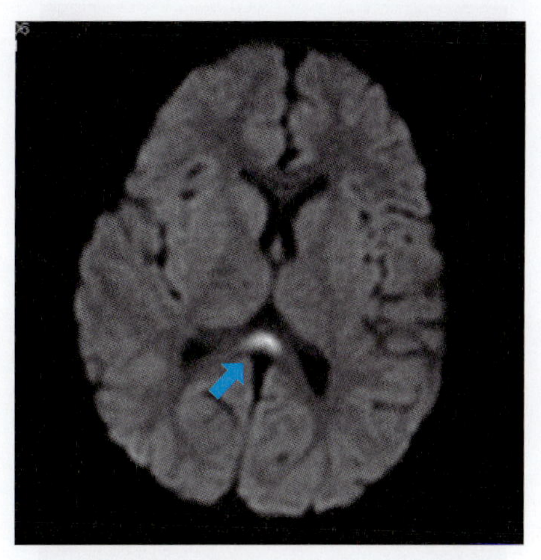

図3 MERSの画像所見
3歳，女児。意識障害，痙攣。脳梁膨大部に拡散強調像にて高信号を認める

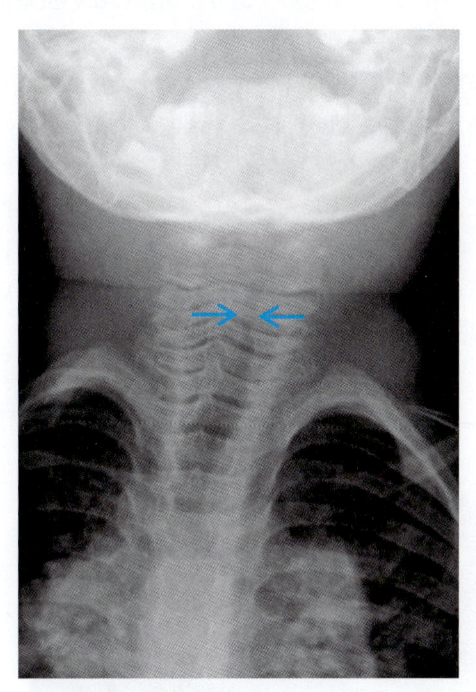

図4 wine bottle sign
声門下での気管狭窄（矢印）がみられる

胸部の検査と所見

1．肺 炎

肺炎は主に細菌性肺炎，ウイルス性肺炎，マイコプラズマ肺炎，クラミジア肺炎に大別され，小児の肺炎の原因の約85%はウイルス性である。

ウイルス性肺炎の胸部X線写真の所見として，血管像のボケ，気管支やその周囲の間質肥厚を反映したperibroncheal cuffingと肺過膨張を認める。気管支や細気管支内腔の狭窄を生じるとチェックバルブ状態となり，air-trappingや無気肺の所見を示す。胸水を認めることはまれである。

細菌性肺炎では，肺胞内に滲出液や，出血などにより区域から肺葉へ炎症は拡大する。そのため胸部X線写真では肺区域性または肺葉性に広がる浸潤変化（consolidation）を認めてair bronchogramを伴い，胸水を認めることが多い。

肺炎の起炎菌を特定することは重要であるものの，X線検査の所見のみから判断すべきではない。患児の年齢，罹患状況，その他の検査データから判断する。

2．気道異物

異物については後述する。

腹部の検査と所見

1．腸重積

腸重積は生後半年～3歳に多く認められる急性腹症であり，大部分は回腸結腸型であるが，回腸回腸結腸型も認められる。診断には超音波検査が有用で，target sign，pseudokidney signが得られれば確定診断となる。そのほか，注腸検査によるカニ爪サイン（図5），腹部単純X線写真にて他の急性腹症と同様にイレウス像を認めることもある。

高圧浣腸による治療は，造影剤や空気を使用してX線透視下で行う方法と，空気・生理食塩液を使用してエコー下で行う方法がある。従来，X線透視下で整復を行う場合には造影剤としてバリウムが使用されてきたが，整復時の穿孔によるバリウム性腹膜炎の危険性が高いため，現在は希釈した水溶性造影剤を使用するのが一般的

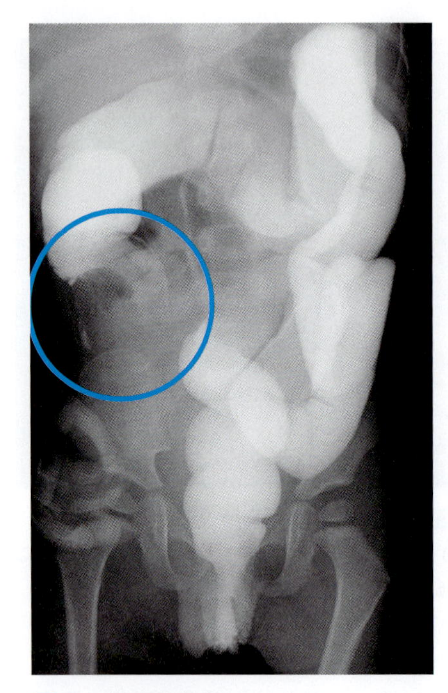

図 5　カニ爪サイン
2 歳，男児。腸重積。注腸造影にてカニ爪サイン（丸印）が認められる

である。水溶性造影剤濃度にもよるが，100〜120 cm の高さから落下させて，1 回 3 分間，計 3 回を基準とする。これで整復できない場合には，手術適応となる。ただし，これは目安であり，使用造影剤や状態によって変化する。カニ爪サインとなっている先進部分が解除され，小腸上部まで造影剤が行き渡ったのを確認して手技終了となる[6)]。

X 線透視下で行う場合，診療放射線技師が検査に立ち会わない施設や場面があるときは，あらかじめ低レートパルス透視に設定しておくなど，被ばく低減に対する対応が必要である。

2. 虫垂炎

小児虫垂炎は小学校高学年以降に多く，2 歳以下では少ない。腹痛・嘔吐・発熱が初期虫垂炎の三主徴といわれているが，6 歳以下の年少児では特徴的な訴えが少なく，多彩である。成人と比べると容易に穿孔し，右下腹部（McBurney 点）の疼痛，圧痛を伴うとされるが，上腹部を含めて腹部すべてに痛みが伴うため，その限りではない。虫垂炎はほとんどが腸管閉塞によって生じ，その大半が糞石によるものであり，閉鎖のない虫垂炎はまれである。

虫垂炎の画像診断の第一選択は超音波検査であり，皮下脂肪，腹腔内脂肪の少ない小児では描出が良好である。また，腹部 X 線写真にて糞石が認められれば診断は容易であるが（図 6），糞石のなかには X 線透過性のものや，腸骨と重なって不明瞭なものもある。さらに，皮下脂肪が厚い場合や虫垂が盲腸の背側に位置している場合には，腹部 CT 検査が行われる。

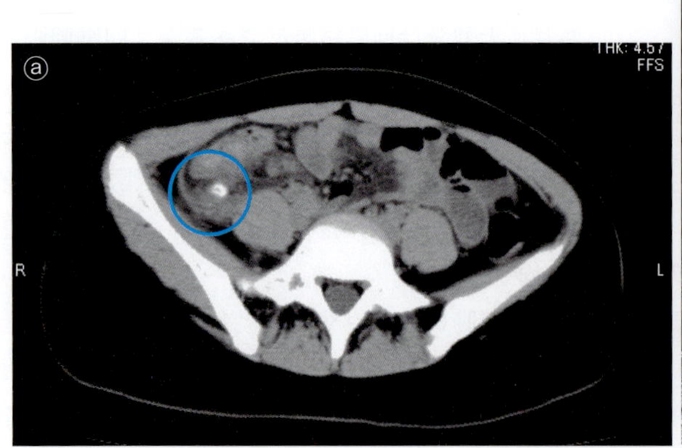

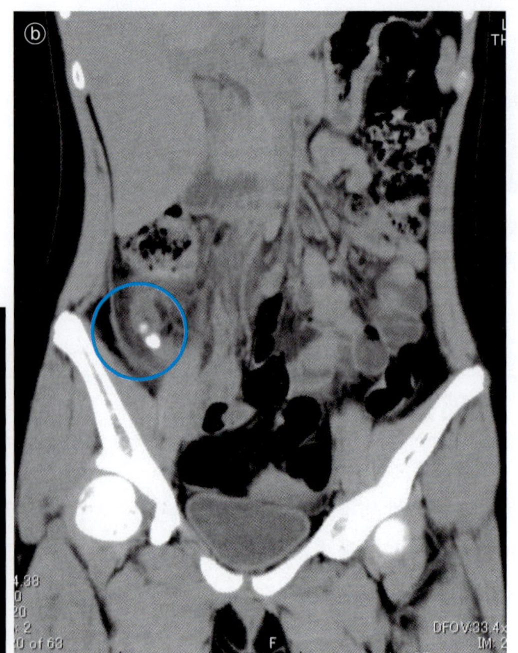

図 6　虫垂炎の画像所見
a：axial，b：coronal
12 歳，女児。虫垂壁肥厚および糞石（丸印）と思われる石灰化が認められる

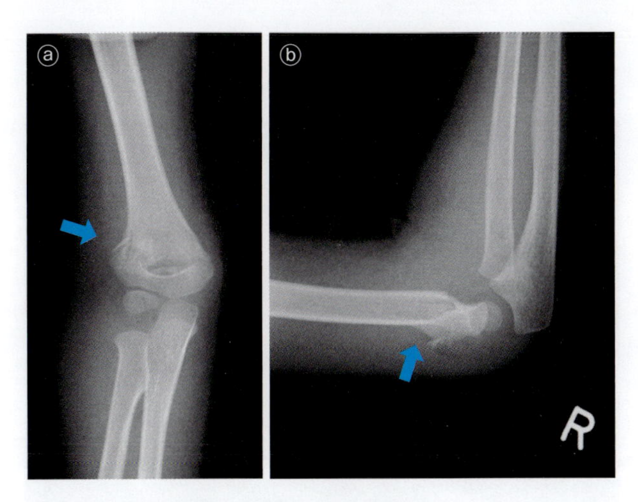

図7 右上腕骨顆上骨折の画像所見
a：正面，b：側面
3歳，女児。幼稚園でつまずき転倒時受傷

四肢の検査と所見

成長段階の小児骨は，成人と比較すると多くの特徴を有している。①骨は柔らかく軟部組織は硬い，②骨膜は厚く骨形成が活発，③骨癒合が早い，④診断過程の特殊性，⑤自家矯正能が高い，⑥成人と異なる治療法と合併症，⑦靱帯損傷・脱臼はまれ，⑧出血に対する抵抗性が低い，などである。骨折部の再形成は旺盛であり，年少児ほどその能力は高い。5歳以下で30°，8歳で20°程度の屈曲変形は完全に矯正されるといわれている。

1. 上腕骨顆上骨折

小児の骨・関節損傷では上腕骨顆上骨折（図7）がもっとも多く，伸展型と屈曲型に分けられる。伸展型は転倒・転落により肘関節を伸展して手をつき受傷するものであり，屈曲型と比べて9割以上と圧倒的に多い。

肘関節は骨端線の幅，骨端核の出現状態や骨化程度，骨梁の走行などが一定でないため，比較のために両側撮影を行うことが多い。骨折と骨折線との関係から，Salter-Harris分類がある。

2. その他の骨折

小児の骨は柔らかいため，何らかの外力が骨に加わったときに皮質の一方のみが断裂する若木骨折（図8），皮質が突出する隆起（膨隆）骨折がある。いずれも完全な骨の断裂に至っておらず，骨折線がない，または最小限の骨折所見であるため，読影には注意が必要である。そのほかに，よちよち歩きの年齢（1～3歳）にみられるよちよち歩き骨折がある。歩行が安定せずよろける，つまずく，転ぶなどにより発生し，急に跛行する，歩かなくなるなどの症状がみられる。脛骨の斜骨折が多い。

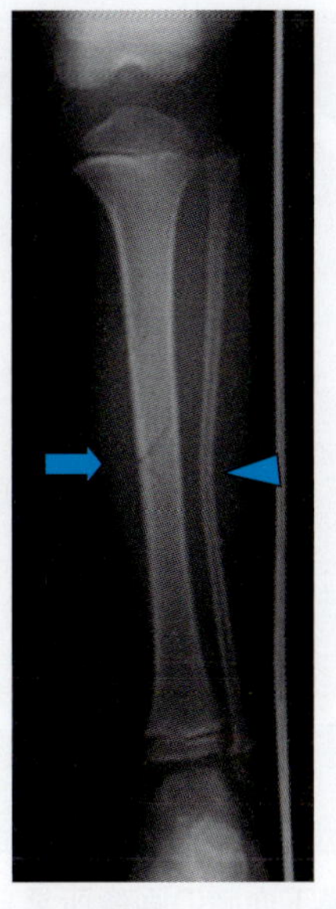

図8 若木骨折を併発した下腿単純X線像
6歳，男児。交通事故にて受傷。脛骨は螺旋骨折（矢印），腓骨は急性塑性変形を呈している（矢頭）

被虐待児症候群の検査と所見

小児虐待，被虐待児症候群とは，親や保護者の立場の人間から受けるあらゆる有害な状況をいう。大きく分けて，身体的虐待，性的虐待，ネグレクト，心理的虐待の4つに分類される。このなかでとくに画像診断が主に寄与するのは，身体的虐待である。自然外力によるものなのか人為的外力によるものなのかを見極めることが必要であり，それぞれの特異的な画像所見を知っておくことが重要である。小児外傷における虐待に関してはJATEC™でも記載されており[1]，聴取された受傷機転と実際の損傷形態との間に矛盾がある場合には強く疑う。

1. 虐待による頭部外傷（AHT）

虐待による頭部外傷（abusive head trauma in infants and young children；AHT）とは，児童虐待により生じるさまざまな頭部外傷と，その後遺症までを包括した概念である。

偶発的外傷における頭蓋内出血（図9）の頻度はまれであり，明確な高エネルギー外傷の受傷機転がないかぎり，虐待との関連性がきわめて高い。頭蓋骨骨折の特徴としては，多発骨折，複雑骨折，陥没骨折，離開骨折があげられる。画像診断においては一般的な頭部外傷の所見と同様であり，CTによる診断が主となるが，実質損傷や脊髄損傷の診断においてはMRIが有用である。

乳児ゆさぶり症候群（shaken baby syndrome；SBS）においては，小児は頭部が大きく首の筋肉も弱いため，

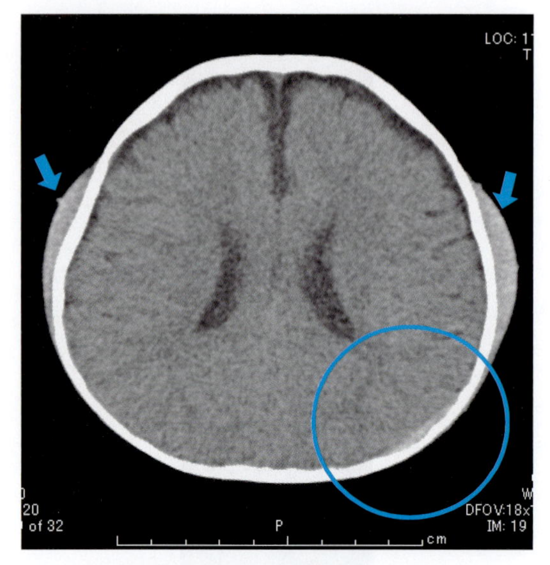

図9　急性硬膜下血腫の画像所見（丸印）
4カ月，男児。50 cmの高さから転落，両側皮下血腫（＋）。皮下血腫（矢印）が両側に及んでおり虐待も疑われる

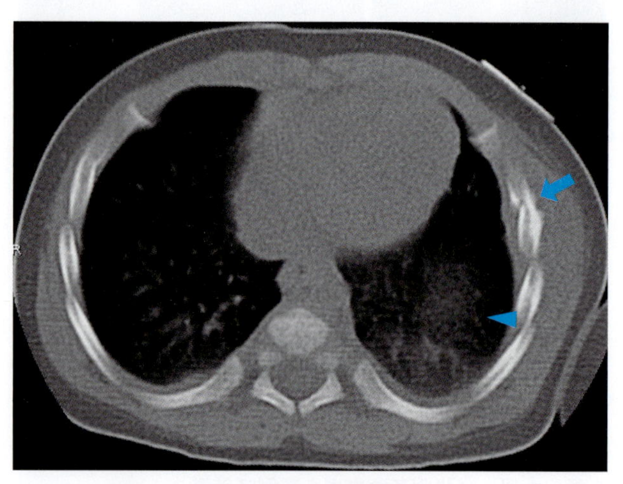

図10　虐待による肋骨骨折の画像所見
2カ月，女児。虐待による左肋骨骨折（矢印），左血胸（矢頭）

揺さぶられることによって頭の動きが大きくなる。さらに，髄鞘化が進んでいないため，暴力的に振盪することにより破断する。脳実質裂傷はSBSの重要な所見であり，大脳鎌後半，両側性，新旧異時性の血腫もSBSと関連が強いとされる[7]。

2．虐待による骨折

歩行可能年齢に満たない子どもに骨折がある場合には虐待を強く疑う。骨折とAHTを含めた身体虐待評価の推奨検査については，American College of Radiologyからの妥当性基準により標準的見解が示されており，2歳未満の虐待が疑われる全症例に対して頭部CT，MRI，全身骨撮影（初回と修復反応で骨折が認識しやすい2週間後の経過観察）の実施が推奨されている[7]。

虐待に特異的な骨折として，骨端・骨幹端の骨折があり，バケツ柄骨折(bucket handle fracture)，角骨折(corner fracture)は激しく全身を揺さぶることや強く引っ張ることで生じる。そのほかに骨折の形態として，強く捻じる形で起こるらせん骨折（大腿骨，脛骨，上腕骨に多い），骨折部が背部にほぼ直角になる横骨折（前腕骨），末梢部の骨皮質が微妙に歪んだ膨隆骨折，パイプを曲げるような外力が加わり片側の骨皮質は折れ，対側の骨皮質は保たれている状態の鉛管骨折などがある。特異的な骨折部位としては肩甲骨，胸骨骨折，交通外傷以外ではまれな多発性肋骨骨折があげられる。肋骨骨折（図10）はX線撮影ではわかりにくいため，CT検査を追加する場合もある。

しかし，画像所見と虐待の因果関係の判別は難しく，親の発言や行動，偶発的外傷では起こりにくい骨折，また時期の異なる複数の骨折所見などが虐待を疑う糸口となる。

Ⅹ 異物の検査と所見

小児の異物症例のなかでもっとも多く，場合によっては緊急を要するのが，体腔内異物である。体腔内異物は，気道異物（気管，気管支），消化管異物（食道，胃，腸管），その他の体腔内異物（血管内，尿路系，生殖器）に分類される。

1．気道異物

気道異物は乳幼児に多く，異物を誤嚥することによって気道閉鎖を呈し，緊急を要する。異物原因のほとんどはピーナッツによる食物性異物であり，ピーナッツオイルによる炎症性反応が生じて，気管支壁のうっ血や浮腫をきたす。

食物性気道異物はほとんどがX線透過性であり，胸部X線写真では描出困難なことが多いため，吸気時と呼気時の二相を撮影する。患側はair trappingのため吸気・呼気でも肺容量，横隔膜の動きの変化に乏しく，X線写真上肺野濃度は変化なく描出される。吸気・呼気撮影が困難な場合には，両側側臥位正面像（デクビタス撮影）が有用である。下側の肺が呼気状態，上の肺が吸気状態となり，肺容量や横隔膜の位置の比較によりair trappingの診断を行う。

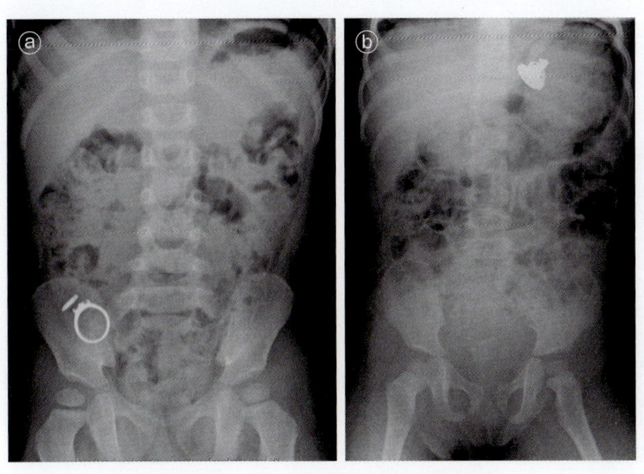

図 11 消化管異物（胃，腸管）の画像所見
a：2 歳 3 カ月，男児，指輪。b：1 歳 10 カ月，女児，南京錠
いずれも後日，便とともに自然排泄

2. 消化管異物

消化管異物が疑われた場合には，食道異物との鑑別も含めて咽頭から肛門までが含まれるよう，胸・腹部単純 X 線写真を正側の 2 方向から撮影する。異物が放射線不透過な物であれば発見しやすい（図 11，12）。逆に，放射線透過度が高い魚骨や薄い金属や 1 円硬貨などは高圧撮影では見逃される場合があるため，撮影条件や画像処理の考慮が必要である。

通常，小さく丸い異物は数日で肛門から自然排泄されるが，なかなか排泄されずに合併症が疑われる場合には，異物の場所や形状の変化などの観察のために再度撮影が必要となることがある。

X 線写真では異物の位置を確認するだけでなく，鋭利な異物（魚骨，義歯，PTP）による食道穿孔，膿瘍形成，縦隔炎など，重篤な合併症も確認する。また，異物の種類や合併症によっては単純 X 線撮影よりも CT 検査のほうが描出能に優れるため，被ばく低減の観点からも異物に合った検査法を把握しておくべきである。

異物のなかでとくに注意が必要なのは，鉛，ボタン型電池などの毒性が高いものである。リチウム電池は消化管のなかで放電し，マイナス側にアルカリ性の液体を作って短時間で食道や胃粘膜に潰瘍を引き起こし，粘膜壊死や穿孔をまねくことがあり，内視鏡などにより早期摘出する必要がある。しかし，画像上コインとボタン型電池との鑑別は難しく，ボタン型電池であれば double rim sign（二重の輪郭）がみられるが（図 13），適切な撮影条件と画像処理が重要である。

循環器系疾患の検査と所見

生後 1 カ月以内にチアノーゼ，右心不全，肺うっ血により呼吸困難をきたす重症先天性心疾患において，姑息

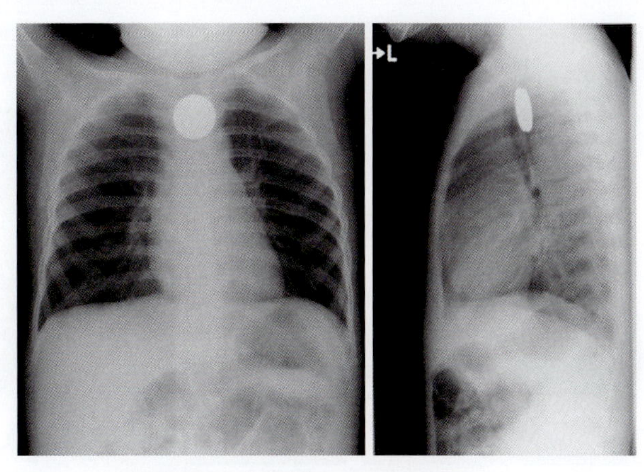

図 12 消化管異物（食道）の画像所見
1 歳 10 カ月，女児。第二弓部に停滞するコイン。X 線透視下にてバルーンカテーテルを用いて取り出す

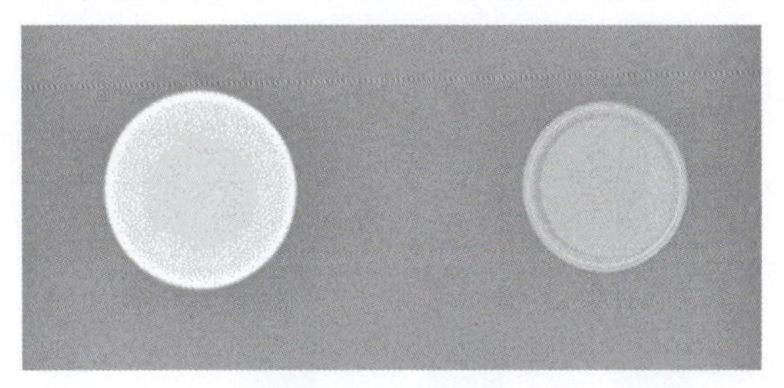

図 13 コイン（左）とボタン型電池（右）の画像所見比較
ボタン型電池では，double rim sign（二重の輪郭）がみられる

手術としてバルーン心房中隔裂開術（balloon atrial septostomy；BAS）が行われる。完全大血管転位（complete transposition of great arteries；TGA），三尖弁閉鎖などの症例に対して，いずれも緊急心臓カテーテル検査として行われる。

TGA は大動脈と肺動脈が入れ替わり，右室から大動脈が，左室から肺動脈が起始している先天性心疾患で，出生直後からチアノーゼ，多呼吸，呼吸困難を呈し，心房間交通が狭くなって低酸素血症や肺うっ血がみられる。バルーンによって心房間の交通を拡大することで動静脈血流混合量を増加させ，最終的には Jatene 手術や Rastelli 手術による根治術を行う。手技は卵円孔よりバルーンカテーテルを左房に挿入し，左房内で拡張させたバルーンを右房側に引き抜いて心房中隔を裂開させる。以上より，動静脈血流混合量を増加させる。

介助・抑制に伴う被ばく

小児撮影ではモダリティを問わず安全性・画質の面から，体動がないように患児を固定・抑制することが撮影時のポイントとなる。固定方法にはいくつかあるが，医

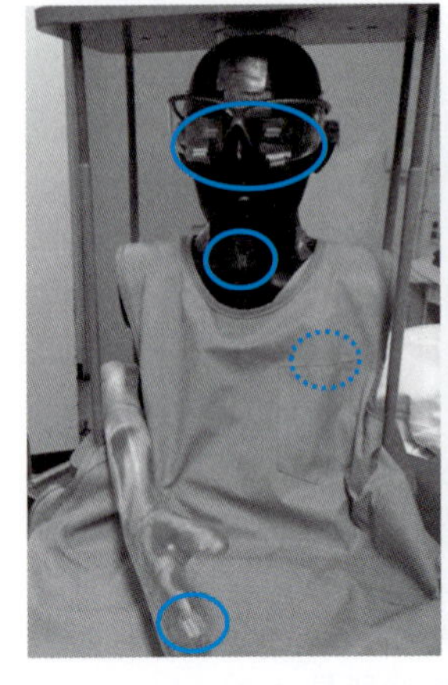

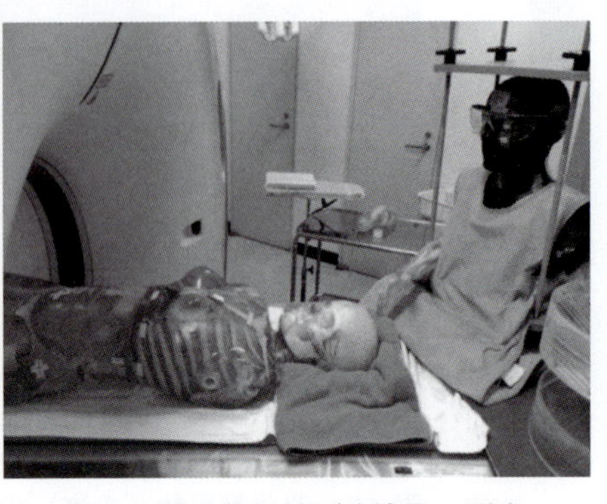

人体ファントムの各部位に蛍光ガラス線量計を貼り測定した。測定部位（丸印）は，防護メガネ（0.07 mmPb）外・内，頸部，胸部（プロテクター内部），手指

図 14 外傷全身 CT における介助・抑制に伴う被ばく線量の測定

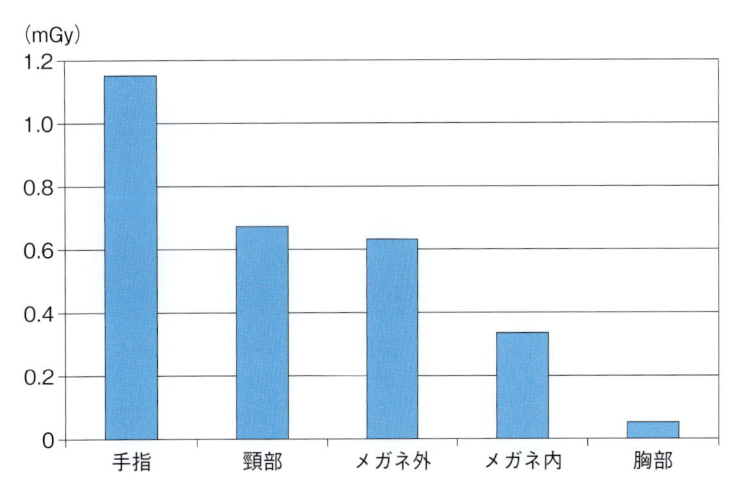

撮影条件：頭・頸部 120 kV，270 mAs，PF 0.6412。体幹部：120 kV，Real-EC，SD10，PF 0.828
寝台移動距離：頭・頸部スキャン 240 mm，体幹部スキャン 600 mm

図 15 介助・抑制に伴う被ばく線量測定の結果

療スタッフや介助者（親，付き添いの者など）の手による固定の場合には手指が照射野内に入る可能性があり，直接線による被ばくが問題となる。とくに CT 検査は線量が高く照射時間も長いため，手指の被ばく線量を把握することは重要である。さらに昨今，水晶体しきい線量が 0.5 Gy となり，それに伴って放射線作業従事者の線量限度も大幅に引き下げられているため，水晶体放射線防護についても再認識しておく必要がある。

介助者の立ち位置にランドファントムを配置して，外傷全身 CT における介助・抑制に伴う被ばく線量を，蛍光ガラス線量計を用いて測定した（図 14）。その結果を図 15 に示す。手指はガントリに近いため被ばく線量が高く，また MSCT においてはオーバースキャニングのため X 線照射範囲が設定スキャン範囲より広くなり，画像に写らない範囲でも直接線が手指に影響を及ぼしたと考えられる。また，防護メガネなしと比較して，防護メガネありの場合では水晶体被ばく線量が約 40％低減した。

装置の多列化に伴うビーム幅の拡大，また外傷全身 CT 時に CT 検査室内にとどまって抑制を行うなど，介助に伴う被ばく線量は増加傾向にある。そのため，防護メガネや防護具の適切な使用，検査室内の線量分布を把握して介助・抑制時の立ち位置を考慮するなど，被ばく線量低減に努めなければならない。

【文　献】

1）日本外傷学会外傷初期診療ガイドライン改訂第 5 版編集員会編：外傷初期診療ガイドライン JATEC™，第 5 版，へるす出版，東京，2016.
2）Slovis TL：Children, computed tomography radiation dose, and the As Low As Reasonably Achievable (ALARA) concept. Pediatrics 112：971-972, 2003.
3）医療被ばく研究情報ネットワーク，他：最新の国内実態調査結果に基づく診断参考レベルの設定，2015.
4）X 線 CT 認定技師機構：X 線 CT 認定技師講習会テキスト，2011.
5）日本小児科学会，他：MRI 検査時の鎮静に対する共同提言，2013.
6）日本小児神経学会：小児急性脳症診療ガイドライン 2016，診断と治療社，東京，2016.
7）日本小児科学会：子ども虐待診療の手引き第 2 版，2014.

7 災害医療における撮影

災害時の診療放射線技師の役割—受援と支援

1995年の阪神・淡路大震災当時は，災害時にわれわれ診療放射線技師にできることはほとんどないと考えられていた。医療機関では，電源の供給が途絶えた時点で放射線検査は実施することができなくなった[1)]。また災害現場における放射線検査についても主に，①停電時の電源確保が困難，②放射線装置が大重量であり移動が困難，③画像閲覧がフィルムのため現場での画像閲覧が困難，といった理由で実施することは不可能と考えられており，その発想すらなかった。

しかし，現在では災害時の医療機関の停電対策も災害拠点病院を中心に改善され，自家発電装置の稼働により放射線検査の実施も可能である。また，医療機関の耐震・免震構造への改修も進んでおり，放射線装置の破損も少なくなると考えられる。あわせて放射線装置の小型化・軽量化・デジタル化が進んだことで，移動や装置設置や画像閲覧が容易となり，場所を問わず放射線診療室以外でも，必要に応じて放射線撮影が実施できる時代となってきた。

このように，災害時の医療機関のインフラ対策や放射線装置の進歩により，災害時に診療放射線技師が担うべき役割が増えてきている。役割は大きく2つに分けられ，自分の地域が被災した場合に地域の住民を守る「受援」と，別の地域で災害が起こった場合に手助けする「支援」がある。われわれ診療放射線技師は，医療従事者として，また放射線の専門的家として，これらの役割を果たす必要がある。

「支援」における役割

所属する医療機関とは別の地域で災害が発生した場合でも，診療放射線技師には果たすべき役割がある。

1．災害現場における放射線検査業務

被災地内の災害現場における放射線検査業務は，災害発災後の時期によって支援の内容が異なってくる。東日本大震災における放射線装置の支援活動を根拠とした，被災地内の災害現場での放射線検査業務の支援分類は以下のとおりである（表1）。

表1　災害現場での放射線検査業務支援の分類

早期対応支援	
目的	できるかぎり早く放射線検査環境を整える
内容	可搬型X線装置による撮影業務
支援時期	おおよそ発災後2週間
設置施設	避難所内救護所
仮設診療対応支援	
目的	仮設診療所が設置される際に，できるかぎり病院機能に近い環境を整える
内容	ポータブルX線装置もしくは可搬型X線装置による撮影業務（装置は診療所のスペースによって検討）
支援時期	おおよそ発災後1カ月
設置施設	被災地内の仮設診療所（公共施設内などに設置）
被災地医療向上支援	
目的	仮設診療所で診療を継続している時期に，放射線検査環境を整えて医療の質を上げる
内容	ポータブルX線装置もしくは可搬型X線装置による撮影業務（装置は診療所のスペースによって検討）
支援時期	おおよそ発災後2カ月
設置施設	避難所内仮設診療所，公共施設内仮設診療所

1）早期対応支援

救護所などにいる多数の傷病者への診療対応が必要であるため，できるかぎり早く放射線検査環境を整えるための支援を行う（図 1）。

2）仮設診療対応支援

被災して病院機能を失った病院が仮設診療所を開設する時期に，できるかぎり病院機能に近い環境を整えるための放射線検査の支援を行う。

3）被災地医療向上支援

発災後，仮設診療所にて診療を継続している時期に，放射線検査環境を整えて医療の質を上げるための支援を行う。

また，東日本大震災におけるいわて花巻空港の広域搬送拠点臨時医療施設（staging care unit；SCU）のDMAT活動に関して，放射線撮影業務の必要性があったかどうか検証した結果，患者 136 名のうち 40％で放射線撮影が必要であった[2]。このように SCU においても放射線撮影のニーズがあると考えられ，2015 年には兵庫県において国内で初めて，SCU 撮影用に可搬型 X 線装置（図 2）が整備された。

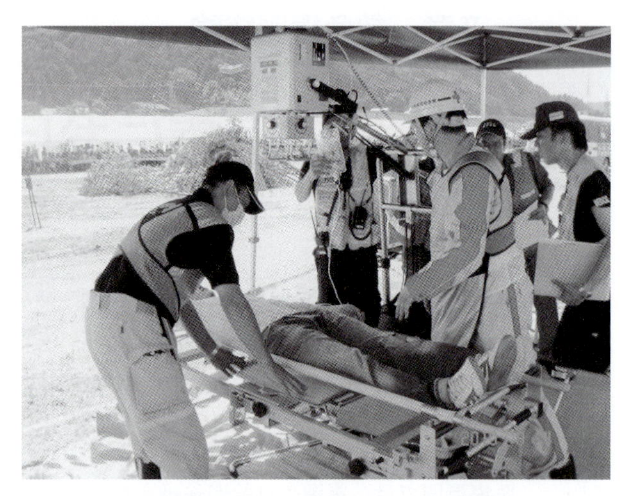

図 1　災害急性期における救護所での X 線撮影
（兵庫県合同防災訓練，2010 年）

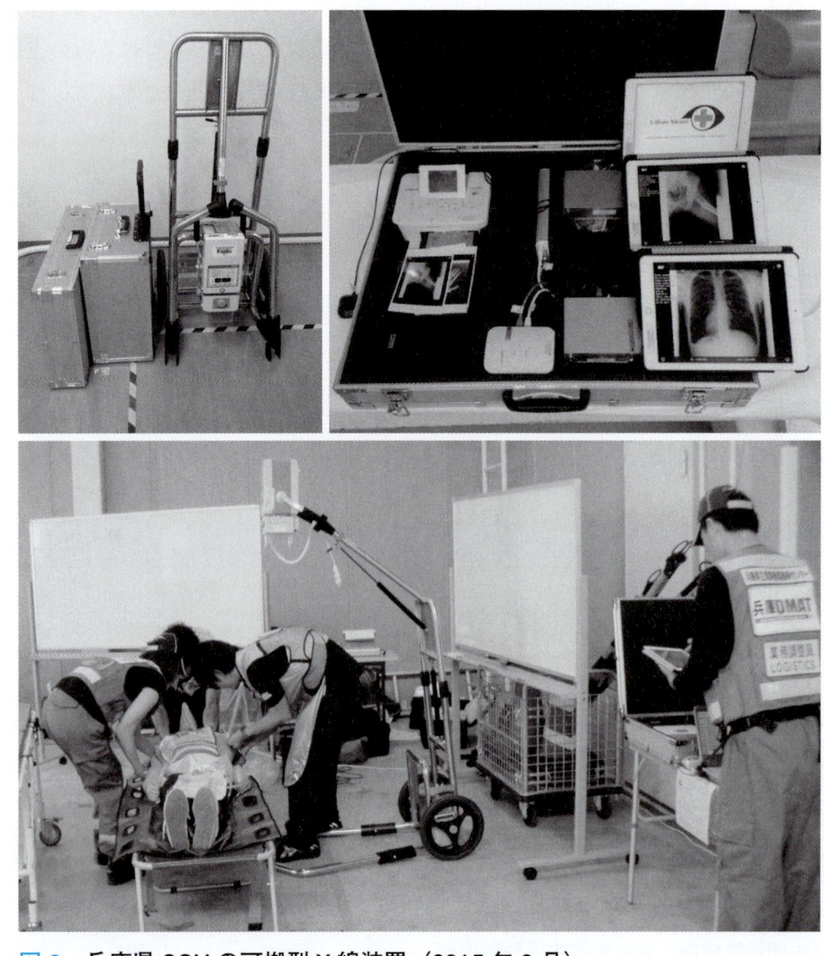

図 2　兵庫県 SCU の可搬型 X 線装置（2015 年 3 月）

2. 被災地内の医療機関における放射線検査業務の支援

被災地内では，病院職員の多くも被災者となっている可能性が高い。これは診療放射線技師も同様であり，家族・親族の安否の確認や，被災した自宅の復旧対応のために多くの時間が必要となるであろう。そのため，被災地外の診療放射線技師が放射線検査業務の交代要員として支援をすることで，被災者に休息を含めた時間を作ることが重要である。

東日本大震災では被災地外から多くの人的支援が実施された。しかし，診療放射線技師の支援については原発事故に対する緊急被ばくのサーベイ対応が中心であり，医療機関の放射線検査業務に対する支援がなかった。被災地内では医療機関の間で人的支援がなされたが，長期間にわたる調整は困難であり，被災地内から被災地外へ人的支援のSOSを出すのも困難な状況であった。

今後，診療放射線技師による人的支援の体制を構築していくためには，①診療放射線技師による人的支援のネットワーク構築，②診療放射線技師の支援要請の窓口設置，③派遣依頼主の明確化（要請文書発行元），④費用（旅費・宿泊費）や保証，といった課題がある。日本全国どこで災害が発生しても，団体や組織の垣根を越えたオールジャパンで，診療放射線技師が適切な人的支援を実施できるような体制の構築が必要である。

3. 国際医療支援における放射線検査業務

海外の災害に対する国際医療支援の現場でも，診療放射線技師による放射線検査の実績が数多く残されている。代表的な活動としては，JICA国際緊急援助隊医療チームにおけるフィールドクリニックでのX線撮影がある。このチームでは2005年にX線撮影装置を標準の資器材として配備し，診療放射線技師とともに派遣することで，被災地で多くの撮影を実施してきた。装置については，「可搬型・組み立て式・FPD」仕様の装置が2台整備されており，画像参照についてはタブレットへの配信システムを導入している装置もあるため非常に有用である。

今後の国際医療支援については，「クリニック型」から，入院機能や手術・透析など高度な治療機能を備えた「ホスピタル型」での活動への転換も求められている。必然的に放射線検査も増えるため，今後ますます診療放射線技師は国際医療支援活動に必要となっていく。

4. 災害現場の放射線管理区域外における放射線管理

災害現場の放射線管理区域外での撮影については，2009年1月に厚生労働省医政局から「災害時の救護所等におけるX線撮影装置の安全な使用に関する指針」の通知がなされている[3]。この指針に基づいて実施されているのが現状であるが，この指針には放射線検査の現場での線量測定について明記されていないため，現場での線量測定や個人被ばく線量測定の義務はない。

個人被ばく線量測定については，ポケット線量計を持参して管理を行うことは容易であろう。しかし，空間線量測定については，災害現場での線量計の手配や急性期における測定の必要性を考えると必須ではなく，「望ましい」という対応が現実的なところであるため，現状は空間線量測定の実施・方法については現場での判断に委ねられている。しかし，診療放射線技師にとって放射線管理業務は重要であり，放射線検査を行う現場でどの程度の放射線が発生しているかを把握する必要がある。また，患者や一般の方への説明については上記指針のなかにも明記されているため，その観点からは線量測定が必要になってくると考えられる。

このように，災害時の放射線管理区域外での放射線管理については，上記指針を十分に理解し，その内容に沿った装置の設置や撮影環境の整備，線量測定などを実施するよう十分に配慮しなければならない。

「受援」における役割

自身が所属している医療機関の地域で災害があった場合，多くの傷病者に対応しなければならないため，各医療機関は事前にさまざまな準備や体制整備を行っておかなければならない。放射線部門においても，災害時に放射線装置を安定稼働させるための体制が重要であり，これは災害時の医療機関の診療体制に大きくかかわってくる。現在の救急診療において画像診断は非常に重要であり，それは災害医療でも変わらない。例えば，放射線検査が実施できなければ重症患者の診断・治療は難しくなり，受け入れ患者を制限する可能性もある。放射線装置の稼働状況は，病院の受け入れ体制をも左右すると考えておかなければならない。

このような災害時の医療機関の受援体制を考えていくうえでは，事業継続計画（business continuity plan；BCP）に基づく体制構築が重要となる。

1. BCPに基づいた受援体制

2017年4月に厚生労働省は，災害時に24時間体制で傷病者を受け入れる災害拠点病院を中心に，BCPの策定を義務化することを発表した。これは2016年の熊本地震において県内6割の医療機関が被災して，被災地内の医療機能が低下した教訓からである。

BCPとは，震災などの緊急時に低下する業務遂行能力を補うために，非常時優先業務を開始するための計画である。BCPに基づいて業務遂行のために指揮命令系統を確立し，必要な人材・資源とその配分を準備・計画し，タイムラインに乗せて確実に遂行することである。このBCPの考え方の基本は，リスク管理の立場から事業のダメージをできるかぎり少なくして業務を継続し，早期に復旧できるよう，日常から「不測の事態」を分析して自施設の脆弱な点を洗い出し，その弱い部分を事前に補うように備えておく，ということである[4]。

厚生労働省は2013年9月に「BCPの考え方に基づいた病院災害対応計画作成の手引き」を発表した[5]。これまでの各医療機関で作成されてきた「災害対策マニュアル」は「主として災害急性期の動的な対応を行うための取り決めごと」を整理して作成されたものであり，1週間程度の期間についてのものが多い。一方，BCPで整理しておくべき範囲はより広く，起こり得る事象に対する事前の点検・準備も含めたものであり，期間については医療機関の機能が完全復旧するまでとなるため，災害規模によっては数カ月間に及ぶ計画となり得る。

災害時の医療機関の受援体制はこのようなBCPを主軸に進めていく必要があり，これは放射線部門においても同様である。

2. BCPに基づいた放射線部門の受援体制

厚生労働省の指針では，BCP策定を進めるにあたって医療機関の現状を確認するための15の点検項目があげられている（表2）[5]。具体的なBCP策定についてはこの項目ごとに検討する必要があり，とくに放射線部門において検討し取り組むべき項目について以下に述べる。すぐに実施できることから，多くの費用や時間を要することもあるが，重要なのは放射線部門のBCP策定のために継続して取り組んでいくことである。

表2　病院災害計画の点検項目

1．地域のなかでの位置づけ	9．人員
2．組織・体制	10．診療
3．災害対策本部	11．電子カルテ
4．診療継続・避難の判断	12．マスコミ対応・広報
5．安全・減災措置	13．受援計画
6．本部への被害状況の報告	14．災害訓練
7．ライフライン	15．災害対応マニュアル
8．緊急地震速報	

〔文献5）より引用〕

1）安全・減災措置

放射線部門の安全を担保するには，放射線部門の建物がどのような構造になっているか（耐震，免震など）の確認が重要である。構造を把握したうえで，放射線装置がどのようなに固定されているかを確認しておく。地震の際は，揺れがおさまって安全が確保された時点で，放射線装置のアンカーボルト破損の有無をチェックする必要があるため，装置のどこからのぞき込めば確認できるか，どこのカバーを外せば確認できるかなどを，事前に把握しておかなければならない。また，各検査室内の棚類も固定・対策しておく必要がある。

さらに，放射線検査中に被災することも想定し，各放射線装置や検査室から患者を緊急脱出させる体制も検討しておく。放射線治療室や核医学検査室からの漏洩線量測定も重要であり，緊急時に測定器が使用できるように管理し，万が一漏洩があった場合やRI製剤の破損があった場合の対応も検討しておかなければならない。

放射線装置の破損・故障があった場合にできるかぎり早期に復旧させることも重要であり，事前に放射線装置メーカーと復旧作業について検討しておく必要がある。また，放射線装置メーカーに電話連絡ができない場合にはメールやSNSなどを活用した連絡手段も考えておく。

2）院内対策本部への被害状況の報告

前述したとおり，災害発生時の放射線装置の稼働状況は，医療機関の患者受け入れ体制を左右する大きな因子である。例えば，一般撮影装置やCT装置などの放射線装置がすべて稼働していれば重傷患者の受け入れが可能となり，根本治療に対応できる。しかし，ポータブル装置のみが稼働している状況では患者受け入れにも制限がかかり，重症患者や手術適用患者を受け入れることができない可能性がある。患者を受け入れたとしてもすぐに後方搬送が必要となり，搬送中心の対応とならざるを得ない状況になるとも考えられる。そのため放射線部門では災害発生時の初動の重要な役割として，放射線装置の稼働の可否をできるかぎり早く把握し，院内対策本部に報告する。院内対策本部では放射線装置の稼働状況を十分に把握したうえで受け入れ体制を協議するため，放射線部門からの報告は医療機関の対応戦略に大きく影響することを理解しておかなければならない。

放射線装置の稼働可否の迅速な把握と報告には，放射線部門内の情報収集の体制構築と，放射線装置稼働可否のチェックリスト作成が重要である（図3）。放射線装置のリスト化はもちろんであるが，放射線装置稼働に関連する空調や放射線部門のシステム，さらにはこれらに関連するHUBについてもリスト化しておく必要がある。また，日常における停電障害やシステム障害の場合にも流用できる仕様のものが望ましい。

放射線科　緊急時装置稼働確認シート（　　　年　　月　　日）

No	設置場所	モダリティ	メーカー	機種名	確認	稼働可否	備考
1	初療室	VIEWER	FUJI	FS-V3		可・不可	
2		RIS	FUJI	FREPS-03（VIEWER 横）		可・不可	
3		RIS	FUJI	FRS-01（HIS 横）		可・不可	
4		PACS	FUJI	QA004（CPU）		可・不可	
5		CR	FUJI	CR console Lite		可・不可	
6		CR	FUJI	FCR 5000 plus		可・不可	
7		X 線装置	日立	DHF-155H Ⅱ		可・不可	
8		LAN HAB				可・不可	
9		超音波装置	GE	Vivid 7		可・不可	
10	CT 室	HIS	富士通	ED007013		可・不可	
11		RIS	FUJI	FRS03		可・不可	
12		CT	GE	Light Speed Ultra 16		可・不可	
13		ワークステーション	GE	AW-2（CPU）		可・不可	
14		インジェクター	根本杏林堂	デュアルショット		可・不可	
15		プリンター	FUJI	DRYPIX 7000		可・不可	
16		造影剤 Warmer	Nemoto	OMNI BOX		可・不可	
17		空調 3 箇所	YAMATAKE			可・不可	
18	アンギオ室	HIS	富士通	ED007012		可・不可	
19		RIS	FUJI	FRS-05		可・不可	
20		angio	TOSHIBA	INFX-8000 V/JU		可・不可	

図 3　緊急時装置稼働可否のチェックリストの例（提供：兵庫県災害医療センター）

3）ライフライン

「BCP の考え方に基づいた病院災害対応計画作成の手引き」には，非常用電源に接続されていることが望ましい設備についての記載があり，CT 装置も含まれている[5)]。自家発電装置を有している医療機関では，自家発電装置を CT 装置にも接続しておき，停電時でも CT 装置を中心とした放射線装置に安定した電力が供給できるように整備しておかなければならない。また，放射線装置の関連機器（インジェクターなど）や空調・照明も，自家発電装置への接続を忘れてはならない。

さらに，医療機関自体が電力会社の電源車を接続して電力供給が可能な設備になっているかや，その場合にも放射線装置に電源供給できるかを確認し，対策しておく必要がある。

4）人　員

災害時に迅速に体制を整えるには，当然人員が必要となる。とくに初動では多くの人員が必要となるため，どのような時間帯で災害が発生しても人員を集めることができる体制が必要となる。①緊急時の連絡体制が複数あること（電話連絡網，メール，SNS など），②連絡がとれない場合の行動を決めておくこと（参集基準など），③事前に参集方法や参集所要時間の調査を実施して，職員の参集状況の予測をしておくことが重要である。

東日本大震災における総務省の報告では，パケット通信は被災地内での連絡手段として有効であったとされ，今後は電話だけでなく，メール配信や SNS を利用した連絡体制の構築が必要になる。このような連絡体制を構築しておくことで，職員の安否確認も同時に実施できることが望ましい。

また，人員を確保して急性期を乗り切った頃には，今度は職員の交代や勤務体制を検討することも重要となる。簡易的な休憩スペース（ソファ，長椅子，ベンチなどの活用）の確保も忘れてはならない。

5）診　療

災害医療は救急医療の延長上であるともいわれているが，診療における考え方は大きく異なる。救急医療における診療は，多くの医療スタッフや資源を備えたうえで万全な準備をして待ち構え，「命を救うために最善をつくす」ことを目標としており，患者数はある程度コントロールできる。しかし災害医療における診療は，まず患者数が予想を超え，需要と資源のバランスが崩れてしまい，「救える命を救う」ことが目的に変わるため，このような状況で平時の救急医療と同様の診療を実施していたのでは，多くの律速段階が生まれてしまう。これは放射線検査についても同様であり，災害医療では救急医療よりもさらに必要最小限の診療・検査を実施することが重要となる。

災害時急性期の大原則として，「救える命を救う」こと

表 3　災害急性期における放射線検査制限の例

1．トリアージ「赤」患者がいなくなるまでの期間は「急性期」ととらえ，トリアージ「赤」患者を優先する 2．一般撮影は基本的に「胸部」「腹部」「骨盤」のみとし，これ以外の撮影は急性期を脱してからとする 3．CT 撮影は基本的に「頭部」「頸部」「体幹部」単純のみとし，これ以外は急性期を脱してからとする 4．一般撮影は急性期を脱しても，病院が災害対応中は原則「2 方向」までとする

表 4　放射線装置を災害急性期検査に集中させる体制例

1．放射線管理区域などの場所の有効活用
マンモグラフィー撮影室，透視室，核医学室などにポータブルを持ち込み，撮影室として活用する
2．放射線装置の有効活用
ポータブル装置や透視装置を，簡易的に一般撮影の役割として活用する
3．各種放射線検査の効率化
撮影患者が多く発生した場合の優先順番を整理する役割が必要となる。この役割を「撮影トリアージ」とし，医師を配置することが望ましい

を目的とする場合，資源をトリアージ「赤」の患者に投入することが求められる。放射線検査においても表 3 に示すような制限を検討し，需要をできるかぎり少なくする工夫をするとともに，表 4 に示すように資源を増やすような撮影体制の確立が必要である。

6）電子カルテ，画像情報システム

災害時には電子カルテや画像情報システムが使用できないことが想定されるため，サーバーなど関連設備の停電時の対応，システムダウン時の代用方法，病院内外のバックアップの確保，転倒・転落防止措置などについても検討しておく必要がある。

東日本大震災以前は，災害時の放射線部門の運用は，カルテやオーダーを紙運用に，画像参照はフィルムでの参照に切り替える方針がよいと考えられていた。しかし，東日本大震災後に日本放射線技術学会の研究班が行った調査「災害・計画停電時における放射線部門システムの対応策」では，放射線部門のシステムはほぼ電子化されており，災害時にもできるかぎり平時と同じシステム運用で対応できるように計画したほうがよいと結論づけられている[6]。これは，災害時に平時と異なる運用に切り替えることは，さらなる混乱をまねくという経験に基づいた考え方である。

災害時でも平時と同じシステムで運用するためには，いくつかの工夫が必要になる。まずは放射線部門システムや PACS（picture archiving and communication systems）のサーバーを高い階に設置し，固定を強化する。さらに，自家発電装置に接続しておくことも重要である。また，各種モニタの破損防止のための固定や，放射線部門システム端末を必要な数だけ自家発電装置へ接続し，無停電電源装置の設置も検討しておかなければならない。そして，多数傷病者の診療を実施するための工夫として，事前に「災害時用患者 ID」の発行を準備しておくことや，予備の電子カルテ端末や画像診断モニタの備蓄も必要である。大規模災害から患者情報を守るため，外部保管の検討も今後の課題となるであろう。

しかしながら，医療機関のシステムが何らかの原因で稼働しない場合には紙での運用も避けられないため，災害時カルテをはじめとする各種帳票類の作成・運用を決定しておき，訓練を実施しておく。

7）人的支援に対する受援計画

DMAT をはじめ，日本赤十字社や医師会などの医療救護班の派遣により，被災地外からの医療支援体制は強固になりつつある。このような被災地外からの人的支援が効果的に活動するには，各医療機関で人的支援を受け入れる受援体制の構築が重要であり，これは放射線部門においても同様である。放射線部門の受援体制を構築していくうえでは，①支援者へどのような業務を依頼するか，②院内の運用や放射線装置，放射線情報システムの取り扱いマニュアルの作成，③支援者を含めた勤務体制，④支援者の生活環境（食事・宿泊場所等）の整備などの検討・準備が必要である。

【文　献】

1）兵庫県放射線技師会：兵庫県南部地震記録誌，1996.
2）日本災害医学会：DMAT 標準テキスト，へるす出版，東京，2011.
3）厚生労働省医政局指導課：災害時の救護所等におけるエックス線撮影装置の安全な使用について（平成 21 年 1 月 7 日，医政指発第 0107003 号）.
4）中田正明：災害時に向けた放射線部門における BCP 策定から考える平時からの備え．Joint 9：2-4，2017.
5）厚生労働省：BCP の考え方に基づいた病院災害対応計画作成の手引き，2013.
6）立石敏樹，他：災害・計画停電時における放射線部門システムの対応策．日放線技会誌 70：165，2014.

Ⅲ章　内因性疾患診療における救急撮影

1 脳卒中，脳脊髄疾患

脳卒中・脳脊髄疾患患者対応の基本

脳卒中は代表的な救急疾患の一つであり，通常は突然発症で救急搬送される。激しい頭痛や嘔吐がみられる場合は出血性の可能性が高いが，画像診断なしで出血性脳卒中か虚血性脳卒中かを鑑別するのは困難である。あらゆる頭部救急疾患においては，第一に頭蓋内の急性期出血を確実に診断，もしくは完全に否定する必要がある。頭部ではMRIの有用性が高いため，MRIがどの程度利用しやすいかによって施設ごとにCTの適応は変わってくるものの，一般的に頭蓋内急性期出血診断のゴールドスタンダードはCTであり，画像上で明らかな高吸収域を呈する。ただし，臨床的に脳虚血超急性期を疑い，血栓回収療法の適応判定対象となる症例では，その時間的制約を考慮してMRI firstで画像診断を進める場合もある。

脳卒中疑い患者の検査依頼を受けたら，脳実質内出血のみならず，くも膜下出血や外傷性の頭蓋内出血についても診断を行う。また，脳挫傷や静脈洞血栓症などの場合，初療時CTでは出血を認めず，急性期の場合は経時的に出血が出現して増大することがあるため，初療時CTで出血がなくとも病態に応じてCTもしくはMRIで経過を観察する。

頭蓋内出血が否定され，超急性期脳梗塞に対するrt-PA療法の適応判断を評価する場合には，ただちにMRIによる精査を行う。治療開始が早いほど良好な転帰が期待できるため，少しでも早く（遅くとも1時間以内に）rt-PA療法を開始することが求められる。とくに血栓回収療法の適応に関しては，再灌流が遅れると転帰良好例が減少することが示されており，画像診断から動脈穿刺まで50分以内，来院から動脈穿刺まで75分以内，来院から再灌流まで110分以内という踏み込んだ目標時間が提唱されているため，速やかに治療を開始できる院内体制の整備が必要である。

日本医学放射線学会の『画像診断ガイドライン2016年版』[1]では，頭部疾患について必要最低限の画像診断にとどめて時間を浪費しないという指針が示されている。実際に患者が到着したら，迅速に必要な情報を収集するとともに患者の評価を行い，CT室やMRI室で容態が急変しないよう注意しながら検査を進め，脳梗塞の早期検出に適した撮像条件で頭部CTおよびMRI検査を行う。また，高次脳機能障害によって検査中の体動維持が困難な場合もあるため，短時間で目的とする画像を取得できるような撮像条件を用意しておく必要がある。

詳細な病歴聴取は脳卒中の診療において非常に重要であり，その診断の80%は病歴聴取からの情報に基づくともいわれる。病歴聴取には，患者の主訴，発症時刻，推測し得る誘因の有無，発症時の状況，症状の時間的推移，頭痛，嘔吐，てんかん発作の有無などが含まれる。また，検査室内における患者状況を診断医に伝えることも重要である。緊急検査依頼に記載されていない身体所見や患者の訴えなどが画像診断にとって重要な情報である可能性があり，患者情報の共有・伝達は質の高い画像診断からの迅速な治療にもつながるため，診療放射線技師はRISなどを介してそれらの情報を伝えることを意識しておく。

画像診断を行って出血が確認されれば，その止血を促すため，ただちに高血圧や出血凝固異常に対する治療を行う。**表1**[2]に示すように出血の原因にはさまざまなものが考えられるが，意識障害のため外傷が見逃されたり，脳卒中後に頭部外傷を合併することもあるため注意が必要である。初回検査および画像診断の際にもっとも重要なことは，出血が脳動脈瘤破裂による可能性や，血腫や急性閉塞性水頭症により脳ヘルニアが発生する可能性を見逃さないことである。脳動脈瘤破裂は再破裂しやすく，それにより不可逆的脳損傷や心肺停止をまねく可能性があるため，再破裂予防として患者の安静を保ち，できるかぎり速やかに治療を行う必要がある。

一般撮影の基本

胸部正面X線を撮影する。肺炎などの肺疾患，大動脈病変（とくに大動脈解離），心疾患など多くの病態の鑑別に有用である。撮影できるタイミングは施設によって異なるが，脳脊髄疾患との識別に必要なため撮影することが望ましい。また，出血性病変などに対する外科的治療や，血管内治療を前提とした頭部正面・側面X線写真と胸部X線写真を撮影することもある。

表1 出血性脳血管障害（頭蓋内出血）の部位と原因

出血部位	原　因
硬膜外血腫	頭部外傷，まれに抗凝固療法，原発性または転移性脳腫瘍，出血性素因
硬膜下血腫	頭部外傷，まれに抗凝固療法，原発性または転移性脳腫瘍，出血性素因，脳動脈瘤，脳動静脈奇形
くも膜下出血	脳動脈瘤（嚢状，解離性，感染性，外傷性，腫瘍性），脳動静脈奇形，硬膜動静脈瘻，頭部外傷，脳内出血からの進展，出血性素因，抗凝固療法，脳血管炎，静脈血栓症，原発性または転移性脳腫瘍，脊髄病変，アルコール乱用やコカインなどの薬物
脳内出血	高血圧，脳動脈瘤，脳動静脈奇形，海綿状血管腫，その他の血管奇形，脳アミロイド血管症，出血性素因，抗凝固療法，もやもや病，感染，脳血管炎，頭部外傷，原発性または転移性脳腫瘍，脳梗塞，静脈血栓症，薬物（アンフェタミン，コカイン，アルコール，ヘロイン，フェニルプロパノールアミンなど）
脳室内出血	高血圧，脳動脈瘤，脳動静脈奇形，もやもや病，脈絡叢腫瘍，脳内出血からの進展

〔文献2）より引用・改変〕

CT検査の基本

1. 準　備

患者の体動によるアーチファクトを防止するため，またサブトラクションCT検査を含めた3D-CTアンギオ検査へスムーズに移行するため，あらかじめ各装置に配備されている頭部専用ホルダーを設置することが望ましい。緊急時の体幹部CTにて追加の頭部CT依頼が発生した場合などには検査用寝台に頭部を固定して撮影することもあるが，各装置のCT検査用寝台の材質・構造が照射線量や画像ノイズに影響する可能性もあるため，各施設において検討が必要である。

2. ノンヘリカル or ヘリカル

低コントラスト分解能について両者の差はわずかであり（64列以上の装置），ヘリカルも十分に使用できるレベルである。濃度均一度は，ノンヘリカルではフラットであるが，ヘリカルでは撮影条件により大きく異なるため注意が必要である。また，ヘリカルではモーションアーチファクトの発生率は低く，ストリークアーチファクトの影響も少ないため，コントラストが損なわれることはない。現状のMDCTでは，検出器の感度向上や発生器の大容量化，ヘリカルスキャンの補間再構成方法の改善により，十分な白質・灰白質のコントラストを維持できる画像が取得できる場合もある。これらをふまえて，状態が悪く動きのある患者や適正なポジショニングの維持が困難な患者の場合にはヘリカルを使用し，動きがなく安静な患者の場合にはノンヘリカルを使用するなど，患者や場面に合わせて柔軟に対応し，それぞれの特性を活かした最適な選択ができるように運用する。

3. ポジショニング

アーチファクトの原因となるX線吸収体（眼鏡，ヘアピン，ピアス，補聴器など）の有無を確認する。撮影中の深呼吸や唾液の飲み込み，高齢者における口周囲の不随意運動などはモーションアーチファクトの原因となるため，ネックカラーを使用して動きを抑制することも考慮する。診断上，頭蓋内が左右対称であることが重要であるため，頭部がガントリの中心になるように位置を合わせ，外見上の再現性が確保しやすいOMラインを基準としてガントリ角度を調節する。

ノンヘリカルにおいて，位置決め画像を撮像せずに直接ガントリのレーザーポインタによってポジショニングを行って撮影するのは，時間短縮と被ばく低減の観点からも有効である。一方で，自動露出機構（CT-AEC）を機能させているプロトコルおよびヘリカルにおいては，スキャン範囲の最適な設定に位置決め画像が必要となる。また，位置決め画像は頭部単純X線写真の代用としてスクリーニングにも役立ち，横断像では指摘しにくい全体像や頭蓋骨の骨縫合，骨折の形状，頸椎の圧迫骨折，アライメントの評価などにも有用である場合がある。

4. 撮影範囲

救急領域の頭部撮影範囲としては，第2頸椎レベル（脊髄梗塞および脊髄硬膜外血腫を見落とさないよう，下は第2頸椎レベルなど）から頭頂（髄膜腫および脳静脈洞血栓症など）まで，重傷疾患の見落としが生じないような設定とする。

5. 撮影条件

頭部CTの撮影条件としては，基本的に出血の除外が可能な条件が望ましいが，患者主訴や症状，各施設におけるMRI検査の体制や脳神経外科の体制など，さまざまな要因によって異なってくる。また，メーカーや機種によっても撮影条件は異なるため，その統一的な推奨は困難であるが，日本放射線技術学会のGALACTICガイド

表 2　急性期脳梗塞診断のために推奨される CT 撮影条件

軽微な早期虚血変化の検出に十分なコントラストを得るため下記の撮影条件を満たすことが望ましい
・スキャン方式は装置の世代にかかわらずコンベンショナルスキャン（ノンヘリカル）とする ・スライス厚は，原則としてテント上は 8〜10 mm 厚とする。上記より薄いスライスでも画質が十分であれば可とするが，5 mm 以上の厚さが望ましい。テント下を薄いスライスで撮影する場合は，基底核レベルが薄いスライスとならないよう注意する ・再構成関数（フィルタ）は最適なものを選択する。頭部用にとくに用意されていない場合は standard でよい ・CRT 上での観察，フィルムへの焼き付けは十分狭い window 幅で行う。window 幅 80 以下を推奨する ・管電圧，管電流，回転速度はメーカー・機種によって条件が異なるため，推奨条件の設定は行わない。同じ条件で撮影しても，メーカー・機種により大きく異なることに注意が必要である。ただし，回転速度（スキャン時間）は最新機種であっても 2 秒/回転以上が望ましい*

〔文献 4）より引用・改変〕

*最近の多列 CT 装置では低速回転ができない装置も存在するため，その場合は管電流を高く設定することや 2 回転撮影を行うことが推奨される

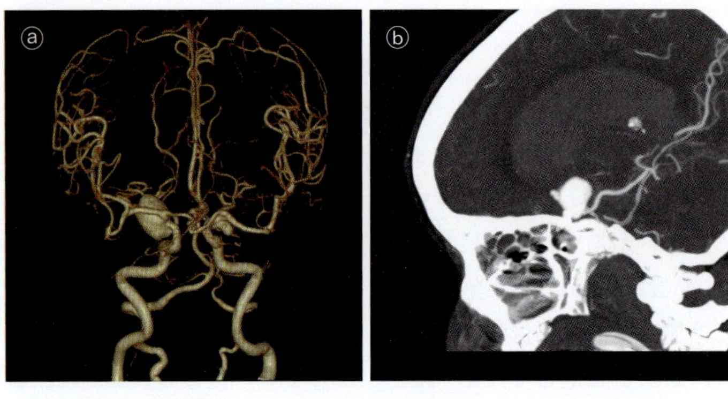

図 1　VR と MIP
VR（a）と同時に，MIP の 2D 画像（b）を表示させることで動脈瘤の形状や部位診断に有用となる

ライン[3]が参考になる。

MRI 装置を保有していない，あるいは 24 時間 MRI 検査に対応できない施設では，頭部 CT から早期虚血サイン（early CT sign）の検索も可能な条件として表 2[4]に示すような撮影条件が望ましい。しかし，主訴が外傷や出血性病変でポジショニングが困難な場合や，重症度が高く短時間撮影が求められる場合には，ヘリカルスキャンや時間分解能重視のノンヘリカルスキャンにて対応する。出血性病変と虚血性病変それぞれに対応したプロトコルを作成・運用しなければならない。

6. 3D-CTA

救急医療において 3D-CTA（3D-CT angiography）は，出血源の迅速な検索が必要な，主に脳動脈瘤，脳動静脈奇形および椎骨・脳底動脈閉塞の診断や，何らかの理由で MRI 検査を施行できない場合の急性期脳梗塞の診断に用いられる。血管造影検査に比べて空間分解能・血行動態評価の面では若干劣るが，低侵襲かつ短時間で利便性が高い。また，任意の方向から病変を観察することができるため，形態評価や術前シミュレーション，患者説明などその用途は幅広く，出血性脳血管障害に対して有用な検査である。

通常は脳動脈瘤の好発部位をすべて含んだ全体像を作成し，動脈瘤の有無を確認する。VR と MIP のイメージを同時に抽出させて観察すると，bleb などの突出の確認や最大径の測定などにも有用である（図 1）。動脈瘤の大きさや neck の大きさ，動脈瘤の突出方向，bleb の有無，近傍の動脈との関係などを抽出して把握する。また，近傍の血管についても動脈のみでなく静脈の抽出もあったほうが手術には有用な場合があるが[5]，救急撮影としては動脈瘤の有無を除外することを第一の目的として，迅速かつ最適な検査と画像処理を心がける。

7. CT 灌流画像（CT perfusion）

国内外のガイドラインで脳 CT perfusion が治療適応の基準として用いられるようになり，「経皮経管的脳血栓回収機器適正使用指針」[6]では，最終健常確認時刻から 24 時間以内の症例で脳血栓回収療法を判断する材料の一つとして，脳 CT perfusion による検査結果があげられている。

CT perfusion はこれまで目にすることができなかった虚血性ペナンブラを可視化する技術であり，従来の rt-PA 療法の制限であった 4.5 時間を超えても，血栓回収療法により再灌流が安全かつ確実に行えるようになる。また，MR perfusion も治療方針の決定にもたらす情報量はほぼ同等であるが，どちらを選択するかは臨床的な判断よりも施設の体制によるものが大きい。

実際の撮影は，造影剤到達前からスキャンを開始して，初回循環が終了するまでの間，連続撮影や間欠撮影によるダイナミックスキャンを行う。造影剤の注入にはボーラス性が要求され，右肘静脈に血管を確保して造影剤濃度 370 mgI/ml の造影剤を 5 ml/秒・合計 50 ml 注入し，続けて生理食塩液を同じ注入速度で後押し注入する。また，被ばく低減とコントラスト向上のために 80 kV 程度の低電圧撮影とするのが望ましい。

さらに被ばく線量を低下させる方法として，ノイズモデルによる逐次近似再構成法を用いた CT 画像の再構成があり，それまでの filtered back projection 法による再構成と比較して数分の一の線量で同等の画質を得ることができる。しかし，繰り返し演算が増大することにより計算時間が長くなるというデメリットがあるため，逐次近似再構成法を用いるかは各施設の方針・判断による。なお，水晶体被ばくを避けるため，眼窩より上のスライスを撮像するよう注意する。

MRI 検査の基本

脳梗塞の早期診断における MRI 検査の有用性は高く，急性期脳梗塞の抽出は CT よりも優れている。しかし，非常に強い磁場を用いる特殊な環境下での検査であり，救急医療という切迫した状況下で患者の安全管理が疎かになることで，インシデント・アクシデントの報告が多いという現実もある。

また，検査時間が長いという短所を補うため，脳脊髄疾患に対するシーケンスは 10 分以内に終えるような設定が望ましい。具体的には，①1.5 T 以上の装置での撮像，②撮像部位は全脳を含む，③echo planar 法（EPI）での撮像が望ましい（TR＝4,000〜8,000 msec，TE＝80 msec，slice 厚 5〜6 mm，matrix：128×128），④ADC map を表示可能とする，などである。

1．拡散強調画像（DWI）

低・中磁場の機種を保有している施設では EPI の画質が不十分なこともありルーチン撮像法に加えるのは困難かもしれないが，高磁場機種（1.5 T 以上）では DWI をルーチンとして行うことが望ましい。とくに発症 6 時間以内の急性期脳梗塞でもっとも診断能が高く，撮像時間も数十秒で全体の検査時間の延長にならないため，救急ではルーチンで全例に撮像することが望ましい。

2．FLAIR

脳脊髄液近傍の脳室や脳溝などの深部白質と皮質下の T2 が延長した病変の検出に有用である。中頭蓋窩に囲まれた側頭葉の外側から底部の病変や，側頭葉内側，海馬体，海馬傍回の病変検出には必須となる。FLAIR のみで病態を論じることはできないが，救急においては病変を検出することが第一の目的であるため，意識障害や痙攣，精神症状を示す症例ではシーケンスに組み込むことが望ましい。

急性期〜亜急性期のくも膜下出血の検出にも強く，脳梗塞超急性期においては皮質動脈の閉塞（intraarterial signal）が FLAIR で高信号を呈する。また静脈洞血栓症の診断にも有意であり，上矢状洞や横静脈洞は正常では FLAIR で flow void による低信号を呈するが，静脈洞閉塞によりこの flow void が消失する。

3．T2 強調画像

FLAIR が弱い後頭蓋窩の虚血性病変の描出に優れている。MRI 検査が何らかの理由で中断した場合（患者急変や体動による検査続行不可能など），DWI における b＝0 の画像を T2 強調画像の代用とすることもある。

4．T1 強調画像

脂肪，出血（メトヘモグロビン），マンガン沈着，メラニン沈着などが特異的な高信号を呈する。ただし，急性期においてこれらの検出を第一目的とすることは少ないため，必ずしもルーチンに入れる必要はない。

5．T2*強調画像

局所磁場の不均一性（susceptibility effect）の影響を強く受けるため，微小出血（出血の検出力は CT より高い）や血管腫の診断に有用である。ただし，古い出血（亜急性期のメトヘモグロビンや陳旧性のヘモジデリン）か新しい出血（デオキシヘモグロビン）かわからないことがあるため，診断には注意が必要である。

6．MRA

一般的に MRA は非造影 3D-TOF-MRA を指す。最大の特徴は非侵襲性であり，造影剤や IVR におけるカテーテル検査のリスクがまったくない。三次元データであるため任意の方向から観察することができ，空間分解能も非常に高いため，脳血管障害全般で適応となる。

IVRの基本

救急領域の頭部IVRは主に，くも膜下出血に対する脳動脈瘤の血管内治療と，急性期脳梗塞に対する血行再建術に分類される。IVRは医師・看護師・臨床工学技士など治療に携わる多職種との連携により，迅速かつ的確に処置を完了しなければならない。

IVRチームにおいて診療放射線技師は，血管撮影装置の管理や被ばく線量管理だけでなく，多職種の業務を考慮した血管撮影室の環境整備や補助も重要な役割となる。依頼を受けたらすぐに準備ができるように，IVRによる緊急治療の必要物品，特殊な器具・機材の配備についても確認し，機器はすぐに稼働できるようにマニュアルを作成しておくとよい。また，スタッフの召集や医師の指示なく行うことができる処置(酸素吸入，血圧測定，心電図モニタ装着，パルスオキシメータ装着，挿管準備，尿道バルーンと点滴ラインの整理など）に慣れておき，実際に対応できることが望まれる。

血管撮影室へ患者を搬入する前に，患者情報を共有しておくことが重要である。具体的には，①ヨードアレルギーを含むアレルギー，②腎機能（BUN，クレアチニン，e-GFR)，他疾患（腎疾患，心疾患)，感染症，手術歴，検査データ（胸部X線，心電図，CT，頸動脈エコーなど）を確認・共有する。

治療中は装置との接触や無菌操作など安全性の確保に目を配り，頭部固定やピクセルシフトで最適な画像を提供できるよう努力する。また，IVRでは透視時間が延長して被ばく量が増加する傾向にあるため，防護遮蔽板の使用や治療時のコリメーションを積極的に行い，患者および術者の被ばく低減に努めなければならない。

脳卒中の症状と対応

1. 脳卒中の典型的症状

脳卒中の症状としては，①頭痛，②麻痺（半身不随)，③感覚障害，④言語障害，⑤視野障害，⑥めまい，⑦失調（ぎこちなさ)，⑧意識障害，⑨認知症，⑩手のふるえ（振戦）などが典型的である。

2. 一般的な管理方法[7]

1）超急性期の呼吸・循環・代謝管理

低酸素血漿の予防と頭蓋内灌流圧の維持を基本とするが，病態によって至適血圧値は多様である。体温の維持，血糖値の維持など，複合的に脳浮腫の予防と脳保護が行われる。

2）合併症対策

誤嚥などによる急性呼吸器感染症，尿路感染，消化管出血，発熱などの合併症を予防する。合併症があると死亡率のみならず機能的転帰も悪くなるため，積極的にその予防と治療に取り組むことが望まれる。

3）対症療法

痙攣，嚥下障害，頭痛などに対して，対症療法が実施される。

3. 血管内治療の適応

動脈瘤の部位，形状，大きさからみて可能であると判断される場合には，瘤内塞栓術を施行する。一般に，neck径が4 mm以上，またはdome/neck ratio(D/N比)が2以下の頸部の広い動脈瘤やlarge/giant aneurysmではコイルの親動脈への突出や不完全閉塞，再開通が多いため，瘤内塞栓術は困難なことが多い。しかし，3Dコイルなどの改良型コイルやバルーンでのneck remodelingの併用により，D/N比が2未満の症例にも適応を拡大している報告もある[8)~10)]。

4. 画像診断の基本

脳卒中における画像診断の第一選択は頭部CTであり，まず出血の同定と水頭症・脳ヘルニアの検索を行う。頭頂部の横断像からページングし，正常髄液濃度を保っていることを確認しながら，まず脳溝が見えることを確認する。脳溝が見えなければ脳腫脹や脳圧排，水頭症による脳溝の狭小化，あるいは脳脊髄液の吸収値が上昇している可能性を考える。

そのためには，年代別の脳脊髄腔（CSF space）と脳溝の見え方を理解しておく必要がある（図2)。CSF spaceは若い年代でも必ず見えるものであるため，日頃から意識的に観察し，各年代のCSF spaceと脳溝の深さや形状を見る訓練をしておくことが，見落としや見逃しを防ぐことにつながる[11)]。

くも膜下出血の特徴と検査・所見

1. 原　因

くも膜下出血をきたす原因疾患は多岐にわたるが，なかでももっとも頻度が高く，生命予後にかかわる病態は脳動脈瘤の破裂であり，発症直後の突然死もあり得る。また，死亡に至らなくても重篤な後遺症が残る可能性もある。破裂動脈瘤の術前診断には，空間分解能が高く血行力学的な情報がある脳動脈造影（DSA）がゴールドスタンダードとなる。

脳動脈瘤はその形態学的な鑑別として，分岐部に血行

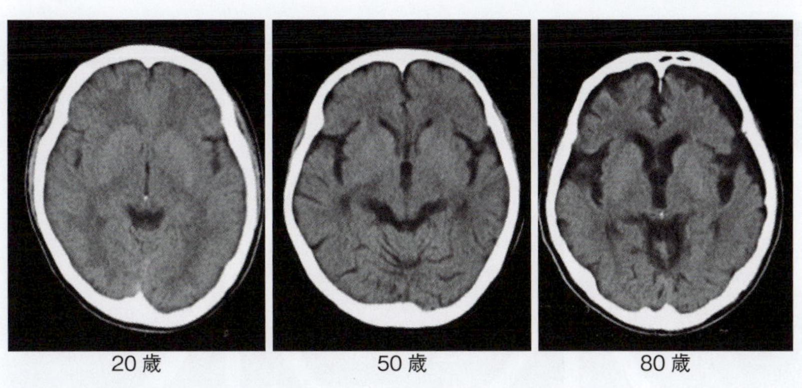

図 2　各年齢における CSF space と脳溝のみえ方

	被殻出血	視床出血	小脳出血	橋出血
眼球位置	共同偏視（病側へ） （右被殻出血）	下方共同偏視（鼻先凝視）	共同偏視（健側へ） （右小脳出血）	正中位固定
眼　瞼	正　常	正　常	正　常	正　常
瞳　孔	正　常	両側の縮瞳 （ときに左右不同）	両側の縮瞳	両側の著しい縮瞳

図 3　脳出血部位と眼位・眼瞼・瞳孔

力学的な要因で発生する嚢状動脈瘤と，動脈硬化性変化や血管炎，解離が原因となる紡錘状動脈瘤に分けられ，破裂をきたすのはほとんどが前者である。また，大きさによる分類として，10 mm 未満を小型動脈瘤，10 mm 以上 25 mm 未満を大型動脈瘤，25 mm 以上を巨大動脈瘤と称する。脳動脈瘤の好発部位としては，①前大脳動脈 A1～A2 から前交通動脈分岐部：30%，②内頸動脈 C2～C1，とくに内頸動脈と後交通動脈分岐部（IC～PC）：30%，③中大脳動脈 M1 末 W 分岐部：20%，がある。

非外傷性のくも膜下出血の原因としては，脳動脈瘤破裂のほかに，もやもや病，静脈洞血栓症，腫瘍出血，抗凝固薬服用などの出血素因，アミロイドアンギオパチーなどがあげられる。出血発症のもやもや病では脳室内出血を伴うことが多いが，脳室内出血や脳内血腫を認めずにびまん性のくも膜下出血を生じることがある。

2. 臨床症状

くも膜下出血の頭痛は急性・重症・全般性・持続性であり，その爆発的な頭痛は「今まで経験したことのない激しい痛み」と例えられる。最初に痛みがもっとも強く，その後少しは軽快するが，痛みが消失する時間帯はない。頭痛に悪心・嘔吐を伴うことがあるが，通常は麻痺などの脳の局所的症状は伴わない。しかし，脳内血腫や脳血管攣縮による脳虚血が合併すると片麻痺などの巣症状を生じることもある。また，出血の程度によって頭痛の程度はさまざまであり，まれに頭痛が軽度の場合もある。さらに，重篤なくも膜下出血を生じる前に少量の出血による警告症状として頭痛が生じることがあり，警告徴候（warning sign）や警告頭痛（warning headache）と呼ばれるが，単なる偏頭痛や風邪として見逃されることが多い。

検査依頼を受けて患者が CT 室に搬入された時点でバイタルサインを確認し，頸部硬直（髄膜刺激症状）などの身体所見を同伴した医師・看護師・救急隊員などから収集しながら，頭部ポジショニングの際には瞳孔辺縁不整・拡大，充血など（図 3）をチェックして，最適な撮影法を選択（ノンヘリカル or ヘリカル）をする。

3. CT 検査

CT におけるくも膜下出血の所見は，ペンタゴンとして知られているように，鞍上槽の高吸収域として認められる。少量の出血は見落とす確率が高いため，鞍上槽レベルでは左右の Sylvius 裂，前方正中の前大脳縦裂，左右斜め後方に続く迂回槽を確認する。さらに，下方へ小脳橋角部から延髄周囲の脳槽を確認し，脳室の吸収値を基準に見ていくことが重要である（図 4）。脳槽が第 4 脳室や第 3 脳室と同じ濃度に見えるのが正常であるが，少しでも異常があればくも膜下出血を疑う。また，Lus-

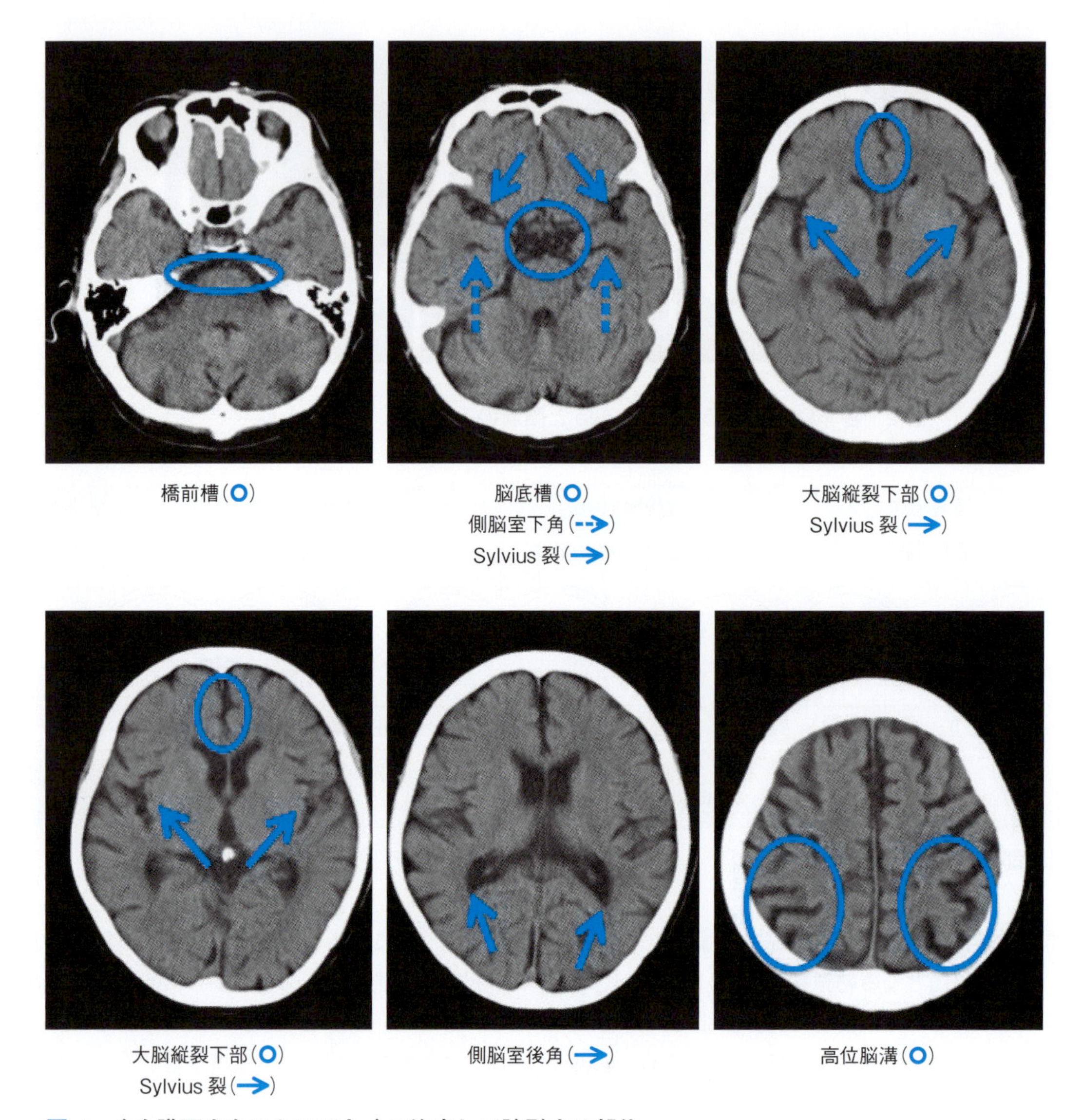

図 4　くも膜下出血においてとくに注意して読影する部位

chka 孔や Magendie 孔を介して脳室内へ出血が逆流することもある。

くも膜下出血は破裂動脈瘤付近に発生することが多いため，CT 上の血腫分布から破裂動脈瘤をある程度予見することができる。中大脳動脈瘤では破裂側の Sylvius 裂を主体に出血を認め，内頸動脈瘤では破裂側の Sylvius 谷や鞍上槽に多く，Sylvius 裂，脚間槽，迂回槽，橋前槽にも広がる。中大脳動脈瘤と内頸動脈瘤の出血の分布は重なり合う。前交通動脈瘤では大脳縦裂下部から透明中隔腔を中心に左右対称性に分布し，大脳縦裂の出血が強くみられる際は前交通動脈瘤破裂のことが多い。椎骨脳底動脈系の動脈瘤では後頭蓋窩の脳幹周囲のくも膜下腔に血腫が多くみられ，第四脳室へ高率に逆流する。

少量および亜急性期のくも膜下出血の CT 診断に際しては，くも膜下腔の吸収値のわずかな上昇を探す必要があるため，WW/WL を調整して画像提供することも重要である。脳室内に逆流した少量の血腫は側脳室後角に高頻度で観察されるが，くも膜下腔の CT 吸収値の上昇はわずかであるため，脳室内出血の検出により診断されることもあり，水頭症の合併はその診断を支持する。水頭症はくも膜下出血の 15〜30％に合併し，早期から出現する特徴的な所見である。脳室内血腫による閉塞機転やくも膜下腔に広がった血腫によるくも膜顆粒からの髄液吸収障害が原因と考えられている。また，時間の経過した亜急性期のくも膜下出血では，高位脳溝の一部に限局していることがあるため十分な範囲を撮像し，見逃しのないように最上層まですべてのスライスを観察する必要がある。

なお，CT はくも膜下出血を rule in できるが，rule out はできない。CT の感度は 100％ではない。放射線科医による診断でも発症 24 時間以内で 93％であり，1 週間後では 50％に落ちてしまう[12)]。

CT 検査により患者がくも膜下出血と診断された場合，再破裂を予防するために検査室内を暗くし，ガーゼ

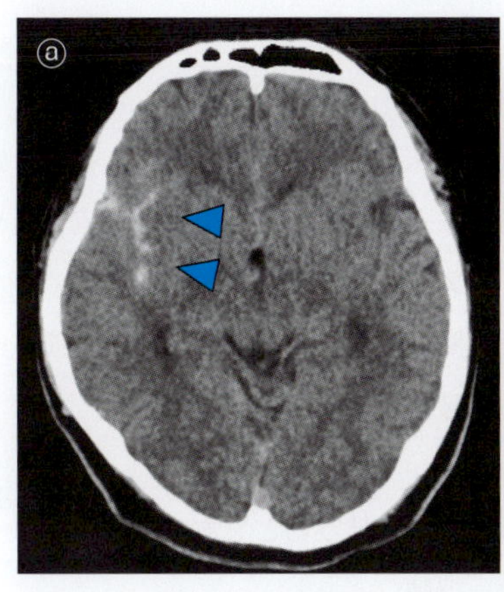

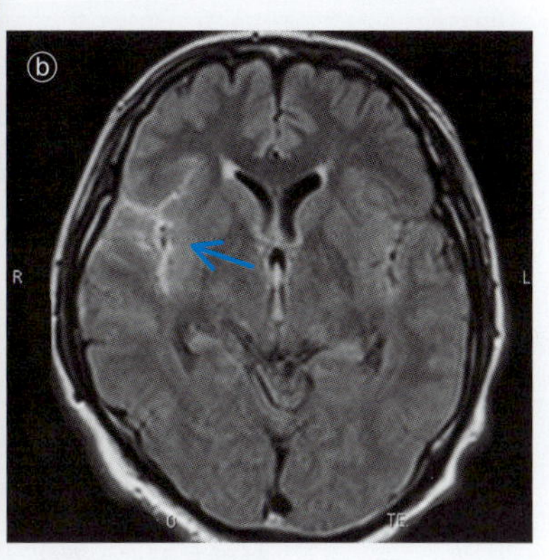

図5 くも膜下出血における FLAIR 画像の有用性
a：CT にて Sylvius 裂右側優位に高吸収を認める（矢頭）
b：FLAIR 像では同領域に高信号が明確に抽出されている（矢印）

などで眼部を覆って，大きな声での問いかけなどは行わず，患者移動も愛護的に行うなど，光・音を含む外的刺激による血圧変動を抑えなければならない。また，脳動脈瘤コイル塞栓術を施行する直前の CT 検査においては，位置決めのレーザー光が眼部に当たらないよう，診療放射線技師が自身の手で眼部を覆いながらポジショニングする心遣いも重要である。

4. MRI 検査

MRI の FLAIR 像において，正常では血管と脳脊髄液はどちらも低信号に描出されるが，くも膜下出血により脳脊髄液の信号が上昇することで動脈をとらえ，異常を比較的容易に判断することができる（図5）。FLAIR 像では正常脳脊髄液の信号強度が抑制されるように null point を設定しているが，血性脳脊髄液部分は高分子水和効果により T1 値が短縮するため null point がずれてしまい，血性脳脊髄液部分の信号強度が抑制されないのである。さらに，急性期のくも膜下出血の T2 緩和時間は脳実質よりも延長しているため，FLAIR 像にて急性期くも膜下出血が脳実質よりも高信号となる。すなわち，血性脳脊髄液の T1 値が脳脊髄液よりも短縮しており，急性期の脳実質内血腫にて観察されるような強い T2 短縮がないために，急性期くも膜下出血は FLAIR 像にて脳実質よりも高信号として抽出される。

ただし，多量の濃い急性期くも膜下出血部では強い T2 短縮が生じる可能性があり，その部位のくも膜下出血が FLAIR 像にて明瞭な高信号として描出されないことがある。一方で，FLAIR 像にて非常に濃い部分の描出が部分的に不良となるような多量のくも膜下出血例でも，濃くない部位のくも膜下出血病変が高信号病変として描出されることが多い。

FLAIR 像では急性期のみならず，亜急性期以降のくも膜下出血も高信号として描出される。しかし，FLAIR 像では脳脊髄液の flow artifact が脳幹腹側などによくみられ，高信号域をすべて異常とすると偽陽性例が増えることに注意しなければならない（表3）。

表3 FLAIR 像においてくも膜下出血類似所見を呈する状態

- 脳脊髄液の流入・拍動性アーチファクト
- 体動や金属（義歯など）によるアーチファクト
- 髄膜炎（化膿性，癌性）
- 脂肪腫あるいは類皮腫の破裂成分
- もやもや病（ivy sign）に伴う軟髄膜吻合
- 神経皮膚黒色症
- サルコイドーシス
- 脳梗塞，静脈塞栓
- 硬膜動静脈瘻によるうっ滞した静脈
- リピオドールなどの油性造影剤漏出
- 腫瘍（髄膜腫など）による圧排効果
- 動脈閉塞部遠位側の逆行性側副血行路
- MRI 撮像時の数分間以上の高濃度酸素吸入*
- 腎不全患者のガドリニウム造影剤投与数日後の脳脊髄液中への漏出

*酸素は最外角に 2 つの不対電子をもち，弱い常磁性の性質をもつために，T1 緩和時間の短縮をきたす。増加した血中酸素が脳脊髄液へ拡散することによって，感度の高い FLAIR 像にて脳脊髄液の信号強度上昇が起こる

脳内出血の特徴と検査・所見

1. 原因・所見

脳内出血の原因を表4[13]に示す。典型的な出血でない場合には，これらの除外が必要である。

脳内出血は出血直後から CT で境界明瞭な高吸収域（60～80 HU）として検出される（脳実質の CT 値は，白質 30～34 HU，灰白質 37～40 HU 程度）。この高吸収値

表4　脳出血の原因

疾　患	好発年齢	特　徴
高血圧性出血	壮年〜高齢者	高血圧に起因，被殻，視床に多い，次いで小脳，脳幹に好発
出血性梗塞	壮年〜高齢者	塞栓性梗塞の再開通後に多い。周囲には梗塞巣を広く認めることが多い
アミロイドアンギオパチー	高齢者	皮質下出血。T2*強調像にて多数の出血巣
動脈瘤	壮年〜高齢者	中大脳動脈，前交通動脈に隣接した脳実質内，くも膜下出血を伴うことが多い
もやもや病	若年	拡張した穿通枝動脈の破綻。実質内，脳室内出血
動静脈奇形	若年	血腫辺縁部の異常血管
硬膜動静脈瘻	若年〜高齢者	硬膜に沿う異常血管。浮腫を伴うこともある
静脈血栓症	—	動脈支配に一致しない浮腫
海綿状血管腫	若年〜壮年	新旧血腫の混在。T2*強調像にて著明な低信号
腫瘍内出血	壮年〜高齢者	転移性脳腫瘍。悪性グリオーマが多い
外傷性	全年齢	挫傷を伴う。病歴が大事

〔文献13）より引用・改変〕

のもとはヘモグロビンであるため，高度貧血患者では急性期血腫がさほど高吸収値を示さないこともある。出血から数日で血腫の周囲脳実質に浮腫が出現し，画像上はmass effectの増強，臨床上は症状の増悪をきたすことがある。1週間程度で血腫は吸収過程に入り，辺縁部から吸収値が低下して，いずれは全体が低吸収値を示すようになる。理論的に血腫のCT値はヘマトクリット値が100％でも94 HUとされており，95 HUを超えるものは血腫ではなく，石灰化などである。したがって，出血と紛らわしい石灰化病変はCT値を測定することで鑑別することができる。

しかし，当初から虚血性疾患を疑い，CTを省略してMRIを施行した場合には注意が必要である。CTと同様に，T1強調像で血腫が高信号を呈すのは亜急性期（メトヘモグロビン）以降であり，救急患者のMRIで遭遇する血腫はより早期のものである場合が多い。超急性期の血腫はオキシヘモグロビンを反映してT2強調像で軽度高信号を呈すのみであるが，まもなく血腫辺縁からデオキシヘモグロビンに変化し，T2強調像で低信号を呈すようになる（図6）[13]。実際の現場ではこのデオキシヘモグロビンの存在をMRIで検出して急性期出血を診断することが多い。T2*強調像や磁化率強調像（SWI）が出血の検出に有効とされるのは，このデオキシヘモグロビンの低信号域を鋭敏に検出するからである。

血腫量の計測法としてABCs法が提唱されており，「血腫量（cm^3）＝A×B×C/2」で示される[14]。「A」は血腫が最大に抽出されているスライスでの血腫長径(cm)，「B」はAに直行する血腫の径（cm)，「C」は血腫のみられるスライス数×スライス厚（血腫の上下方向への長さ：cm）である。

また，脳内血腫では4割程度が発症3時間以内に増大するため，神経症状の悪化がある場合にはCT再検が必要となり，再現性の高い画像提供は診療放射線技師の重要な役割となる。

2. 出血部位ごとの特徴・所見

1）高血圧性皮質下出血（図7）

頭頂葉が好発部位であり，脳表からの深さが1 cm以下の場合は手術を考慮する。中大脳動脈（MCA）や前大脳動脈（ACA），後大脳動脈（PCA）の末梢皮質枝から脳表灰白質を穿通する髄質動脈が責任血管であり，血流動態的には，被殻や視床，脳幹部への深部穿通枝と比較して，高血圧の影響は少ない。70歳以上に好発し，脳アミロイドアンギオパチーとの鑑別が問題となるが（オーバーラップしている場合もあると考えられている。ともに空間的・時間的に多発し，くも膜下出血を伴うことがある），他の高血圧性脳出血よりも高齢で生じやすいため，若年者の皮質下出血をみた場合には高血圧性よりも動静脈奇形や硬膜動静脈瘻などの二次性脳出血を考慮する。

2）橋出血（図8）

橋の中心部〜傍正中部に出血が好発する。主な責任血管は脳底動脈（BA）から分岐する橋への回旋枝（橋枝）から脳幹実質へ穿通する穿通動脈であり，出血だけではなくラクナ梗塞や分枝粥腫型梗塞の好発部位でもある。これに伴って，くも膜下腔穿破や第4脳室穿破をきたすこともある。出血が上部の中脳，下部の延髄に進展する場合はあるが，延髄や中脳の原発の高血圧性出血は発生

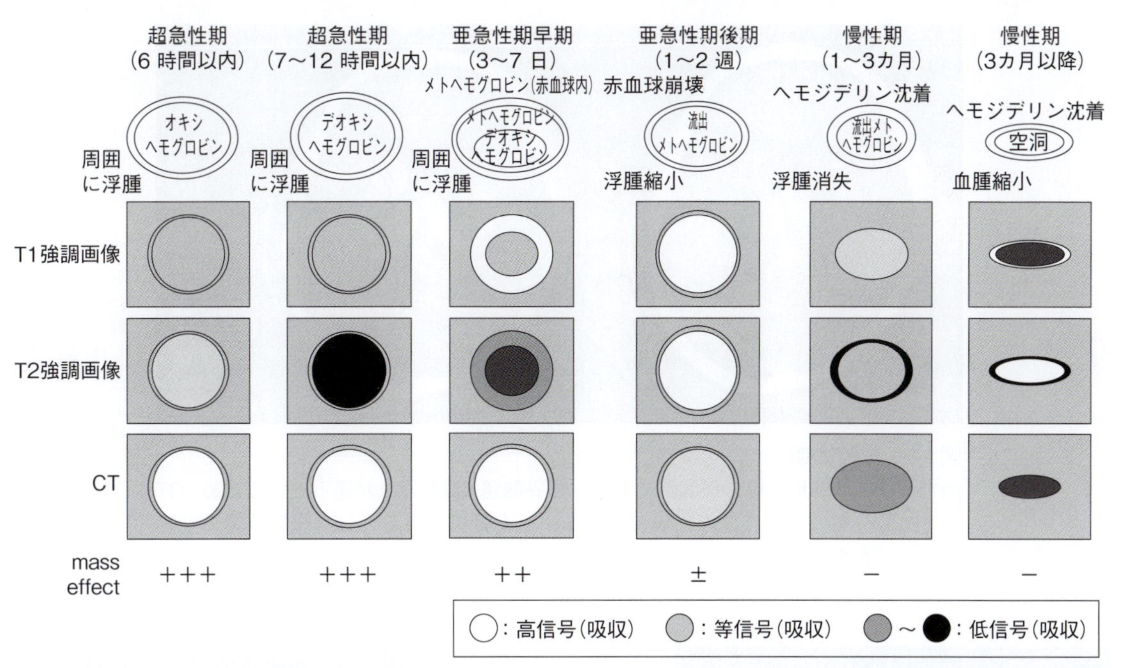

図 6　脳出血の CT-MRI 所見の経時的変化　〔文献 13）より引用・改変〕

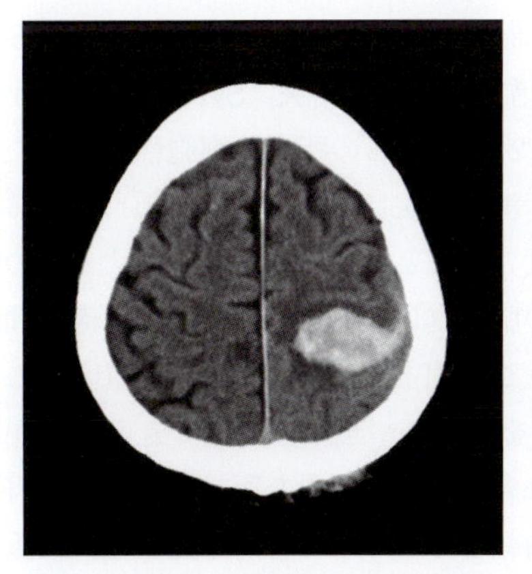

図 7　高血圧性皮質下出血

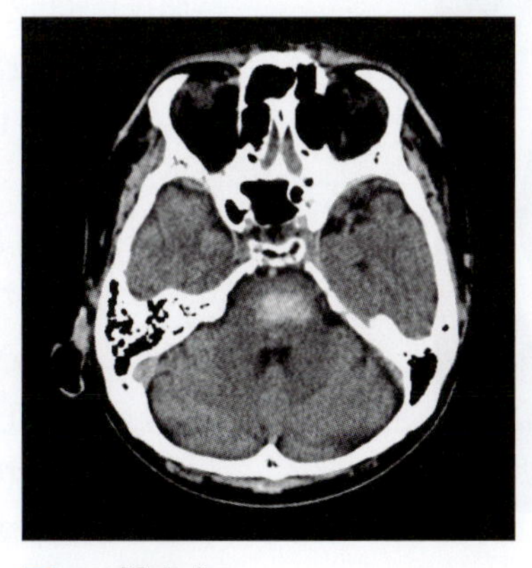

図 8　橋出血

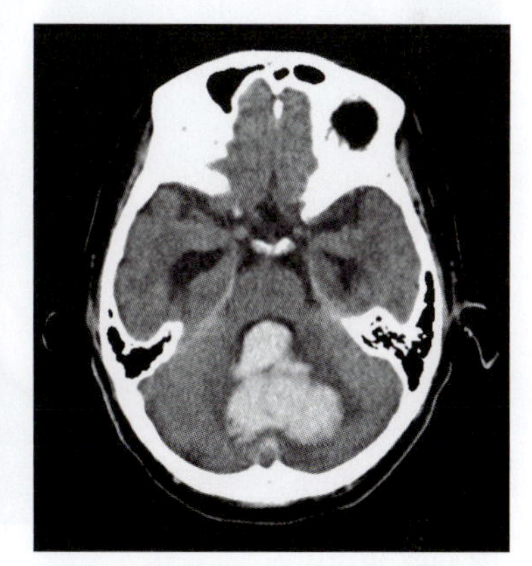

図 9　小脳出血

率が非常に低いため，脳幹出血といえば基本的に橋出血と考えてよい。また，脳幹を直接損傷するため生命予後が不良な場合がある。

3）小脳出血（図 9）

葉状核周囲に好発し，主な責任血管は上小脳動脈（SCA）の分枝である。血腫による脳幹への直接圧排や第 4 脳室圧排による閉塞性水頭症のリスクがあり，大後頭孔ヘルニア（小脳扁桃ヘルニア）および上行性テント切痕ヘルニアの合併に注意する。

4）被殻出血（図 10）

脳内出血でもっとも頻度が高く，大脳深部のレンズ核線条体動脈外側枝（中大脳動脈からの穿通枝）で発生するものである。血腫量が 31 ml 以上（直径 4 cm 以上）の場合や圧迫が高度な場合には手術を考慮する。被殻は錐体外路の神経系であり，純粋に被殻だけが障害された場合には運動がぎこちなくなるだけであるが，ほとんどの場合に血腫は隣接する内包も破壊するため，重篤な運動・知覚障害が発生する。

5）視床出血（図 11）

主な責任血管は視床膝状動脈や後視床穿通動脈（いずれも後大脳動脈の穿通枝）であり，脳室に隣接しているため脳室穿破および水頭症を起こしやすい。脳室穿破の方向は，放線冠方向に進展して側脳室体部へ穿破することがもっとも多い。また，脳室内出血により閉塞性水頭症をきたした場合は脳室ドレナージ術の適応となる。

脳梗塞の特徴と検査・所見

米国国立神経疾患・脳卒中研究所（NINDS）は，発生機序による分類として①血栓性，②塞栓性，③血行力学性に，臨床分類として①アテローム血栓性脳梗塞，②心原性脳塞栓，③ラクナ梗塞，④その他の脳梗塞，として

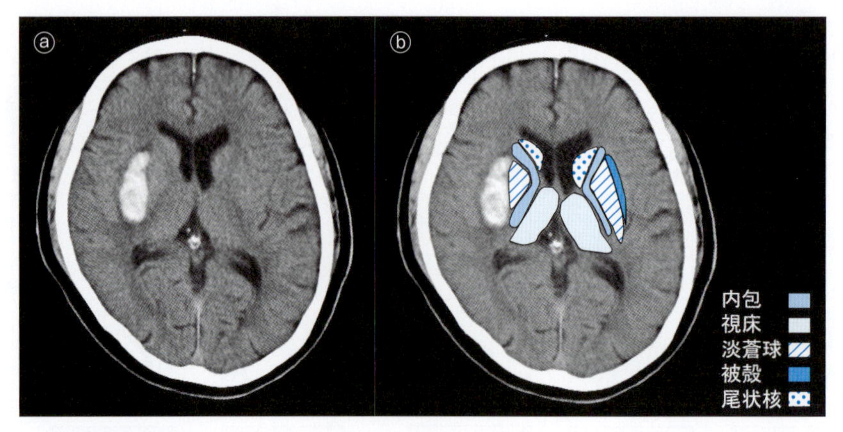

図 10　被殻出血
内包後脚には随意運動の伝導路である皮質脊髄路（錐体路）が通っているため，CT上の血腫分布が内包に及んでいるかいないかを見極めることは，機能予後の推定においても重要である

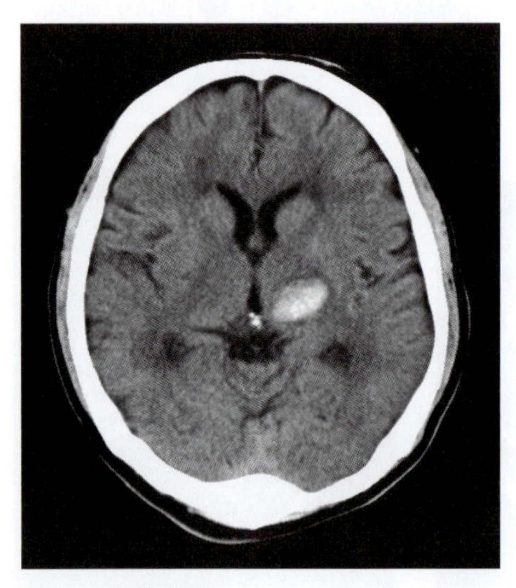

図 11　視床出血

いる。急性期脳梗塞の治療は，この病型によって異なる。

とくに機序による脳梗塞では，わが国の研究グループ（MELT Japan）によって頭部単純 CT の撮影法・表示法の標準化や判定訓練システムの構築が世界に先駆けて行われた[15]。その取り組みを受けて 2005 年には rt-PA 療法が薬事認可され，2019 年 3 月には日本脳卒中学会より「静注血栓溶解（rt-PA）療法適正治療指針第三版」が発表されている[16]。rt-PA 療法は発症から 4.5 時間以内に治療可能な虚血性脳血管障害患者に対して行うとされ，さらに少しでも早い治療開始が推奨されているため，その適応判断と治療方針決定のためにも迅速な画像診断が重要である。

1．CT 検査

CT における所見として，内頸動脈や中大脳動脈など主幹動脈の閉塞による脳梗塞の早期の所見は早期虚血所見（early CT sign）と呼ばれ，①レンズ核辺縁の不明瞭化（発症 1～2 時間後），②島皮質の不明瞭化（発症 1～2 時間後），③皮質髄質の境界の不明瞭化（発症 2～3 時間頃から），④脳溝の狭小化・消失，Sylvius 裂の狭小化がみられる（図 12）。これらの所見は細胞性浮腫（ただし脳溝の狭小化・消失は主に血管障害性浮腫）による灰白質の軽微な濃度の低下と皮質の腫脹を反映するものであり，非可逆性の脳梗塞に陥る部位を示す。当直時間帯の緊急 CT において MRI 検査ができない施設では，これら early CT sign を迅速かつ正確に判定できることが求められる。いずれも画像上は軽微な所見であり，障害側を示唆する臨床情報ともあわせて左右を比較し，慎重な読影が必要である。さらに，血管閉塞の所見としては動脈内の血栓が高吸収域を示す hyperdense MCA sign（図 13），hyper dense PCA sign などがある。石灰化との鑑別が困難な場合があるが，閉塞部位の診断の指標となる。

しかし，詳細な血管情報を得るためには，一般的に造影剤を用いた 3D-CTA が必要となる。事前にアレルギー歴や腎機能などを把握する必要があるものの，単純 CT に引き続いて検査を実施できる利点がある。

血栓回収療法を考慮する場合には，撮影範囲を大動脈弓部まで含めると術前の血管走行情報として有用である。その後，梗塞巣は浮腫の増強により低吸収域が明らかとなる。脳浮腫は発症約 48～72 時間後に最大となり，側脳室の圧排や正中偏位などの mass effect が増強する。また，発症数時間以内の超急性期脳梗塞を CT で見逃さないためには，狭い window 幅（20～40 HU 程度）で観察し画像提供することも，読影補助として求められる（図 14）。

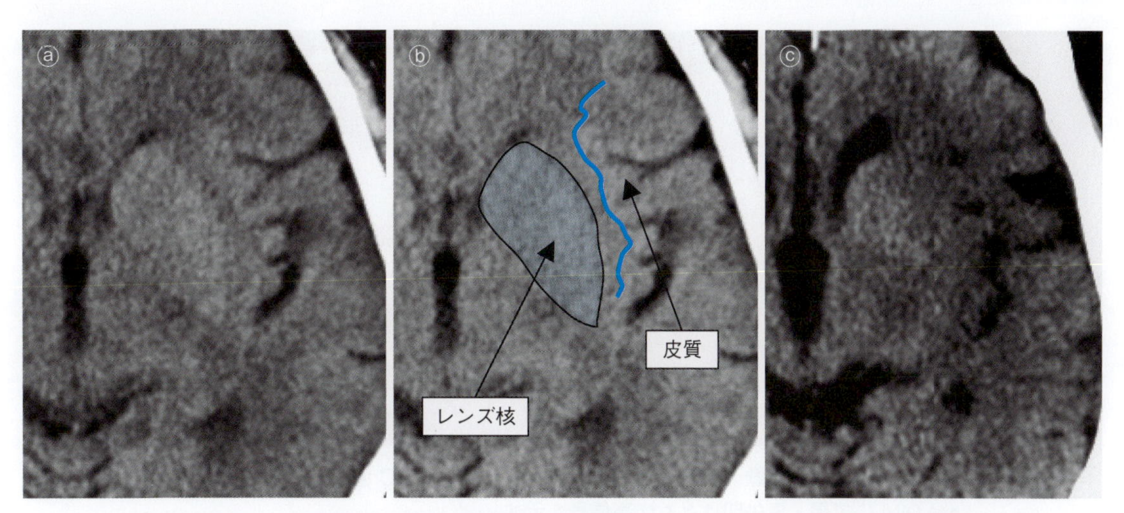

図12　early CT sign（レンズ核辺縁の不明瞭化，島皮質および皮質髄質の境界の不明瞭化）

a，b：正常脳実質では，レンズ核と皮質は白質よりも高吸収域として認識される。頭蓋内主幹動脈のうち，もっとも脳梗塞が多いのは中大脳動脈（MCA）であり，血栓溶解療法の対象となりやすい血管 MCA 領域は，椎骨動脈（VA）・脳底動脈（BA）系の領域に比べて骨からのアーチファクトが少なく CT 画像上認識しやすい

c：脳梗塞ではレンズ核および皮質の不明瞭化（early CT sign）が認められる

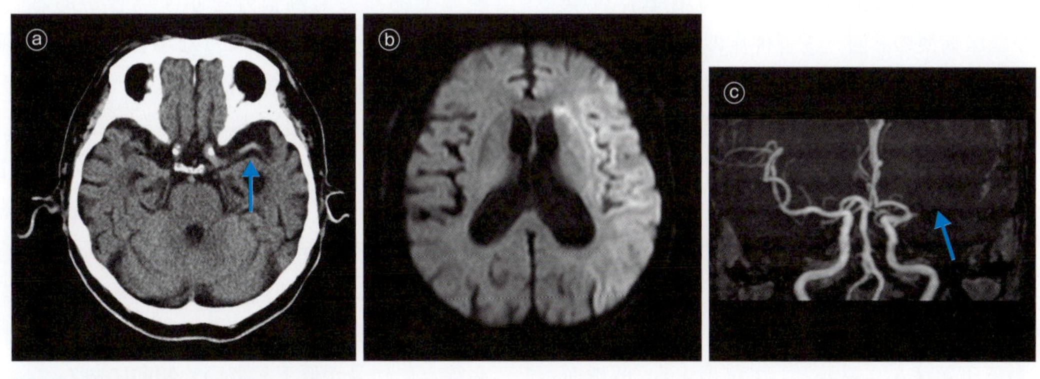

図13　hyperdense MCA sign

a：CT 画像で左中大脳動脈（MCA）に高吸収域が認められる（矢印）

b：拡散強調画像（DWI）において左 MCA 領域に著明な高信号域を認める

c：MRA では左 MCA 起始部での閉塞あり（矢印）

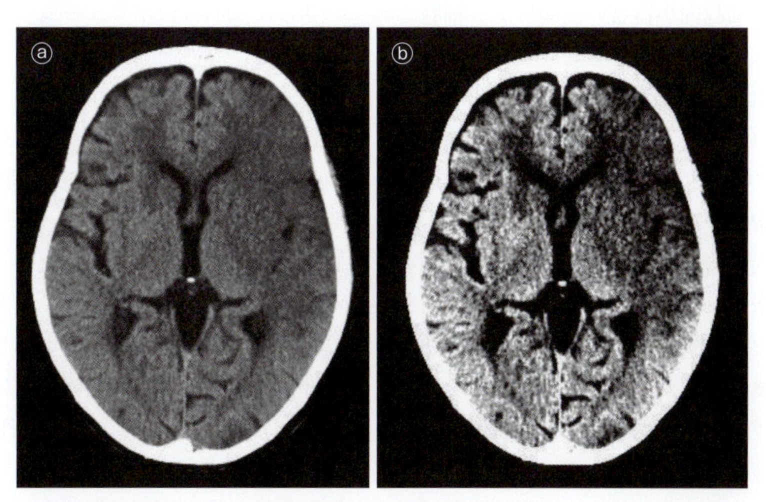

図14　WW/WL による違い

a：WW80，WL40，b：WW20，WL30

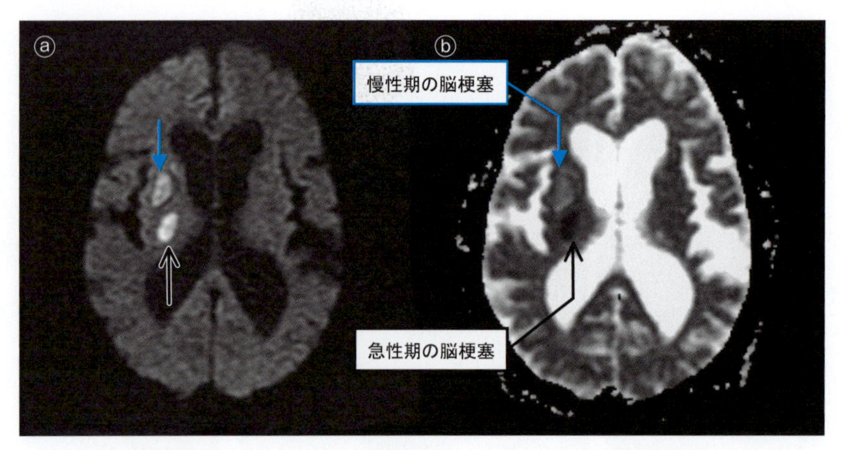

図 15　拡散強調画像（DWI）と ADC map 上での ADC 値評価

a ：DWI にて黒・青矢印はともに高信号を示す

b ：ADC map では黒矢印は低下，青矢印は上昇を示し，それぞれ脳梗塞の発生時期の診断が可能となる

2. MRI 検査

脳梗塞を対象としたMRIでは，①超急性期虚血の早期検出，②臨床病期の診断（陳旧性梗塞との鑑別），③局在診断（梗塞の範囲や血流支配域，主幹動脈の閉塞），④発症機序および臨床病型の診断，⑤合併症の診断（出血性梗塞や頭蓋内圧亢進による内ヘルニアなど）が必要となる。急性期ではこれらに加えて，治療可能な領域の残存や出血の有無について可能なかぎり短時間に診断しなくてはならない。したがって，急性期にMRI検査を行う場合には，必要最低限のシーケンスを組み立てて時間を浪費しないことが強く求められる[17]。

1）拡散強調画像（DWI）

DWIは拡散低下領域を高信号として描出する。脳虚血の超急性期の拡散低下の原因は，虚血がまねく ATP 産生低下による細胞膜での能動輸送の低下と，細胞内の Na イオン・Ca イオン濃度の上昇による，細胞内の水分含有量の増加（細胞内への water trap），すなわち細胞毒性浮腫である。また，細胞内小器官の破壊による細胞内粘稠度の増加や細胞性浮腫による細胞間隙腔の狭小化が生じる。これらは虚血発症直後から生じ得るが，脳梗塞発症から DWI 高信号出現までの最短時間は約 40 分とされる。脳梗塞発症後の DWI 高信号出現までの時間は虚血の程度に関連し，虚血が高度なほど短時間で出現する。しかし，発症後 1 時間以内の DWI では信号変化がはっきりしないことも多い。虚血性変化の判断にはDWIに加え MRI perfusion や MRA，FLAIR などの血流動態をとらえ得る検査法を組み合わせる必要がある。

DWI の脳梗塞急性期の検出感度は高く，通常発症後 6 時間以内の陽性率は 90％以上とされている。そのため，発症 6 時間以降の DWI で高信号がなければ急性期脳梗塞の可能性は低いと考えられるが，脳幹部梗塞では約 30％が発症後 24 時間以上経過して高信号を呈するとする報告があるため注意を要する[18]。

また，DWI は T2 値の影響も受けるため，亜急性期脳梗塞であっても高信号を示す場合がある（T2 shine-through effect）。このような場合は T2 強調画像を同時に参照し，T2 強調画像にて高信号を呈する場合は ADC map を計算して ADC 値の評価をすることで，DWI が高信号になったことを裏づけることができる（**図 15**）[19]。このことからも，原則として ADC map で同部位の信号を確認できるようなシーケンスの組み立てが望ましい。ADC map は5日～1 週間程度と早い時期に信号が上がってくるが，DWI は平均すると発症後 2 週間程度の時期から徐々に信号が低下していく傾向にある。

なお，磁化率アーチファクトにより本来拾い上げるべき虚血病変を見落とす可能性があり，磁化率アーチファクトは磁場強度に応じて強くなるため，高磁場（3 T）の MRI を用いる場合には注意が必要である[20]。

さらに，DWIはボリュームデータとして活用することもできる。急性期脳梗塞に対する MRI 検査の DWI に関して，スライスギャップを 0％に設定し，各シーケンスを調整する（参考例：TR＝2000，NEX＝2，スライス厚＝4 mm，撮影枚数＝40 枚，範囲＝160 mm，撮像時間＝57秒）。得られたボリュームデータから MPR を作成して画像提供することで脳幹部梗塞（橋・延髄）にも対応することが可能となり，救急における MRI の画像診断において有用である（**図 16**）。さらに，CT での検出力が低い外傷によるびまん性軸索損傷において，短時間で高吸収域として描出され，MPR を作成することで多断面からの好発部位（傍矢状洞部，脳梁膨大部，脳弓など）の評価もできるため，外傷診療においても非常に有効である。

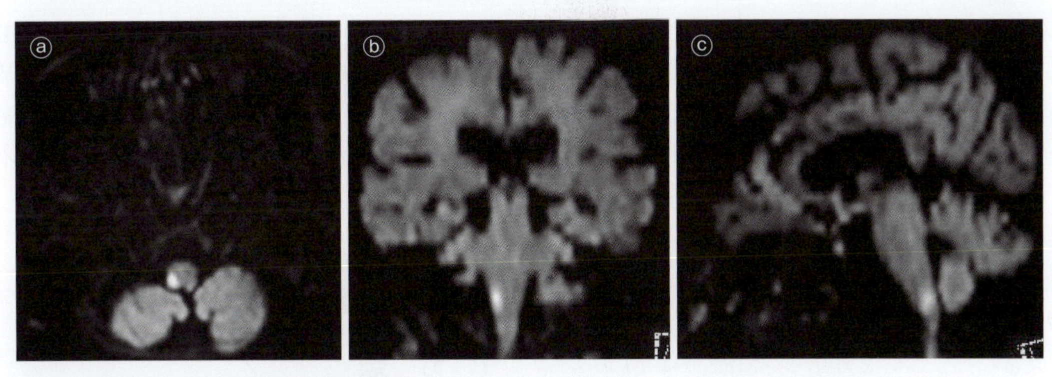

図16　DWIにおけるMPRの有用性
延髄外側症候群。a：DWI，b：冠状断，c：矢状断
脳幹梗塞における各部位（延髄・橋・中脳）の評価にはMPRが有用である。本症例では，MPRによる冠状断と矢状断を作成することにより，延髄外側症候群（Wallenberg症候群）の診断に有効であった

2）T2*強調画像

T2*強調画像は鉄（ヘモジデリン）沈着を鋭敏にとらえ，過去に起こった微小出血の抽出も可能であるが，陳旧性血腫や無症候性微小出血も低信号を呈するため，新鮮血腫と紛らわしいこともあり注意が必要である。出血性脳梗塞などの出血性変化は血栓溶解療法の禁忌となるため，その診断にT2*強調画像が有用である。また，中大脳動脈の急性期脳塞栓はCTではhyperdense MCA signとして高吸収域に描出されるが，T2*強調画像では新鮮塞栓子に含まれる高濃度のデオキシヘモグロビンが低信号を示す。この所見はsusceptibility signと呼ばれ，CTよりも検出感度が高いとされている。

3）T1・T2強調画像

急性期脳梗塞において，T1・T2強調画像は明らかな信号変化を呈さないため，治療を急ぐ場合に撮影する意義は少ない。一方で，亜急性期以降の脳血管障害のスクリーニングとしては，他の画像の信号解釈の基本となるため必要となる場合が多い。例えばT1強調画像では，亜急性期から慢性期の脳梗塞で皮質に沿った層状の高信号を呈することや，動脈解離において壁在血栓の検出に有用とされている。また，T2強調画像はDWIやFLAIRよりも早期の虚血性変化に対する感度は低いが，血管性浮腫を反映して高信号として抽出するため，他の画像と組み合わせて病期判定に利用される。

4）FLAIR

FLAIR像では，閉塞部の末梢血管の遅延と停滞により血管が高信号を示すintra arterial signがみられる。また，脳梗塞に陥っていない場合でも，片頭痛性梗塞の予後予測としての動脈攣縮評価のためにMRAを撮影することが望ましい[21]。

5）MRA

MRAは，主幹動脈の狭窄や閉塞の評価，血栓溶解療法後の治療効果判定に有用なシーケンスである。通常はin-flow効果を利用した3D-time-of-flight（3D-TOF）を用いてWillis動脈輪を中心とした領域の撮像を行う。画像の観察は，MRAの原画像および皮下脂肪などの障害となる高信号を削除し，前後左右に回転させたMIP画像を利用する。さらに，必要に応じて総頸動脈分岐部を中心に総頸動脈，内頸動脈，外頸動脈を含む領域を撮像することもある。

MRI・MRAの撮像基準線と撮像範囲について，横断像の基準としては①前交連-後交連線（AC-PC line），②鼻根部-橋下縁線（OM線に相当），③ドイツ水平面（脳幹に垂直な線）がある。なかでも①AC-PC lineは再現性が高く，定位脳手術にとっても重要な基準線であり，神経解剖や立体計測に相関しているためもっとも望ましい。しかし，施設によっては断層面が統一されていないことがあり，急性期の虚血範囲判定を難しくしている。また，ASPECTS（Alberta Stroke Program Early CT Score）[22]では基底核-視床レベルで7ポイントを評価する必要があり，CTでは一般的にOM線が用いられていることから，虚血範囲判定に大きな差異を生じる可能性がある。MRAではWillis動脈輪を中心に設定し，脳底動脈を含むように撮像範囲を決定する。なお，中大脳動脈閉塞症例の再開通を評価目的とした研究では，橋延髄移行部から脳梁まで（内頸動脈海綿静脈洞部からM3まで）をカバーするように統一された[23]。

脳動静脈奇形の特徴と検査・所見

脳動静脈奇形（arteriovenous malformation；AVM）は胎生期の血管形成過程で発生する先天奇形で，脳動静脈の短絡部に異常血管塊（ナイダス；nidus）が存在する状態である。ナイダスが破綻すると脳内出血や脳室内出血，くも膜下出血をきたし，症状を起こす脳血管奇形としてはもっとも多い。ナイダスが破綻していない場合の代表的な症状は痙攣発作であり，原因としては盗血現象による虚血などが考えられている。好発年齢は20～40歳（男女比2：1）であるため，若年者で脳内血腫があればまずAVMを疑う。

発生部位の8割はテント上で一側大脳半球に偏在している。二次性の出血であり存在診断は比較的容易である。CTで異常な拡張血管を確認し，MRIではT1およびT2強調像で蛇行したflow voidが検出され，T2*やSWIではより明瞭に描出できる。ナイダスや流出静脈の流速が遅いことが多いため，MRAは通常の脳動脈を観察する際に行う3D-TOFではなく，静脈がよく描出されるphase contrast（PC）法が適している。MRAで異常に拡張した流入動脈やナイダス自体，あるいは拡張した流出静脈が抽出されれば診断は確定的となる。しかし，CTやMRIでは検出できないような小さな動静脈奇形も脳内出血の原因となる可能性があり，このようなAVMは血管造影を行わなければ確認できないことがある。また，適応する検査として，従来のCTやMRIに加えて，3D-CTAを用いたサブトラクション検査の有用性も報告されている。

動脈と静脈の短絡であるため，撮影タイミングは各施設で設定している脳血管動脈検索のためのプロトコルを使用することが望ましい。

もやもや病の特徴と検査・所見

両側内頸動脈終末部（眼動脈分岐より遠位部）からWillis動脈輪の動脈閉塞をきたす疾患で，その成因は不明である。Willis動脈輪閉塞断端部から脳底槽および基底核穿通動脈に側副血行路である異常血管網，いわゆるもやもや新生血管が発達するため「もやもや病」と称されている。ほとんどが虚血発症である若年型と異なり，成人型ではくも膜下出血や脳実質内出血をきたす（ただし，成人でも梗塞を起こすことがある）。脆弱な側副血管網（もやもや血管）の破綻が原因とされ，脳室近傍に生じることが多い。

CTでの診断は困難であるが，高血圧性出血よりも若年層の脳内出血および脳室内出血を念頭に置く必要がある。救急患者ではMRIを施行する以前に緊急の血管造影で診断されることも少なくないが，MRI検査の所見としては，①MRAで頭蓋内内頸動脈終末部，前・中大脳動脈近位部に狭窄または閉塞がみられる，②MRAで大脳基底核部に異常血管網がみられる（MRIで基底核部に一側で2つ以上の明らかなflow voidを認める場合も含む），③①と②の所見が両側性にある，④FLAIR像でivy sign（もやもや病での拡張した軟膜動脈内を流れる遅い血流を反映していると推察される所見）を認める，⑤T2強調画像にて両側の内頸動脈のflow voidが不明瞭となる[24]。

髄膜炎の特徴と検査・所見

1. 分　類

髄膜炎の原因としては，細菌性，ウイルス性，結核性，真菌性などがあげられる。このうち細菌性とウイルス性は急性の経過を示し，結核性と真菌性は亜急性期から慢性の経過を示す。とくに細菌性髄膜炎は内科的緊急疾患であり，早期の治療開始により予後が決まるため，迅速な画像検査の施行と診断が望まれる。細菌性髄膜炎と比較して，ウイルス性髄膜炎は一般的に予後が良好で軽症である。

髄膜は硬膜と髄軟膜により構成されており，髄膜炎はこれらのいずれかまたは両方への炎症である。感染経路として，細菌性は血行性感染のほかに中耳炎や副鼻腔炎などからの炎症波及，脳外科手術後にみられることがある。

2. 検査・診断

診断は髄液検査が基本であり，画像検査としてはCTよりもMRIのほうが優れているものの感度・特異度は特別高くないため，臨床所見や検査所見とあわせて評価する。また，腰椎穿刺前の脳ヘルニア除外目的での頭部CTは必須でないとされるが，意識障害，神経巣症状，痙攣発作，乳頭浮腫，免疫不全患者，60歳以上の患者では穿刺前の頭部CTが推奨されている[25]。

CTでは進行すると脳室の開大と脳底槽の狭小化・消失がみられ，造影CTでは脳槽・脳溝に沿った髄膜の造影効果を認めるが，MRIと比べると精度は低い。MRIでは，高蛋白質濃度の滲出液がくも膜下腔に充満することによりFLAIR像で脳溝が高信号を示し，また造影T1強調像，造影FLAIR像で髄膜の造影効果を認める。滲出液によるT2延長に起因する所見であるが，これは感染性髄膜炎に特異的なものではなく癌性髄膜炎でもみられるほか，くも膜下出血やMRI検査中の高濃度酸素吸入など種々の要因で類似の所見を示し得るため注意を要する。

また，CTやMRIによって合併症の検索を行うことも重要であり，水頭症，脳炎，脳膿瘍，脳梗塞，硬膜下蓄膿・水腫，化膿性脳室炎が合併症として重要である。脳梗塞は急性期に多く，穿通枝閉塞による大脳基底核，脳幹のラクナ梗塞がよくみられる。また，硬膜下水腫は経

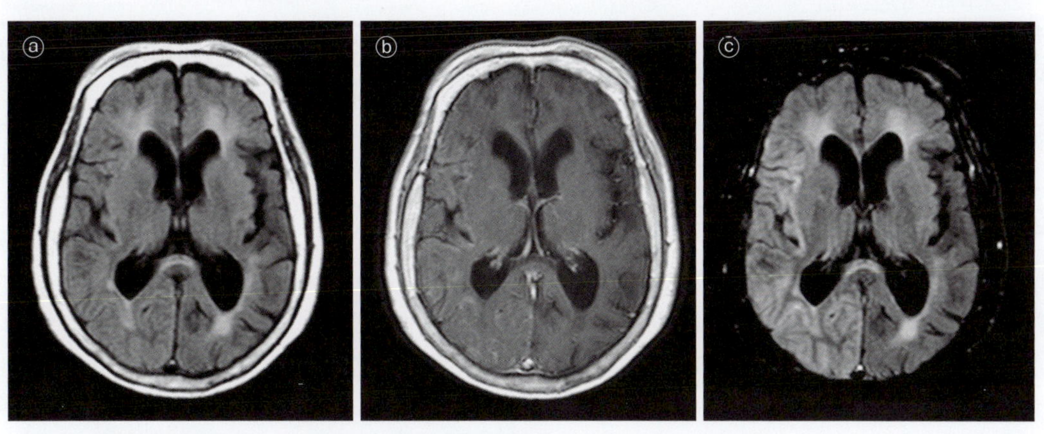

図 17　髄膜炎診断における造影 FLAIR 像の有用性
a ：FLAIR 像。右後頭葉から右側頭葉に，わずかな信号上昇が認められる
b ：造影 T1 強調画像。右後頭葉から右側頭葉に，軽度の異常増強効果がある
c ：造影 FLAIR 像。上記の増強効果がはるかに明瞭である

過中にしばしばみられ，インフルエンザ桿菌髄膜炎に多く認める。このことからも，合併症の評価目的に拡散強調画像を撮ることが望ましい。出血の検出や，合併症としての出血性梗塞やくも膜下出血，硬膜下蓄膿と血腫の鑑別などを考慮すると，T2*強調像も欠かせない。

造影前にはっきりとした異常所見がなくても局所性あるいはびまん性の髄膜増強効果としてとらえることがあるため，感染症を疑う場合は造影剤の投与は必須である[22]。とくに造影 FLAIR 像は，髄膜の異常造影効果をスピン・エコー（SE）法による従来の造影 T1 強調像よりも描出することがあり，髄膜炎における leptomeningeal enhancement での効果が大きい。単に増強された髄膜のコントラストの向上があるのみならず，造影 T1 強調像でみられる脳表静脈の増強効果が造影 FLAIR では回避され，髄膜炎自体の所見をとらえることができるのが利点である（図 17）。そのほかに硬膜下蓄膿の被膜など，硬膜に関連した異常増強効果も造影 FLAIR で明らかになる場合がある[26]。

脳炎の特徴と検査・所見

1. 分　類

厳密には，脳炎は脳実質の炎症疾患を指すものであり，急性，亜急性，慢性脳炎に分類される。救急では急性脳炎を区別することが困難な場合もあるが，死亡率や後遺症残存率が高いものが多く，早期診断・早期治療開始が重要となる。

急性脳炎は感染性と非感染性に分類される。感染性脳炎では細菌，ウイルス，結核，真菌，寄生虫，プリオン病などが代表的であり，非感染性では全身性エリテマトーデス（systemic lupus erythematosus；SLE）や神経ベーチェット病などの膠原病によるもの，神経サルコイドーシス，傍腫瘍性脳炎，橋本病などがあげられる。非感染性脳炎は自己免疫異常によるものが多く，感染性脳炎と根本的な治療法が異なってくるため，画像診断の役割は非常に大きい。

2. 単純ヘルペス脳炎（HSE）

単純ヘルペス脳炎（herpes simplex encephalitis；HSE）はとくに頻度が高く，あらゆる年齢層において発症し，症状として頭痛や悪心・嘔吐，痙攣，覚醒度の低下などを呈する。未治療では死亡率 70％まで達するが，抗ウイルス薬のアシクロビルが有効である。

CT では側頭葉などの病変部に一致して低吸収や腫脹が認められるが，HSE の好発部位である側頭葉皮質病変の描出にはCT よりも MRI が感度・得意度を含めて圧倒的に優れており，急性脳炎を疑う場合にはMRI が優先される。MRI では，発症初期から脳回の腫脹などの異常所見がみられ，DWI では脳回に沿った高信号が出現するが，脳梗塞と紛らわしいことがある。T2 強調像や FLAIR 像では，高信号域が海馬から側頭葉全体に広がってみられる。また，進行した病変では内部に変性や出血を伴うことが多く，その出血の検出に T2*強調像や SWI が有用である。造影 T1 強調像では脳回や脳溝に沿った造影効果がみられることもあるが，発症初期には認められないことが多く，亜急性期に出現することがある。病変は前頭葉底部や帯状回にも多く，両側性にみられることが多い。血管支配領域に一致しないこと，感染徴候や検査データを照合することが重要である。

発症初期は突発的な体動が出現しやすいため，検査時間の長いMRIでは効果的な患者固定で対応する。それに伴って，体動による検査中断も想定した撮像シーケンスの優先順位を事前に決めておく必要がある。

脳腫瘍の特徴と検査・所見

高血圧性脳内出血との鑑別を要するような出血をきたしやすい腫瘍としては，原発性脳腫瘍（神経膠腫，悪性リンパ腫，乏突起細胞腫）や，浮腫を伴う転移性脳腫瘍（とくに黒色腫，腎細胞癌，絨毛癌，甲状腺癌，肺癌など）も脳梗塞と類似した画像所見を呈する場合がある。

脳梗塞との鑑別のポイントとしては，血管支配領域に一致しないこと，大きさに比して皮質の病変が少ないこと，腫瘍を疑わせるCTでの高吸収域やMRIでの等信号域の存在，転移性腫瘍ではDWIで血管性浮腫の所見を呈すること，があげられる。CTおよびMRIにおいて脳腫瘍を疑う場合には，造影剤の投与が必須である。

脳膿瘍の特徴と検査・所見

脳膿瘍は，中耳・副鼻腔・乳突蜂巣などの脳に隣接する領域や肺・心臓などの遠隔臓器から脳実質に直接または血行性に起炎菌（レンサ球菌，黄色ブドウ球菌，肺炎球菌）が侵入することで，脳実質内に化膿性炎症をきたして膿が貯留する状態である。また，開放性頭部外傷（頭蓋底・視神経管骨折の治療後）からの直達波及もある。膿瘍の大きさによっては，人格変化や反復発作性運動失調症，言語障害などの重大な症状に発展する可能性もあるため注意が必要である。症状としては発熱と頭痛，嘔気・嘔吐に加えて，膿汁が溜まっている部位に一致した神経症状（視野障害，失語症，片方の手足の麻痺・感覚障害など）がみられる。

検査としてはCTよりもMRIの感度が高く，質的診断にも有用である。とくに緊急時MRIにおいてはDWIが重要であり，膿の粘稠度の高さによる著明な高信号を呈するため鑑別は比較的容易である。また，被膜状構造はT2強調像にて低信号，T1強調像で軽度高信号を示し，これは出血成分やマクロファージのフリーラジカルによる常磁性体効果によるものと考えられている。可能であれば造影後T1強調像を追加することが望ましく，膿瘍の被膜が強いリング状の造影効果を示す。

鑑別診断として，転移性脳腫瘍，悪性神経膠腫，多発性硬化症や亜急性期の出血，梗塞との鑑別が問題となるが，特徴的な形態と拡散制限から鑑別できることが多い。

可逆性後部白質脳症症候群の特徴と検査・所見

可逆性後部白質脳症症候群（posterior reversible encephalopathy syndrome；PRES）は後頭葉白質に可逆性の病変をきたす疾患であり，急激な血圧上昇による血管透過性亢進や血管内皮細胞障害などによって血管性浮腫から血管攣縮が生じることによるとされている。血圧自己調節能の低い（VA-BA系はICA系よりも交感神経の分布が少ない）椎骨や脳底，後大脳動脈，穿通枝領域に病変が生じやすく，高頻度に高血圧を伴う。原因としては，高血圧性脳症のほか，糸球体腎炎などの多彩な基礎疾患や薬剤があるが，頭部外傷も原因の一つとしてあげられる。

病変描出にはCTよりもMRIが有効であり，とくにT2強調像およびFLAIR像は必須である。画像所見としては，後頭葉優位の皮質下白質や基底核を中心に高信号域を認める（図18）。左右対称のものから，限局性，びまん性と多様であり，出血や増強効果を伴うこともある。DWIでは等信号を認める。高信号を呈することがあるが，これはT2 shine throughによるものであるためADC mapでのADC上昇確認が必須である。ただし，痙攣後脳症，脳炎，虚血などでは急性期において細胞性浮腫（ADC低下）をみる場合が多いため注意を要する。また，T2*強調像やSWIは微小出血の検出に有用である。

てんかんの特徴と検査・所見

てんかん発作は大きく，全般発作（最初から脳全体が発作を起こす）と部分発作（脳の一部分から発作が起きる）に分けられる。5～10分以上止まらない場合をてんかん重積といい，救急医療の対象となる。初診の場合には初発の痙攣発作か，発作を何度も繰り返しているのかを判断のよりどころとし，加えて患者の年齢が重要な臨床情報となる。

てんかんの主たる検査は，脳波検査と画像検査である。脳波では大脳皮質神経細胞の興奮を反映する突発波と，脳の機能異常を反映する徐波を調べる。画像検査では，てんかんの原因となる脳の器質的疾患を調べるが，血液・尿検査も必須である。てんかんが疑われる患者は原則として，MRIまたはCT検査が推奨されるが，明らかな特発性全般てんかんおよび特発性局在関連てんかんでは器質的異常の頻度がきわめて低いため必須ではない。MRIとCTを直接比較したエビデンスはないものの，MRIのほう診断能が高いといわれている。しかし，緊急時やMRI検査が禁忌の場合，石灰化病変の評価には

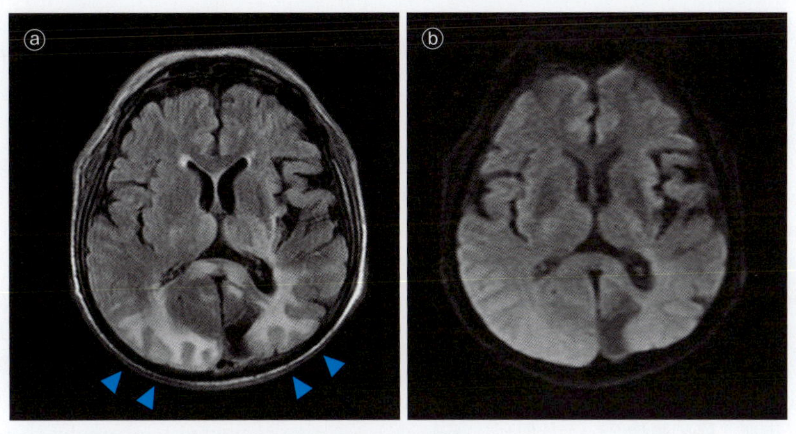

図 18　可逆性後部白質脳症症候群（PRES）

a：FLAIR 像。後頭葉の皮質・皮質下白質，両側視床に比較的左右対称に分布する高信号域が認められる（矢頭）

b：DWI。上記における病変部の拡散が上昇している。高信号は T2 shine through によるものである

表 5　てんかん患者の初診時に選択すべき撮像法

撮像法	小児（10 代まで）		成人（10 代以降）		備考
	初発	繰り返し	初発	繰り返し	
T1 強調横断像	○	○	○	○	
T2 強調横断像	◎	◎	◎	◎	
T1 強調矢状断像	◎	◎	○	○	正中の構造異常の検出→脳形成異常の評価
海馬 T2 強調冠状断像	△	△〜○	△	◎	海馬の異常の検出→7 歳以下ではまず不要
STIR	△	◎	△	◎	明瞭な白質-灰白質コントラスト→皮質異形成などの評価
T2*強調画像	◎	◎	◎	◎	出血の検出
拡散強調画像	○	○	◎	○	早期梗塞の検出，浮腫の評価→血管障害，代謝異常
FLAIR	○	◎	◎	◎	皮質・皮質下病変の抽出，外傷の評価
造影 MRI	△	△	○	△	腫瘍，血管奇形，炎症の評価

◎：必須　○：情報が増える可能性あり　△：臨床所見によっては追加　〔文献 27）より引用・改変〕

CT 検査が有用である。

初診例の MRI 検査を計画する時点では，病変の有無，種類，部位はもちろん不明であるため，年齢や症状からある程度の見込みをつけて撮像法を選択する（表 5）[27]。通常の T1 強調像や T2 強調像に加えてプロトン強調画像や FLAIR 像が推奨され，これによりてんかん原性病変としての海馬硬化や皮質形成異常の診断能が高まる。冠状断や海馬長軸に平行な断面での撮像法が海馬硬化検出に有用である。

検査中はてんかん発作による体動で検査台からの転落などの事故が起こらないよう，固定用ベルトなどを利用して予防策を講じる。検査中も直視や監視カメラなどで常に患者を観察し，発作による動きが発生していないかなどの確認を怠らないようにする。

【文　献】

1）日本医学放射線学会編：画像診断ガイドライン 2016 年版，金原出版，東京，2016.

2）鈴木秀謙，他：出血性脳血管障害の臨床．画像診断 30：874-883，2010.

3）日本放射線技術学会：放射線医療技術学叢書（27）；X 線 CT 撮影における標準化；GALACTIC，第 2 版，日本放射線技術学会，京都，2015.

4）Ogawa A, et al：Randomized trial of intraarterial infusion of urokinase within 6 hours of middle cerebral artery stroke：The middle cerebral artery embolism local fibrinolytic intervention trial（MELT）Japan. Stroke 38：2633-2639, 2007.

5）戸村則昭，他：脳動脈瘤の CT/CTA 診断．臨床画像 28：191-203，2012.

6）日本脳卒中学会，他：経皮経管的脳血栓回収機器適正使用指針，第 3 版，2018.

7）日本脳卒中学会脳卒中ガイドライン委員会編：脳卒中治

療ガイドライン 2015（追補 2019），協和企画，東京，2019.
8）Hayakawa M, et al：Natural history of the neck remnant of a cerebral aneurysm treated with the Guglielmi detachable coil system. J Neurosurg 93：561-568, 2000.
9）Henkes H, et al：Endovascular coil occlusion of 1811 intracranial aneurysms：Early angiographic and clinical results. Neurosurgery 54：268-285, 2004.
10）Vallee JN, et al：Endovascular treatment of intracranial wide-necked aneurysms using three-dimensional coils：Predictors of immediate anatomic and clinical results. AJNR Am J Neuroradiol 25：298-306, 2004.
11）菊池陽一：くも膜下出血．臨床画像 25（4 月増刊）：6-13，2009.
12）Kowalski RG, et al：Initial misdiagnosis and outcome after subarachnoid hemorrhage. JAMA 291：866-869, 2004.
13）渡邉嘉之：脳出血の画像所見；単純 CT と conventional MRI を中心に．画像診断 30：898-906，2010.
14）Kothari RU, et al：The ABCs of measuring intracerebral hemorrhage volumes. Stroke 27：1304-1305, 1996.
15）佐々木真理：急性期脳梗塞診療に求められる画像診断とは；標準化の重要性と今後の動向．INNERVISION 24：5-7，2009.
16）日本脳卒中学会：静注血栓溶解（rt-PA）療法適正治療指針；第三版，2019.
17）藤原康博：脳血管障害の画像診断に役立つ MR 画像情報と撮像プロトコールの組み立て方．日放線技会誌 69：1187-1194，2013.
18）大日方研，他：一過性脳虚血発作（TIA）直後の超急性期脳梗塞の MRI 拡散強調画像に学ぶ．Rad Fan 10：18-20，2012.
19）Burdette JH, et al：Acute cerebral infarction：Quantification of spin-density and T2 shine-through phenomena on diffusion-weighted MR images. Radiology 212：333-339, 1999.
20）平野照之：MRI（DWI，MRA，T2＊WI）の意義と標準化の現状．INNERVISION 24：15-19，2009.
21）森　墾，他：中枢神経．臨床画像 23：1100-1113，2007.
22）Barber PA, et al：Validity and reliability of a quantitative computed tomography score in predicting outcome of hyperacute stroke before thrombolytic therapy. ASPECTS Study Group. Alberta Stroke Programme Early CT Score. Lancet 355：1670-1674, 2000.
23）Mori E, et al：Effects of 0.6 mg/kg intravenous alteplase on vascular and clinical outcomes in middle cerebral artery occlusion：Japan Alteplase Clinical Trial Ⅱ（J-ACT Ⅱ）. Stroke 41：461-465, 2010.
24）長畑守雄，他：脳内出血．臨床画像 25（4 月増刊）：14-22，2009.
25）日本神経学会，他：細菌性髄膜炎診療ガイドライン 2014，南江堂，東京，2015.
26）土屋一洋：効果的に使いたいシーケンスとその臨床応用；頭部．画像診断 30：622-630，2010.
27）田岡俊昭，他：てんかん．高橋雅士監，頭部画像診断の勘ドコロ，メジカルビュー，東京，2006，pp 222-223.

2 呼吸器系疾患

呼吸器は，生体と外部の環境との間で酸素や二酸化炭酸の交換をする内部臓器である。居住環境や個人の嗜好の影響を受けやすく，血液を介した他臓器との機能的関係が密なことから，全身性疾患や他臓器の病変が反映される。

呼吸器系疾患患者の症状と対応

呼吸器系疾患の症状としては，咳，痰，呼吸不全，呼吸困難，喘鳴，血痰，喀血，胸痛，嗄声，いびきなどがあるが，どれも救急疾患としてとらえられる症状であり，低酸素血症と換気障害による高二酸化炭素血症が問題となる。そのため，SpO_2値をモニタリングするのが望ましい。低酸素血症に対して酸素療法で効果がなければ，気管挿管などによる気道確保後，人工呼吸管理がなされる。呼吸器救急は，大量喀血と胸痛を除けば呼吸困難あるいは急性呼吸不全の救急とほぼ同義と考えてよく，多くの場合に致命的病態を意味しているため，迅速な対応が要求される。

各モダリティの適応と所見

呼吸器疾患における画像診断としては胸部X線撮影，CT，MRI，核医学検査などがあげられるが，救急における撮影に関して適応を考えると，胸部X線撮影やCTが代表的である。CT装置のハードウエアの進歩や，造影剤の使用による検査技術の向上により画像診断における情報が多くなり，血管造影検査は診断目的ではなく治療目的の手技（IVR）が多くなっている。

1．胸部X線撮影

胸部X線撮影は，撮影方法・条件によって画像のコントラストが異なることを念頭に置いて確認することが重要である。

放射線撮影室で撮影を行う場合，撮影体位は可能なかぎり立位とすることが望ましい。しかし，疾患や患者状態により立位不可な状況もあるため，そのような場合には坐位または臥位となる。撮影は正面のみ，あるいは側面を追加した2方向撮影が基本となるが，疾患に応じて吸気・呼気，側臥位撮影などが有用な場合もある。

初療室や救急外来における撮影の場合，ポータブル撮影が中心である。ストレッチャー上での撮影が多く，坐位あるいは臥位での撮影となる。一般X線撮影は線コントラストによる画像であることから，管電圧を上げ，X線グリッドを使用することによって肺野内のコントラストを高めることが望ましい。

2．CT検査

CTは胸部X線撮影よりも密度分解能に優れ，病変を客観的に評価できる。近年はMSCTにより高速かつ体軸方向の分解能が向上し，病変の検出感度が改善している。HRCT（high resolution CT）などを追加せずとも得られる画像は1 mm程度となったが，数百枚の元画像の活用や保存など，画像データをどのように扱うかが問題となる。再構成関数は肺野などの観察に用いる高周波関数と，縦隔などを観察する関数の2種類を作成し，必要があれば冠状断なども作成する。

造影撮影は肺野の評価には不要であり，救急撮影時に必要な場合としては，腫瘍の進展範囲や病変の内部性状の把握，肺血管病変の診断などが考えられる。

呼吸器系疾患の鑑別診断

呼吸器系疾患患者は，大量喀血と胸痛を除けば，呼吸困難あるいは急性呼吸不全である。その治療を行うためには，呼吸器疾患の鑑別診断が重要となる。

1．大量喀血

1）原因・症状など

大量喀血とは，一時に100 ml以上，もしくは24時間以内に600 ml以上の喀出をする場合，あるいは喀出血液量が少なくても肺内出血のために進行性の呼吸不全を呈する場合をいう。大量喀血または持続する喀血は致死率が高く，迅速かつ適切な処置が求められる。

原因疾患は，肺癌，気管支拡張症，慢性気管支炎，Goodpasture症候群，Wegener肉芽腫症，経気管支的肺生検後に起こる外傷性仮性動脈瘤など多種多様であり，その頻度としては気管支拡張症が20%，悪性腫瘍が

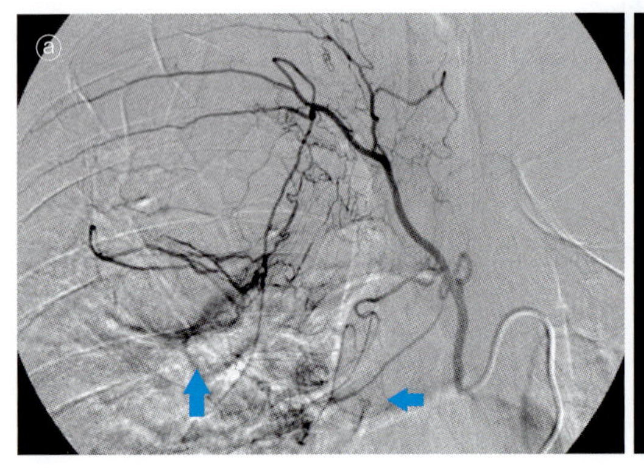
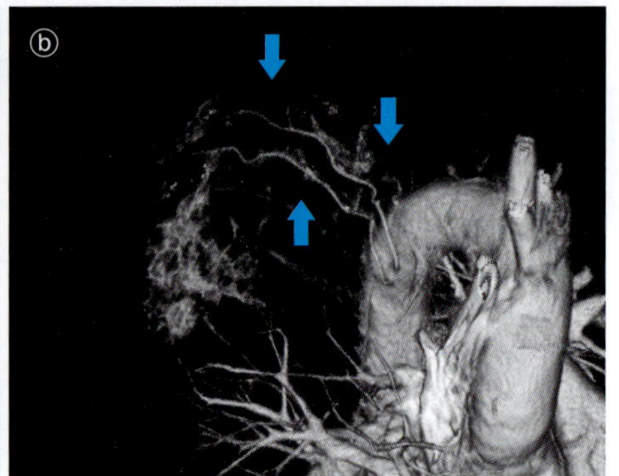

図1　喀血に対するBAEの症例（51歳，男性）
a：塞栓前喀血原因血管
b：BAE前3D-CT（VR）。術前の3D-CTAによる原因血管の同定は有用である

19%，気管支炎が18%，肺炎が16%，肺結核が1%，不明が8%であったとする報告がある[1]。

2）検　査

胸部X線撮影は原因疾患や出血部位を推定するのに有効である。一方，CT検査は精度は高いものの仰臥位で行うため，出血持続時は緊急で行う必要はない。安定期の造影CTによる気管支動脈の精査は，気管支動脈塞栓術（bronchial artery emborization；BAE）の適応決定に有用である。

3）治　療

BAEは保存的治療，気管支鏡下治療が無効な場合に選択される。BAEの成功率は77～100%[2]，長期経過観察例での再発率は13～36%[3]とされ，喀血に対する治療法として確立されている（図1）。気管支動脈塞栓は，起始部近くから分岐する前脊椎動脈を十分に越えてから塞栓物質を使用することが大前提である。コイル，ゼラチンスポンジなどで塞栓する。内科的処置で止血不能，外傷で気管・気管支に断裂がある場合には，外科的処置（手術）の適応となる。

2. 喘息発作

喘息は広範な気道の狭窄による反復性の呼吸困難を呈する疾患で，喘息の三主徴（喘鳴，咳嗽，呼吸困難）が同時に認められれば診断は容易である。

胸部X線は，肺炎，無気肺，気胸，縦隔気腫，心不全などが疑われる場合に撮影する。肺の過膨張や粘稠痰貯留による浸潤影や無気肺が認められる。

3. 慢性閉塞性肺疾患（COPD）

1）原因・症状など

慢性閉塞性肺疾患（chronic obstructive pulmonary disease；COPD）は，タバコ煙を主とする有害物質を長期に吸入曝露することなどにより生ずる肺疾患であり，呼吸機能検査で気流閉塞を示す。気流閉塞は，末梢気道病変と気腫性病変がさまざまな割合で複合的に関与して発生する。臨床的には，徐々に進行する労作時の呼吸困難や慢性の咳・痰を示すが，これらの症状に乏しいこともある。診断基準は，①長期の喫煙歴などの曝露因子があること，②気管支拡張薬投与後のスパイロメトリーでFEV1/FVC<70%を満たすこと，③他の気流閉塞をきたし得る疾患を除外すること，である。

重症例（呼吸困難の悪化，喀痰量増加，喀痰の膿性化）では呼吸不全に陥ることがあり，致死的と判断された場合にはICU入院の適応がある。

2）検　査

胸部X線画像では，肺野の透過性亢進，横隔膜の平低化を確認し，胸水や気胸の鑑別を行う。CTでは，胸部X線で鑑別困難な気胸などを確認するとともに，気腫性変化，気道壁の肥厚を認めるかどうか確認する。

3）治　療

人工呼吸管理として非侵襲的陽圧換気法（noninvasive positive pressure ventilation；NPPV）と侵襲的陽圧換気法（intermittent positive pressure ventilation；IPPV）がある。NPPV導入により，呼吸性アシドーシスの改善（pHの増加，$PaCO_2$の低下），呼吸数の減少，呼吸困難の低減が得られ，挿管回避，人工呼吸関連肺炎を中心とする院内感染の減少，死亡率の減少などの高い効果がある。

4. 自然気胸

1）原因・症状など

自然気胸は外傷性・医原性の気胸と区別され，ブラもしくはブレブが破裂して胸腔内に空気の貯留した病態である。臨床的に他の肺疾患を伴わないものを「原発性気胸」，COPDなどの肺疾患を伴うものを「続発性気胸」という。比較的やせ形・長身の若年者に多く，50歳以上の場合は著しい喫煙歴やCOPDなどの基礎疾患に伴うも

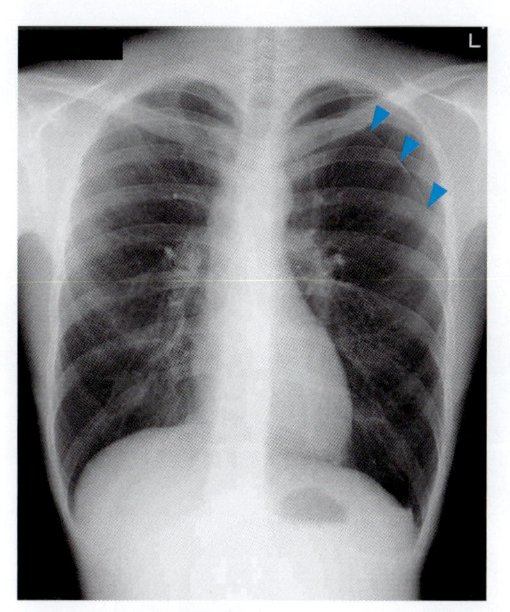

図 2 左上肺野の気胸
これ以上の虚脱がなければ脱気の必要がなく，経過観察となった症例

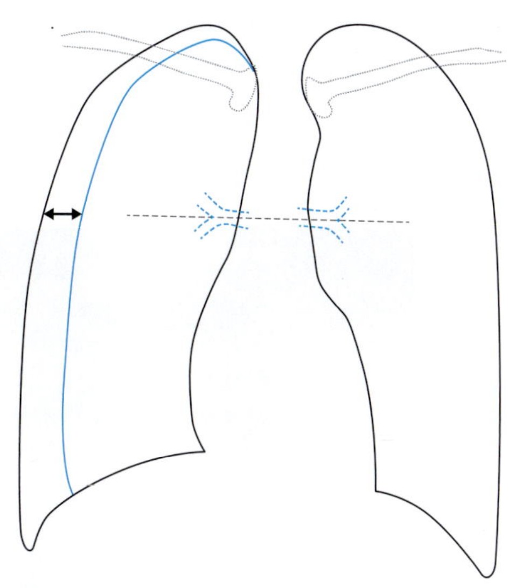

図 3 気胸の深さ
肺門の高さで，臓器胸膜から壁側胸膜までの距離

のが多い。

症状は，突然の胸痛，突然の呼吸困難・息切れである。痛みの強さや呼吸困難の程度はさまざまであり，身体所見（患側呼吸音減弱，胸郭の拡張不良，打診での過剰な鼓音）などから気胸の存在を疑い，検査などで診断を確定する。

とくに緊急性を伴うものは緊張性気胸であり，胸腔内圧上昇により循環不全・呼吸不全を呈すことがある。緊張性気胸の典型的な原因としては，①ICU での人工呼吸器患者，②外傷患者，③CPR を行った患者，④肺疾患，とくに喘息や COPD の急性発症，⑤ドレーンの閉塞，クランプや変位，⑥非侵襲的呼吸患者，⑦その他，高圧酸素療法を行ってる患者，があげられる。

2）検 査

緊急処置を要する場合は処置を優先し，胸部 X 線撮影による確定診断を行うが，軽度の気胸の場合は CT 検査が有用である。

胸部 X 線撮影では，吸気・呼気撮影で呼気時気胸腔が拡大，また肺の透過性の低下により胸膜ラインが確認しやすくなる（図 2）。患側を上にした側臥位撮影を行う場合もある。胸部 X 線は気胸の有無や場所の確認に役立つが，気胸の大きさや縦隔偏位だけでは緊張性気胸を診断できない場合があるため注意を要する。

CT 検査は小さな気胸の発見やブレブの同定，基礎疾患の有無などに有用であるが，必須ではない。他疾患との鑑別や，複雑な癒着，外傷性気胸で縦隔気腫の合併が予想される場合は適時 X 線 CT 撮影を行い，続発性気胸との鑑別に必要となることが多い。

3）治 療

図 3 に，気胸の深さを図示した。原発性気胸のうち，息苦しさがなく小さな気胸（深さ 2 cm 以内）は経過観察が可能である。深さ 2 cm 以上または息苦しさがある原発性気胸，無症状で 1〜2 cm の続発性気胸の場合は脱気の適応となる。脱気は第 2 肋間鎖骨中線上から行う。

国際的なガイドラインでは，胸腔頂から肺尖まで 3 cm 以上（米国）[4]や，肺門部レベルで側方 2 cm 超（体積で 50％以上）の虚脱（英国）[5]がドレナージの適応とされている。

5. 肺結核

結核は，結核菌の飛沫核の吸入感染により伝搬される空気感染症である。2 週間以上持続する咳嗽・喀痰，発熱，血痰，全身倦怠感，体重減少が主訴であるが，発病者の 20％は検診時胸部 X 線で発見される（図 4）。1 菌体，1 コロニーでも結核菌が検出されれば結核の確定診断となるが，強く疑われる場合には結核菌が証明されなくても治療を開始することがある。

6. 肺 炎

肺炎とは肺の炎症性疾患の総称であり，感染症によるものやびまん性肺疾患など，その分類は多岐にわたる。画像所見から，大葉性肺炎（図 5），気管支肺炎（小葉性肺炎），間質性肺炎に大別される。表 1[6)7)]に，分類別の異常所見などを示す。

1）市中肺炎

通常生活のなかで発症する肺炎である（在宅看護など

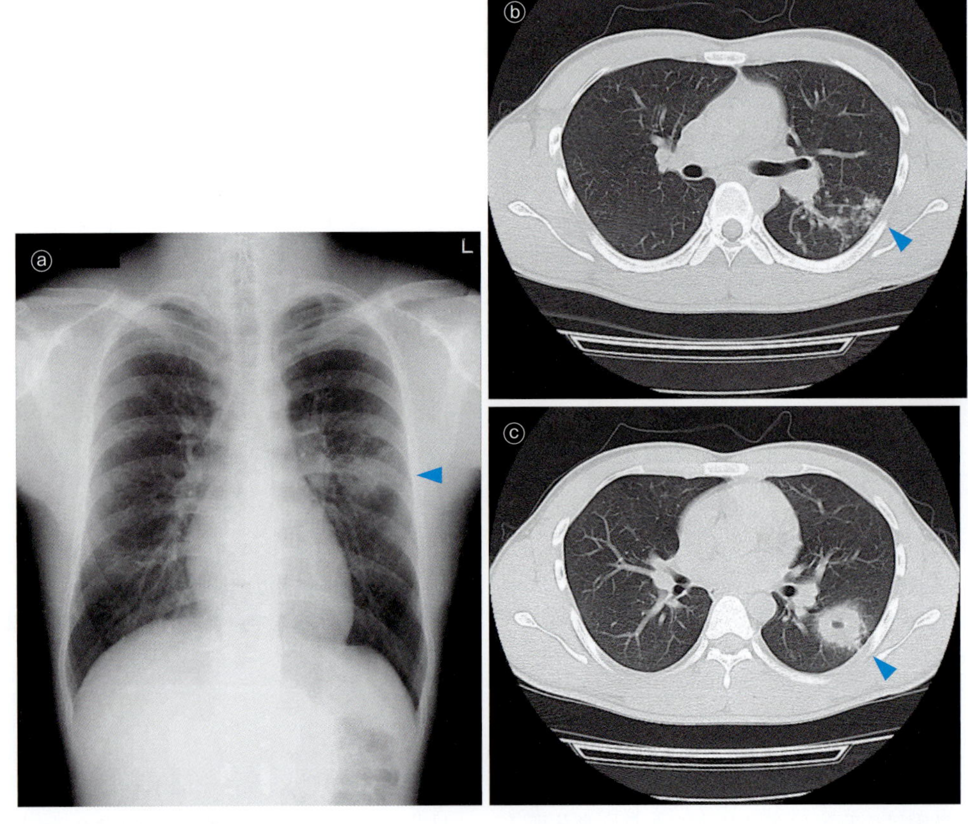

図 4　肺結核の画像所見
左 S⁶に空洞を認め，周囲にスリガラス陰影，気道散布像を認める

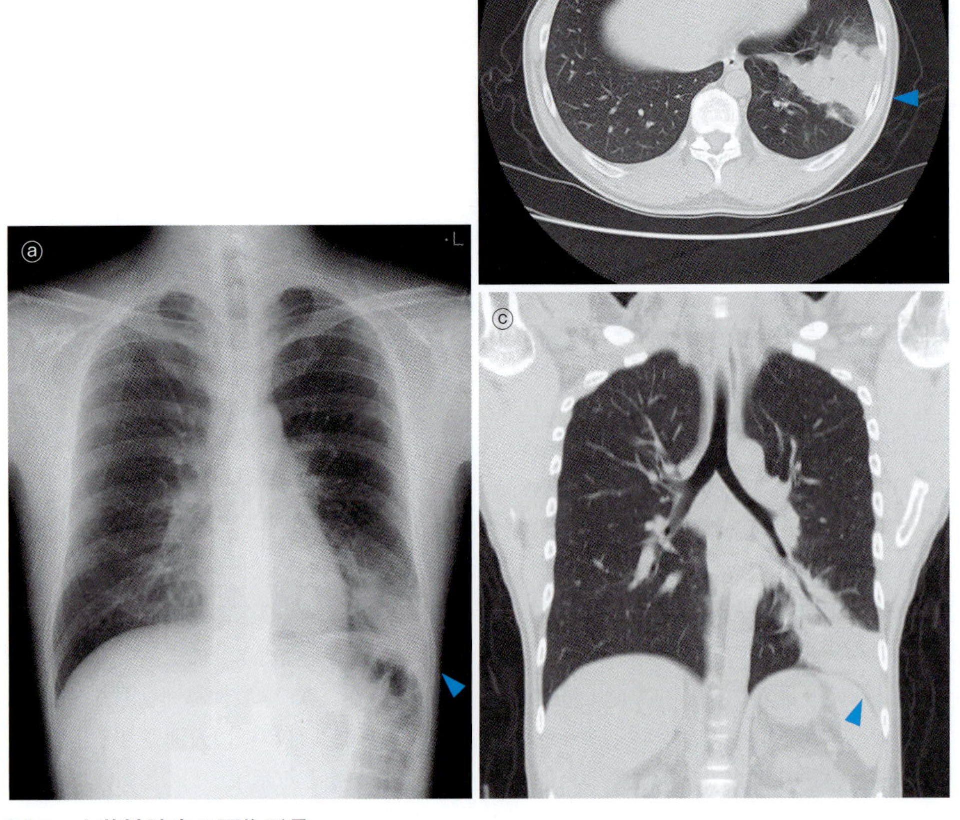

図 5　大葉性肺炎の画像所見
左下葉に区域性の浸潤影が認められる。C の MPR 画像において気管走行が把握しやすい

表1 肺炎の疾患別異常所見

疾患	単純X線	CT検査	備考
細菌性肺炎 (肺胞性肺炎)	非区域性(末梢) 浸潤影,融合影,均等影 air bronchogram	非区域性分布で浸潤影,融合影,均等影が中心 周囲にスリガラス影を伴うことが多い	*Streptococcus*,*Klebsiella* などが中心
細菌性肺炎 (気管支肺炎)	区域性(扇状) 不均等浸潤影,acinar nodule	区域性分布で浸潤影,斑状影が中心	*Staphylococcus*,グラム陰性桿菌などが中心
マイコプラズマ肺炎	びまん性(部位により病変の強弱あり) 網状結節影 肺門から広がる線状影 斑状影,浸潤影 胸水,リンパ節腫大,無気肺,肺葉性浸潤影などをみることもある	気管支壁の系統的肥厚 気管支周囲に広がる浸潤影 小葉中心性の粒状影 病変辺縁不明瞭	5〜19歳に好発 冬季に多い 4〜5年に一度流行 血清学的検査が必要
クラミジア肺炎		マイコプラズマ肺炎同様 気管支拡張,気管支肥厚の頻度高	市中肺炎のうち6〜8% 中・高齢者に多い
ウイルス性肺炎	初期:異常なし,あるいは過膨張のみ 肺門から広がる線状影 斑状影	気管支・細気管支壁の肥厚 気管支血管束腫大 その周囲の斑状影 びまん性粒状影 スリガラス様陰影	サイトメガロウイルスが日和見感染の起炎ウイルスとしてもっとも重要

〔文献6)7)を参考に作成〕

表2 ARDSの診断基準と重症度分類(Berlin定義)

重症度分類	軽症	中等症	重症
PaO_2/F_IO_2 (酸素化能,mmHg)	$200 < PaO_2/F_IO_2 \leqq 300$ (PEEP, CPAP≧5 cmH_2O)	$100 < PaO_2/F_IO_2 \leqq 200$ (PEEP≧5 cmH_2O)	$PaO_2/F_IO_2 < 100$ (PEEP≧5 cmH_2O)
発症時期	侵襲や呼吸器症状(急性/増悪)から1週間以内		
胸部画像	胸水,肺虚脱(肺葉/肺全体),結節ではすべてを説明できない両側性陰影		
肺水腫の原因 (心不全,溢水の除外)	心不全,輸液過剰ではすべてを説明できない呼吸不全 危険因子がない場合,静水圧性肺水腫除外のため心エコーなどによる客観的評価が必要		

〔文献9)より引用・改変〕

を除く)。年齢や基礎疾患の有無にかかわらず肺炎球菌によるものが多く,マイコプラズマ,インフルエンザ菌などによるものが続く。肺炎によらず,感染症の治療は原因微生物を特定して最適な抗菌薬を投与することが重要であるが,これには時間がかかるため経験的治療を行うことも多い。

2)誤嚥性肺炎

高齢者で,基礎疾患を有する場合が多いが,加齢によって生ずる機能低下も考えられる。高齢者では肺炎でも発熱を認めないことがある。誤嚥の可能性が疑われた場合には,状態が改善した後に嚥下機能評価を行って再発を防止する。

3)日和見肺炎(院内肺炎を含む)

本来もつ抵抗力の障害により感染して発症する肺炎。特殊状況下ではびまん性であることも多く,呼吸困難が生じることもある。通常の肺炎と異なり,原因として好中球減少,液性免疫不全,細胞性免疫不全,非細菌性感染などで感染症を疑う。

4)特発性間質性肺炎(IIPs)

間質性肺炎を呈する疾患は多岐にわたるが,原因を特定し得ない間質性肺炎を特発性間質性肺炎(idiopathic interstitial pneumonias;IIPs)と総称する。

7. 急性呼吸促迫症候群(ARDS)

急性呼吸促迫症候群(acute respiratory distress syndrome;ARDS)は,基礎疾患をもった患者が急性発症した肺損傷(心原性の肺水腫を否定できるもの)で,肺の過剰な炎症と,胸部X線上で両側浸潤陰影を認める。原因は敗血症や誤嚥,重症肺感染症(肺炎など),外傷など多岐にわたり,敗血症が全体の40%を占める。『ARDS診療ガイドライン2016』[8]に掲載されている診断基準「Berlin定義」を表2[9]に示す。

胸部X線画像ではair bronchogramを伴うびまん性の肺胞性陰影がみられ，X線CTでは初期に肺全体の濃度上昇，その後に背側濃度が上昇する。

名前の示すとおり症候群であり，原因疾患でないことを認識したうえで，その原因を特定することが重要である。治療は複合的で，呼吸管理と水分・循環管理（肺血管透過性亢進状態にあるため），好中球エラスターゼ阻害薬，ステロイド投与などである。低酸素血症がARDSより軽度な場合は急性肺傷害（acute lung injury；ALI）となるが，同様に対応する。

【文　献】

1）Lenner R, et al：Hemoptysis：Diagnosis and management. Compr Ther 28：7-14, 2002.
2）Osaki S, et al：Prognosis of bronchial artery embolization in the management of hemoptysis. Respiration 67：412-416, 2000.
3）宇野友康，他：気管支動脈塞栓術実施症例の短期および長期効果の検討．気管支学 25：274-278，2003.
4）Baumann MH, et al：Management of spontaneous pneumothorax：An American College of Chest Physicians Delphi consensus statement. Chest 119：590-602, 2001.
5）MacDuff A, et al：Management of spontaneous pneumothorax：British Thoracic Society Pleural Disease Guideline 2010. Thorax 65（Suppl 2）：ii18-ii31, 2010.
6）西谷弘，他編：標準放射線医学，第7版，医学書院，東京，2011.
7）酒井文和：基本をおさえる！胸部画像（画像診断2010年臨時増刊号），学研メディカル秀潤社，東京，2010.
8）日本呼吸器学会，他：ARDS診療ガイドライン2016, 2016.
9）Ranieri VM, et al：Acute respiratory distress syndrome：The Berlin definition. JAMA 307：2526-2533, 2012.

3 心・循環器系疾患

心・循環器系疾患のなかで緊急度の高い疾患として，急性冠症候群（急性心筋梗塞，不安定狭心症），心不全，急性大動脈症候群（急性大動脈解離，大動脈瘤切迫破裂），静脈血栓症（急性肺血栓塞栓症，深部静脈血栓症）などがあげられる。これらの疾患が疑われる場合，診療放射線技師はその緊急性を理解したうえで，速やかに検査を実施して，診断に必要な画像を提供し，そして治療への準備を進めなければならない。

急性冠症候群（ACS）

急性冠症候群（acute coronary syndrome；ACS）は，冠動脈粥腫（プラーク）の破綻とそれに伴う血栓形成により冠動脈の高度狭窄または閉塞をきたして急性心筋虚血を呈する病態であり，不安定狭心症（unstable angina；UA），急性心筋梗塞（acute myocardial infarction；AMI），虚血による心臓突然死を包括した疾患概念である[1]。

AMIは，急性期の診断・治療の進め方の違いから，ST上昇型心筋梗塞（ST-segment elevation myocardial infarction；STEMI）と非ST上昇型心筋梗塞（non ST-segment elevation myocardial infarction；NSTEMI）に分類される。UAとAMIは梗塞の有無やバイオマーカー上昇の有無などにより区別されるが，初療時にはUAとNSTEMIを区別して取り扱うことが困難な場合がある。そのため，初療時には両者を合わせて非ST上昇型急性冠症候群（non ST-segment elevation acute coronary syndrome；NSTE-ACS）として扱う。

STEMIは冠動脈の完全閉塞状態から心筋壊死に至る病態であるため，経皮的冠動脈形成術（percutaneous coronary intervention；PCI）や血栓溶解療法などによる再灌流が重要となる。再灌流療法は発症早期ほど効果が大きく，「時間」を重視した診断・治療戦略が求められる。早期再灌流によって心筋salvage・梗塞範囲の縮小，左室機能の維持を目指す。

NSTE-ACSには，心筋梗塞が生じない病態から血行動態破綻寸前の病態まで多彩な病態が含まれる。そのため，適切な診断とリスク層別化に基づく治療戦略が求められる[2]。

ACSの初期評価と分類，治療戦略

1．初期評価

急性冠症候群の診断・治療フローチャートを図1[2]に示す。

1）第一段階

初期評価の第一段階として，ACSを疑う患者に対しては，到着10分以内に問診による病歴聴取と身体所見に基づいた重症度分類（Killip分類：表1）[2]および12誘導心電図検査を行う。病歴聴取では，胸部症状（胸痛の部位，性状，誘因，持続時間，経時的変化）や関連する徴候，既往歴，冠危険因子や家族歴を迅速に確認し，ACSとその他の疾患の鑑別に努める。

2）第二段階

初期評価の第二段階では採血と画像検査（心エコー，胸部X線）を実施するが，あくまで鑑別診断と重症度評価を目的とした検査であり，画像検査により再灌流療法の遅延が発生しないよう迅速に実施する。

また，AMIと診断するための心筋バイオマーカーとしては心筋トロポニンを用い，健常人の99%値を超える一過性の上昇・下降を示した場合に心筋梗塞と診断する。

2．分　類

初期評価と12誘導心電図所見から3群に分類して対応する。

1）STEMI

新規に出現したと推定される左脚ブロック（LBBB）を含み，心筋障害を強く疑う群。12誘導心電図上，隣接する2つ以上の胸部誘導あるいは四肢誘導で，STが1 mmを超えることを特徴とする。

2）高リスクのUA，NSTEMI

心筋虚血を強く疑う群。疼痛・不快感を伴い，12誘導心電図上でSTの低下，または動的T波陰転を特徴とする。

3）中等度/低リスクのUA

12誘導心電図上，ST，T波が正常，または非診断的変化である群。

急性冠症候群を疑う患者の搬入

第1段階：問診，身体所見，12 誘導心電図*1（10分以内に評価）
第2段階：採血*2（画像検査*3：心エコー，胸部X線写真）

*1 急性下壁梗塞の場合，右側胸部誘導（V4R誘導）を記録する
急性冠症候群が疑われる患者で初回心電図で診断できない場合，背側部誘導（V7-9 誘導）も記録する
*2 採血結果を待つことで再灌流療法が遅れてはならない
*3 重症度評価や他の疾患との鑑別に有用であるが，再灌流療法が遅れることのないよう短時間で行う

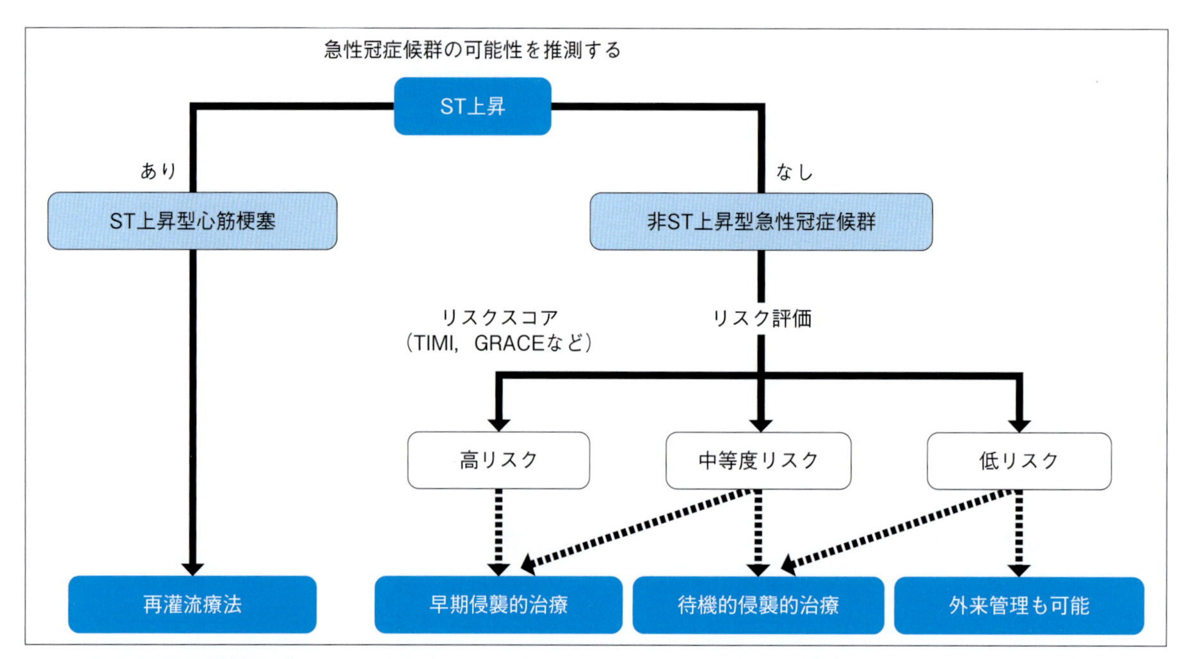

〔日本循環器学会：急性冠症候群ガイドライン（2018 年改訂版）．http://www.j-circ.or.jp/guideline/pdf/JCS2018_kimura.pdf（2020 年 2 月閲覧）より引用〕

図 1　急性冠症候群の診断・治療フローチャート

表 1　Killip 分類（身体所見に基づいた重症度分類）

クラスⅠ：ポンプ失調なし	肺音にラ音なく，Ⅲ音を聴取しない
クラスⅡ：軽中等度の心不全	全肺野の 50％未満の範囲でラ音，Ⅲ音聴取
クラスⅢ：重症心不全・肺水腫	全肺野の 50％以上の範囲でラ音聴取
クラスⅣ：心原性ショック	血圧 90 mmHg 未満，尿量減少，チアノーゼ，冷たく湿った皮膚，意識障害を伴う

〔日本循環器学会：急性冠症候群ガイドライン（2018 年改訂版）．http://www.j-circ.or.jp/guideline/pdf/JCS2018_kimura.pdf（2020 年 2 月閲覧）より引用〕

3. 治療戦略

1）STEMI

STEMI では，発症から再灌流までの総虚血時間（total ischemic time）をできるかぎり短くすることが重要である。従来，STEMI に対する再灌流療法の目標時間は病院到着後 30 分以内の線溶療法開始（door-to-needle time），もしくは 90 分以内の PCI 実施（door-to-balloon time）とされてきたが，ガイドラインでは，わが国における AMI の大規模観察研究の結果を受けて，60 分以内を目指すべきとされている[2]。

血栓溶解療法を先行させることなく PCI を選択することを，primary PCI という。『急性冠症候群ガイドライン（2018 年改訂版）』においては，発症 12 時間以内の STEMI に対する迅速な primary PCI と薬剤溶出ステント（drug eluting stent；DES）の使用が推奨されている[2]。

2）NSTE-ACS

NSTE-ACS では，フローチャート（図 1）[2]でのリスク

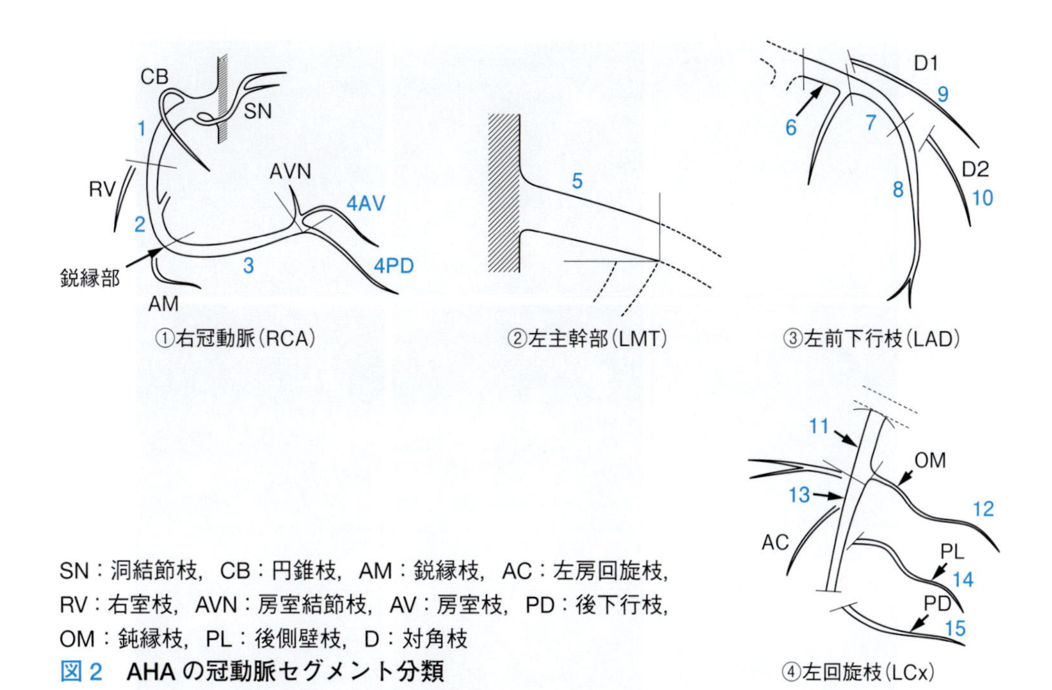

SN：洞結節枝，CB：円錐枝，AM：鋭縁枝，AC：左房回旋枝，RV：右室枝，AVN：房室結節枝，AV：房室枝，PD：後下行枝，OM：鈍縁枝，PL：後側壁枝，D：対角枝

図2　AHAの冠動脈セグメント分類

層別化に応じた治療戦略を選択する。

高リスク群はCCU（coronary care unit）への入院とし，24時間以内にPCIや冠動脈バイパス術を念頭に冠動脈造影を行う。血行動態が不安定で，持続する胸痛や虚血を示唆する心電図変化を伴う症例は超ハイリスクとなり，さらに早期の冠動脈造影が推奨される。

低リスクと判断される場合には外来管理も可能となるが，実際には病歴や身体所見を含め総合的な判断が必要となる。その際，GRACE（global registry of acute coronary events）などのリスクスコアが有用となる[3)]。

ACSに対する撮影の基本

1．胸部X線撮影（主にポータブル撮影）

初期評価における胸部X線画像は，鑑別診断と重症度評価のうえで重要な検査である。心陰影の拡大，肺うっ血，肺水腫，胸水の有無を評価する。気道疾患，肺・胸膜疾患，縦隔疾患などの鑑別診断を行う。

また，胸痛を有する緊急度の高い疾患として，急性大動脈解離と急性肺血栓塞栓症がある。上縦隔陰影の拡大，二重陰影が認められる場合には急性大動脈解離，肺動脈の途絶，遮断，区域性乏血などが認められた場合には急性肺血栓塞栓症を疑う。これらの場合には，ACSとの鑑別のため超音波検査や造影CT検査が必要となる場合がある。

2．冠動脈造影

緊急の冠動脈造影（coronary angiography；CAG）は，STEMIに対するprimary PCIやNSTE-ACSのハイリスク症例に対して実施される。

ACS患者の状態はきわめて不安定であり，血管造影室搬入時においても欠かすことなくモニタリングが必要となる。血管造影室搬入後は，速やかに12誘導心電図，SpO_2，動脈ラインによる圧モニタなどを装着する。患者の意識が混濁して抑制が効かない場合に備えて，穿刺部位を中心とした上下肢の固定を行っておくことが望ましい。また，室内には心室細動（心停止）に備えて，除細動器，挿管セットや薬剤を備えた緊急カートを設置する。

橈骨動脈遠位端や大腿動脈から穿刺し，診断カテーテルを用いて造影を行う。責任冠動脈の病変部の描出だけでなく，反対側の冠動脈も造影し，多枝病変の有無や側副血行路を評価する。

1）冠動脈の解剖

冠動脈の枝の分類法としてはAHA分類とCASS分類があるが，ここではAHA分類（図2）について説明する。CAGと冠動脈CTの画像によるシェーマを図3に示す。

(1) 右冠動脈（RCA）

Seg. 1：右冠動脈起始部より鋭縁部までを二等分した近位部。

Seg. 2：右冠動脈起始部より鋭縁部までを二等分した遠位部。

Seg. 3：鋭角枝（AM）から後下行枝（PD）起始部まで。

Seg. 4：後下行枝（PD）分岐部～右冠動脈末梢まで。なかでも，房室結節枝があるものを4AV，後下行枝は4PDと呼ぶ。

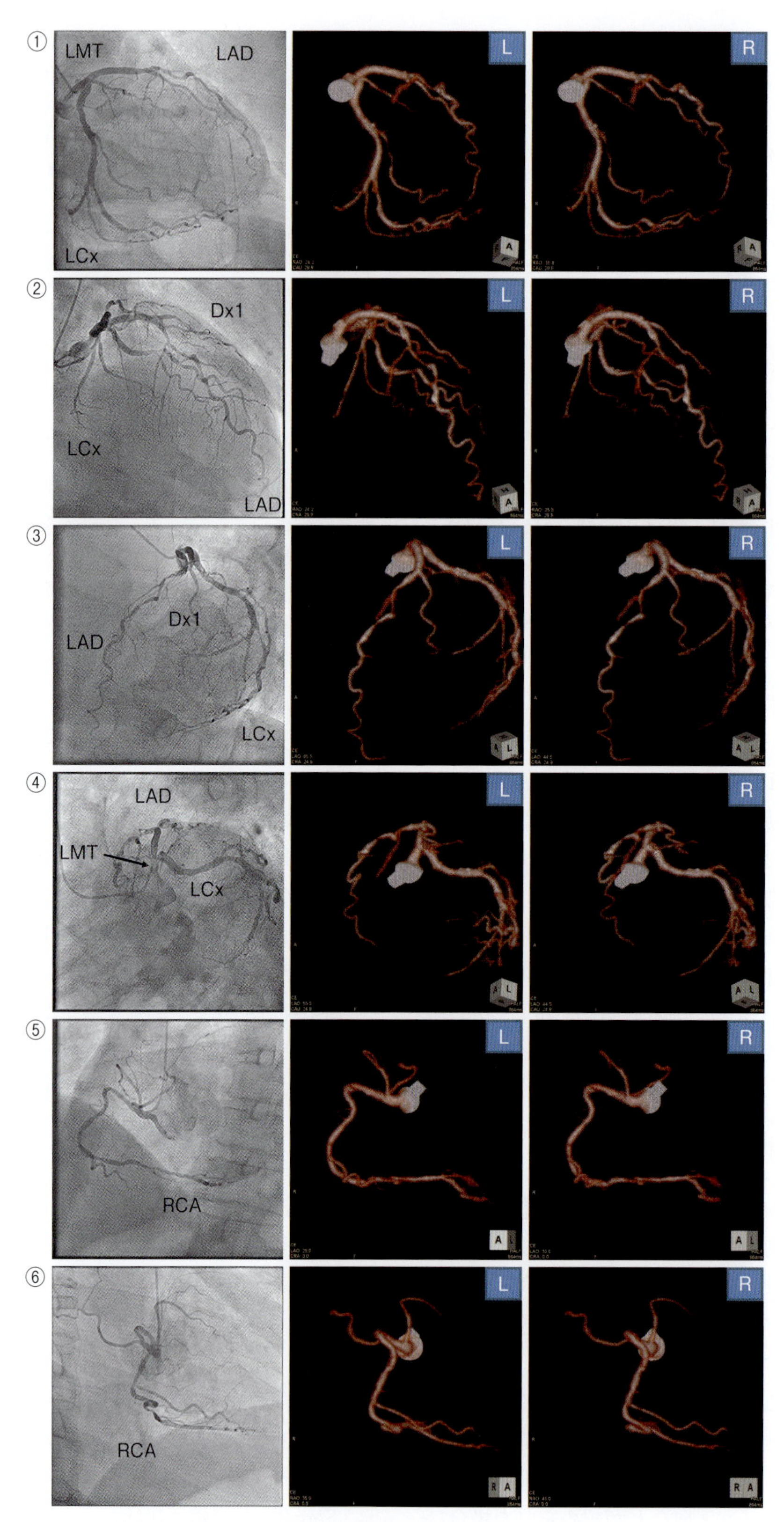

図3　冠動脈造影像と冠動脈 CT 画像によるシェーマ

①RAO 30°，CAU 30°：LCx の観察に適する。LMT～LAD 起始部～Lcx 起始部を分離しやすい
②RAO 30°，CRA 30°：LAD 全体，Dx（対角枝）の観察に適する
③LAO 45°，CRA 25°：LAD 全体，Dx（対角枝）の観察に適する
④LAO 45°，CAU 30°：spider view と呼ばれる。LMT～LAD 起始部～LCx 起始部の観察に適する
⑤LAO 40°：RCA の観察に適する
⑥RAO 30°：Seg. 1 遠位部～Seg. 2 の観察に適する

表2 代表的な冠動脈所見の分類

〔TIMI 分類〕

	造影所見
TIMI 0	完全閉塞
TIMI 1	造影遅延を伴い狭窄末梢は完全には造影されない
TIMI 2	狭窄部末梢は完全に造影されるが明らかな造影遅延を認める
TIMI 3	造影遅延なく完全に造影される

〔Rentrop 分類〕

	造影所見
Grade 0	側副血行路がない
Grade 1	側副血行路を認めるが本幹までは造影されない
Grade 2	側副血行路の本幹の一部が造影される
Grade 3	側副血行路全体が造影される

(2) 左主幹部（LMT）

Seg. 5：左冠動脈より左前下行枝と左回旋枝に分かれるまでの，いわゆる左冠動脈起始部。

(3) 左前下行枝（LAD）

Seg. 6：左前下行枝の第一中隔枝（first septal branch）まで。

Seg. 7：第一中隔枝～第二対角枝（D2）まで。

Seg. 8：第二対角枝～左前下行枝末梢まで。

Seg. 9：第一対角枝（D1）。

Seg. 10：第二対角枝（D2）。

第二対角枝（D2）がみられない場合，第一中隔枝～左前下行枝末梢までを二等分し，近位部を Seg. 7，遠位部を Seg. 8 とする。

(4) 左回旋枝（LCx）

Seg. 11：左回旋枝起始部～鈍角枝（obtuse marginal branch；OM）まで。

Seg. 12：左回旋枝から分岐する OM。

Seg. 13：OM を分岐した後，後房室間溝を走行する部分。

Seg. 14：Seg. 13 から分岐して側壁を走行する側壁枝（PL）。

Seg. 15：Seg. 13 から Seg. 14 を出した後の下行枝（PD）。

2）冠動脈病変の評価

狭窄の程度は AHA 分類により，目視にて 0%（intact），25%，50%，75%，90%，99%，100%（完全閉塞）と表現され，75%以上を有意な狭窄としている。また，狭窄の長さ，場所，局所やびまん性といった範囲や，形態（壁不正，偏心性か求心性か，潰瘍形成，血栓像，瘤，解離，石灰化など）の評価を行う。代表的な閉塞性病変に対する血管造影の所見分類として TIMI 分類と Rentrop 分類がある（表2）。

3. 経皮的冠動脈形成術（PCI）

CAG において PCI の適応が確定したら，CAG 用診断カテーテルから PCI に用いるデバイスを病変部へ運ぶ役割を担うガイディングカテーテルに変更して PCI を行う。PCI では，CAG 所見に加えて，冠動脈血管内超音波（intravascular ultrasound；IVUS）が治療範囲の決定に欠かすことのできないデバイスとなっている。以下，代表的なデバイスや手技を紹介する。

1）冠動脈血管内超音波（IVUS）

IVUS では血管断面を断層像として描出することで，血管径，病変長，プラークの量や壁在分布など PCI に必要な情報を得ることができるため，現在の PCI には必須の診断法である。

冠動脈は内膜，中膜，外膜の 3 層から構成されるが，IVUS の画像で内皮は 1 層の細胞のため，超音波の反射が弱く描出困難となる。このため，もっとも内側の高エコーは内弾性板となる。その後方には平滑筋を多く含む低エコーとして描出される中膜が認められ，最外縁の高エコー部は外弾性板ならびに外膜より形成される（図4）。

PCI ではガイドワイヤーを通過させ，病変部の長さと血管径，分枝の位置関係を pre pullback にて確認する。IVUS では中枢側（proximal）と末梢側（distal）の血管径と病変長を確認し（図5），血管形成術の戦略とデバイスを判断するため，もっとも重要なキーデバイスとなっている。視認が容易な外弾性板間を血管径と定義して測定する場合もある。

2）経皮的古典的バルーン血管形成術（POBA）

経皮的古典的バルーン血管形成術（percutaneous old balloon angioplasty；POBA）は，カテーテル先端に付いたバルーンによって狭窄部を広げる手技であり，PTCA（percutaneous transluminal coronary angioplasty）とも呼ばれる。バルーンカテーテル単独治療では冠動脈解離による急性冠閉塞が発生し得るため，現在では治療の主流は冠動脈ステント療法へ移行しているが，ステント挿入前後の拡張など依然として PCI に必要不可欠な手技である。

3）ステント（coronary stenting）

ステントは金属製の網目状の筒を狭窄病変に挿入し，

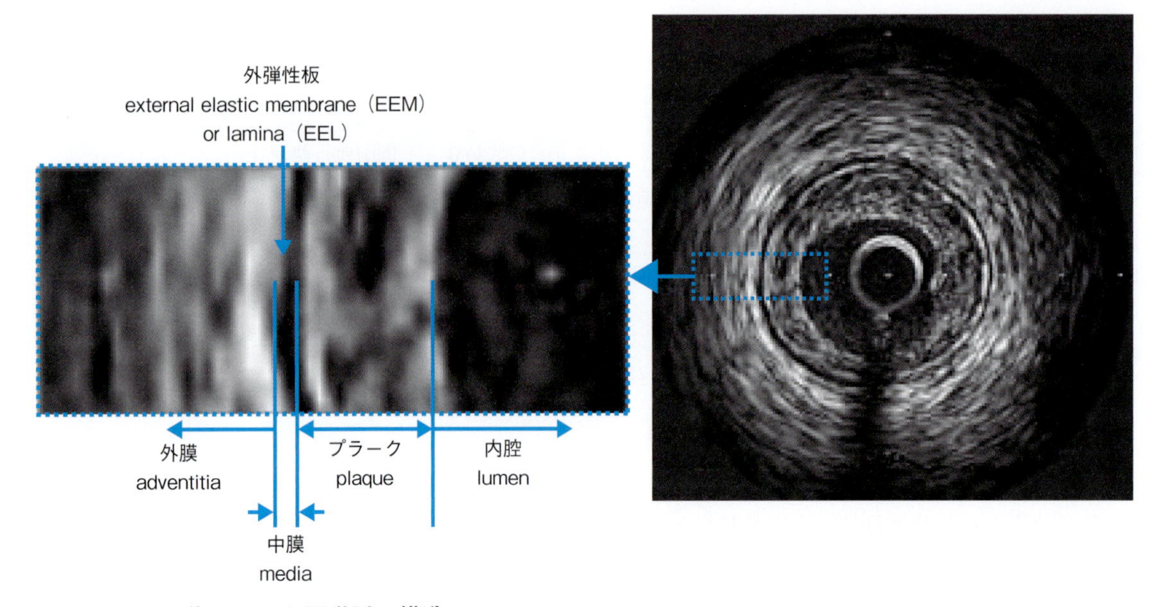

図4　IVUS 画像からみた冠動脈の構造
内膜（intima）は IVUS で描出困難。中膜とプラークの区別も困難な場合が多い。外膜と血管周囲組織との区別も困難である

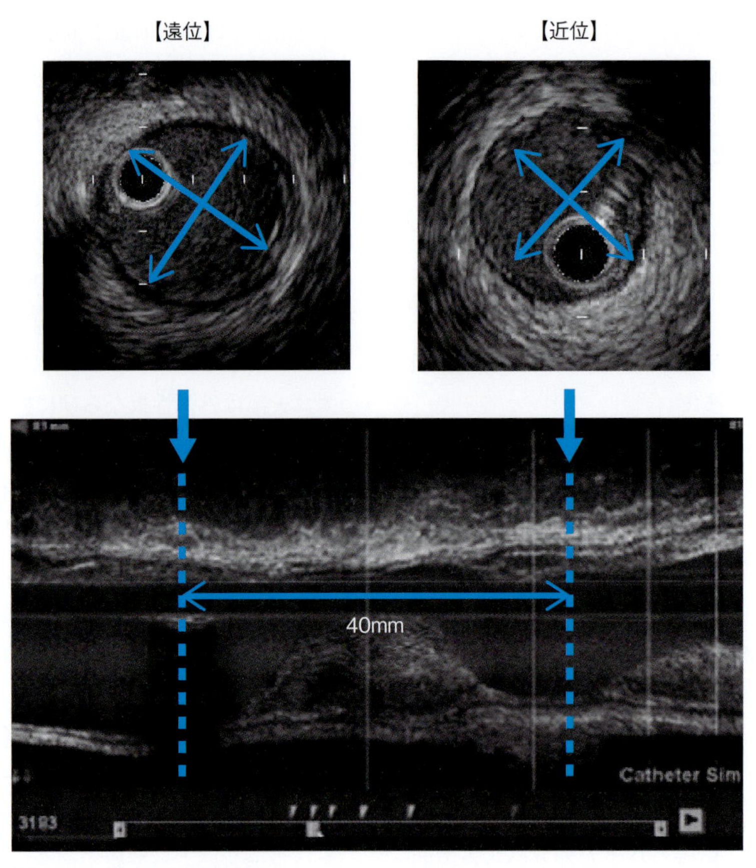

図5　IVUS による計測例

内腔から広げ支える手技で，冠動脈インターベンションの主流といえる。再狭窄予防の平滑筋細胞増殖抑制薬が被覆された DES（drug eluting stent）と被覆されていない BMS（bare metal stent）があるが，現在では DES の使用がほとんどである。

4）血栓吸引療法

血栓吸引用のカテーテルを用いて，用手的もしくは機械式にて冠動脈内の血栓を吸引し，再灌流を得る。

5）エキシマレーザー冠動脈形成術（ELCA）

エキシマレーザー冠動脈形成術（Excimer laser coronary angioplasty；ELCA）は，近年 ACS やステント内

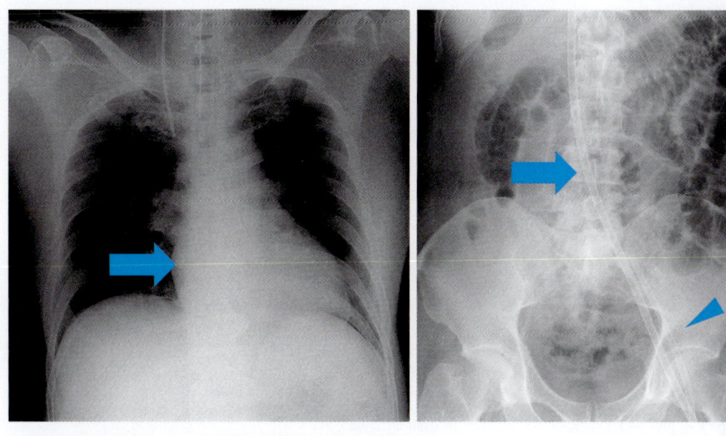

図6　経皮的心肺補助装置（PCPS）
大腿静脈には，右心より脱血するための脱血用カニューレおよびシースが挿入されており（矢印），大腿動脈には送血用カニューレが挿入されている（矢頭）

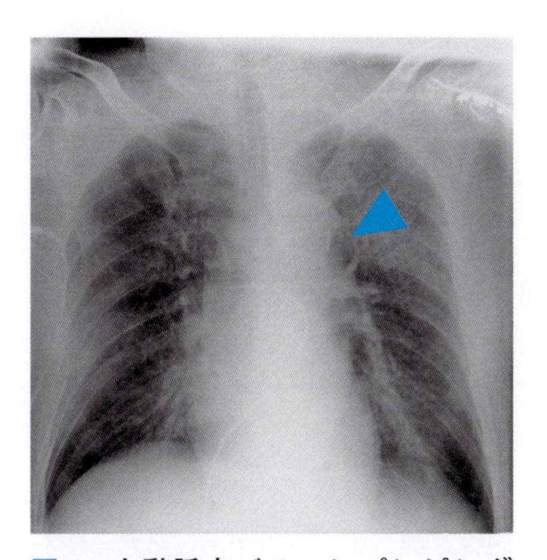

図7　大動脈内バルーンパンピング（IABP）
大動脈弓直下から下行大動脈にIABPが確認できる

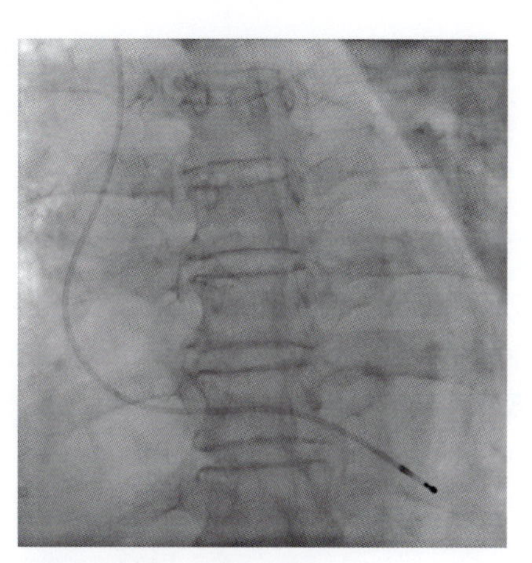

図8　一時ペーシング
右心室に一時ペーシング用カテーテルが挿入されている

再狭窄の治療における有用性が証明されつつある。エキシマレーザーを血栓に照射し蒸散させることで再灌流を得る。no-reflowなどを引き起こす末梢側への血栓や粥腫の飛散が少ないデバイスとされる[4]。

4. PCI時に留意すべきアシストデバイス

1）ECMO/PCPS

遠心ポンプと膜型人工肺を用いた閉鎖回路の人工心肺装置による体外循環治療をECMO（extracorporeal membrane oxygenation）という[5]。静脈脱血-動脈送血で前心補助と呼吸補助目的に行われるVA-ECMOと，静脈脱血-静脈送血で呼吸補助目的のみに行われるVV-ECMOがある。経皮的心肺補助（percutaneous cardio pulmonary support；PCPS）は，前者とほぼ同義である（図6）。

2）大動脈内バルーンパンピング（IABP）

大動脈内バルーンパンピング（intra-aortic balloon pumping；IABP）とは，心臓のポンプ機能が低下している患者の循環動態を補助するための補助循環装置である（図7）。下行大動脈に留置したバルーンを心周期に同期させて膨張と収縮を繰り返すことにより，2つの循環動態上の効果が期待できる。心拡張期にバルーンを膨張させるdiastolic augmentationでは，拡張期圧が上昇し，冠動脈，腕頭動脈，左総頸動脈，左鎖骨下動脈，胃動脈などの流量が増加する。一方，心収縮期にバルーンを収縮させるsystolic unloadingでは，後負荷を軽減して，大動脈のforward flowを増加させる[6]。

3）一時ペーシング

洞不全症候群や房室ブロックなどで心不全やショックなどを伴う症候性徐脈に対し，電気的に心筋を刺激して心拍数を増加させる一時的な処置。経静脈ペーシングでは，内頸静脈や鎖骨下静脈などから電極リードを右心室または右心房に挿入してペーシングを行う（図8）。心停止に対して経皮ペーシングを用いることもある。

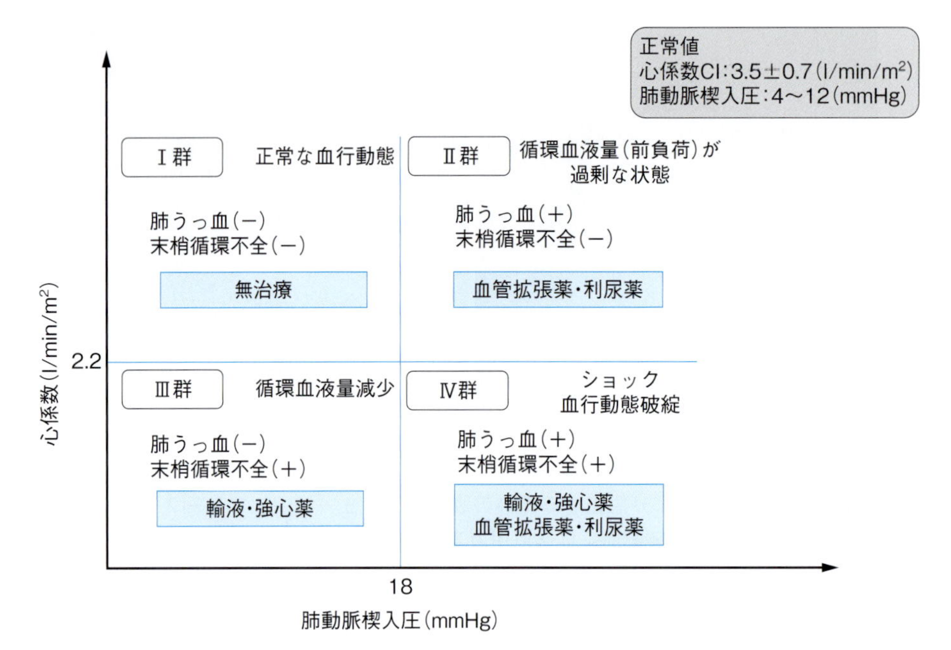

図 9　Forrester 分類

心不全

急性心不全とは，心臓に器質的あるいは機能的異常が生じ，急速に心ポンプ機能の代償機転が破綻して，心室充満圧の上昇や主要臓器への灌流不全をきたし，それに基づく症状や徴候が急速に出現した状態である。

1．分　類

1）ステージ分類

『急性・慢性心不全診療ガイドライン（2017 年改訂版）』では，心不全ステージ分類が重症度に応じて A～D の 4 段階に設定されている[7]。ステージ A・B が心不全リスクを有する状態で，ステージ C・D が症候性心不全の状態である[8]。

大多数の心不全は急性心不全として発症するが，代償化されて慢性心不全に移行する。慢性期においても急性増悪により非代償性急性心不全を反復しやすい。このように，心不全はステージ C から D へと直線的に増悪するのではなく，基礎心疾患の重症度や併存症による個人差が大きく，一様でないという特徴をもつ[9]。

2）Forrester 分類

さまざまな観点からの分類法があるが，代表的なものとして Forrester 分類がある（図 9）。Forrester 分類は血行動態指標における分類で，急性心筋梗塞における急性心不全の予後予測を目的として作成された。なお，心臓カテーテルによる観血的測定を前提に作成されているため，侵襲度は高い。

2．検　査

1）胸部 X 線撮影（ポータブル）

前述したガイドライン[7]における心不全の存在および重症度診断に関する胸部 X 線撮影の推奨クラスは I であり，今なお有用な検査である。

左心不全における所見として，肺静脈うっ血，間質性浮腫，肺胞性浮腫，胸水貯留があげられる。右心不全では肺血流量減少に伴って肺血管影が減少し，肺野濃度が亢進する（図 10）[7]。肺静脈うっ血の重症度判断として，軽度（肺静脈圧 15～20 mmHg）では肺尖部への血流再分布所見（cephalization）を認める。間質性肺水腫（肺静脈圧 20～30 mmHg）になると，肺気管周囲や肺血管周囲の浮腫像（cuffing sign）やカーリー A，B，C 線が出現する。さらに進行して肺胞性肺水腫（肺静脈圧 30 mmHg 以上）になると，蝶形像（butterfly sign）を認める。

2）心臓カテーテル法

急性呼吸促迫症候群（ARDS）や循環不全を呈する患者で，他の臨床的評価から心拍出量，左室拡張末期圧，血管内ボリュームの評価が困難な場合，侵襲的肺動脈圧モニタリングが積極的に推奨される。

血行動態把握の目的でサーモダイリューションカテーテル（Swan-Ganz カテーテル）を用いる。内頸静脈や鎖骨下静脈より挿入し，心内圧測定や熱希釈法による心拍出量（CO）測定を行うことができる。評価に用いられる項目としては，心腔・血管の内圧，右房圧（RAP），右室圧（RVP），肺動脈圧（PAP），肺動脈楔入圧（PCWP）の測定や，熱希釈法による CO などがある。

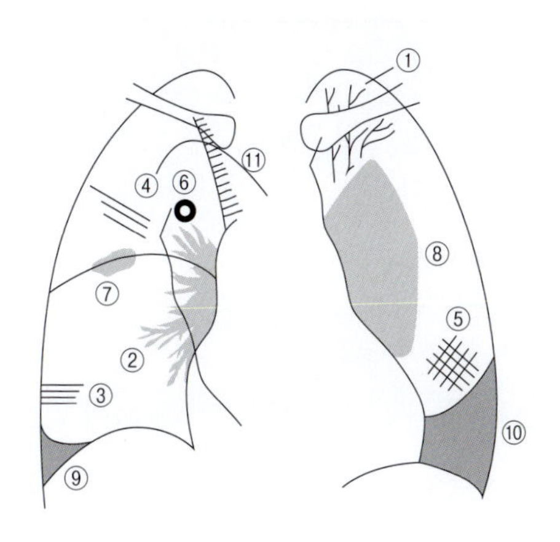

①cephalization（角出し像）
　肺尖部への血流の再分布所見（肺静脈圧15～20 mmHg）
②perivascular cuffing（肺血管周囲の浮腫）
③Kerley's B line（カーリーB線）
④Kerley's A line（カーリーA線）
⑤Kerley's C line（カーリーC線）
⑥peribronchial cuffing（気管支周囲の浮腫）
　②-⑥：間質性肺水腫所見（肺静脈圧20～30 mmHg）
⑦vanishing tumor（一過性腫瘤状陰影）
　胸水
⑧butterfly shadow（蝶形像）
　肺胞性肺水腫所見（肺静脈30 mmHg以上）
⑨⑩costophrenic angle（肋骨横隔膜角）の鈍化
　胸水
⑪上大静脈の突出

〔日本循環器学会，日本心不全学会：急性・慢性心不全診療ガイドライン（2017 年改訂版）．http://www.j-circ.or.jp/guideline/pdf/JCS2017_tsutsui_h.pdf（2020 年 2 月閲覧）より引用〕

図 10　心不全の胸部単純 X 線写真（シェーマ）

心不全に対する治療指針の選択と治療効果の評価としては，心拍出量から得られた心係数（CI）と，前述した肺動脈楔入圧を用いて 4 群に分類する Forrester 分類が用いられる。

急性大動脈症候群（AAS）

急性大動脈症候群（acute aortic syndrome；AAS）は，急性大動脈解離および大動脈瘤破裂・切迫破裂の総称である。急性に発症するこれらの疾患では生命の危機が迫っており，発症から治療開始までの時間をいかに短縮できるかがもっとも重要となる。非侵襲的な画像診断法や外科的治療法が進歩した現在においてもいまだ急性期の死亡率が高く，その予後は不良である。

1．急性大動脈解離

1）病　態

大動脈解離とは，大動脈壁が中膜のレベルで二層に剝離し，動脈走行に沿ってある長さをもって二腔になった状態で，大動脈壁内に血流もしくは血腫が存在する動的な病態である[10]。剝離の長さについては明確な定義がないが，画像診断で明確に描出できる長さは 1～2 cm 以上である。

大動脈壁の解離とそこへの血液流入を本態とする大動脈解離は，発症直後から経時的で動的な病態を呈する。また，広範囲の血管に病変が進展するために種々の病態を呈する（図 11）[10]。

2）分　類

大動脈解離の分類を表 3[10] に示す。解離の位置や範囲から定義される分類として，Stanford 分類や DeBakey 分類がある。

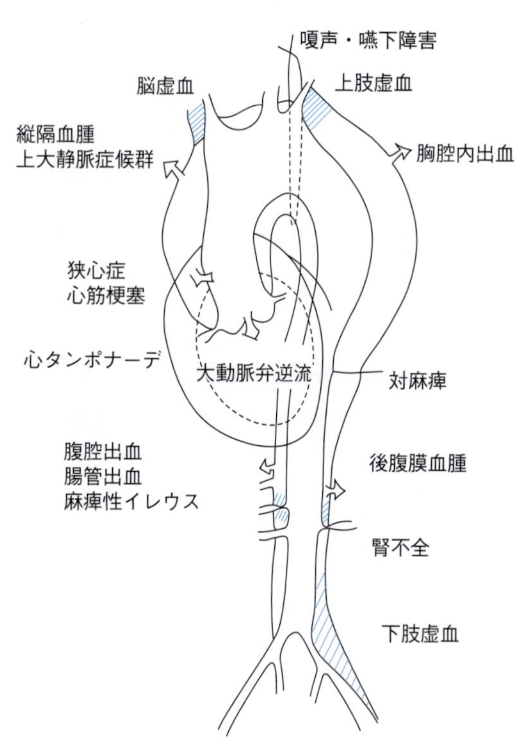

〔日本循環器学会：大動脈瘤・大動脈解離診療ガイドライン（2011 年改訂版）．http://www.j-circ.or.jp/guideline/pdf/JCS2011_takamoto_h.pdf（2020 年 2 月閲覧）より引用〕

図 11　大動脈解離の病態

大動脈解離は本来の動脈内腔（真腔）と新たに生じた壁内腔（偽腔）からなり，両者は剝離したフラップ（内膜と中膜の一部からなる隔壁）により隔てられる。フラップは通常，1～数個の裂口（裂孔，亀裂，内膜裂口）をもち，真腔と偽腔が交通するが，裂口が不明で真腔と偽腔の交通が確認できない例も存在する。偽腔の血流状

表3　大動脈解離の分類

1. 解離範囲による分類
　Stanford 分類
　　A 型：上行大動脈に解離があるもの
　　B 型：上行大動脈に解離がないもの
　DeBakey 分類
　　Ⅰ型：上行大動脈に tear があり弓部大動脈より末梢に解離が及ぶもの
　　Ⅱ型：上行大動脈に解離が限局するもの
　　Ⅲ型：下行大動脈に tear があるもの
　　Ⅲa 型：腹部大動脈に解離が及ばないもの
　　Ⅲb 型：腹部大動脈に解離が及ぶもの
　DeBakey 分類に際しては以下の亜型分類を追加できる
　　弓部型：弓部に tear があるもの
　　弓部限局型：解離が弓部に限局するもの
　　弓部広範型：解離が上行または下行大動脈に及ぶもの
　　腹部型：腹部に tear があるもの
　　腹部限局型：腹部大動脈のみに解離があるもの
　　腹部広範型：解離が胸部大動脈に及ぶもの
　　（逆行性Ⅲ型解離という表現は使用しない）
2. 偽腔の血流状態による分類
　　偽腔開存型：偽腔に血流があるもの。部分的に血栓が存在する場合や，大部分の偽腔が血栓化していても ULP から長軸方向に広がる偽腔内血流を認める場合はこの中に入れる
　　ULP 型：偽腔の大部分に血流を認めないが，tear 近傍に限局した偽腔内血流（ULP）を認めるもの
　　偽腔閉塞型：三日月形の偽腔を有し，tear（ULP を含む）および偽腔内血流を認めないもの
3. 病期による分類
　　急性期：発症 2 週間以内。このなかで発症 48 時間以内を超急性期とする
　　慢性期：発症後 2 週間を経過したもの

〔日本循環器学会：大動脈瘤・大動脈解離診療ガイドライン（2011 年改訂版）．http://www.j-circ.or.jp/guideline/pdf/JCS2011_takamoto_h.pdf（2020 年 2 月閲覧）より引用〕

態（交通の有無）からみた分類として，裂口により交通があるものを偽腔開存型大動脈解離（communicating aortic dissection），交通がないものを偽腔閉鎖型大動脈解離（non-communicating aortic dissection，従来の thrombosed type と同義）という。また，裂口を有するが偽腔（の大部分）に血流を確認できないものは ULP（ulcer-like projection）型大動脈解離と定義される。

3）診　断

急性大動脈解離を診断するためには，まず疑いをもつことが何よりも重要である。しかし，臨床症状が多岐にわたること，心電図変化が非特異的であること，血清学的な特異的マーカーが確立されていないことから，ACS に比べてその診断は困難である。診断のフローチャートを図 12[10]に示す。

突然の急激な胸背部痛は典型的な特徴であり，大動脈が裂ける際に生じる。痛みは背中から腰部へ移動することが多く，このような症状がみられる場合には大動脈解離を疑う診断が進めやすい。

2. 大動脈瘤破裂・切迫破裂

大動脈瘤は，大動脈壁一部の全周または局所が拡張した状態である。瘤壁の形態によって，真性大動脈瘤（true aneurysm of the aorta），仮性大動脈瘤（pseudoaneurysm of the aorta），解離性大動脈瘤（dissection aneurysm of the aorta）に分類される。胸部大動脈瘤の診断フローチャートを図 13[10]に，腹部大動脈瘤の診断フローチャート図 14[10]に示す。

大動脈瘤による臨床徴候は，解離発症や瘤破裂により生じる「疼痛」，瘤が周囲臓器へ及ぼす「圧迫症状」，分枝血管の循環障害による「臓器虚血症状」に分けられる。もっとも注意すべき症候は疼痛であり，解離性大動脈瘤の急性期および発症時には胸部や腹部の激痛を訴える。

大動脈瘤破裂は，ほとんどの症例で病院までたどり着くことができない。病院へ収容できた場合にも，診断から緊急手術まで分単位の時間差が生死を分ける。また，大動脈瘤切迫破裂も急性期死亡率の非常に高い重篤な病態である。

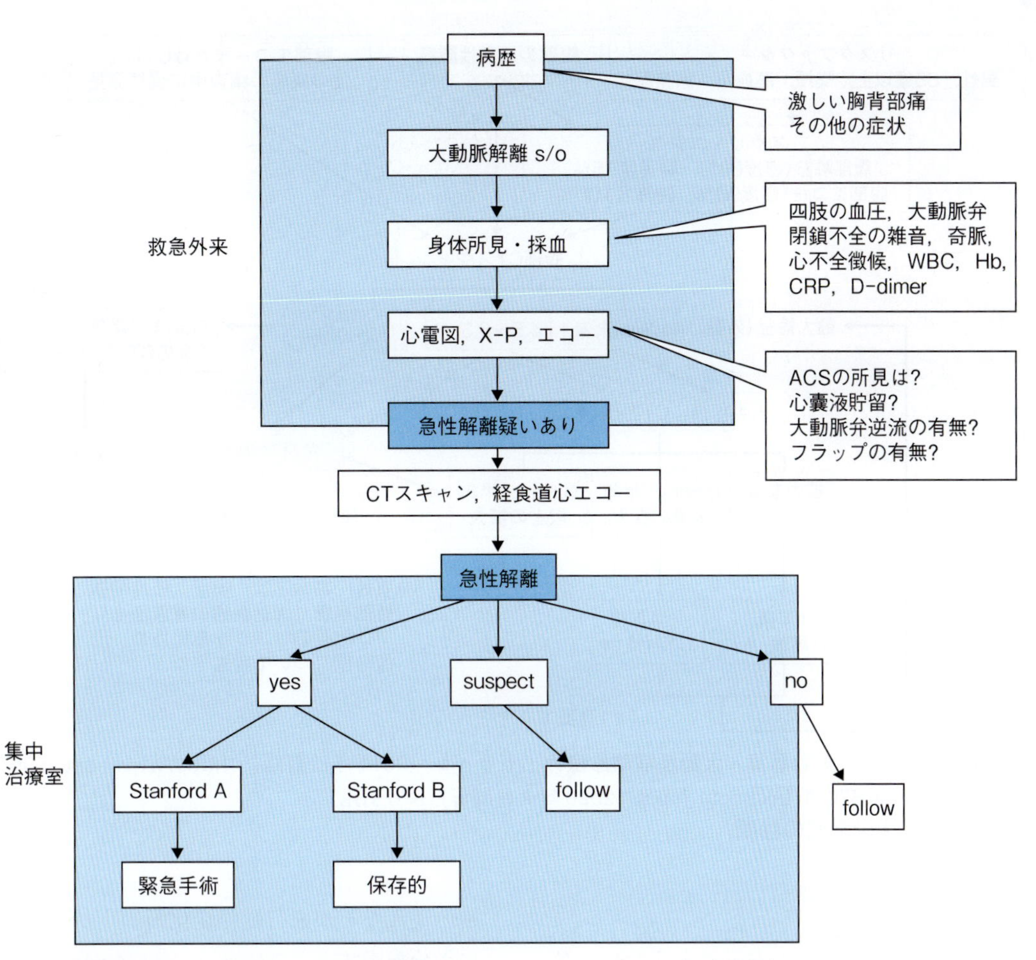

〔日本循環器学会：大動脈瘤・大動脈解離診療ガイドライン（2011 年改訂版）．http://www.j-circ.or.jp/guideline/pdf/JCS2011_takamoto_h.pdf（2020 年 2 月閲覧）より引用〕

図 12　急性大動脈解離診断・治療のフローチャート

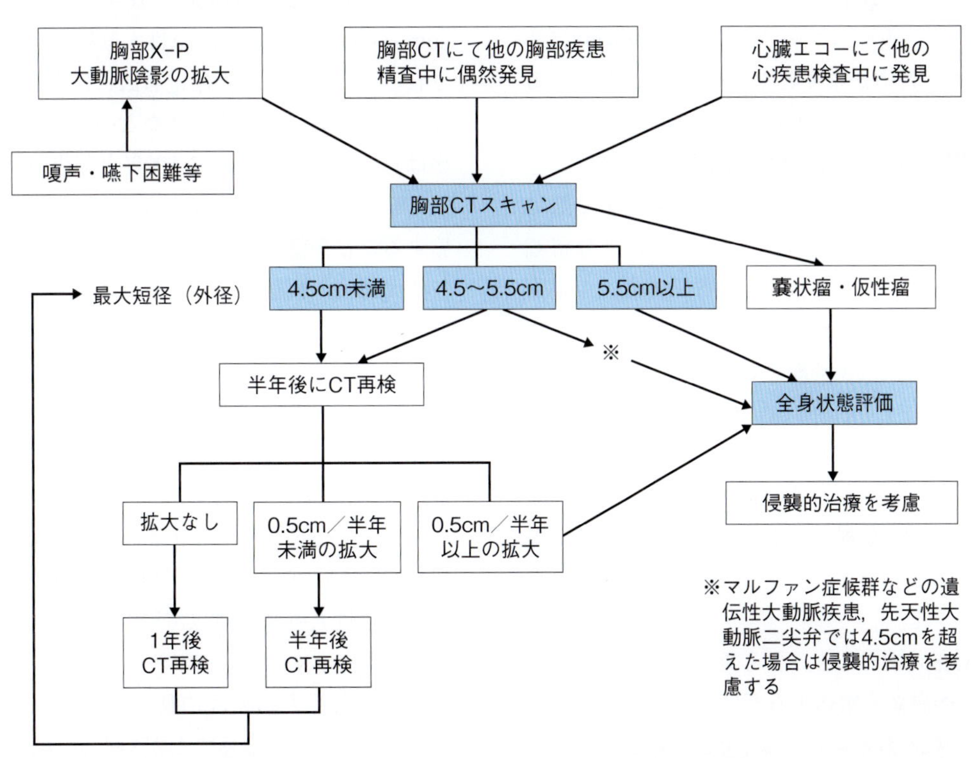

〔日本循環器学会：大動脈瘤・大動脈解離診療ガイドライン（2011 年改訂版）．http://www.j-circ.or.jp/guideline/pdf/JCS2011_takamoto_h.pdf（2020 年 2 月閲覧）より引用〕

図 13　胸部大動脈瘤の診断

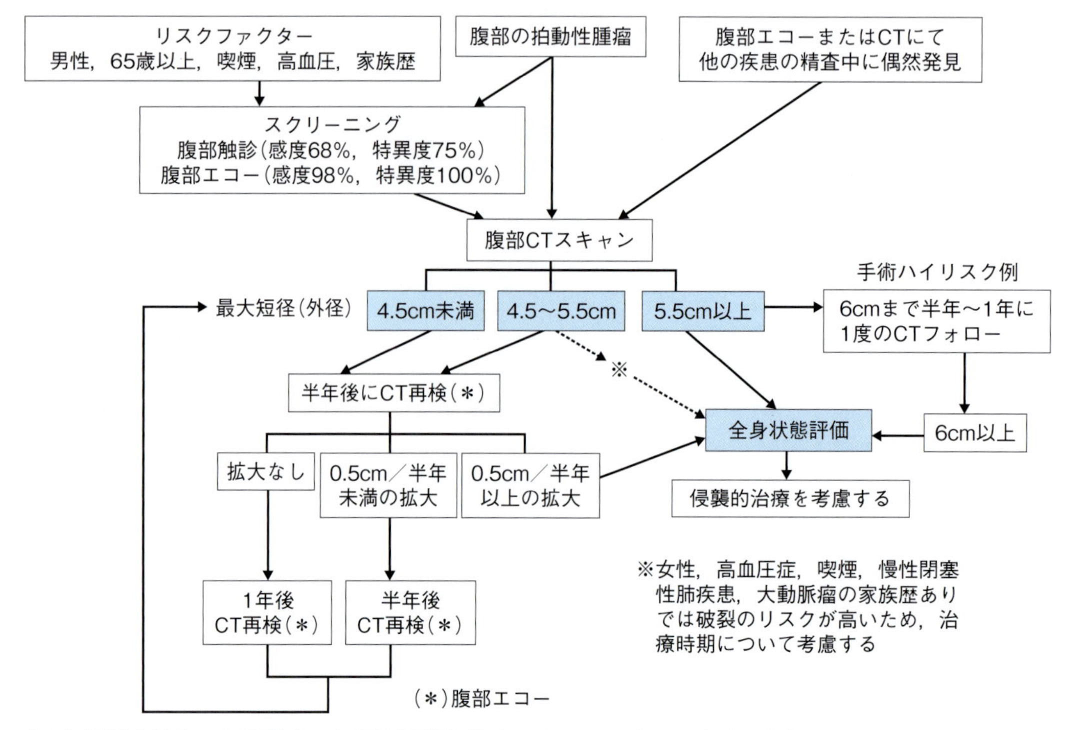

〔日本循環器学会：大動脈瘤・大動脈解離診療ガイドライン（2011 年改訂版）．http://www.j-circ.or.jp/guideline/pdf/JCS2011_takamoto_h.pdf（2020 年 2 月閲覧）より引用〕

図 14　腹部大動脈瘤の診断

3. 検　査

AAS 患者は血行動態が非常に不安定であるため，各種検査においては急変時への備えも非常に重要である。

1）超音波検査

胸痛や心電図異常の精査としての心エコー，腹痛や背部痛の精査としての腹部エコーでは，大動脈を同時にスクリーニングする習慣が重要となる。AAS が疑われる場合には，もっとも簡便に診断可能で，感度も高い。

2）胸部 X 線撮影（主にポータブル撮影）

ポータブル撮影による胸部 X 線撮影を実施する際には，血行動態がきわめて不安定であることに十分留意し，ポジショニングは慎重に行う。胸部画像上，上縦隔陰影の拡大，二重陰影，大動脈壁内膜石灰化の偏位を認める場合には，急性大動脈解離を疑う。

3）腹部 X 線撮影

腹部 X 線写真では，血管壁の石灰化や psoas line の消失により大動脈瘤や後腹膜血腫の存在を疑うことが可能である。しかし，瘤や解離そのものの描出はきわめて困難である。

4）CT 検査

CT 検査は AAS におけるもっとも重要な検査法であるが，CT 検査室へ患者を搬送するだけでも大きなリスクを伴う。AAS が疑われる場合には，できるかぎり血圧や脈波形などのモニタリング下で CT 検査を実施すべきである。また，患者の移動や上肢の急な挙上，急速な造影剤の注入などが血行動態変化のトリガーとなり得ることに十分配慮する。

単純 CT 検査でも，内膜石灰化の内方偏位や血腫により満たされた偽腔が大動脈壁に沿って三日月状の高吸収域として描出される所見（crescentic high-attenuation hematoma）などから，急性大動脈解離の診断が可能とされる[11)12)]。ただし，確定診断には造影 CT 検査がもっとも有効であり，胸背部痛などの症状がある場合の診断率は感度・特異度ともに 100% と報告されている[13)]。造影 CT による情報量はきわめて大きく，状態が許せば実施することが望ましい。また，MPR による前額面画像や矢状面画像の再構築や 3D 画像は診断と治療に威力を発揮する。

造影 CT は，肘静脈ラインから非イオン性造影剤（300 mgI/ml）を自動注入器を用いて 3 ml/秒前後の注入速度で注入しつつ，“全大動脈” の良好な造影早期相の撮像を行う。造影剤の総量は体重や撮像時間によって調整する。1 mm 以下の薄いスライス厚で撮像を行うことにより，VR や MPR の精度も向上する。図 15 に，Stanford A 型の急性大動脈解離にて緊急手術となった症例の CT 画像所見を示す。

なお，上行大動脈は拍動によるアーチファクトが生じ，評価の妨げになることがあるが，心電同期 CT を施行することでこの問題は解決できる。上行大動脈の基部に生じる Valsalva 洞付近の解離や動脈瘤が疑われる症

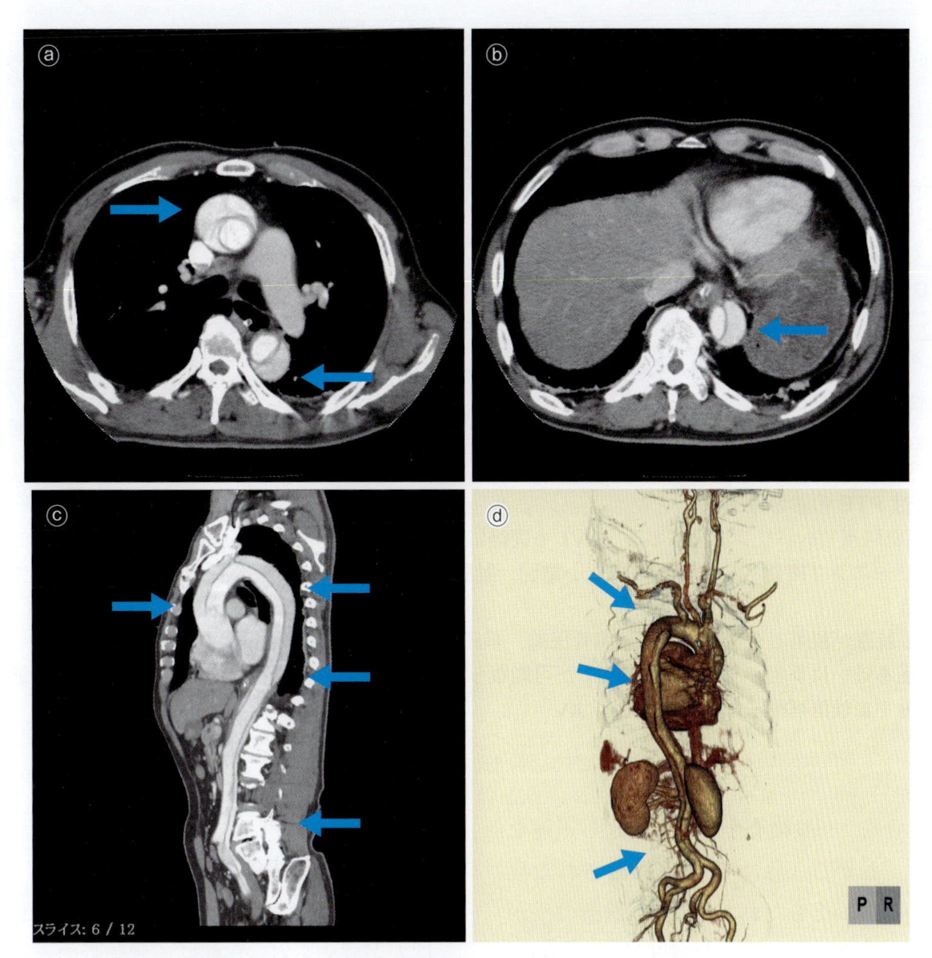

図15　急性大動脈解離の CT 画像（Stanford A 型）
a，b：axial CT 画像。上行・下行・腹部大動脈内に大動脈解離を確認できる（矢印）
c：カーブド MPR 画像
d：3D 画像。上行から下行，腹部大動脈に及ぶ解離腔を確認できる（矢印）

例に対しては，とくに試みるべき撮像法である。

4. 治　療

急性 A 型大動脈解離に対する治療の第一選択は，外科的人工血管置換術である。しかし，急性 B 型大動脈解離のうち合併症を有する症例に対しては，胸部大動脈ステントグラフト内挿術（thoracic endovascular aortic repair；TEVAR）が長期的にも偽腔の血栓化を促進し，胸部大動脈の血管径拡大を予防する大動脈リモデリングに有効とされている[14)]。また，切迫破裂例に対する治療戦略としても，緊急 TEVAR が試みられるようになっており[15)]，心停止や重症ショック例を除いて，やや時間的余裕のある切迫破裂例を対象に緊急 TEVAR が試みられ，良好な成績が報告されている。ガイドラインにおいても合併症を有する急性 B 型大動脈解離に対する TEVAR が推奨されており[10)]，急性期治療の第一選択として確立してきている。

静脈血栓症

肺血栓塞栓症（pulmonary thromboembolism；PTE）と深部静脈血栓症（deep vein thormbosis；DVT）は，一連の病態であることから合わせて静脈血栓症（venous thromboembolism：VTE）と総称される[16)]。

1. 急性肺血栓塞栓症（PTE）

肺動脈が血栓塞栓子により閉塞する疾患が PTE であり，その塞栓源の約 90％は下肢あるいは骨盤内の静脈で形成された血栓である。

PTE は急性と慢性に分けられ，急性 PTE は新鮮血栓が塞栓子として肺動脈を閉塞する病態となる。塞栓子により肺組織が壊死に陥ると，肺梗塞と呼ばれる。下肢の深部静脈で形成された大きな血栓が遊離して塞栓化した場合，肺血管床の閉塞具合によってはショック状態や突然死に至る可能性がある。そのため，急性 PTE を疑う場合は，できるかぎり早急に診断する必要があるが，特

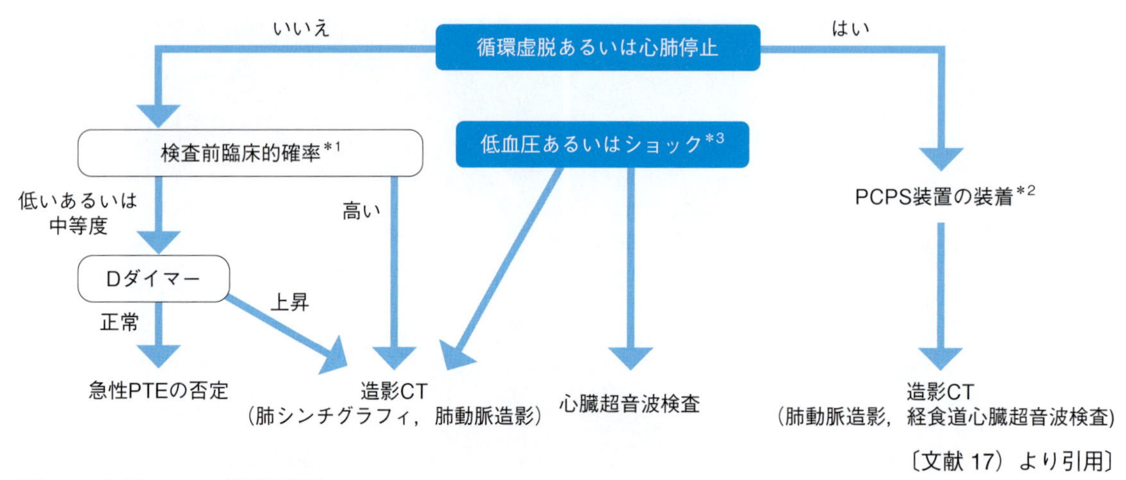

〔文献 17）より引用〕

図 16 急性 PTE の診断手順

PTE を疑った時点でヘパリンを投与する。DVT も同時に探索する

*1：スクリーニング検査として胸部 X 線，心電図，動脈血ガス分析，経胸壁心臓超音波検査，血液生化学検査を行う

*2：PCPS 装置が利用できない場合には胸骨圧迫，昇圧薬により循環管理を行う

*3：低血圧あるいはショックでは，造影 CT が可能なら施行するが，施行が難しい場合には心臓超音波検査の結果のみで血栓溶解療法などを考慮してよい

異的な症状や身体所見，一般検査がないことから迅速な診断が困難である。しかし，急性 PTE と診断された症例の 90%は症状から疑いをもたれており[16]，診断の手がかりとしても症状の理解が重要である。呼吸困難，胸痛，発熱，失神，咳嗽，喘鳴，冷汗，血痰，動悸などの疑わしい症状が認められる場合には，積極的に検査を行う。

急性 PTE の診断フローチャートを図 16[17]に示す。SpO_2の低下を確認し，緊急検査として動脈血ガス分析，心電図，胸部 X 線写真，血液生化学検査一般，心エコーを順次施行する。造影 CT で確定診断と重症度評価を行う手順が一般的である。血液検査では D-dimer と呼ばれるフィブリン分解産物の検査が有用であり，この値が正常であれば急性 PTE・DVT ともに発症確率が低いと判断される。

2. 深部静脈血栓症（DVT）

静脈は四肢において，深筋膜より深い部分を走行する深部静脈，皮下を走行する表在静脈，それらを連結する穿通枝からなる。この深部静脈に生じた血栓症を DVT と呼ぶ。

DVT は発症後の臨床症状と静脈灌流障害から急性期と慢性期に区別される。急性期の症候の発現には，血栓の進展速度，静脈の閉塞範囲による灌流障害，炎症反応が関与する。臨床的に重症な病態としては，有痛性腫脹，有痛性変色腫脹（白股腫，青股腫），静脈性壊死がある。

3. 検 査

1）胸部 X 線撮影

PTE に特異的な所見はないが，7 割に肺動脈中枢部の拡大が認められ，3 割に一側肺野の透過性の亢進が認められる。両者を合併している場合，Westermark 徴候と呼ぶ。肺梗塞を起こすと肺炎様浸潤影や胸水が認められる。主に，呼吸困難を起こす他の心肺疾患の除外に用いられる。

2）CT 検査

CT の性能向上とともに，CT による急性 PTE 診断の感度・特異度は上昇傾向にある。一般的な造影法としては，早期相 60 秒後にて肺血栓塞栓症描出を目的とした胸部撮影を（図 17），後期相として 180 秒程度で腹部から下肢全体を撮影する（図 18）。腹部は後述する下大静脈フィルターの適応をみるため，腎静脈分岐部を範囲に入れる必要がある。

4. 治 療

1）下大静脈フィルター挿入

下大静脈フィルターは肺動脈内の血栓そのものに対する治療ではなく，急性 PTE の一次ないし二次予防を目的とする。しかし，その適応に関しては十分なエビデンスはない。急性 PTE の予防と治療の原則は抗凝固療法であり，フィルターはそれを補完する医療器具となる。そのため，抗凝固療法を行うことができない VTE に対する下大静脈フィルターの留置はガイドラインでも推奨されている[16]。

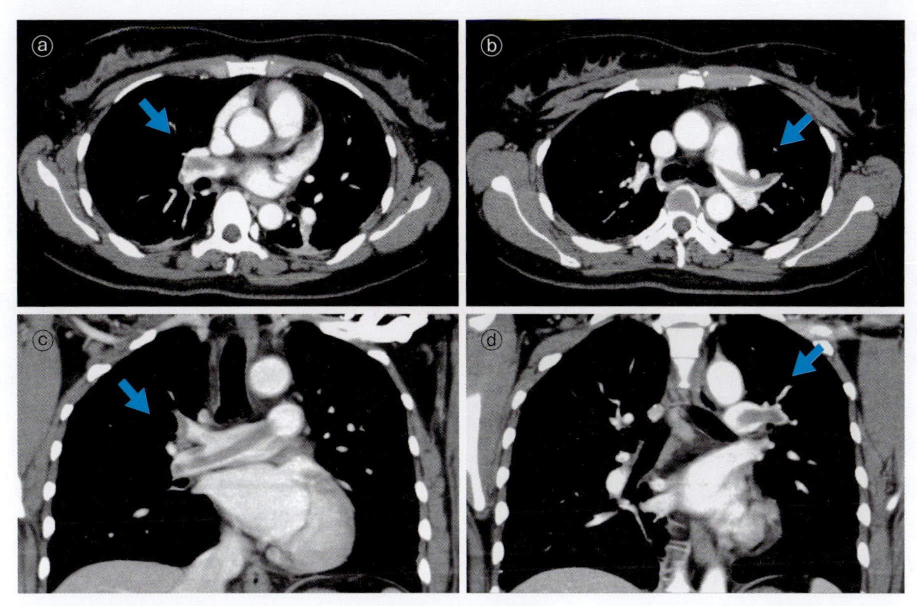

図17　急性肺血栓塞栓症（PTE）の造影CT画像
a，b：非イオン性造影剤300 mg/l，100 ml を3 ml/秒にて注入し，60秒後に撮像した胸部画像のaxial像。c，d：同CT画像のMPR・前額面像
左右の肺動脈内に血栓の所見である濃染不良域を認める

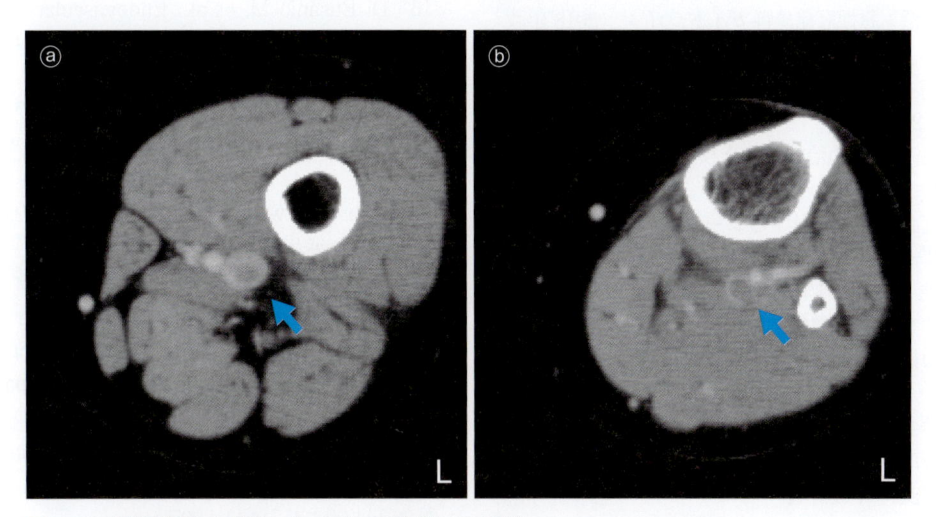

図18　深部静脈血栓症（DVT）の造影CT画像
a，b：図17と同検査にて，180秒後に撮像した下肢画像のaxial像
左大腿部，左後脛骨静脈内に血栓の所見である濃染不良域を認める

わが国では，2007年に急性PTE，ハイリスク症例に対するフィルター挿入が保険承認された。臨床で使用される下大静脈フィルターには永久留置型と非永久留置型（一時留置型）があり，永久留置型では回収可能な形状をしたフィルターも製品化されている。

フィルターを留置する位置はほとんどの場合，大静脈内の両腎静脈直下である。施術前の造影CTにて大静脈内の血栓の有無，そして両腎静脈の高さを確認しておくことも重要である。症例によっては残存血栓の位置などから腎静脈分岐より中枢側に設置せざるを得ない場合もあるが，基本的には問題ない。

2）カテーテル治療

急性PTEに対して，カテーテルを単に肺静脈内へ挿入し血栓溶解薬を投与する方法の効果は不十分とされており，種々の内科的治療を行ったにもかかわらず不安定な血行動態が持続している患者にのみ適応となる。便宜上，カテーテル的血栓溶解療法（catheter directed thrombolysis；CDT）とカテーテル的血栓除去術（catheter assisted thrombus removal；CATR）に分けられる。

CDTにおいて，カテーテルを肺動脈に誘導し血栓溶解薬を局所投与する方法の効果は否定的で，パルス・スプレー法などの併用が不可欠とされる。また，2016年の米国胸部疾患学会（ACCP）のガイドラインでは，血栓溶解薬は肺動脈へ留置したカテーテルからではなく，末梢静脈から投与することが推奨されている[18]。一方，CATRには血栓吸引術や血栓破砕術などの手法があり，その臨床効果は外科的血栓摘除術に匹敵するとされる（臨床成功率86.6％，重篤な合併症率2.4％）[19]。

DVTに対するCDT，とくに急性期の腸骨大腿静脈領域の広範型DVTに対しては，抗凝固療法に加えて高濃度の血栓溶解薬を血栓に直接投与できるCDTの有用性が示されている。また，末梢静脈ラインからの投与に比べて少ない投与量で血栓溶解が得られるため，出血性合併症の発生率を低下できるとされる。このように，DVTに対するCDTはその治療法として主流になりつつあるが，rt-PA製剤がDVTに対して保険適用ではないため，血栓溶解薬はウロキナーゼのみとなる。

【文　献】

1）坂下恵治：放射線技術学スキルUPシリーズ；標準救急撮影法，オーム社，東京，2011.
2）日本循環器学会：急性冠症候群ガイドライン（2018年改訂版）．
http://www.j-circ.or.jp/guideline/pdf/JCS2018_kimura.pdf（2020年2月閲覧）
3）今仲崇裕，他：ACSの治療．臨床検査62：1506-1513, 2018.
4）南都伸介：冠動脈病変に対するレーザー血管形成術の現況．日レーザー医会誌31：24-28，2009.
5）青景聡之，他：院内急変時におけるECMO/PCPSの適応．救急医学35：1012-1017，2011.
6）金　徹：補助循環作動時の麻酔科医の役割．日臨麻会誌27：665-674，2007.
7）日本循環器学会，日本心不全学会：日本循環器学会/日本心不全学会合同ガイドライン；急性・慢性心不全診療ガイドライン（2017年改訂版）．
http://www.j-circ.or.jp/guideline/pdf/JCS2017_tsutsui_h.pdf（2020年2月閲覧）
8）縄田寛：心不全分野の2018年の進歩．日心臓血管外会誌48：223-225，2019.
9）筒井裕之：急性・慢性心不全診療ガイドライン；2017年改訂版のポイント．医学のあゆみ266：1029-1035, 2018.
10）日本循環器学会：循環器病の診断と治療に関するガイドライン（2010年度合同研究班報告）；大動脈瘤・大動脈解離診療ガイドライン（2011年改訂版）．
http://www.j-circ.or.jp/guideline/pdf/JCS2011_takamoto_h.pdf（2020年2月閲覧）
11）Salvolini L, et al：Acute aortic syndromes：Role of multi-detector row CT. Eur J Radiol 65：350-358, 2008.
12）大谷尚之，他：単純CTにおける急性大動脈解離の診断精度についての検討．日救急医会誌24：149-156，2013.
13）Shiga T, et al：Diagnostic accuracy of transesophageal echocardiography, helical computed tomography, and magnetic resonance imaging for suspected thoracic aortic dissection：Systematic review and meta-analysis. Arch Intern Med 166：1350-1356, 2006.
14）Leshnower BG, et al：Aortic remodeling after endovascular repair of complicated acute type B aortic dissection. Ann Thorac Surg 103：1878-1885, 2017.
15）Di Eusanio M, et al：Endovascular approach for acute aortic syndrome. J Cardiovasc Surg（Torino）51：305-312, 2010.
16）日本循環器学会：肺血栓塞栓症および深部静脈血栓症の診断，治療，予防に関するガイドライン（2017年改訂版）．
http://www.j-circ.or.jp/guideline/pdf/JCS2017_ito_h.pdf（2020年2月閲覧）
17）佐久間聖仁：急性肺血栓塞栓症の診断；今後の方向性．Ther Res 30：744-747，2009.
18）Kearon C, et al：Antithrombotic therapy for VTE disease：CHEST guideline and expert panel report. Chest 149：315-352, 2016.
19）Skaf E, et al：Catheter-tip embolectomy in the management of acute massive pulmonary embolism. Am J Cardiol 99：415-420, 2007.

4 腹部救急疾患

腹部救急疾患患者の対応と注意点

腹部救急疾患患者の多くが対象となる急性腹症とは，急激な腹痛を訴え，ただちに内科的あるいは外科的処置を必要とする疾患群を指す。既往歴，身体所見，検査データなどからおおむね対象疾患を想定することができるが，問診に限界がある小児や症状が強く出ない高齢者など，詳細な情報を得ることができない場合も少なくない。また，救急医療の現場は経験の少ない若手医師が中心であることもしばしばあるため，限られた時間内で検査データも十分でない状況のなか，急性腹症をまねく疾患の絞り込みにおける画像診断の役割は大きい。

画像診断の進め方としては，超音波，単純 X 線，CT のように侵襲性の少ないものから進めていくのが一般的であるが，重篤な急性腹症では診断までの時間をできるかぎり短くすることを優先し，初療直後に CT を施行することも増えつつある。CT の依頼があった症例は重症と考えるべきであり，依頼を受けた場合にはできるかぎり迅速に検査を行うことができるように，造影剤などの受け入れ準備や診療放射線技師による格差がないようマニュアルの整備や訓練なども重要である。膵胆道疾患や婦人科救急疾患であることが事前に判別されている場合，CT よりも MRI が優先されることがある。単純 X 線の役割は以前に比べて減少してきたが，腸管穿孔や腸閉塞などの診断では依然として役割が大きい。MDCT の出現以降，CT の適応が拡大して単純 X 線や超音波が軽視される傾向にあるが，CT 検査では被ばくを伴うことを常に念頭に置くべきであり，無用な被ばくを防ぐためにも腹部救急疾患におけるモダリティの役割を明確にする必要がある。

各モダリティの役割と適応・方法

1. 単純 X 線検査

急性腹症における腹部単純 X 線撮影は，恥骨結合を含んだ背臥位正面撮影が基本である。腸管が腹部全体に分布し，腹厚が均一化するためコントラストが得られやすい。横隔膜を含んだ立位正面撮影ではフリーエア（腹腔内遊離ガス）やニボー（air-fluid level；鏡面像）を抽出することができる。フリーエアは消化管穿孔で，ニボーは腸閉塞（イレウス）や急性虫垂炎などの炎症性疾患あるいは上腸間膜動静脈閉塞症でみられる徴候である。ただし，背臥位正面撮影では腸管や皮膚が下腹部に集まりコントラストが低下するため，腹部全体の診断には適さない。フリーエアやニボーを確認したいが立位が困難な場合には，側臥位正面撮影を行う。右下側臥位で撮影すると，フリーエアが胃泡や結腸内ガスと重複して診断困難になること，また十二指腸穿孔では穿孔部から腸管内残渣物が出やすくガスは出にくいため，左側臥位での撮影が望ましい。

また急性腹症例では，可能であれば立位での胸部単純 X 線撮影を併せて行う。腹部立位正面撮影と比較して X 線束が横隔膜下のフリーエアに対し平行に近く，抽出能に優れている。また，腹部立位正面撮影では横隔膜部の濃度が高すぎて，肺野とフリーエアを分離できない場合がある。さらに，合併症の検索や急性腹症の原因検索，緊急手術に備えた術前評価の意味合いもある。欧米では，費用対効果比や被ばく低減の観点から腹部立位正面撮影は不要という意見もある[1]。

2. CT 検査

責任臓器が明確でない急性腹症の CT で見逃しを最小限にするためには，疑われる疾患に合わせたプロトコル検査によるアプローチが理想的である。しかし，その結果が想定外の疾患になることも日常的に経験する。そのためむしろ，どのような疾患であっても見逃しや誤診が最小限になるような，無理のないプロトコルを施設状況に応じて準備しておくのが適切である。

1）撮影範囲

プロトコルの一例として，撮像範囲については横隔膜ヘルニアや閉鎖孔ヘルニアの見過ごしを防止するために，横隔膜上縁から坐骨下端が入る範囲を設定する。腹部全体を撮像することによってフリーエアや腹水の有無，腸管や腸間膜を評価し，合併症や他に急性腹症の原因となる疾患を否定しておくことも重要となる。

2）使用装置

使用する装置については MDCT を基本とし，一般的には 16 列以上，可能であれば 64 列以上の装置で行うこ

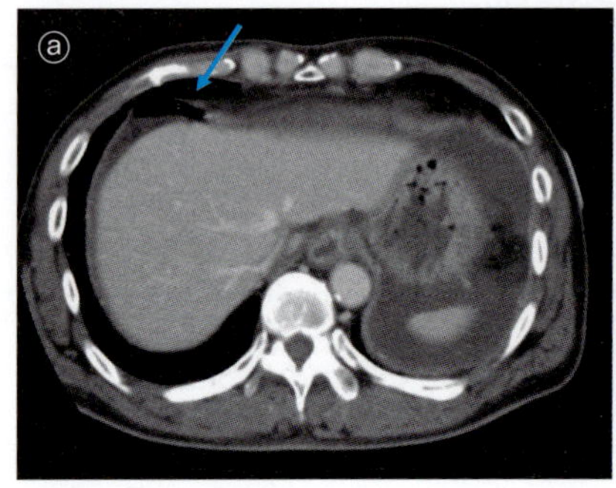

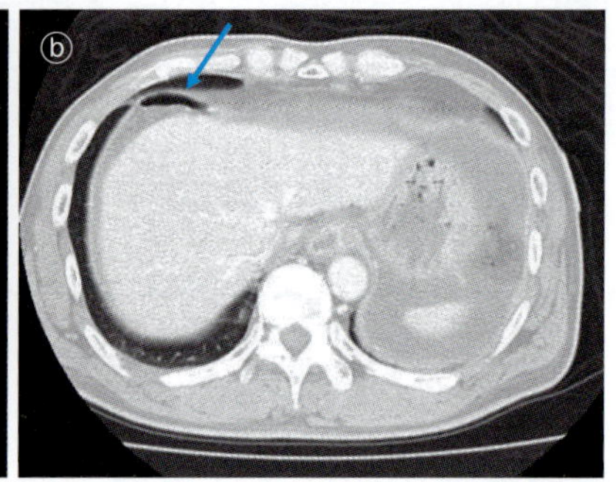

図1　フリーエア
a：造影CT（腹部条件）
b：肺野条件。フリーエアの診断はwindow幅を広げた画像で識別容易

とが推奨される。列数の多い装置は高精度の条件で短時間に広い範囲を撮像することができるため，腹痛によって息止めができない患者の場合でも臨床評価に耐える高精度の画像を提供することができる。さらに，1回の撮像で得られたボリュームデータからは，16列では1～1.25 mm，64列では0.5～0.625 mのthin slice画像を再構成することができ，このthin slice画像を用いて上下の連続性を評価することや，冠状断や矢状断の画像再構成を駆使することで，イレウスの原因や消化管穿孔部位の特定など，治療方針そのものを決定し得る重要な画像情報を提供できることも少なくない。

3）撮像方法

急性腹症は軽症から重症まで幅広いため撮像方法を単一のプロトコルとして定めるのは困難であるが，日本放射線技術学会の「GALACTICガイドライン」[2]が参考になる。一般的な急性腹症の撮像では単純CTと造影CTが基本であり，単純CT像を評価したうえで造影CTの必要性を判断するのが理想的である。単純CTは造影CTよりも血性腹水の高吸収が明瞭に抽出される場合が多く，hematocrit effectによる液面形成，出血源の近傍にみられるsentinel clot signは診断価値が高い所見である。また，単純CTは造影CTでみられる造影剤の血管外漏出像と紛らわしい高吸収構造（石灰化，異物，消化管・胆道・膿瘍腔造影などで使用した造影剤）の除外診断にも有用である[3]。上腸間膜動脈塞栓症や腸管虚血などは単純CTのみでは診断が難しい場合があり，重篤な急性腹症と判断された場合には造影CTが施行される。

4列以上のMDCT装置を有している施設では，血管内腔病変や腸管虚血，出血点などの検索のため動脈優位相を加えることが望ましい。動脈濃度がピークに達する早期で撮影すると実質臓器の異常（例えば，膵癌などの悪性腫瘍）を見逃すことがあるため，血管病変とわかっていても実質臓器の評価もできる撮像を加えるべきであり，心不全やショックなど状態に応じて時間固定法やボーラストラッキング法との併用も考慮する。しかし，シングルヘリカルCTで救急診療を行っている施設も依然多いことを考慮すると，スライス厚は5 mmで，造影前と動脈，門脈，静脈，実質臓器のいずれも評価し得る造影後実質相の2回スキャンが，最低限望まれる検査である[4]。

4）検査前後の注意点

急性腹症の診断に造影CTが必要である場合も多いため，検査前にアレルギー歴の有無や腎機能の確認を行う。クレアチン値やe-GFR値などが正常範囲であっても，高齢患者では潜在的に腎機能が低下している場合があり，また下痢や嘔吐によって脱水状態が強ければ思わぬ合併症を引き起こしてしまうこともあるため注意が必要である。高齢患者の場合，造影検査終了後に輸液などを十分に行って水分負荷を行うことも重要である。

5）画像提供・読影補助

CT画像を評価する際には，通常の腹部条件だけでなく，脂肪と空気のコントラストがつくような条件で評価する。window幅を任意に調整しながら読影して画像を提供することで，消化管穿孔による微細なフリーエアの診断に補助的な役割を果たす（図1）。

また，最適な画像提供および読影補助の基本として，正常な虫垂の同定（図2）や，腸管壁の3層構造を把握できるよう（図3），日頃から意識して識別する訓練を行わなければならない。上行結腸の長さには個体差があり，虫垂の位置にバリエーションが生じる。とくに虫垂が小骨盤腔にまで落ち込んでいる場合には診断が困難となる（図4）。CT像で正常腸管壁の個々の層を区別するのは困難であるが，炎症性疾患・虚血性疾患では粘膜下組織の浮腫や筋層の肥厚により低吸収の中間層が厚く（黒の層が厚く）なって3層構造が明瞭になる。造影効果の高い粘膜は，折れ曲がって矢頭状か同心円状に見えることが多い。結腸癌でも腸管壁肥厚は認められるが，癌細胞浸潤により3層構造は破壊されることが多い。

①上行結腸を同定する
②上行結腸先端（盲腸）まで追う
③5，6 cm 戻って右側結腸の内側から始まる回腸末端同定
④その間に虫垂が存在するので同定する
⑤健常な虫垂（壁が 2 mm 以下）は結腸の一部で，内腔にはガスが含まれることが多い（矢頭）。炎症による液体貯留と内圧上昇とともに虫垂自体は緊満し，同時にガスは外へ押し出される
⑥評価しにくい場合，拡大 thin slice（例：スライス厚 2 mm・スライス間隔 2 mm）や MPR（冠状断および矢状断）などの画像再構成処理を施して同定する

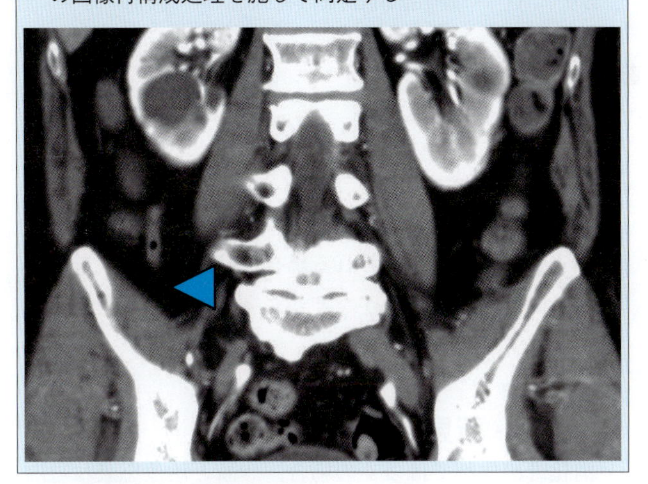

図 2　正常虫垂の同定方法

①高い内層（粘膜層）
②低い中間層〔粘膜下層，（筋層）〕
③高い外層〔（筋層），漿膜〕
★内側から白→黒→白にみえる

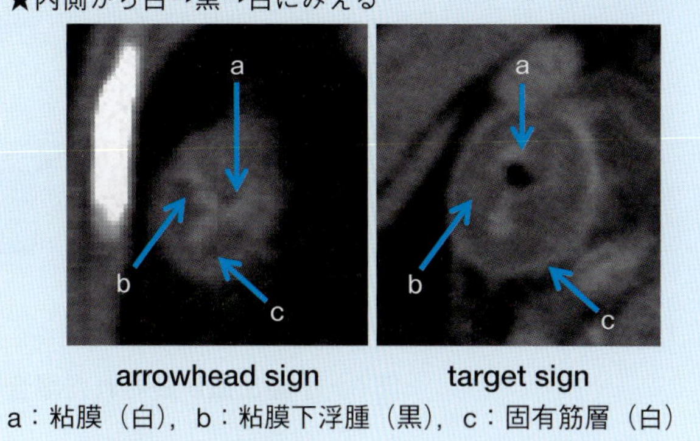

a：粘膜（白），b：粘膜下浮腫（黒），c：固有筋層（白）

図 3　腸管壁の 3 層構造

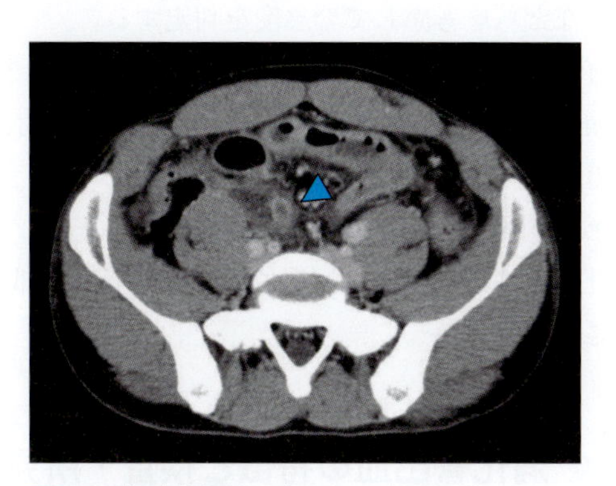

図 4　虫垂位置のバリエーション
虫垂が小骨盤腔にまで落ち込んでいる

6）被ばくへの配慮

近年，CT における放射線被ばくが大きな問題となっており，とくに小児や若年成人患者の検査では被ばくの低減について十分な配慮をしなければならない。逐次近似による画像再構成法が提案されており，これらの処理により被ばく低減やアーチファクト軽減による画質向上が期待されている。CT 検査の適応判断を適切に行うことがもちろん重要であるが，短時間で多くの情報が得られる CT 検査が頻繁に活用され被ばく過剰な傾向にある救急領域において，今後さらなる被ばくの低減が期待される。

3. 超音波検査

CT 検査よりも超音波検査が優先される腹部救急疾患としては，胆囊炎・胆管炎（閉塞性黄疸）などの胆道疾患，虫垂炎，若い女性の下腹部痛，小児例があげられる。しかし，胆管炎の原因の多くを占める総胆管結石では超音波検査で結石が確認できないことがあるため，MRCP（MR 胆管膵管撮影）などの検査が必要な場合もある。

4. MRI 検査

MRI 検査は，検査時間を要すること，腹痛に伴う体動によって画質が低下すること，夜間緊急時の MRI 検査対応施設が少ないこと，安全管理や技術の習得に時間がかかることなどから，腹部救急疾患に対する MRI 検査はあまり普及していない。

腹部救急疾患検査の基本

急性腹症を呈する腹部の実質臓器と管腔臓器の出血性疾患は，多くの場合に臨床情報からある程度疾患が絞り込まれ，CT 検査で比較的容易に確定診断とその付加情報を得ることができる。しかし，間欠的な出血をきたすことが多い消化管出血や膵・胆道出血の場合，出血が止まっているときに CT を撮像すると有意な異常所見を認めないことがあり，安易に出血なしと判定できない。

造影 CT における血管外漏出像の有無・程度，動脈瘤の有無・大きさ，血腫や血性腹水の量（管腔内出血の場合は液体貯留の量），実質臓器の場合は正常脈管構造（門脈，胆管，膵管，静脈）の血腫による圧排偏位・閉塞の有無・程度などが緊急度判定の参考になる。もちろん，最終的には画像所見のみではなく，患者個々の病態（ショック症状の有無，バイタルサイン，吐下血量，貧血

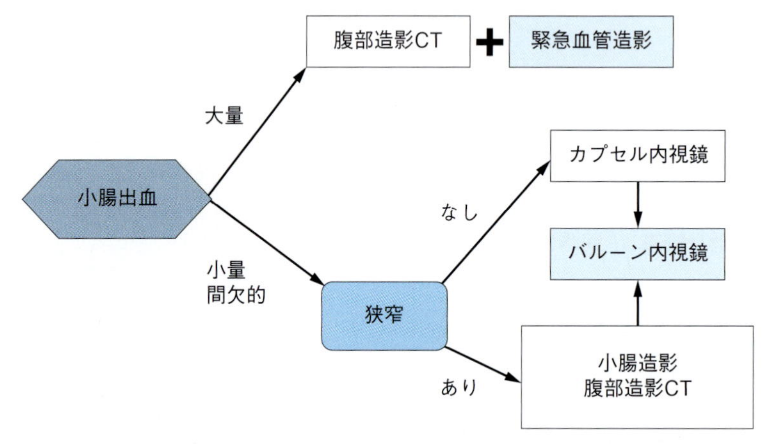

図 5　小腸出血が疑われた場合の検査の流れ

の程度，原疾患の重症度，合併症の有無，performance status など）を考慮して緊急度を判定する。

バイタルサインから血腫量を算出するには，血圧が100 mmHg 以下の場合，あるいは血圧が正常でも脈拍数が100 回/分以上の場合には，血流量の 20%以上が失われたと推測すべきである。血管造影では，0.5 ml/分以上の消化管出血があれば，選択的動脈造影で出血部を検出することができる[3]。

消化管出血の特徴と検査・所見

1. 特　徴

消化管出血は，良性・悪性を問わずさまざまな疾患で生ずる。消化管出血の原因としては，潰瘍，腫瘍，憩室，炎症性腸疾患，静脈瘤，血管奇形などがあるが，大量出血をきたす下部消化管病変のバリエーションは多くなく，炎症性腸疾患などの基礎疾患がない場合，結腸憩室出血（動脈性）がほとんどである。

上部消化管出血を疑う主な症状は吐血と黒色(タール)便である。一般的に，少量の持続出血では黒色便をきたし，短時間の大量出血では吐血となる。また，嘔吐を伴う少量の出血では，血液が胃内で塩酸ヘマチンと変化して黒色吐物を生ずる。下部消化管出血では血便を認めるが，深部大腸出血では暗赤色となり便塊と混ざるため，患者本人が気づかない場合もある。便器の水が鮮紅色に染まるような血便を認める場合は肛門にかなり近い部位からの出血であり，多くは痔出血である。また，大腸癌からの出血は少量持続性が通常であるため，便潜血反応のみ陽性となり，観便のみでは出血の有無を識別できないことが多い。

小腸出血が疑われる患者の場合，持続出血では出血シンチグラフィや血管造影などで同定可能であるが，むしろ小腸出血で多い間欠的出血ではタイミングが合わないと診断が難しい。しかし，近年ではバルーン内視鏡やカプセル内視鏡が開発されたことで，診断困難例は減少している。小腸出血が疑われる場合には，出血が大量か少量か，間欠的か持続的かなどから各種検査法を選択する（図 5）。

2. 検査・所見

消化管出血例では多くの場合，診断と治療を兼ねた内視鏡検査が第一に行われる。一方，感染性腸炎による血便など自然止血が予想される場合には内視鏡検査が必要とは限らない。

CT 検査が行われるのは，内視鏡検査で出血源が不明な場合，内視鏡的止血が困難であり経血管的治療の適応と思われる場合，出血性ショックを呈するほどの大量出血の場合である。CT 検査の主な役割はその出血源を同定することであり，必ずしも原因疾患を特定する必要はない。

ポイントとして，単純 CT では消化管内腔の血性液状便や凝血塊の有無を観察する。これらは通常の液体よりも高吸収値を示し，軟部組織と同等の吸収値として認められる。出血の速度にもよるが，大腸では内容物の停滞時間が長いため，血便や凝血塊の分布によりある程度の出血部位の推測ができる場合がある（図 6）。一方で，上部消化管や小腸では通過時間が早いことが多いため，内容物の分布の判断に注意を要する。また，血液成分以外にも糞石やバリウム，クリップ，薬剤，一部の食物残渣などが高吸収値成分として混在していることがあるため，造影 CT で異常を認めた場合には，単純 CT の同じ部位にこれらが存在していないか比較する必要がある。とくに大腸憩室内の糞石やバリウムには注意を要する。

造影 CT では，造影剤の血管外漏出像や仮性動脈瘤などの直接的な活動性出血所見を検出するためにも，動脈優位相の撮影が必須である（図 7）。血管外漏出は実質相

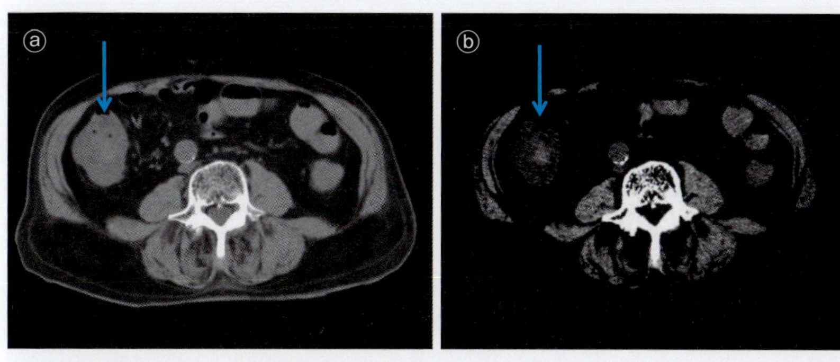

図 6　単純 CT による出血部位の特定
a：腹部条件（WW400，WL50）
b：出血部位を評価するため WW/WL の条件を狭くして表示
矢印：大腸憩室，下血

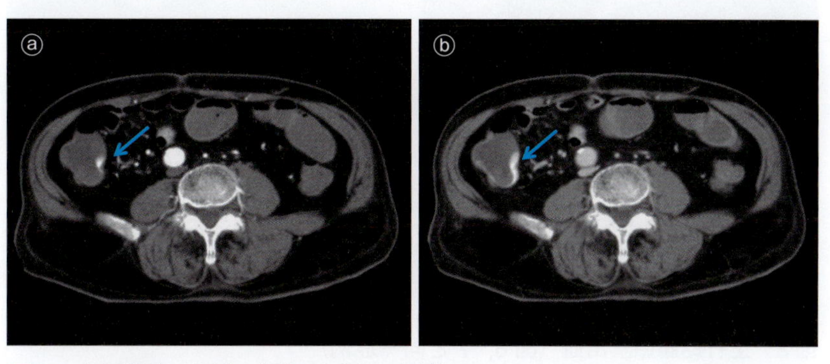

図 7　大腸憩室，下血（図 6 と同一症例）
a：動脈相，b：実質相
動脈相で大腸腔内に造影剤の血管外漏出を認め，経時的に形状が変化し拡散している（矢印）。憩室からの活動性出血と考えられる

で拡散し形状が変化するが，仮性動脈瘤は形状が変化せず，正常な動脈と類似した造影パターンを示すことが多い。これらの所見が検出されれば出血源と判断して間違いないが，間欠的出血の場合は検出できない場合もあるため，全身状態を考慮してタイミングよく検査を行うことが重要である。

また，再構成像として thin slice の横断像や MPR 像，VR 法を観察することによる検討も有用であり，血管外漏出や仮性動脈瘤を生じた責任血管と主幹動脈との連続性をみるためには thick slab-MIP が有効である場合もある（図 8）。このように，CT から得られたボリュームデータを活用して作成する IVR 手技支援画像は有用な情報となり，手技時間の短縮や使用造影剤の減量に寄与し得る。

急性虫垂炎の特徴と検査・所見

1．特　徴

急性虫垂炎の原因は虫垂の閉塞であり，粘膜下リンパ濾胞の過形成によるものと糞石によるものなどがある。典型的な症状として，右下腹部痛，食欲不振，悪心・嘔吐があり，非典型的には消化不良や鼓腸，下痢，全身倦怠感などもみられる。発症初期は心窩痛（内臓痛）が多いが，炎症が進むと右下腹部に限局性疼痛（体性痛）に移行する。ただし個人差も大きく，虫垂が盲腸の背側に位置する場合や高齢患者の場合などには疼痛がはっきりしないことも多い。通常は便秘傾向となるが，穿孔すると直腸刺激症状として下痢を伴い，体温は 38.5℃以下（ただし，穿孔すると高熱）となる。合併症としては，膿瘍（盲腸周囲膿瘍，横隔膜下膿瘍，Douglas 窩膿瘍）や穿孔，汎発性腹膜炎から麻痺性イレウスを起こすこともあり，注意が必要である。身体所見や血液検査所見に特異的なものがないため，診断には画像検査が必須となる。

症状にもよるが，高齢患者の場合や糞石を認める（放置しておくと穿孔から腹膜炎となる）場合，穿孔が疑われる場合には手術の適応となる。自覚症状が強い場合にも相対的な手術適応となる。また，圧痛があっても WBC 1 万/μl 以下や腹膜刺激症状が認められない場合には，保存的に経過をみることもある（絶食，補液，抗菌薬投与など）[5]。

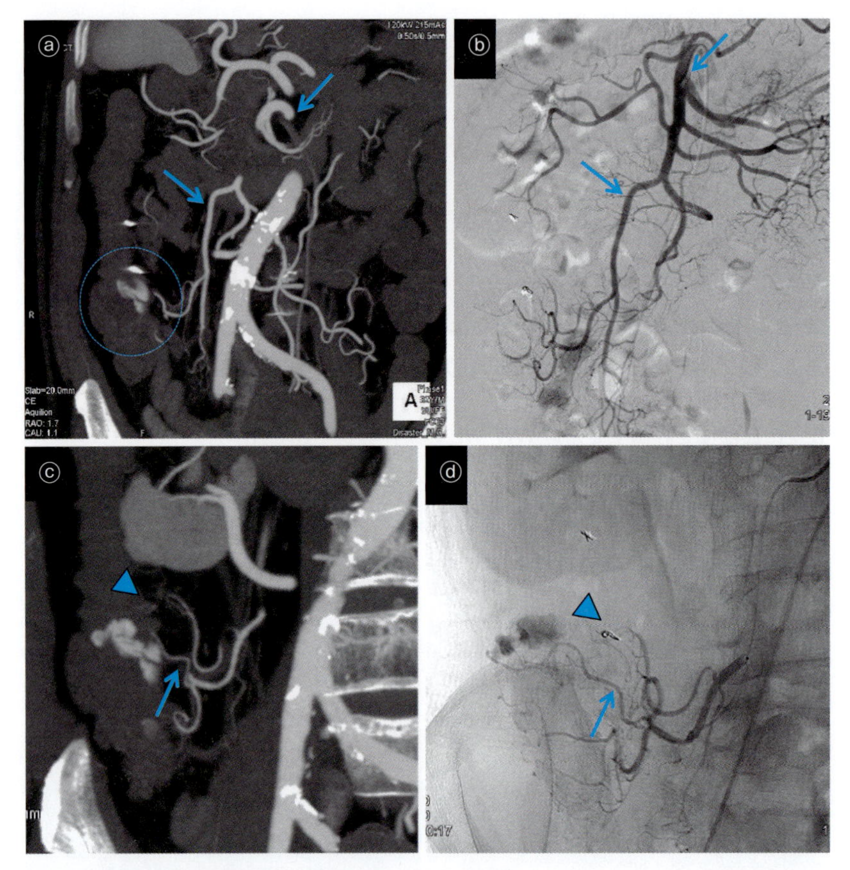

図 8　上行結腸憩室出血（図 6，7 と同一症例）
a，c：slab-MIP，b，d：DSA
上腸間膜動脈から出血部位（丸印）までの血管の連続性を確認することができる（矢印）。内視鏡検査にて出血部位にマーキングされたクリップの位置も同定できる（矢頭）

2. 検査・所見

虫垂は結腸の後ろにある場合が 6 割を占めるが，その位置にはバリエーションが多いため，そのバリエーションを把握したうえで各検査における画像上の位置確認を行うことが重要である[6]。また，盲腸自体の位置も多様であり慎重な読影を要することから，MPR がその診断に有用である。

1）選択・方法

画像診断の役割は，非典型例を含めた蜂窩織炎以上の虫垂炎診断と穿孔膿瘍形成などの合併症の検索であり，第一選択は超音波検査である。通常腹部で使用される 3.5 MHz 程度のコンベックス型プローブで虫垂が同定できれば，ほぼ虫垂炎と断定してよい。虫垂壁の壊死など，層構造の詳細な評価には 5 MHz のプローブによる検査が有効である。

診断が確定的で，腹腔膿瘍などの合併症（complicated appendicitis）がなければ，追加の CT 検査は不要である。とくに小児や妊娠可能年齢の女性の場合には，被ばくを考慮して極力 CT 検査は慎むべきである。痛みが強く患者の協力が得られない場合や，肥満で確定診断が不可能な場合，穿孔による合併症が疑われる場合にのみ CT 検査を行う。また，急性虫垂炎は腹部単純 X 線では所見が出ないことが多いが，単純 X 線から診断可能なこともあり，虫垂結石が腹部単純 X 線で検出できれば（図 9），CT や超音波検査による追加検査は必要ない[7]。

CT 検査時には，頻度は少ないが横隔膜下膿瘍や Douglas 窩膿瘍の合併などもあるため，撮像範囲に横隔膜から恥骨結合が必ず含まれるよう設定する。単純 CT のみでも診断は可能であるが，膿瘍形成例や盲腸癌による二次性虫垂炎（憩室炎や他の炎症に随伴して虫垂の炎症を起こすこと）などもあるため，可能であれば造影剤の使用が望ましい。

MRI 検査については，前述したとおり腹部救急疾患に対してあまり普及していないのが現状であるが，MRI は被ばくがないうえに，虫垂の描出能が高く（下腹部のため息止め依存性が比較的低い），造影剤を使用せずとも骨盤部領域でのコントラスト分解能が良好であり，さらに組織特異性が高い。また，MRI における急性虫垂炎診断の感度は 100%，特異度は 93.6%であったという報告もある[8]。

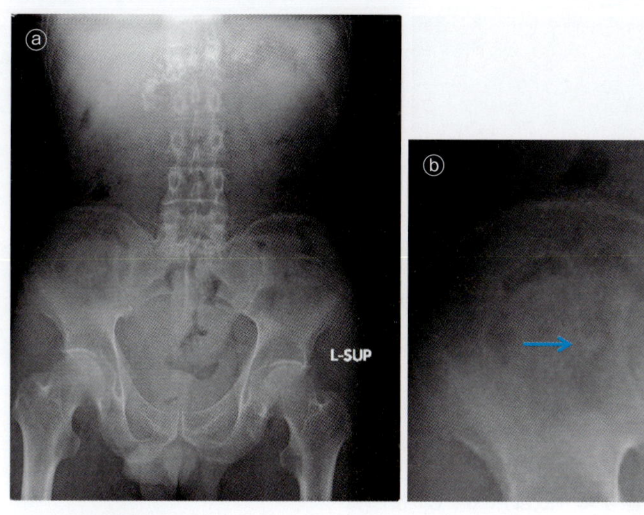

図9　虫垂結石
a：腹部単純X線写真，b：拡大
単純X線写真において右下腹部に結石影が認められる（矢印）

2）所　見

CT所見としては，壁肥厚（3 mm以上）を伴う腫大した虫垂（直径が7 mm以上に腫大），造影CTで強く濃染される壁，周囲脂肪組織の毛羽立ち様変化・濃度上昇（dirty fat sign＝disproportionate fat stranding）などがみられれば，ほぼ確定診断となる。

dirty fat signとは，炎症性疾患が疑われる消化管の壁肥厚に比べて周囲の脂肪織濃度上昇の所見が目立つ所見であり，虫垂炎や憩室炎でよくみられる。画像診断時に，脂肪条件（fat window，WW/WL：400/－25 HU程度）で観察するのが有用である[5]。感染性腸炎や悪性腫瘍では壁肥厚や壁濃染像が目立つものの周囲脂肪織濃度上昇ははっきりしないことが多いため，これらの鑑別に有用である。

虫垂炎の1/3に虫垂結石が存在する。便が糞石として石灰化したもので，虫垂炎の原因の一つとして広く認識されている。虫垂腫大が軽微な場合，虫垂内での閉塞起点を示す所見として虫垂結石が虫垂炎診断の重要な根拠となる。また，虫垂結石が存在する場合には穿孔を伴う可能性が高くなるため，補助的所見としてだけでなく臨床的重症度にも関連する因子であることを考慮しながら，検査や画像再構成，画像処理を進める。虫垂結石の検出自体は造影CTでも可能であるが，単純CTのほうが虫垂結石とそれ以外の組織コントラストが高く，検出が容易である。ただし，被ばく低減の観点から単純CTと造影CT両方を撮影する検査プロトコルの決定には，放射線科医や依頼医との十分な検討を要する。

そのほかに特殊な例として，バリウム造影検査施行後に固まったバリウムが糞石となって虫垂炎を発症することもある（図10）。また，盲腸の内側に壁肥厚なく内腔に空気を含んだ虫垂が確認できれば，急性虫垂炎の可能性はない。

大腸憩室炎の特徴と検査・所見

1．特　徴

大腸憩室は結腸壁の脆弱な部位，すなわち結腸壁内を血管が貫通する部位において生じる粘膜・粘膜下層を主体とした外反突出である。内部には腸管内容が貯留しやすく，時に糞石を形成して感染を生ずる。中年以降にもっとも多く，憩室の部位として日本人の場合は右結腸に多く，左結腸・全結腸は比較的少ないとされる。

臨床症状は虫垂炎や腸炎とほとんど変わらないが，虫垂炎や子宮付属器炎では右下腹部痛が主であるところ，憩室炎では右側腹部に圧痛がみられることが多い。憩室が存在することと，右下腹部痛の場合には虫垂が正常（もしくは切除後）であることを確認し，必ず虫垂炎を除外したうえで検査および画像の再構成・処理を進める。

2．検査・所見

右結腸の場合，超音波検査で内部に多彩な高低エコーを含む偏在性の壁外に突出する，圧痛を伴う低エコー腫瘤としてみられれば診断可能であるが，周囲への炎症波及の程度の確認などはCTに頼ることが多い。

憩室炎は，腸炎といっても炎症の主座は腸管壁ではなく憩室であるため，そのCT所見も初期には腸管壁で目立たず，腸管に対して偏心性でやや外方に突出する炎症所見（脂肪織の吸収値上昇）が主体となる。その後，炎症波及によって結腸壁の肥厚（造影効果が高い），後腹膜の肥厚，結腸周囲あるいは憩室周囲の脂肪織濃度上昇

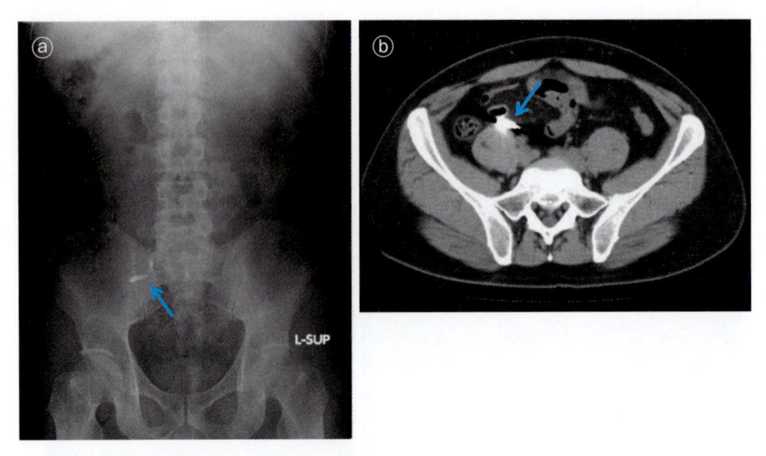

図 10　虫垂に貯留したバリウム
a：腹部Ｘ線写真（臥位），b：CT 横断像
虫垂（矢印）にバリウム塊と思われる金属吸収値を呈する構造を認める

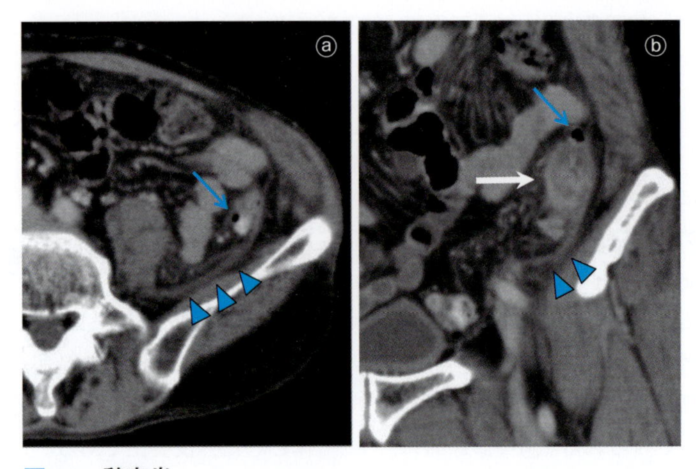

図 11　憩室炎
下行結腸背側に接して境界不明瞭な吸収値上昇（脂肪織上昇）と全周性の壁肥厚を認める（白矢印）。虚脱した憩室（青矢印）と炎症波及による腹膜の肥厚（矢頭）も認め，憩室炎の所見である

(dirty fat sign) が認められる（図 11）。結腸の 5〜15 cm に及ぶ，壁の 3 層構造が保たれた全周性の腸管壁肥厚が認められるが，15 cm 以上に及ぶ腸管の浮腫性変化は腸炎と考えたほうがよい。このことからも，冠状断像による評価が有効であり，急性腹症における画像処理に追加することが望ましい。

盲腸に発生した憩室炎の場合には急性虫垂炎との鑑別が問題となるが，正常虫垂が同定できる場合，虫垂周囲に脂肪織濃度上昇がみられる場合には憩室炎の可能性が高い[6]。

急性胆囊炎の特徴と検査・所見

1. 特　徴

胆囊頸部や胆囊管に結石が嵌頓することにより起因した胆汁うっ滞による内圧上昇と（胆汁の CT 値 0〜25 HU），それに引き続いて起こる血流障害の急性閉塞性胆囊炎が大部分である。細菌感染は二次的なものであり，起炎菌は大腸菌などのグラム陰性桿菌が多い。また，外科手術後（迷走神経切離を伴う胃癌，食道癌手術など）や肝細胞癌に対する TAE 後などにも起こりやすい。胆囊炎は，浮腫性胆囊炎：1 期（2〜4 日）→壊疽性胆囊炎：2 期（3〜5 日）→化膿性胆囊炎：3 期（7〜10 日）→慢性胆囊炎，というように経時的に移行する。

症状としては，発熱，食後の右季肋部痛，圧痛・筋性防御，腫大胆囊の触知，Murphy 徴候が重要である。血液検査では WBC，CRP，肝胆道系酵素（AST，ALT，ALP，γGTP，T-bil）が上昇する。これらの臨床所見から胆囊炎が疑われた場合には，画像診断にて重症度判定を行うことが重要である。合併症としては，胆囊穿孔，胆汁性腹膜炎，胆囊周囲膿瘍がある。

治療としては胆囊摘出術が基本であるが，診断後は第一に内科的治療（抗菌薬投与，絶食，補液）を行うことが多い。

2. 分類と検査・所見

診断には超音波検査が有用である。胆嚢腫大の基準としては長径 8 cm 以上・短径 4 cm 以上，胆嚢壁肥厚の基準としては 4 mm 以上が目安となる。CT では超音波検査に準じた所見がみられるほか，炎症，浮腫，拡張血管などによる胆嚢周囲脂肪織の濃度上昇（pericholecystic stranding）や，炎症の波及による充血のため動脈相での胆嚢床肝実質の一過性濃染などがみられる。

急性胆嚢炎は重症，中等症，軽症に分類され，『急性胆管炎・胆嚢炎診療ガイドライン 2018』では表 1[9]に示す重症度判定基準が掲示されている。急性胆嚢炎のうち，とくに黄疸，重篤な局所合併症（胆汁性腹膜炎，胆嚢周囲膿瘍，肝膿瘍），胆嚢捻転症，気腫性胆嚢炎，壊疽性胆嚢炎，化膿性胆嚢炎を伴うものは放置すると致死的な経過をたどる可能性があるが，これらを診断するうえで CT における拡大再構成や MPR 処理による任意断面の利用は有用である。MRI 検査については胆嚢頸部結石や胆嚢管結石の描出において超音波検査よりも有用であるが，緊急対応の体制や検査時間などの問題がある。

表 1　急性胆嚢炎の重症度判定基準

重症急性胆嚢炎（Grade Ⅲ）
急性胆嚢炎のうち，以下のいずれかを伴う場合は「重症」である ・循環障害（ドパミン≧5 μg/kg/分，もしくはノルアドレナリンの使用） ・中枢神経障害（意識障害） ・呼吸機能障害（PaO_2/FIO_2比＜300） ・腎機能障害（乏尿，もしくは Cr＞2.0 mg/dl） ・肝機能障害（PT-INR＞1.5） ・血液凝固異常（血小板＜10 万/mm^3）
中等症急性胆嚢炎（Grade Ⅱ）
急性胆嚢炎のうち，以下のいずれかを伴う場合は「中等症」である ・白血球数＞18,000/mm^3 ・右季肋部の有痛性腫瘤触知 ・症状出現後 72 時間以上の症状の持続 ・顕著な局所炎症所見（壊疽性胆嚢炎，胆嚢周囲膿瘍，肝膿瘍，胆汁性腹膜炎，気腫性胆嚢炎などを示唆する所見）
軽症急性胆嚢炎（Grade Ⅰ）
「重症」「中等症」の基準に満たさないものを「軽症」とする

〔文献 9）より引用〕

1）壊疽性胆嚢炎

炎症が進行した結果，胆嚢の循環障害が生じ，胆嚢壁に多数の壊死巣が出現した状態。胆嚢穿孔をきたす可能性が高く，緊急措置が必要である。CT 所見としては，急性胆嚢炎の所見のほか，胆嚢壁または胆嚢内のガス像，剥離した胆嚢粘膜による線状の軟部組織陰影（intraluminal membrane），胆嚢壁の不整な輪郭および造影効果，もしくは増強効果の消失，胆嚢周囲液体貯留などがあげられる（図 12）。

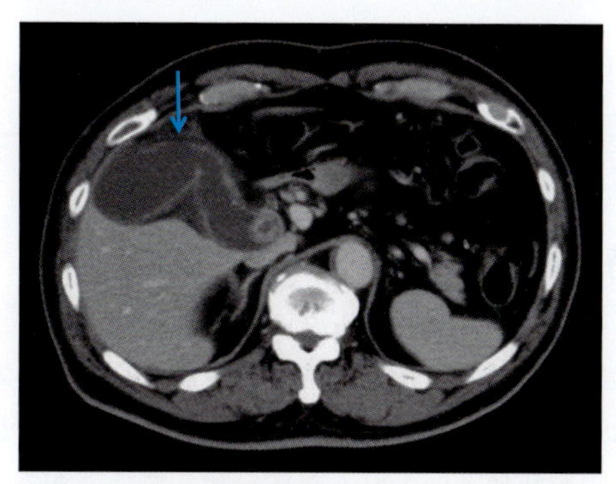

図 12　壊疽性胆嚢炎
胆嚢周囲に限局性の液体貯留が認められ，胆嚢壁の輪郭は不整で断裂像も認められる

2）気腫性胆嚢炎

ガス産生菌やそれを含む感染に起因する急性胆嚢炎で，CT 所見としては胆嚢壁および胆嚢内のガス像が特徴的である（図 13）。ただし，乳頭筋切開術後や括約筋不全，胆嚢十二指腸瘻などでは内腔にガスが認められるため注意が必要である。ガス産生菌（*Clostridium* 属，*Escherichia coli*）の二次的感染による急性壊死性胆嚢炎であり，高率に壊疽性胆嚢炎に発展して穿孔を生じて敗血症に移行しやすいため，全身状態が許せば早期手術の適応となる。糖尿病や高血圧などの基礎疾患を有する高齢男性に多い。また，通常に比べて無石のことが多いとされる。

3）胆嚢捻転症

肝床との固定が不十分な先天性遊走胆嚢が存在し，これに加齢を伴う後天的要因や，急激な体位変換，排便などによる腹腔内圧上昇などの物理的因子が作用することにより，胆嚢が胆嚢頸部や胆嚢管で捻転を起こし，その結果として胆嚢が急激な壊死性変化を起こす重症の急性胆嚢炎である。小児から高齢者まで広く発症するが，とくに 60 歳以上の痩せた女性に好発する。治療としては，早急な胆嚢摘出術が原則である。

画像所見として，超音波検査では著明に腫大した胆嚢，胆嚢壁の全周性肥厚，胆嚢と肝床との遊離，胆嚢の正中側または下方変異，胆嚢頸部の狭小化，胆嚢内腔と総胆管内腔の交通遮断などがみられる。CT 所見としては，上記の超音波検査所見に加えて，肥厚した壁の増強

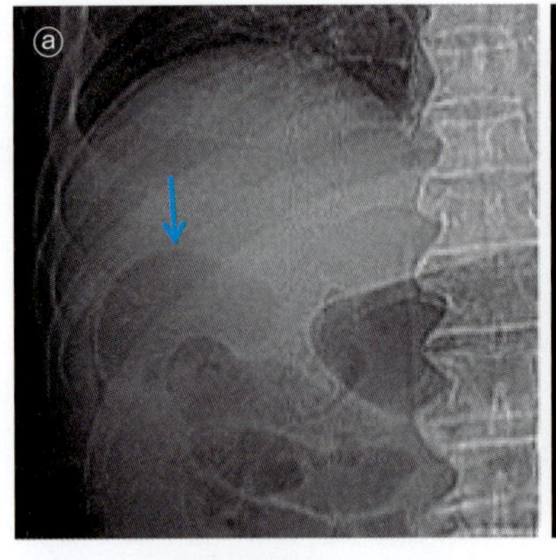

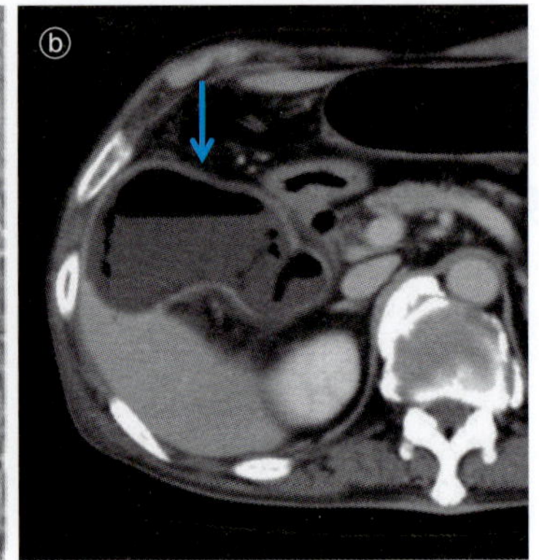

図13　気腫性胆嚢炎
a：CTスカウト画像，b：CT横断像
胆嚢壁内にガス像が認められる（矢印）

効果不良，胆嚢管周囲組織・肝被膜・肝実質の渦巻き像などがあげられる。また出血を伴う例が多く，内腔が単純CTで高吸収値を呈することが特徴的である[10]。さらにCTでは，再構成画像（拡大・MPR）により胆嚢頸部のbeak signやwhirl signの抽出，肝外胆管の変形などの抽出といった細かい所見を取り上げることができる。MRI検査では，T1強調像で壁の高信号化，胆嚢管の先細りや途絶像，胆嚢頸部の欠損像，胆嚢底部の偏位などが特徴的である[11]。

胆石症の特徴と検査・所見

1．特　徴

胆石は存在部位により，肝内結石，総胆管結石，胆嚢結石に分類される。多くの場合には無症状であるが，胆石の嵌頓によって壁の攣縮，内圧の急激な上昇が生じることで胆石疝痛といわれる腹痛を起こすことがある。結石はその構成成分から，コレステロール結石，ビリルビン結石，黒色石に大別される。CT上，胆石は石灰化の程度が強いほど高吸収値を呈するが，コレステロールの含有が高くなると低吸収となり，軟部組織または胆汁と吸収値が近くなるため同定が困難となる。黒色石はカルシウムを含んでいることが多く，CT上で高吸収に見えることが多い。

2．検査・所見

胆石の診断には一般的に超音波検査が第一選択であるが，総胆管結石など消化管ガスの影響により超音波での観察が難しい場合にCTやMRCPの適応となる。とくに小さな石灰化は造影CTで指摘が難しいことがあるため，単純CTを撮像することが望ましい。ただし，胆嚢では一部が単純CTで検出できないことがある。また，多くの純コレステロール結石（CT値50 HU以下）と，一部の混成石（コレステロール石あるいは混合石をカルシウム塩が包み込んだものであるため，CT上で辺縁がリング状に高吸収に見える）は，単純CTでは検出困難である。ただし，経口胆汁酸溶解療法の適応基準として「CTにて石灰化を伴わないもの」という条件を加えることにより，その有効率が75～85.2%という報告[12]もあることから，CTにより胆石の質的診断を行うことは治療法決定のうえでも重要である。

MRIおよびMRCPでは，超音波検査で消化管ガスのために描出困難な下部胆管の結石も3 mm程度までであれば描出することができる。しかし，MRCPのMIP像やsingle shotでは胆汁内に内包された小さな陰影欠損は見えなくなるため，小結石の評価は元画像でも行う必要がある。また，balanced sequenceでは，T2強調像にみられるflow voidによるアーチファクトが消失するため，結石などの真の陰影欠損との区別に有用である。胆石の質的評価はMRIでは困難なことが多いが，ビリルビン結石はT1強調像で高信号としてとらえることができる。

超音波内視鏡検査は高い空間分解能を有しており，消化管ガスの影響も受けにくいため，小結石や胆泥の存在，胆嚢や胆管内腔および壁の微細な変化をとらえられることができるが，やや侵襲的であり，術者に熟練と注意深い観察が必要となる。

急性胆管炎の特徴と検査・所見

1．特　徴

胆管内に急性炎症が発生した病態であり，その発生には胆管内に著明に増加した細菌の存在，細菌またはエンドトキシンが血流内に逆流するような胆管内圧の上昇と

表2 急性胆管炎の診断基準

A. 全身の炎症所見
A-1. 発熱（悪寒戦慄を伴うこともある） A-2. 血液検査：炎症反応所見
B. 胆汁うっ滞所見
B-1. 黄疸 B-2. 血液検査：肝機能検査異常
C. 胆管病変の画像所見
C-1. 胆管拡張 C-2. 胆管炎の成因：胆管狭窄，胆管結石，ステントなど
疑診：A のいずれか，ならびに B もしくは C のいずれか 確診：A のいずれか＋B のいずれか＋C のいずれか

〔文献9）より引用〕

表3 急性胆管炎の重症度判定基準

重症急性胆管炎（Grade Ⅲ）
急性胆管炎のうち，以下のいずれかを伴う場合は「重症」である。 ・循環障害（ドパミン≧5 μg/kg/分，もしくはノルアドレナリンの使用） ・中枢神経障害（意識障害） ・呼吸機能障害（PaO_2/FiO_2比＜300） ・腎機能障害（乏尿，もしくは Cr＞2.0 mg/dl） ・肝機能障害（PT-INR＞1.5） ・血液凝固異常（血小板＜10 万/mm^3）
中等症急性胆管炎（Grade Ⅱ）
初診時に，以下の 5 項目のうち 2 つ該当するものがある場合には「中等症」とする。 ・白血球数＞12,000 or＜4,000/mm^3 ・発熱（体温≧39℃） ・年齢（75 歳以上） ・黄疸（総ビリルビン≧5 mg/dl） ・アルブミン（＜健常値下限×0.73 g/dl） 上記の項目に該当しないが，初期治療に反応しなかった急性胆管炎も「中等症」とする。
軽症急性胆管炎（Grade Ⅰ）
急性胆管炎のうち「中等症」「重症」の基準を満たさないものを「軽症」とする。

〔文献9）より引用〕

いう 2 つの因子が不可欠である。胆道系は解剖学的に胆道内圧上昇による影響を受けやすい。胆道内圧上昇により総胆管が破綻し，類洞への胆汁内容物の流出と血中への移行が起こると，炎症の進展によって肝膿瘍や敗血症などの重篤かつ致死的な病態に進展しやすい。

症状としては，急激な悪寒戦慄で発症し，上腹部痛，発熱，黄疸（Charcot の 3 徴）から，精神錯乱もしくは傾眠，ショック（Reynolds の 5 徴）を合併し，急性化膿性胆管炎に進展する。『急性胆管炎・胆嚢炎診療ガイドライン 2018』[9] における診断基準を表 2 に，重症度判定基準を表 3 に示す。

重症例では，適切な臓器サポート（十分な輸液，抗菌薬投与，DIC に準じた治療など）や呼吸・循環管理（気管挿管，人工呼吸管理，昇圧薬投与など）とともに，緊急に経皮経肝胆管ドレナージ（percutaneous transhepatic cholangio drainage；PTCD）を施行する[13]。中等症例や軽症例でも PTCD を施行することがあるため，その手技を安全かつ迅速に進めることができるよう，術前に適切な画像処理を施した手技支援画像を提供することも重要である。

2. 検査・所見

急性胆管炎の診断には，一般的に超音波検査が第一選択となる。一番の観察項目は総胆管および肝内胆管の拡張の有無であり，総胆管は 8 mm 以上を拡張とする。ただし，手術にてすでに胆嚢が摘出されている場合には 10 mm 以上でも正常である場合があるため注意を要する。肝内胆管は，左右肝管より上流の胆管が超音波検査で明らかに確認できれば拡張ありとする。右季肋部走査にて門脈臍部を描画した際に S2・S3 の門脈枝に併走する拡張胆管，右肋間走査にて門脈右枝から後枝を描画したときに S5・S8 の門脈枝に併走する拡張胆管を認めることで判断できる。総胆管が拡張していれば総胆管結石を見つけたいところであるが，これは時に困難である。走査の仕方としては，まず中部胆管を描画し，ここで拡張を認めれば総胆管を上流に追っていき，各肝内胆管が拡張しているか否か，途中に結石がないかを確認する。次に，総胆管を十二指腸側に追っていき，十二指腸乳頭に嵌頓した結石がないかを確認する。ただし，十二指腸乳頭に嵌頓した結石を描画するのは難しく，術者の熟練が必要である。

CT 検査では，造影効果を伴った胆管壁肥厚や胆道気腫などがその存在を疑う所見であるが，必ずしも確定的な所見とはいえず，結石の描出能も十分でない。しかし，動脈相における肝内の Glisson 鞘に沿った造影効果（図 14）は，特異性には乏しいものの，胆管炎でみられる所見である。一方で，原因検索や肝膿瘍などの合併症の有無判定，急性胆嚢炎・急性膵炎・急性肝炎などの紛らわしい他疾患との鑑別には CT 検査が有用である。このことから，急性胆管炎疑いの患者では，可能であれば単純を含めた動脈相と門脈相の CT 撮影を行うことが望ましい。

MRI では，胆管拡張，胆管粘膜の浮腫，胆管周囲の浮

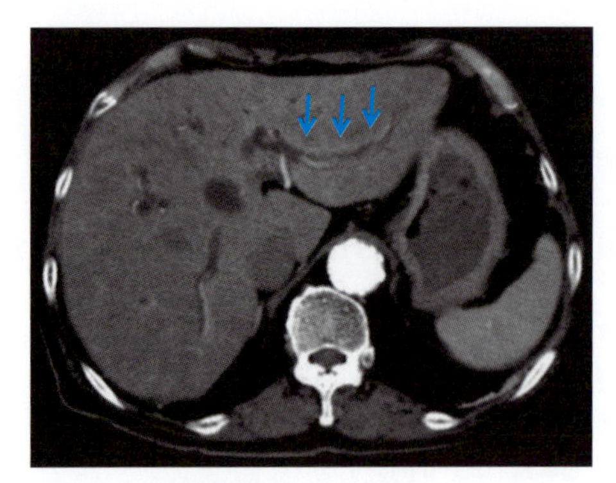

図 14　急性胆管炎の CT 所見
肝内の Glisson 鞘に沿って造影効果が認められる

腫や液体貯留などが描出できる。しかし，急性胆管炎の診断・除外は画像診断のみでは困難であり，臨床所見や血液検査などを含めた総合的な診断が必要である。

消化管閉塞の特徴と検査・所見

1. 概　要

広義の腸閉塞とは，腸管内容物が何らかの原因で通過障害を起こす病態で，その原因や閉塞部位，血行障害の有無からさまざまに分類されるが，大きくは腸管の閉塞がある機械性腸閉塞と，腸管の閉塞がない機能性腸閉塞に分けられ，機械性腸閉塞では拡張した腸管が虚脱した腸管に移行する部分（transition point）が存在する。機械性腸閉塞は，腸管や腸間膜の血流障害を伴う絞扼性（複雑性）腸閉塞と，腸管癒着や食餌性内容物の嵌頓・腫瘍・腸重積などの血流障害を伴わない非複雑性（単純性）腸閉塞に分けられる。また機能性腸閉塞は，麻痺性イレウスと痙攣性イレウスに分けられる。欧米では，「イレウス」という言葉は「麻痺性の腸管通過障害」を意味するため，用語には注意が必要である。

絞扼性腸閉塞は放置されると腸管壊死や腸管穿孔などをまねくため，緊急手術の適応である，これに対し非複雑性腸閉塞では第一に経鼻胃管やイレウス管による腸管の減圧が行われる。

2. 各検査の役割と基本

小腸閉塞・大腸閉塞の有無はおおよそ単純 X 線写真で診断することができる（図 15, 16）。CT 検査の役割は，閉塞部位と閉塞原因の正確な診断と，絞扼やヘルニアによる腸管虚血など合併症の有無，すなわち腸管壁と腸間膜の評価である。腸閉塞の診断自体は，症状や身体所見と腹部単純 X 線検査や超音波検査を総合することにより可能であるが，救急現場で求められるのは治療方針の決定であり，そのためには閉塞部の有無（機械性と機能性の区別）と原因（単純性と絞扼性の区別）の評価が必要となる。

腸閉塞の精査には CT が用いられることが多く，とくに MPR による検討は有用性が高いためその診断に適している。診断能の高い冠状断像を作成するポイントとして，作成部位を上腹部と下腹部に分けて，上腹部は MPR 再構成画像上の矢状断にて第 3・4 腰椎に対して平行（上腸間膜動脈に平行になる）な冠状断像を作成する。下腹部は第 5 腰椎と仙椎の移行部に平行な冠状断を作成することにより，下腸間膜動脈より遠位の脈管と臓器に対して平行な冠状断になる。通常，スライス厚は 5 mm 程度

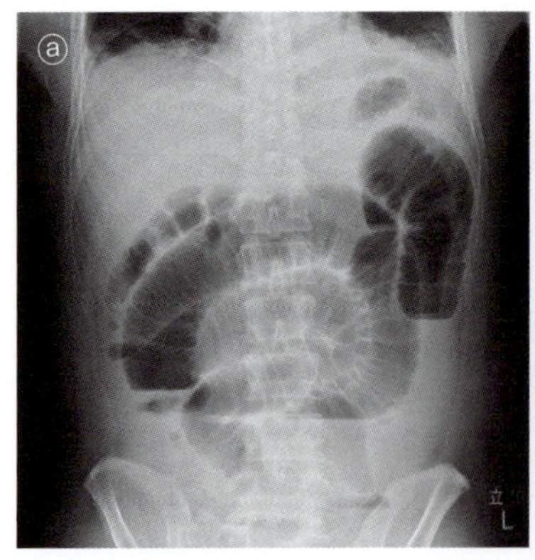

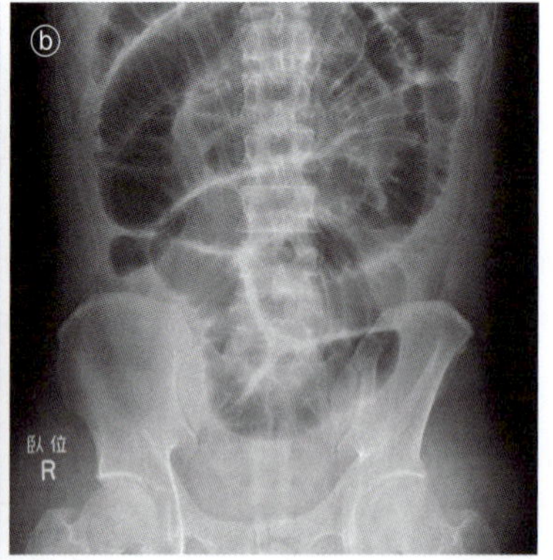

図 15　小腸閉塞
a：立位腹部単純 X 線写真，b：臥位腹部単純 X 線写真
立位にてニボー形成が認められ，立位・臥位ともに小腸の Kerckring 襞が認められる

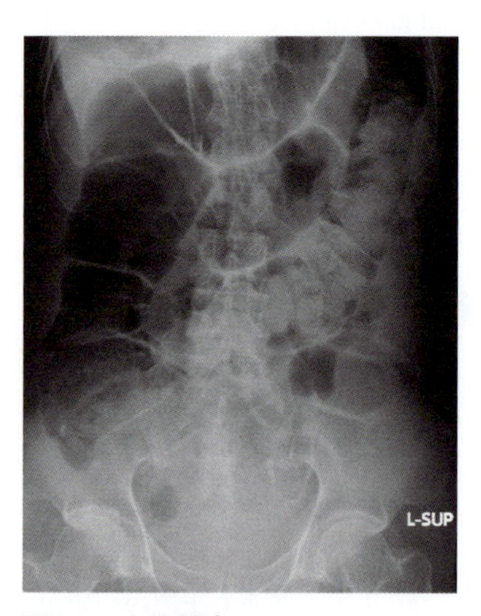

図 16　大腸閉塞
臥位腹部単純 X 線写真にて haustra が認められる

で画像提供するが，腸間膜脂肪組織が少ない場合には近接した小腸が混沌として追跡しにくいことがあるため，適宜 1～2 mm スライス厚での観察や，矢状断・冠状断などの任意断層面の MPR 像を作成する。

単純 CT 検査は腸閉塞診断に必須であり，これは腸閉塞以外の疾患の除外（場合によっては造影しなくてよいことがある）や腸管出血性壊死の指標となる腸管壁の高吸収化が造影してしまうとわからなくなり，診断を誤ってしまう可能性があるためである。造影 CT を行う場合には，腸管虚血を評価するためできるかぎり動脈後期相（30～40 秒後程度）と平衡相（同 80～100 秒後程度）の 2 相撮影を行うことが望ましい。また，患者は高度な腹痛，頻脈，冷汗，血圧低下などのショック症状，腹膜刺激症状により CT 撮像時の息止めが不良となる可能性がある。そのため，検査前には簡単な息止め練習などにより息止めの可否を判断し，息止めが困難であると判断した場合には撮像条件を変更したり，腹部の上にタオルを置き固定ベルトにて腹部を軽く圧迫固定する。

3. 特徴・所見

絞扼性腸閉塞は腸管の血行障害を伴う機械性腸閉塞であり，多くは急速に症状が進行する（血流障害→壊死→穿孔→腹膜炎→敗血症→全身臓器不全）。早期に適切な処置を行わなければ死に至る可能性があるため，診療放射線技師もその病態や画像所見などを適切に理解しなければならない重要な疾患である。絞扼性腸閉塞の診断は，臨床症状（腹痛，嘔吐など），身体所見（腹膜刺激症状，腸雑音の低下・消失など），血液検査，画像検査から総合的になされる。

血液検査では，血液濃縮（ヘモグロビン，ヘマトクリット，BUN の上昇），白血球数の 20,000 以上の上昇および 3,000 以下の低下，CRP の上昇，電解質異常などが認められる。腸管壊死によって血清 CPK や LDH の上昇を認めるが，これは非特異的である。また非常に重要な所見として，腸管壊死をきたすと壊死細胞から嫌気性代謝による乳酸が発生するため，代謝性アシドーシスになる。代謝性アシドーシスでは，動脈血ガス分析で pH の低下（正常値 7.35～7.45）と HCO_3の減少（正常値 20～26）を示し，代償性に $PaCO_2$（正常値 35～45）の低下を認めることが多い。さらに確認すべき重要な項目として，base excess（BE）とアニオンギャップ（AG）がある。BE の正常値は－3.3～2.3 であるが，代謝性アシドーシスでは低下する。AG の正常値は 10～14 であるが，腸管壊死が発生した場合には未測定の陰イオンである乳酸の増加によって上昇する。診療放射線技師もこのような血液検査結果の基本を理解して，事前にチェックすることが，最適な検査の施行に役立つ。

画像検査として，CT は腸管の血行障害に至る前の closed loop obstruction の診断に有用であり，造影 CT は腸管への血流を評価することができる。初期段階の絞扼性腸閉塞を診断することによって，腸管壊死の回避にもつながる。closed loop obstruction とは，ヘルニア門への嵌入などによって腸管の口側・肛門側が同一箇所で通過障害をきたし，ループ上の閉鎖腔を形成する状態をいう。closed loop obstruction の進行過程を**図 17**[14] に示すが，腸間膜の血管が圧迫されて循環障害が生じた場合に絞扼性腸閉塞となる。進行過程に応じた治療方針として，stage 1 では減圧などによる保存的加療あるいは腹腔鏡下での閉塞解除，stage 2 では拡張腸管の程度が軽く腹腔鏡下での操作が可能な場合は腹腔鏡下で絞扼を解除するのみで済むが，stage 3 および 4 では開腹手術で壊死腸管を切除する。絞扼性腸閉塞に対する CT 検査の 3 相撮影（単純＋動脈後期相＋平衡相）は，この腸管温存か腸管切除かを判断するため，術前に血流評価ができる唯一のモダリティであり，患者の予後を大きく左右することを理解しなければならない。

CT において特異性の高い所見を**表 4** にまとめた。表 4 に示すうち，①②⑥⑦⑨は腸管壁の虚血，壊死，出血やうっ血を示す。また，⑤⑧は虚血性疾患や炎症性疾患でも認めることがある。③については，ループ状に走行する腸管，腸液の増加，および小腸ループの口側と肛門側の同一箇所での腸管内腔の口径変化（caliber change）がみられる（**図 18**）。④は，腸間膜の集中像，さらに捻転すると腸管・腸間膜の渦巻き状の走行（whirl sign）がみられる（**図 19**）。小腸ループの口側腸管は，単純性腸閉塞によって拡張する。①⑨については，単純 CT で腸管壁の吸収値はさまざまであり，低吸収域を示す場合は浮腫を反映し，特異的ではないがその頻度は高い。一方，高吸収域を示す場合は壁在血腫や出血性梗塞を反映し，腸管虚血の特異的な所見として重要である。

造影 CT では，腸管壁の造影効果は 2 相撮影（動脈後期相・平衡相）により，動脈相にて腸管壁の造影効果の低下を認める場合には腸管虚血を，平衡相にて腸管壁に造影増強効果を認めない場合は腸管壊死を考える。ただし，腸管壁が出血性梗塞によって高吸収域を呈した場合には造影 CT だけで判定することは困難であり，単純 CT と比較して判定する必要がある。反対に，腸管が虚血状態にあるにもかかわらず腸管壁に過剰な造影効果を示す場合があり，これは絞扼性腸閉塞の病態が静脈閉塞によって高度なうっ血や出血性梗塞となり，壁が不均一に遅延濃染を示すものである。腸管壁に造影効果があるから腸管虚血ではないと診断されないよう注意する。

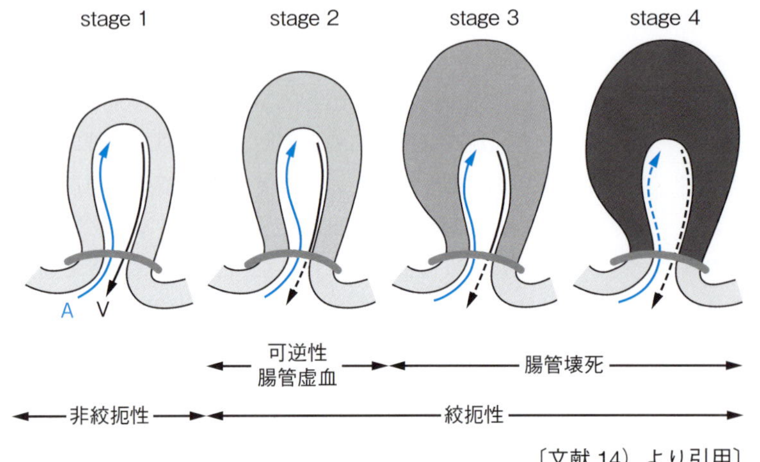

〔文献 14）より引用〕

図 17　closed loop obstruction の進行過程

stage 1：腸管がヘルニア門に嵌入するが，まだ循環動態の乏しい段階（≒非絞扼性）

stage 2：ヘルニア門によって腸間膜の静脈が絞扼され，静脈がうっ滞し，腸間膜の浮腫および腸管の虚血が出現した段階（≒可逆性腸管虚血）

stage 3：静脈性梗塞に進展した段階

stage 4：動脈も絞扼され，動脈性梗塞が生じた段階

stage 5：腸管壊死期（図には非掲載）

この過程では stage 2 以降の closed loop obstruction を絞扼性腸閉塞という

A（→）：腸間膜動脈・動脈相，V（→）：腸間膜静脈・平衡相

表 4　絞扼性閉塞で特異性の高い CT 所見

①造影 CT で腸管が造影効果を示さない（弱い）
②腸管壁内ガスおよび門脈内ガス
③腸管の不整な嘴状の狭窄を示す（beak sign） 2 カ所以上で腸管が狭窄閉塞して closed loop を作ることが多い
④腸間膜血管の異常走行 SMA と SMV の位置逆転，渦巻き状に回転（whirl sign）
⑤大量腹水 血性腹水を伴う頻度が高いことも，非特異的ではあるが重要である
⑥腸間膜血管のびまん性拡張
⑦局所的な腸管の造影効果持続
⑧腸間膜脂肪浸潤像（dirty fat sign）
⑨単純 CT で高吸収の腸管壁
⑩ヘルニア水

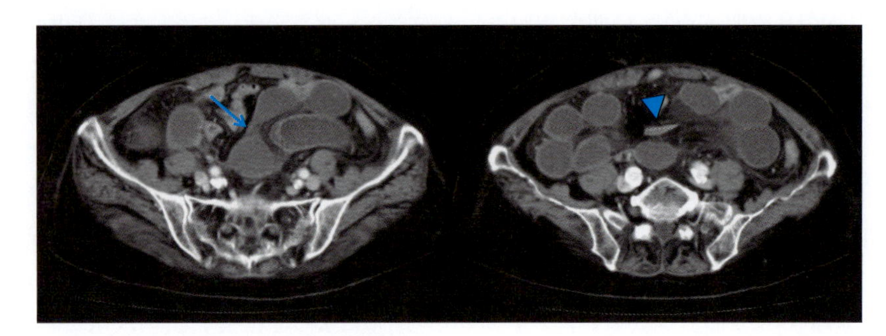

図 18　caliber change（造影 CT）

腸液で満たされた拡張腸管および腸間膜の浮腫，口側（矢印）と肛門側（矢頭）の同一箇所での caliber change を認め，closed loop obstruction による絞扼性腸閉塞が疑われる

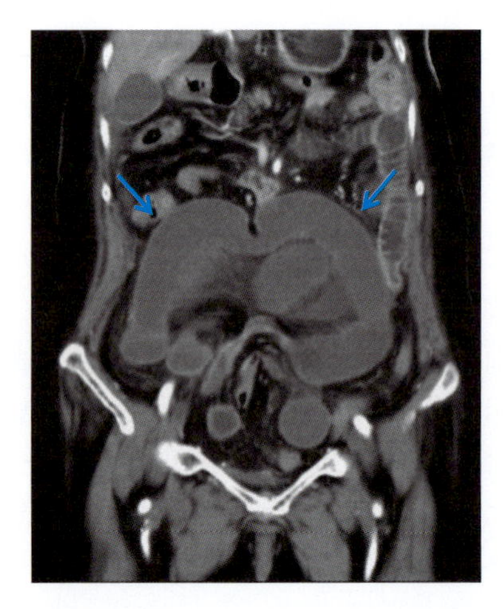

MPR 像によって小腸の渦巻き状（U 字型や C 字型）の走行（矢印），腸間膜の集中像，腸間膜静脈の拡張が明瞭にわかり，軸捻転が示唆される

図 19　MPR 冠状断像（絞扼性腸閉塞）

ヘルニアの特徴と検査・所見

1. 分類・特徴

腹部のヘルニアは，臓器が体腔外に脱出する外ヘルニアと，臓器が体腔内の隙間に入り込む内ヘルニアに分けられる。

外ヘルニアとは腹腔内臓器が腹腔外に脱出した状態をいい，代表的なものとして鼠径ヘルニアや大腿ヘルニア，閉鎖孔ヘルニア，腹壁瘢痕ヘルニアがある。とくに重要なのは腸管が嵌頓して機械性腸閉塞として発症した場合であり，腸管の血流障害を伴う絞扼性腸閉塞になるため，早期の診断・治療が必要となる。身体的な所見として，鼠径ヘルニアと大腿ヘルニアはヘルニア嚢が皮下に膨隆するため診断がつきやすいが，高度肥満患者では見逃されることも少なくない。一方，閉鎖孔ヘルニアでは視診や触診で判定することは難しく，CT検査が必須である。また，大腿ヘルニアや閉鎖孔ヘルニアのヘルニア門は小さく，周囲組織が強靱であり，嵌頓や腸閉塞を起こす確率が高い。

内ヘルニアとは，腹膜もしくは間膜の裂孔部・陥凹部，腹膜の欠損部を介して腹膜内臓器（とくに腸管）が脱出・嵌頓する病態である。内ヘルニアの原因の大部分は胎生期の腸回転の異常や，腸間膜固定の異常に起因して形成された異常裂孔であるが，手術や外傷などの後天的な要因で形成される場合もある。分類としては傍十二指腸ヘルニア，大網ヘルニア，大網裂孔ヘルニア，傍盲腸ヘルニア，Winslow孔ヘルニアなどがあり，左傍十二指腸でもっとも多いとされる[15]。症状は非特異的な腹痛であることが多いため，診断には画像所見が重要である。

さらに内ヘルニアは，脱出した小腸が閉鎖腔に存在するタイプと非閉鎖腔に存在するタイプに分けられる。閉鎖腔に存在するタイプはintramesenteric typeの経腸間膜ヘルニアや傍十二指腸ヘルニアなどが含まれ，拡張した陥入腸管が嚢状構造に包まれるため，その形態が類円形を示すこと（sac-like appearance）が特徴である。このような所見は大網ヘルニアの大部分やtransmesenteric typeの結腸間膜ヘルニアなどの脱出した小腸が非閉鎖腔に存在するタイプには認められない。一方，いずれのタイプの内ヘルニアでも認められるものとしては，拡張した小腸ループ（closed loop）の腸間膜脂肪，および腸間膜の血管がある1カ所に向かって集まる所見があげられる。ヘルニア門の同定には，水平断のみならず，MPR矢状断や冠状断などの複数方向でこのような所見を確認できることが不可欠である。腹膜の欠損部自体はCTでの描出が困難である場合が多いが，腸間膜が1カ所に集まっている部位がヘルニア門であり，脈管をランドマークとしてヘルニア門の周囲構造物を同定することが正確な診断につながる。

また，MRI検査では拡張した腸管の先進部の内容液の粘稠度が高くなる性質を利用することができ，脂肪抑制T1強調像で高信号，T2強調像で低信号となる部分を探すことで先進部の同定が容易となる場合もある。

2. 分類別の特徴や検査・所見

1）鼠径ヘルニア

恥骨筋の前から恥骨の前方にヘルニア嚢を認めることで診断はしやすく，外（間接）鼠径ヘルニアと内（直接）鼠径ヘルニアに分類される。外鼠径ヘルニアは精巣が下降する男児に多く，下腹壁動静脈の外側から精索と共に内側へ下降する。内鼠径ヘルニアでは下腹壁動静脈の内側から真っ直ぐ下降する（図20）。CT検査では，下腹壁動静脈を同定しやすい画像処理（MPR，slab-MIPなど）を施すことで診断能が高くなる。外ヘルニアのなかではもっとも多いものであるが，嵌頓する頻度は高くない。

2）大腿ヘルニア

女性は男性に比べて大腿輪と呼ばれる鼠径靱帯の下のすき間が広いこと，出産により大腿輪周囲の筋肉や筋膜が弱くなることで腸管などが脱出しやすくなるため，女性，とくに中年以降の女性に多い。鼠径靱帯の背側から大腿静脈や大伏在静脈の内側に脱出した腸管や腸間膜などのヘルニア内容物がみられる。鼠径ヘルニアと比較すると頻度は低いが，脱出経路が屈曲しているため嵌頓する確率は高い。

3）閉鎖孔ヘルニア

痩せた多産の高齢女性に多く，閉鎖動静脈と閉鎖神経を通す閉鎖管内と恥骨筋の背側に異常な構造物が存在する。閉鎖管は細く強靱であるため，頻度は低いものの，いったんヘルニアが生じると小腸（回腸）が嵌頓しやすく，腸管壁の一部だけが嵌頓するRichter型ヘルニア（腸壁ヘルニア）が多い。CT所見としては，外閉鎖筋と恥骨筋の間の間隙が1 cm以上に拡大し，軟部組織や脂肪濃度構造が同定できれば閉鎖孔ヘルニアと診断される（図21）。閉鎖管を通過する閉鎖神経が圧迫されるため，患側の大腿内側から膝，下腿に放散する痛みや知覚異常などがみられることがある（Howship-Romberg sign）。また，閉鎖孔ヘルニアの内容物は恥骨筋で覆われて深部に存在することで発見が遅れることもあるため，画像診断の役割は大きい。

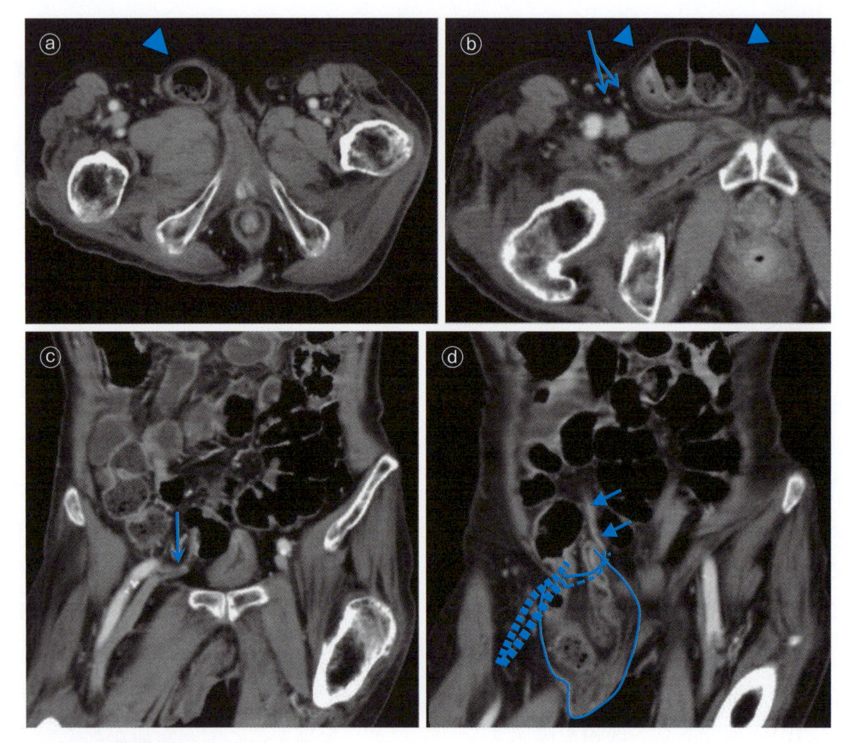

図 20　**内鼠径ヘルニア**

a：右鼠径部に腸管の脱出を認める（矢頭）

b：下腹壁動静脈（矢印）の内側にヘルニア門（矢頭）が認められ，内鼠径ヘルニアと診断される

c：冠状断像により大腿動静脈から分岐する下腹壁動静脈が評価しやすくなる（矢印）

d：腸管（━）は下腹壁動静脈（･･･）の内側から脱出している。矢印は近位へ続く下腹壁動脈

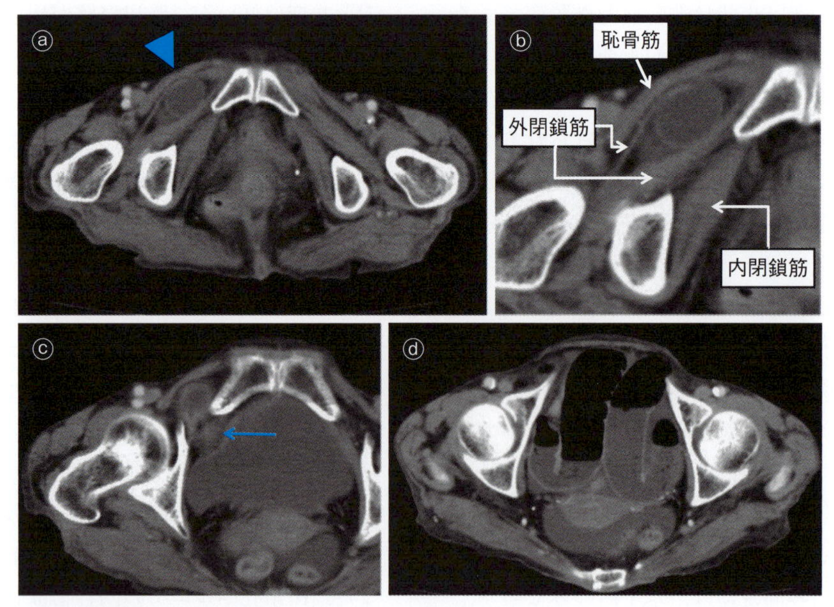

図 21　**閉鎖孔ヘルニア**

a：閉鎖孔に小腸の逸脱が認められる（矢頭）

b：同部位拡大（解剖）

c：calibar change（矢印）が認められる

d：逸脱した小腸より口側の小腸が拡張している

4）左傍十二指腸ヘルニア

内ヘルニアのうちもっとも頻度が高く，ヘルニア門はLandzert 窩と呼ばれる腹膜欠損部である。原因は胎生期に生じた十二指腸の腸間膜・結腸間膜・後腹壁前面の腹壁腹膜の癒合不全と考えられている。CT所見としては，sac-like appearance を呈する集簇した小腸が左前傍腎腔に存在し，下腸間膜静脈が腹側へ偏位して認められるのが特徴である。集簇小腸による mass effect により，胃体部後壁間は内側へ，横行結腸左側は尾側に圧排される。ランドマークとなる血管は下腸間膜静脈と左結腸動脈上行枝であり，陥入腸管により左腹側に圧排される。

5）右傍十二指腸ヘルニア

ヘルニア門は空腸の腸管膜第1部で形成される Waldeyer 窩であり，上腸間膜動脈近位部背側および十二指腸水平部の尾側に位置する。原因は胎生期の不完全な中腸回転とされる。CT 所見としては，右前傍腎腔・上行結腸背側に集簇した小腸ループが認められ，sac-like appearance を呈する。盲腸は正常位置に存在する。ランドマークになる血管は上腸間膜動脈，回結腸動脈，右結腸静脈で，ヘルニア嚢が上行結腸間膜背側に存在することを反映し，右結腸静脈がヘルニア嚢の腹側を偏位して走行する。

6）癒着やバンドによる腸閉塞

癒着による腸閉塞は急性小腸閉塞の 67～79％を占め，そのうち約 80％が開腹術後に生じるが，虫垂炎や憩室炎などの腸管自体の炎症が原因となることもある。原因となる手術としては虫垂摘出術がもっとも多く，大腸切除や婦人科手術が続く[16]。腸管同士が癒着する場合や，腹壁や後腹膜，その他臓器へ癒着する場合など，その病態は多彩である。バンドは腹腔内の腸間膜から腸間膜へ，あるいは臓器や腹壁へ連続する索状構造物として残存したものであるが，先天的なバンドも存在する。大部分は線維または脂肪組織，もしくはその両者が混在したものからなる。

画像所見として，癒着の場合は腸管の拡張と急激な腸管の口径狭小化や屈曲，遠位部腸管の虚脱など非特異的なことが多い。バンドによる腸閉塞の場合には closed loop を形成することもしばしばある。いずれも非特異的な所見であることが多いため，内ヘルニアや腸管軸捻転などその他の原因を除外したうえで考慮する。従来，バンド自体を画像で認識することは困難と考えられていたが，脂肪性バンドは CT にて同定できることが多い。

表5　急性膵炎の診断基準

1. 上腹部に急性腹痛発作と圧痛 2. 血中または尿中に膵酵素の上昇 3. 超音波，CT または MRI で膵に急性膵炎に伴う異常所見
上記3項目中2項目以上を満たし，ほかの膵疾患および急性腹症を除外したものを急性膵炎と診断する。ただし，慢性膵炎の急性増悪は急性膵炎に含める

〔文献 19）より引用〕

膵酵素は膵特異性の高いもの（膵アミラーゼ，リパーゼなど）を測定することが望ましい

急性膵炎の特徴と検査・所見

1. 特　徴

急性膵炎とは，膵酵素の膵内活性化による膵の自己消化によって生じる膵の急性炎症である。アルコールと胆石が二大成因であり，ほかには外傷，手術手技（胆道系手術，胃切除術など），内視鏡的逆行性胆管膵管造影（endoscopic retrograde cholangiopancreatography；ERCP），膵管胆道合流異常，脂質異常症，副甲状腺機能亢進症などがある。

症状は腹痛（心窩部から背部に強い持続痛）で，前屈位にて軽減し，アルコール・脂肪の摂取で増悪する。そのほかには悪心・嘔吐，腹部膨満感，発熱，頻脈，血圧低下を認め，重症時には腹膜炎による麻痺性イレウス，呼吸不全，ショック，腎障害，テタニー症状などが認められる。血液所見としては，血清 AMY 上昇（尿中 AMY 上昇，血清リパーゼ，エラスターゼ上昇），WBC 上昇，CRP 減少，血小板数減少，血清 Ca 減少（重症のサイン），高血糖（インスリン低下による），血清 K 上昇，BUN 上昇，Cr 上昇（腎障害），Ht 上昇（血液濃縮）がなどがあげられ，重症例では LDH 上昇もみられる。

2. 検査・診断

『急性膵炎診療ガイドライン 2015』における診断基準を表5[17]に示す。膵炎の検査・診断にあたっては，後腹膜腔と間膜（腸管膜と結腸間膜）の解剖を理解する必要がある（図22）。また，急性膵炎では炎症の広がりと，壊死，出血，仮性嚢胞，仮性動脈瘤，門脈血栓などの合併症の診断も重要である。

急性膵炎の重症度は9つの予後因子と造影 CT による CT Grade 分類から判定される。その詳細は前述したガイドライン[17]を参照されたいが，重症度判定において炎症の進展度を評価する際には冠状断が有用であることもあり，急性膵炎が疑わしい場合には適切な処理を施して画像提供することが望ましい。

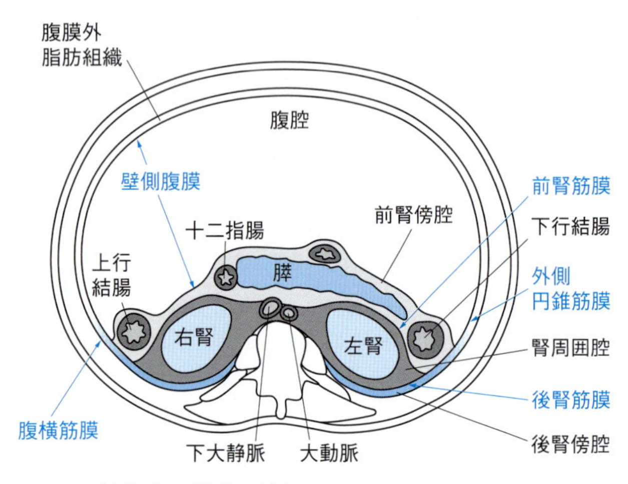

図 22　後腹膜の横断解剖

1）CT 検査

臨床像と単純 CT のみでも急性膵炎の診断は可能であるが，原因精査，重症度判定，合併症診断のためには，正常実質がもっともよく濃染される膵実質相（45 sec），門脈相（80 sec），平衡相（180 sec）のダイナミック造影 CT が望ましい。従来，造影剤は急性膵炎に対して原則禁忌とされていたが，これまでに造影剤の使用により膵炎が増悪したという報告はみられていないことから現在では禁忌となっておらず，前述したガイドラインでも推奨されている[17]。

画像診断のポイントは，膵腫大の有無，実質吸収値/信号の変化，壊死の有無，炎症の膵外進展度である（図 23）。CT 所見としては，①腫大（膵頭部で椎体の横経以上，体尾部で椎体の横経の 2/3 以上を腫大とする），②膵周囲の炎症所見（液貯留，浮腫），③膵実質の濃度の不均一化の 3 点があげられる。しかし，個体差や加齢による萎縮もあるため，必ずしも上記の基準に合致しないこともある。また，軽度の膵炎では変化に乏しく，炎症の有無を判断することが困難な場合がある。したがって，膵周囲の脂肪織濃度の上昇や前腎傍腔の液体貯留，あるいは前腎筋膜（Gerota 筋膜）の肥厚などの所見が重要となる。左右の前腎筋膜は正常でも細い被膜構造として同定可能であるが，膵炎では炎症波及により肥厚することが多い。前腎筋膜は前腎傍腔の液体貯留や炎症が腎周囲腔に及ぶのを阻止するバリアの役割も担っている。

2）単純 X 線検査

腹部単純 X 線検査の所見としては，横行結腸がガスで拡張し，脾彎曲部で急にそのガス像が途絶えて，それより遠位のガス像が乏しい colon cut-off sign がみられる。この colon cut-off sign は，膵体尾部の膵炎により滲出液貯留や脂肪壊死が左前腎傍腔に拡がり，下行結腸が浮腫状となって内腔が狭小化するために生じる閉塞性イレウスの所見である。単純 X 線写真では口側の大腸が拡張し，脾彎曲部付近で突然ナイフで切断したかのごとく大腸の拡張が消失する。

また，sentinel loop sign（図 24）は限局性の麻痺性イレウスと解釈されていることが多いが，腹部単純 X 線写真上 sentinel loop sign を生じた症例の CT をみると，拡張した小腸（空腸）のより遠位側の小腸に炎症性の浮腫性肥厚を認めることが多い。腸間膜を介した小腸への炎症波及により小腸内腔が狭小化したため，口側の小腸が拡張したものと解釈できる。腹部単純 X 線写真で拡張した大腸や小腸はむしろ正常であり，単純 X 線写真では確認できないところに異常が存在するといえる。

3）MRI 検査

MRI 検査の所見として，正常膵は T1 強調像では高信号，T2 強調像では肝とほぼ等信号を呈するが，浮腫性膵炎では T1 強調像で低信号，T2 強調像や拡散強調像では肝より高信号を呈する。脂肪抑制併用 T2 強調像ではコントラストが強調され膵はより高信号を示すため，炎症の存在を評価しやすくなる。膵周囲の液体貯留や前腎筋膜の肥厚も脂肪抑制 T2 強調像で高信号を呈するため評価が容易となり，脂肪壊死の診断にも有用である。

Ⅹ　腸管虚血の特徴と検査・所見

1．特　徴

腸管虚血は比較的まれな疾患であるものの，その致死率は高い。一般に血管性病変に起因した腸管虚血は閉塞性と非閉塞性に大別される。閉塞性腸管虚血に対しては開腹手術（壊死腸管切除）を余儀なくされ，当然ながら救命率は低くなる。そのため，腸管壊死に陥る前の虚血を見つけ出して解除することが転帰改善につながる。病態・病期を正確に把握したうえで，適切な治療法を選択するためにも，質の高い画像情報を提供しなければならない。

2．検査・所見

MDCT の登場により腸管虚血の CT 診断感度は向上しており，CT が早期診断の鍵となる。心房細動や弁膜症などの心疾患を有する急性腹症例では腸管虚血を念頭に置き，発症早期から積極的に単純・動脈後期相・平衡相を用いた CT 検査を施行することが望ましい。

単純 CT では，壊死を起こした腸管の壁内出血の検出や腸管血流の評価，血栓の評価を行う。血栓が新しい場合には単純 CT で高吸収（高濃度）に描出されるため，WW/WL を狭く調整して画像表示することで，造影 CT を施行することなく血栓と診断できることもある。一方

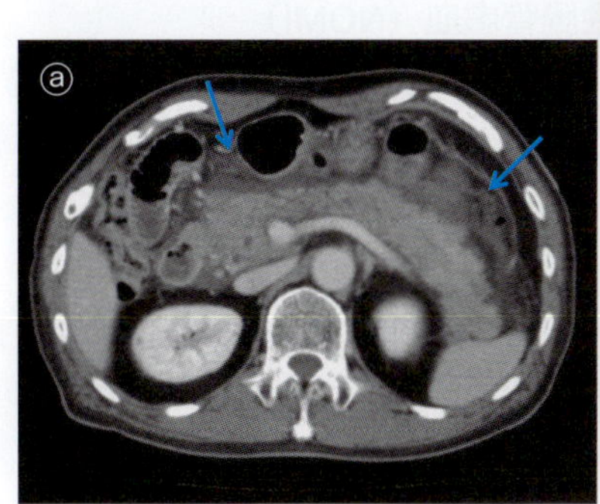

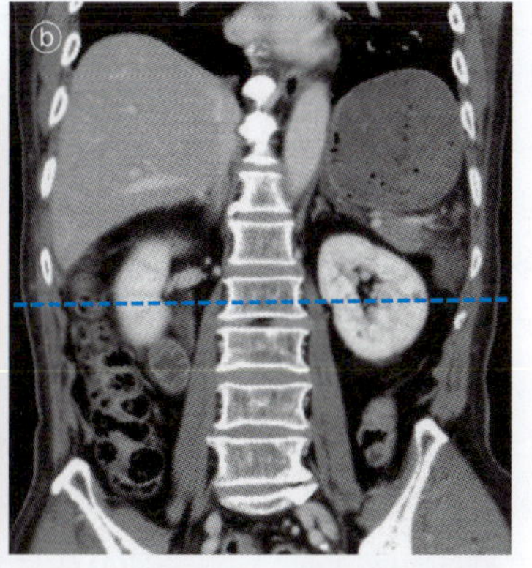

Grade 1

a：膵腫大を認め，周囲脂肪織濃度の上昇も認める。横行結腸間膜主体の脂肪織濃度の上昇，滲出液の貯留を認める（矢印）。膵実質は均一に造影効果がみられ，明らかな壊死は示唆されなかった

b：膵外への炎症波及は前腎傍腔までで止まっている（点線）

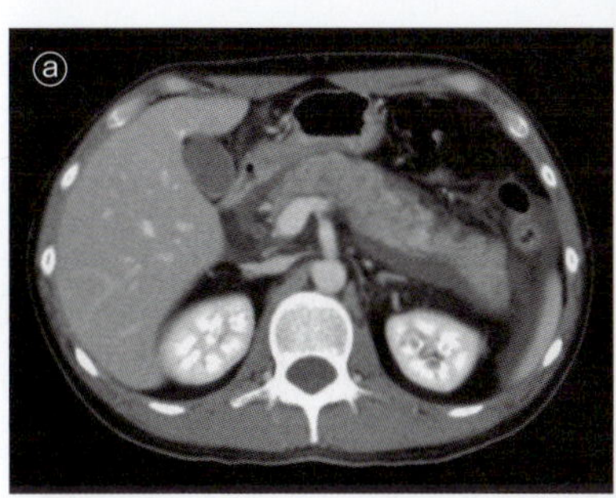

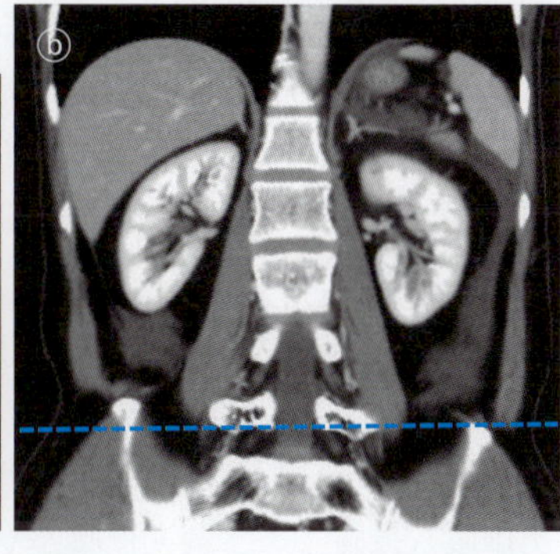

Grade 2

a：膵腫大を認め，膵周辺後腹膜から両側の前腎傍腔には広く液体貯留がみられた。膵実質の造影不良域はみられなかった

b：液体は両側の腎下極を越えて進展している（点線）

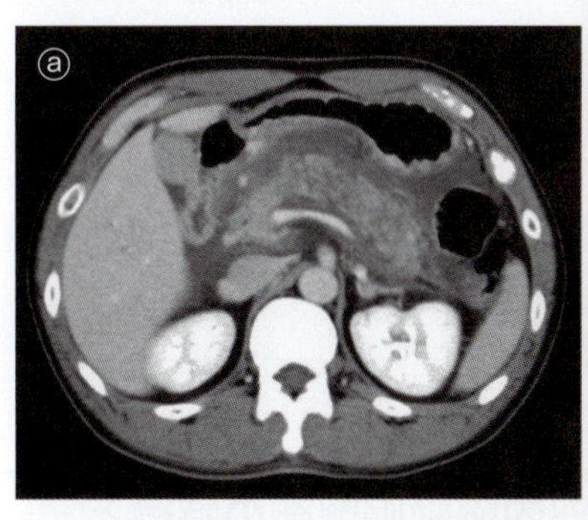

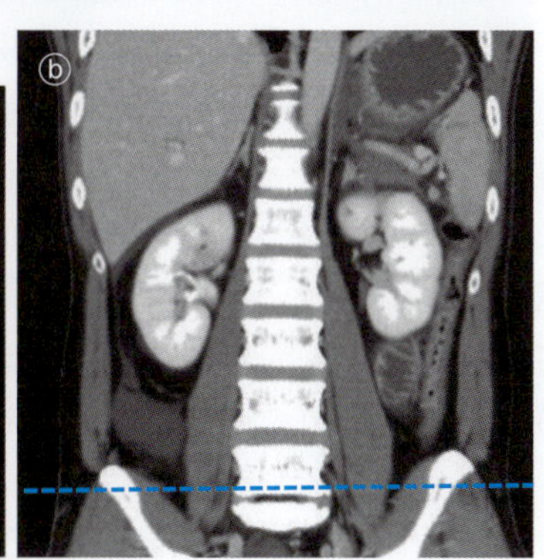

Grade 3

a：膵腫大を認め，膵周辺後腹膜から両側の前腎傍腔には広く液体貯留がみられた。膵実質の造影増強効果は体尾部を中心として不良である

b：液体は結腸間膜および両側の腎下極を越えて進展している（点線）

図 23　急性膵炎の CT 所見（Grade 1〜3）

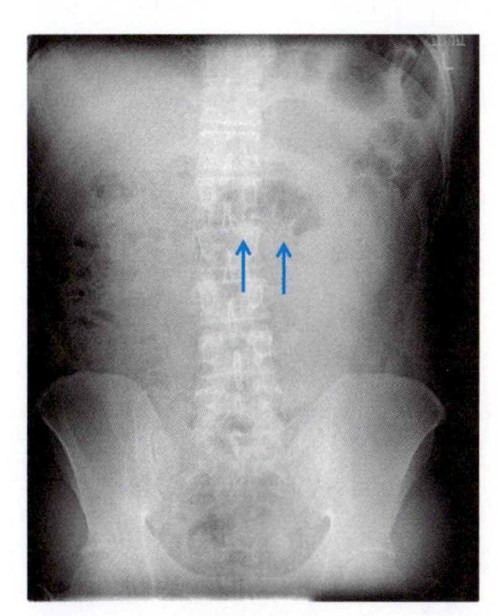

図 24　sentinel loop sign
上行空腸の拡張を認める

で，ある程度時間が経過した血栓や塞栓の場合には単純CT での判別が困難であるため，確定診断には造影 CT が必須となる。動脈相は血管の閉塞を反映した造影欠損像の描出に有効であり，平衡相は腸管血流評価のために必要となる。

3. 分類別の特徴と検査・所見

1）急性上腸間膜動脈閉塞

上腸間膜動脈には心拍出量の 25％程度の血流が供給され，さらにその動脈支配領域は小腸から右結腸に至る広範囲に及ぶため，主幹部の閉塞は広範囲の腸管虚血をまねく可能性があり，重篤な腸管壊死はショックや DIC，急性期死亡の原因となる。

上腸間膜動脈閉塞はとくに高齢者に多くみられ，食後の血流増加時に発症することが多い。塞栓症と血栓症に

大別され，前者の上腸間膜動脈塞栓症のほとんどは心臓由来の塞栓子（心房細動，弁膜症，とくに高齢者に好発する非弁膜症性心房細動に合併する左心耳血栓の遊離）に起因したものであり，上腸間膜動脈起始部から3〜8 cm離れた中結腸動脈分岐直後の閉塞が多く（上腸間膜動脈は大動脈からの分岐角度が小さいため塞栓子が流入しやすい），横行結腸や空腸は侵されにくい。側副路発達は乏しい。一方で，上腸間膜動脈血栓症は粥状硬化が背景となって血栓閉塞をきたし，塞栓症よりも近位の起始部に血栓性閉塞をみることが多く，より広範な領域（小腸，上行・横行結腸）が侵されやすい。重症例では高度の虚血から壊死に陥り，壁内や門脈内にガス像が出現する。

造影CTにおける上腸間膜動脈・分岐内の造影欠損(動脈相で厚みのある冠状断像提供が有効)，腸管壁・腸間膜の造影不良・欠損，単純・造影CTにおける上腸間膜動静脈の口径差(smaller SMV sign＝血流障害のためSMVは潰れるが，動脈壁は厚いため潰れない）が典型的な所見である。血流の再灌流に続いて，腸管壁の肥厚（浮腫性変化/target sign）を伴うこともある。

腸管壁の非薄化，腸管壁気腫，門脈・上腸間膜静脈気腫，腸間膜濃度上昇，単純CTにおける腸管壁濃度上昇(出血性梗塞を示唆)などの所見が加わった場合には全層性の腸管壊死が高度に疑われ，通常は開腹手術の適応となる。また発症早期でのIVR治療として，血栓溶解療法，血栓破砕・吸引療法，経被的血管形成術，ステント留置術などが病勢に応じて選択される[18]。

2）上腸間膜静脈・門脈閉塞

静脈還流障害に伴ううっ血，血流停滞により局所の低酸素状態が引き起こされる。成人では肝硬変症・門脈圧亢進症に続発するものが多く，腹部手術後（肝移植，膵炎）や，腫瘍などの全身の凝固能亢進状態を基盤とすることも多い。腹部症状は動脈閉塞に比べて進行は緩徐で，症状も軽度であるため注意を要する。

造影CT所見としては，門脈・上腸間膜静脈拡張と造影欠損を伴うことから診断することができる。また，腸管・腸間膜虚血を伴うと，腸管の広範囲の壁肥厚（target sign）や，単純CTでの壁の高吸収（壁内出血），壁の低吸収（浮腫）などの静脈還流障害型の腸管虚血像を呈する。

IVRによる治療の適応は血栓の分布により異なり，上腸間膜静脈末梢側の血栓症に対しては経上腸間膜動脈血栓溶解療法が有効で，門脈・上腸間膜静脈中枢側の血栓症に対しては経皮経肝的アプローチ/経頸静脈肝内門脈大循環短路アプローチによる血栓溶解療法や血栓破砕・吸引療法の有効性が高い。同ルートによる門脈ステント留置術が選択されることもある。

3）非閉塞性腸管虚血（NOMI）

心拍出量の低下や循環血液量の減少に伴って腸間膜動脈の絞窄・攣縮が引き起こされ，非閉塞性腸管虚血（non-occlusive mesenteric ischemia；NOMI）に至る。急性腸管虚血例の約20％を占め，致死率は高い。とくに，心筋梗塞や心不全，体外循環を使用した心臓手術後，ジギタリスやカテコラミンなどの血管作用薬剤の使用，長期の持続透析などで惹起される。

NOMIに対する画像診断の主な役割としては，腸管虚血を疑われる症例で，上腸間膜動脈閉塞症や絞扼などを除外することと，消化管の状態を把握することにあり，病歴の把握も重要となる。CT所見としては，動脈相にて上腸間膜動脈起始部と本幹の開存を認めるにもかかわらず，各分岐根部の狭小化，末梢の造影欠損，腸管壁の造影不良が散見される。門脈相においても上腸間膜静脈CT値の上昇が乏しい。このようなCTにおける特徴は血管造影所見にも反映され，string-of-sausages sign（攣縮と拡張が交互に繰り返され，ソーセージ様の形態を呈する）や分岐の不整狭小化，辺縁動脈など末梢部の造影不良などが観察される。

IVRによる治療としては，上場間膜動脈にカテーテルを留置し，血管拡張剤であるパパベリンの持続投与が行われる。血管拡張剤持続投与にて臨床所見の改善と確認造影における攣縮の消失が得られない場合には，速やかに開腹手術を選択する[19]。

腹部内臓動脈解離の特徴と検査・所見

急性腹症に陥る腹部内臓動脈解離として，上腸間膜動脈解離，腹腔動脈解離，肝動脈解離などがあげられる。いずれも頻度はまれであり，腹腔動脈解離，肝動脈解離はとくに少ない。比較的遭遇する可能性が比較的高い上腸間膜動脈解離は，動脈硬化，線維筋性異形成，中膜変性，外傷，炎症（感染症，動脈炎）などを成因とし，男性に多いとされている。急性例では突発的な腹痛や腹部膨満を訴えることが多いが，無症状で，偶発的に診断されるものも少なくない。

診断には開存/閉鎖を問わず，造影CTにおける解離腔の同定がもっとも有効である。また，偽腔開存型であれば腹部超音波検査にて上腸間膜動脈内のフラップを同定することができる場合も多い。

無症状例や症状改善例では保存的治療にて長期経過観察が可能であり，偽腔縮小や偽腔自然閉鎖が得られることもある。抗血小板療法や抗凝固療法の必要性に関しては一定の見解が得られていない。嚢状瘤を形成して増大傾向を認めるもの，真空の血栓・狭窄，腸管虚血症状が続く例などでは開腹手術を要するとされてきたが，ステント留置例の報告もある[20)21)]。

腹部実質臓器虚血の特徴と検査・所見

代表的な腹部実質臓器として肝，膵，脾，腎があげられ，血栓症・塞栓症により各栄養動脈の閉塞が引き起こされる。肝は肝動脈と門脈の二重支配を受けているため，肝動脈閉塞のみでは通常梗塞に陥ることはない。また，膵の栄養動脈も複数のネットワークを形成しているため，個々の閉塞のみでは梗塞をきたしにくい。単独の終動脈である腎動脈・脾動脈の閉塞に伴う腎梗塞・脾梗塞は，急激な側腹部痛を伴う急性腹症として臨床上重要となる。

1．腎梗塞

不可逆的な腎機能障害を回避するためには，側腹部痛症例をみた瞬間から腎梗塞を念頭に置いて検査を進める必要がある。急激な片側性の腰痛や側腹部痛をきたすため，まずは同様の症状を有する尿路閉塞性疾患との鑑別が重要である。超音波検査にて腎盂尿管拡張を否定することは簡便かつ有用であるが，腎梗塞における超音波検査上の異常所見は発症直後にはみられないことが多いため，造影CTが急性期診断にもっとも適している。

CT所見として，広範囲梗塞ではcortical rim sign（被膜下皮質辺縁の側副血行路による造影効果），部分的梗塞では楔状型の造影欠損域や虚血部位の腫脹に伴う低吸収腫瘤様陰影などが認められる。早期動脈相にて造影不良域として描出される虚血部位が後期動脈相にて高吸収を呈する場合があり，糸球体の破綻による造影剤漏出像とされる（flip-flop enhancement）。

治療としては，血栓溶解療法（全身あるいは局所）や抗凝固療法などの保存的治療が選択されることが多い[22)]。

2．脾梗塞

脾梗塞単独では急性期に治療を要することは少なく，心内血栓，血管病変，凝固亢進状態などの原疾患に対する治療を優先すべきである。ただし，遅発性出血，膿瘍形成などの晩期合併症はIVR治療（経皮的ドレナージを含む）や外科手術の適応となる場合もあるため，厳重な経過観察が望まれる。また，腎動脈閉塞や腸間膜動脈閉鎖を併発することもまれではないため注意を要する[22)]。

表6　フリーエアの部位と穿孔部位の相関

フリーエアの部位	穿孔部位
大量	胃十二指腸潰瘍穿孔・大腸穿孔
小網内（lesser sac）	胃後壁・十二指腸・腹部食道
肝円索・肝鎌状間膜	十二指腸球部・胃
後腹膜	十二指腸下行〜水平脚
腸管膜内	結腸・小腸
骨盤内に限局	結腸・小腸

横行結腸，食道下部からの穿孔は頻度が低い
盲腸の穿孔は腸閉塞で生じることがある
腹腔内に漏出した便塊をdirty mass signという。内部に気泡を含み，腸管壁に囲まれない異常腫瘤である

消化管穿孔の特徴と検査・所見

1．特徴と分類

消化管穿孔は潰瘍，外傷，異物，悪性腫瘍などが原因で消化管に穴が開き，腸内容物が腹腔内（時に後腹膜腔内）に漏出して汎発性腹膜炎となる重篤な疾患であり，急性腹症として発症する頻度が高い。症状としては突然の腹痛で発症し，強い腹膜刺激症状を呈するが，高齢患者やステロイド使用中の患者，透析患者では症状に乏しい場合があるため注意を要する。

鑑別で問題となるのは穿孔部位の同定，すなわち穿孔部位が上部であるか下部であるかが重要であり，部位によってその後の治療法が変わってくる（表6）。ただし，病的意義のない腹腔内遊離ガスの例として，婦人科検査後，手術後（開腹あるいは腹腔鏡手術），陽圧換気後，外傷後などがあるため注意する。

1）上部消化管穿孔

原因としては十二指腸潰瘍による穿孔がもっとも多く，そのほかに特発性食道破裂，胃潰瘍，胃癌などがあり，問診や服薬歴の確認が非常に重要となる。典型的な症状は急激な上腹部痛であるが，穿孔後に大網で穿孔部が被覆されているような場合には痛みが軽減する場合もある。腸管内容物が漏れて腹膜炎を起こすため早期の診断を要し，緊急手術となることも多い。ただし，H_2ブロッカーやプロトンポンプ阻害薬により消化性潰瘍に対する治療が改善しており，胃十二指腸潰瘍穿孔で，全身状態が良好，重篤な合併症がない，腹膜炎が軽微もしくは上腹部に限局している，発症早期などの条件を満たす場合には，保存的療法が選択されることもある[23)]。

2）下部消化管穿孔

下部消化管穿孔をきたす原因としてもっとも多いのが大腸癌であり，特発性穿孔，憩室症などがそれに続く。

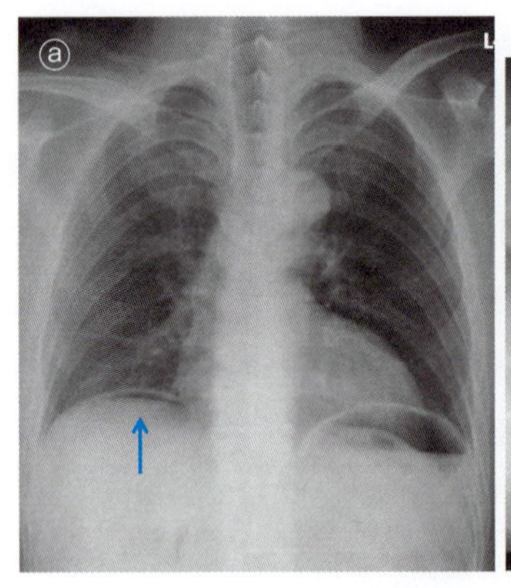

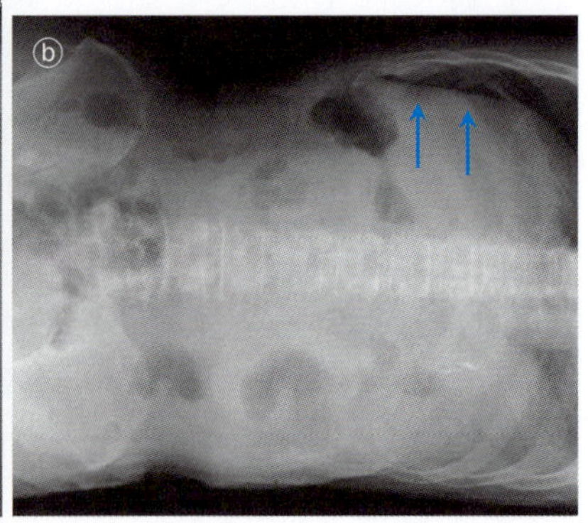

図 25　消化管穿孔の画像所見
a：胸部単純 X 線写真立位正面像。横隔膜下に腸管外ガスを認める（矢印）
b：腹部単純 X 線写真左側臥位。右側腹壁と肝右葉外側縁，横隔膜に囲まれた領域に腸管外ガスを認める（矢印）

腎不全や多発憩室症など，何らかの基礎疾患を有している場合が多い。大腸癌で口側に穿孔が起こるのは，癌による閉塞性腸炎が原因とされている。

原因が特定されない特発性穿孔は大腸穿孔の一部を占め，高齢者の S 状結腸に多く発症し，組織学的には穿孔部位に炎症がほとんどみられない。また，宿便性穿孔も S 状結腸から直腸に好発するが，これは硬便（糞塊や糞石，兎便）による腸管壁の圧迫から壊死・潰瘍を生じて穿孔を引き起こす。いずれにしても穿孔が遊離腹腔側に生じた場合には便汁による糞便性腹膜炎を引き起こし，しばしば敗血症性ショックを伴う。穿孔部位が腸管膜内であった場合には症状が軽微なこともあるが，多くの場合に生命危機に陥る重篤な疾患である。

CT 検査では，上部消化管穿孔と同様に腹腔内遊離ガス像および腹水の貯留を認めるが，穿孔が腸管膜側に生じた場合は遊離腹腔内にガス像や腹水が出ない場合もあるため注意が必要である。このことからも，下部消化管穿孔を疑った時点で外科的な治療を念頭に置いた検査および画像処理が必要となる。

2. 検査・所見

1）単純 X 線検査

その頻度の高さから，まず単純 X 線が撮影されることが多い。腸管外ガスを証明することで消化管穿孔と診断されるが，腹腔以外にも後腹膜腔や腸管膜，靱帯周囲に広がることがあるため注意を要する（図 25）。腸管外ガスの検出には立位正面像が撮影されるが，1～2 ml の遊離ガスがあれば胸部単純 X 線写真で指摘することができる。また，立位および坐位が困難な患者の場合には，遊離ガスが胃泡に重ならず，十二指腸穿孔の場合は残渣が流出しない左側臥位正面像が撮影される。その場合には，遊離ガスが腹壁と肝表面の間に移動するように，左側臥位で 5 分程度待つ必要がある。なお，下部消化管穿孔の場合には遊離ガスが腸管膜や大網に覆われて横隔膜下まで移動しないこともあるため注意が必要である。これは術後などで腹腔内に癒着がある場合も同様である。また，1 L 以上の多量の遊離ガスが存在する場合には仰臥位でも診断可能とされる。

ただし，単純 X 線写真における遊離ガスの検出率は決して高くないため，病歴や症状，身体所見から消化管穿孔が疑わしいようであれば CT 検査を行う。

2）CT 検査

CT 検査における腸管外ガスの検出率は 90％以上であり，穿孔部位や原因の特定，膿瘍や腹膜炎などの合併症の有無を評価することができる。通常は 5 mm 程度のスライス厚で再構成した横断像で診断するが，確診に至らない場合にはより薄いスライス厚（2 mm 以下）の横断像および MPR を用いて，多方向からの画像再構成および処理を提供することが診断能向上につながる。また，Min-IP（minimum intensity projection；最小値投影法）を用いて，空気の CT 値を最小値になるよう強調させた画像によりフリーエアを描出させるのも有用である。なお，経口あるいは経肛門的に造影剤投与後に CT を撮影し，腸管外漏出の有無で穿孔を診断する方法もあるが，時間がかかることや，誤嚥などの合併症や腹膜炎を増悪させる危険性があることから，積極的には行われない。

CT 所見としては，腸管壁の断裂，腸管外ガスの集簇，限局性の腸管壁肥厚の 3 つがとくに重要な所見である（図 26）。

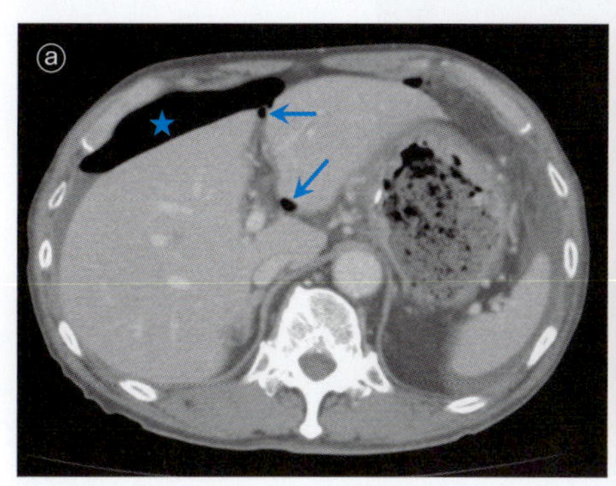

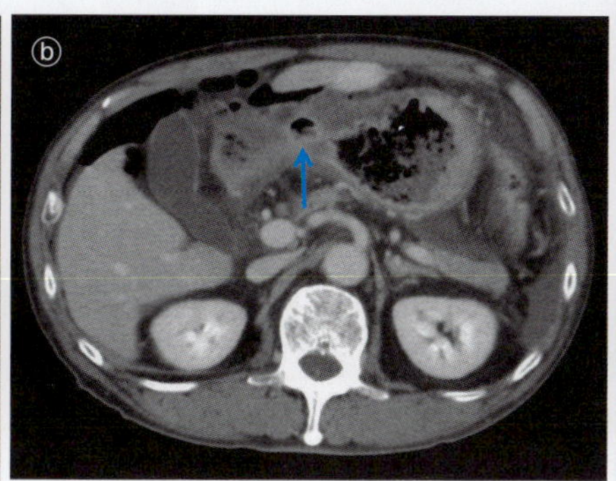

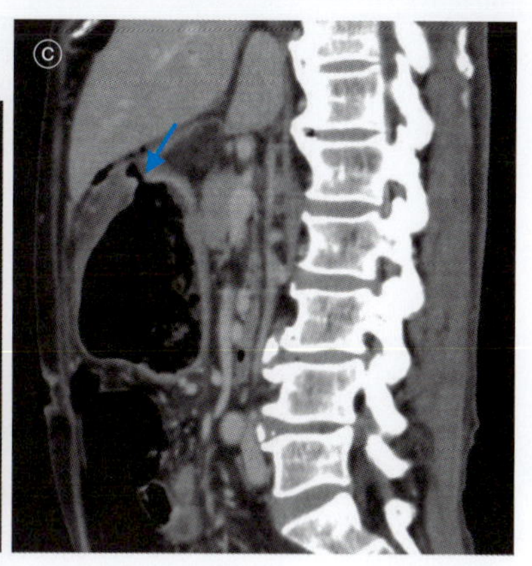

図 26　消化管穿孔（胃潰瘍）
a：肝辺縁（星印）および肝円索裂（矢印）に腸管外ガスを認める
b：胃体部に壁の浮腫性肥厚とともに，穿孔部位を示す壁の断裂が明らかである（矢印）
c：MPR を用いた矢状断像を作成することで，壁の断裂がより明瞭となり（矢印）診断能が向上する

腸アニサキス症の特徴と検査・所見

腸アニサキス症は，アニサキスの寄生した魚介類生食後 48 時間以内，大半は 24 時間以内に発症する。小腸に多く，虫体の刺入部とアレルギー反応による浮腫が起こり，内腔狭窄により小腸閉塞をきたす。

CT 所見としては，長さ数 cm〜20 cm 程度にわたる腸管壁の局所的肥厚像を示す。口側の小腸の拡張は高度で，食物残渣の通過障害が認められ，比較的多量の腹水が目立つ。しかし，画像所見は非特異的であるため臨床情報がきわめて重要となる。

対症的治療により時間とともに虫体が死亡し，軽快する。

腹部画像検査時に とくに注意すべき所見

1. 門脈内ガス

門脈内ガスの多くは消化管の重篤な障害の結果として生じ，なかでも重要なのが消化管壊死である。門脈内ガスが生じた患者の致死率は高く，診療放射線技師も絶対に見落としてはならない。門脈内ガスの原因となる疾患などを表 7 に示す。

門脈内ガスは，CT において肝辺縁に樹枝状に分布する空気濃度として観察される。重力と血流の影響を受けるため肝左葉の腹側に分布することが多く，門脈血流に乗って肝辺縁 2 cm 以内まで達する。門脈内であれば，上腸間膜静脈および小腸壁内ガスを評価すると同時に，腸管虚血の可能性を考える。

また，胆管内ガスとの鑑別も重要であり，胆管内ガスは一次分枝など肝門部を中心に認められる。ただし，胆管空腸吻合術および乳頭切開後においては生理的に認められるものであるため，病歴や手術歴を確認する。既往・手術歴がある場合には左右に均等に認められるかを評価し，既往・手術歴がない場合には胆道‒消化管瘻を考える。慢性胆嚢炎の十二指腸穿通などを評価することも重要である。しかし，胆管内ガスでも肝のかなり末梢まで認められることがあるため，「末梢＝門脈内ガス」と判断しないよう，ガスを追って肝門部胆管につながることを確認する（図 27）。

表 7　門脈内ガスの原因

- 腸管虚血（動脈塞栓，静脈血栓，絞扼性腸閉塞，非閉塞性腸管虚血）
- 消化管壁内ガス（気腫性胃炎，腸管気腫）
- 腸管への炎症の波及（胃腸炎，憩室炎，炎症性腸疾患，静脈炎を伴う腹部膿瘍）
- ガス産生菌による敗血症
- 新生児壊死性腸炎
- 臍動脈カテーテリゼーション
- 消化管のガスによる膨隆（胃，小腸，大腸）
- 腐食剤の誤飲（塩酸，不凍液）
- 炎症性腸疾患患者の注腸検査，大腸ファイバー

2. 褐色細胞腫を疑う所見

造影剤の添付文書では，高血圧発作が発現した報告などから「褐色細胞腫の患者および疑いのある患者」は原則禁忌とされているが，臨床では造影 CT 検査後に褐色細胞腫であることが判明する場合も少なくない（図 28）。そのため，急性腹症患者に対する CT 検査の際，単純 CT で副腎の形態が褐色細胞腫と疑われる所見が認められた場合には，診療放射線技師から依頼医や放射線科医へその画像情報を報告することが望ましい。CT 検査に使用

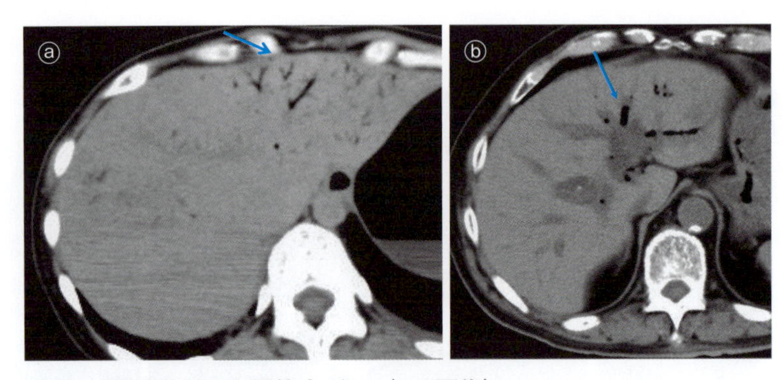

図 27　門脈内ガスと胆管内ガス（CT 画像）
a：門脈内ガス，b：胆管内ガス
a は門脈血の遠心性の流れに従い肝被膜末梢まで達する門脈内ガスを認める（矢印）。b は胆汁の流れとともに肝門部へと集まってくるため，肝の中枢に胆管内ガスを認める（矢印）

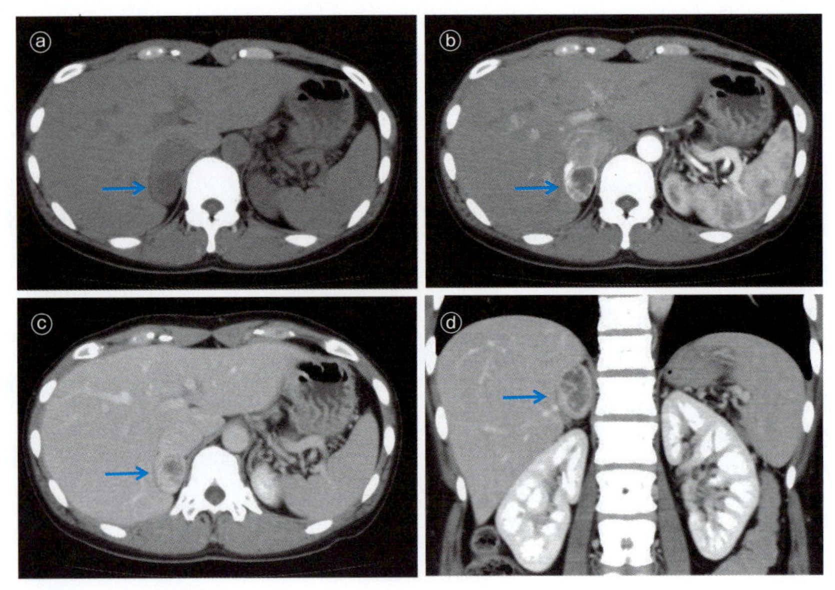

図 28　褐色細胞腫
a：単純 CT，b：動脈後期相，c：平衡相，d：冠状断（平衡相）
単純 CT（a）で右副腎に境界明瞭な腫瘤を認める（矢印）。動脈後期相（b）から辺縁に造影効果を認め持続する濃染がある。平衡相（c, d）でも中心部は低吸収を示し壊死を伴っており，褐色細胞腫として指摘された

する非イオン性造影剤でも，褐色細胞腫患者に投与することで血圧が上昇する可能性がある。

しかし，単純 CT のみで褐色細胞腫と診断することは困難であり，褐色細胞腫などの血管豊富な腫瘍は造影ダイナミック CT の有用性が高い[24]。カテコラミンが多量に分泌しているなど，画像による形態評価だけでなく，病歴や身体所見などから総合的に判断して造影剤使用の可否を検討しなければならない。なお，非イオン性造影剤を経静脈性に使うかぎり，ほとんど問題にならないという報告もある[25]。また，腹部造影 CT 検査を施行する場合には，褐色細胞腫である可能性を考慮して造影剤投与後の血圧変動に留意し，高血圧発作に対する薬剤を CT 検査室に常備しておくことも重要である。

【文　献】

1）藤村一郎，他：急性腹症；腹部単純 X 線撮影の技術の役割．INNERVISION 18：44-47，2003.
2）日本放射線技術学会：放射線医療技術学叢書27；X 線CT 撮影における標準化；GALACTIC，第 2 版，2015.
3）牛島泰宏，他：急性腹症の画像診断；出血．画像診断 28：1280-1289，2008.
4）倉本憲明，他：急性腹症 CT を中心に．臨床画像 25（4 月増刊）：118-143，2009.
5）石山光富，他：虫垂炎・憩室炎．画像診断 32：424-434，2012.
6）中村信一，他：急性腹症の画像診断；炎症・感染症．画

像診断 28：1312-1319，2008.
7) 船曳知弘：腹部．臨床画像 25：364-374，2009.
8) Pedrosa I, et al：MR imaging evaluation of acute appendicitis in pregnancy. Radiology 238：891-899, 2006.
9) 急性胆管炎・胆囊炎診療ガイドライン改訂出版委員会：急性胆管炎・胆囊炎診療ガイドライン 2018，医学図書出版，東京，2018.
10) 森下恵美子，他：肝・胆道・膵疾患．臨床画像 23：147-159，2007.
11) 幸秀明，他：胆石・胆囊炎．画像診断 32：376-386，2012.
12) 大貫啓三，他：経口胆石溶解療法の問題点と対策；CT を中心に．胆と膵 9：17-24，1988.
13) 園村哲郎，他：急性腹症の画像診断消化管閉塞．画像診断 28：1290-1299，2008.
14) 松木充，他：消化管閉塞 3；絞扼性腸閉塞．画像診断 32：1417-1428，2012.
15) 竹山信之，他：消化管閉塞 2；内ヘルニア．画像診断 32：1403-1415，2012.
16) Cox MR, et al：The operative aetiology and types of adhesions causing small bowel obstruction. Aust N Z J Surg 63：848-852, 1993.
17) 急性膵炎診療ガイドライン 2015 改訂出版委員会：急性膵炎診療ガイドライン 2015，金原出版，東京，2015.
18) 嶺貴彦，他：急性腹症の画像診断血管性病変．画像診断 28：1320-1333，2008.
19) 駒田康成，他：腸管虚血の IVR．画像診断 21：638-642，2001.
20) Takayama T, et al：Isolated spontaneous dissection of the splanchnic arteries. J Vasc Surg 48：329-333, 2008.
21) Froment P, et al：Stenting of a spontaneous dissection of the superior mensenteric artery：A new therapeutic approach? Cardiovasc Intervent Radiol 27：529-532, 2004.
22) Romano S, et al：Association of splenic and renal infarctions in acute abdominal emergencies. Eur J Radiol 50：48-58, 2004.
23) 中島康也，他：消化管穿孔．画像診断 32：1360-1368，2012.
24) 根岸孝典，他：腎，副腎，後腹膜の CT．腎と透析 59：192-197，2005.
25) Mukherjee JJ, et al：Pheochromocytoma：Effect of nonionic contrast medium in CT on circulating catecholamine levels. Radiology 202：227-231, 1997.

5 泌尿器・産婦人科系疾患

泌尿器科系の救急疾患

救急外来における泌尿器領域の疾患は全体の2.6％とされ，疾患別では尿路結石，尿路感染症，急性腎不全（尿閉）が多く報告されている[1)2)]。また少ない症例ながら，急性陰嚢症（精巣捻転症）は診断・治療が遅れると精巣を喪失するため，臨床的・社会的に重要な疾患である[3)]。

1．尿路結石症

尿路（腎，尿管，膀胱，尿道）に結石があるものを尿路結石症という。結石の位置によって，上部尿路結石（腎結石，尿管結石）と下部尿路結石（膀胱結石，尿道結石）に分類される。尿路結石症の約96％は上部尿路結石とされ，上部尿路結石の約90％はカルシウム含有結石とされる[4)]。泌尿器科系疾患のなかでも頻度が高く，結石による痛みは疝痛と呼ばれ，激烈な側腹部痛・背部痛を生じる。

1）検査と診断

『尿路結石症診療ガイドライン 2013年版』[5)]では，急性腹症で尿路結石が疑われる場合，まず超音波検査を行うことが推奨されている。また，確定診断には単純CTが推奨される。

超音波検査において尿路結石のエコー像は，高輝度エコーとその後方に音響陰影を伴うのが特徴である。呼吸性移動や合併する水腎症を確認できれば腎結石と判断できる。しかし，中部・下部尿管や尿道の結石自体を同定することは技術的に困難とされる[6)]。

単純CTの診断率は感度94～100％，特異度92～100％とされ，静脈性尿路造影（intravenous urography；IVU）の感度51～66％，特異度92～100％と比較して高く[5)]，尿路以外の腹部所見を得ることもできるため，単純CTが急性腹症における尿路結石の標準的な診断方法となりつつある（図1）。

結石の組成は，80％がカルシウム系の結石，20％が尿酸系結石といわれる。X線透過性の尿酸系結石はCT検査で描出できない場合があるが，水腎症の程度や腎盂，尿管の拡張所見から結石の存在を推定することができる。

2）治　療

結石の治療として，10 mm以下の結石では薬物コントロール下に自然排石を促す保存療法を選択し，保存療法で改善しない症状や腎機能障害の進行などが懸念される場合には外科的治療が検討される。

外科的治療には，体外で発生させた衝撃波を体内の結石めがけて集中させ結石を砕く体外衝撃波結石破砕術（extracorporeal shock wave lithotripsy；ESWL），麻酔コントロール下に内視鏡（硬性もしくは軟性尿管鏡）を尿道から挿入し，モニタで確認しながら鉗子などで破砕して体外に取り出す経尿道的尿管結石破砕術（transurethral lithotripsy；TUL，frexible-TUL），麻酔コントロール下に背中から腎までのバイパスルートを作成し，内視

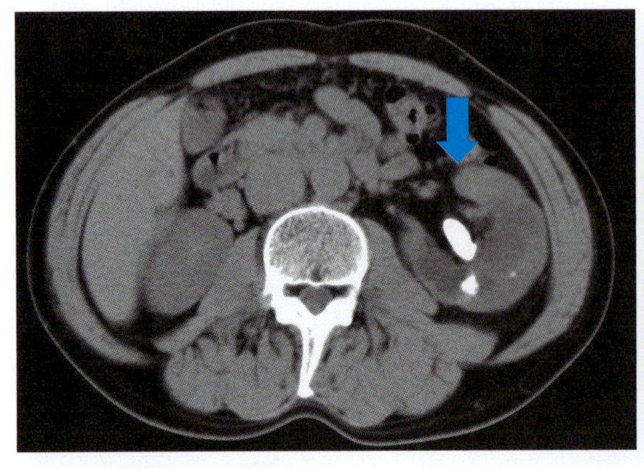

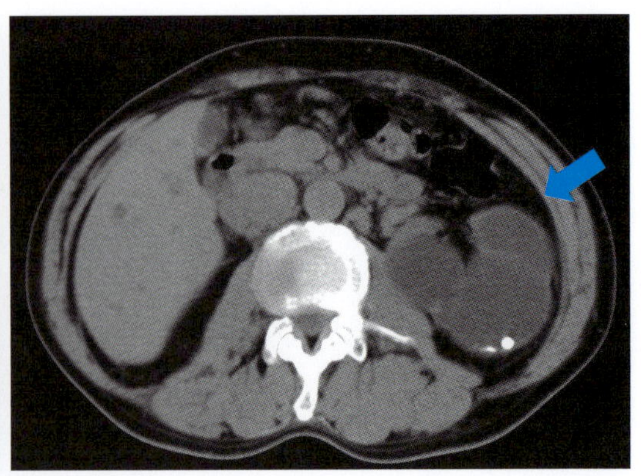

図1　尿路結石の単純CT
50歳代，男性。左腰痛で受診。腎尿管膀胱撮影にて左腎結石指摘。左水腎症あり
上極および下極の腎盂内に結石が存在するため，同部位の実質の菲薄化を呈している

鏡下に砕石装置などを用いて体外へ摘出する経皮的腎砕石術（percutaneous nephrolithotripsy；PNL）などがある。結石の位置や大きさに応じて，ESWL，PNL，TUL（f-TUL）など適切な外科治療を選択して採石する[5]。

2. 尿路感染症

腎，尿管，膀胱，尿道などの尿路に感染を引き起こす疾患を尿路感染症（urinaly tract infection；UTI）と総称する。臨床経過から急性と慢性に，基礎疾患の有無から単純性と複雑性に，感染部位により上部尿路（腎盂腎炎）と下部尿路（膀胱炎）に分類され，それぞれを組み合わせて疾患名となる。

尿路感染症に対する診断・治療は，単純性尿路感染症と複雑性尿路感染症に大きく分けて行われる[7]。診断としては原則的に尿培養が行われる。血液検査では通常の細菌感染症と同様に白血球の増加とCRPなどの炎症マーカーが上昇する。

画像検査としては，腎尿管膀胱部X線撮影（KUB），超音波検査，CT検査などが行われる。腎盂腎炎では感染のため浮腫をきたして腎が腫大するため，症状が進行していれば単純X線や超音波検査だけでも診断の手がかりとなる。

1）単純性尿路感染症

急性単純性膀胱炎，急性単純性腎盂腎炎などが代表的であり，グラム陰性桿菌である大腸菌（*Escherichia coli*；*E. coli*）がこれらの起炎菌としてもっとも多い。

急性単純性膀胱炎は性的活動期（10～50歳代）の女性に多く，排尿痛，頻尿，尿意切迫感，肉眼的血尿などの症状がみられ，通常発熱は伴わない。

急性単純腎盂腎炎も性的活動期の女性に好発するが，男性患者の腎盂腎炎はすべて複雑性として扱われる。尿路の逆行性感染により惹起される有熱性尿路感染であり，集合管から腎実質に組織破壊が波及することにより，血流感染を合併しやすいという特徴がある[8]。症状としては，発熱・全身倦怠感などの全身症状，患側の肋骨脊椎角部の叩打痛（costovertebral angle tenderness；CVA tenderness）が認められる。原因菌は膀胱炎と同様に*E. coli*がもっとも多く，膿尿や細菌尿を認め，白血球増多など全身性の炎症反応を伴う。

2）複雑性尿路感染症

尿路に何らかの基礎疾患のある尿路感染症で，小児から高齢者まで幅広い年齢層にみられる。尿路の基礎疾患として，小児では腎盂尿管移行部狭窄症や膀胱尿管逆流症などの先天奇形による尿流障害が多い。一方，高齢者では神経因性膀胱，前立腺肥大症，水腎症，尿路結石症，尿路上皮悪性腫瘍などが多い。

表1　気腫性腎盂腎炎のCT分類

クラス	所見
Class 1	ガスは集合管内に限局
Class 2	ガスは腎実質内に限局し，腎外に及ばない
Class 3A	ガスや膿瘍が腎周囲腔に及ぶ
Class 3B	ガスや膿瘍が腎実質に及ぶ
Class 4	両側に病変がある，本疾患のため片腎機能に陥っている

複雑性尿路感染症は，基礎疾患の除去により治癒が得られるものから，細菌尿が持続して急性憎悪を繰り返すものまで，さまざまな病態を含む。起炎菌としては*E. coli*の割合が下がり，腸球菌，ブドウ球菌，緑膿菌などが増加する。尿路における基礎疾患の診断・治療と適切な尿路管理が重要とされ，とくに尿路閉塞は敗血症を伴う腎盂腎炎などの重症化の誘因となる。

重症化疾患の例として，気腫性腎盂腎炎がある。腎内外にガス算出が認められる病態で，死亡率がとくに高い。臨床徴候としては，悪寒を伴った38℃以上の発熱，意識レベルの低下，下腹部痛および腰背部痛，また膀胱刺激症状として頻尿，残尿感，排尿時痛などが認められる。重症度判定や治療法の選択にはCT検査が重要とされ，代表的な判定分類としてHuangらによる分類がある（表1）。気腫性腎盂腎炎のCT像を図2に示す。

3）尿路性敗血症（urosepsis）

尿路性敗血症は，尿路に対する操作後の発症を含む尿路感染症により生じた敗血症と定義される[9]。腎杯と前立腺部尿道では粘膜下から細菌が直接静脈に流入しやすいという解剖学的特徴から，尿路性敗血症は尿路留置カテーテルに関連したものが多い。尿流の停滞を解除しなければ治癒に至らない場合もあり，腹部超音波検査や腹部CT検査で水腎症，膿瘍形成，ガス産生が観察される場合には，尿管ステントの留置や経皮的腎瘻増設などの泌尿器科的ドレナージが緊急的に必要となる。

3. 急性腎不全

急性腎不全は，急性に無尿・乏尿となり，血中のBUNやクレアチニン濃度が急激に上昇する疾患である。原因によって，腎前性，腎性，腎後性（閉塞性）に分類される。鑑別診断は主に血液・尿生化学的検査で行われ，何を原因とする腎不全かによって治療戦略が大きく異なるため，鑑別が非常に重要である[10,11]。

1）腎前性腎不全

腎前性腎不全は腎血流量が低下し，糸球体濾過量が急激に低下することより起こる腎不全であり，嘔吐，下痢，

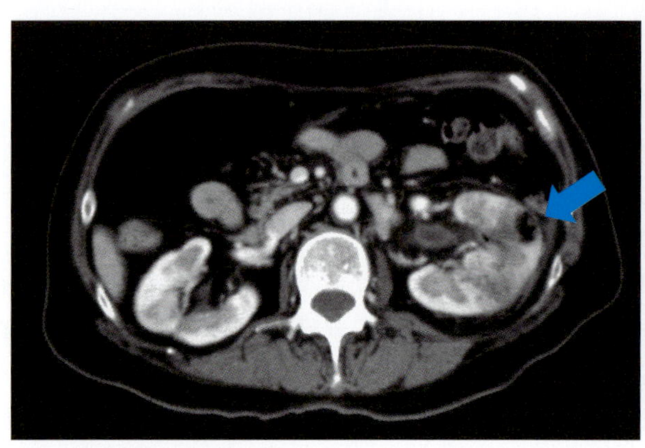
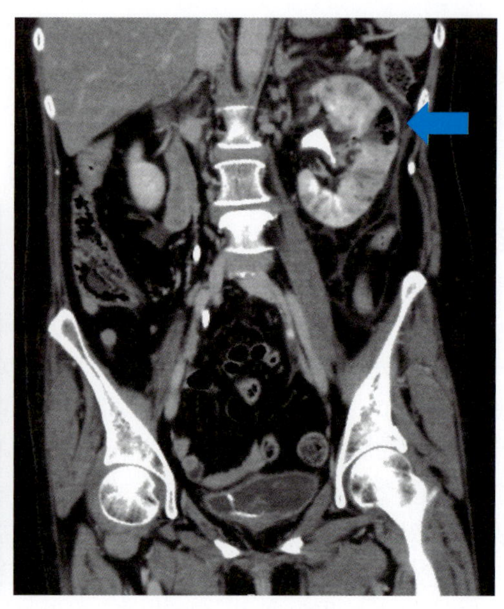

図2　気腫性腎盂腎炎のCT像
60歳代，女性。突然の腹痛・嘔吐にて前医受診。前医の単純CTにて左の気腫性腎盂腎炎が疑われたため，造影CT施行をした。air densityと造影不良域を伴う腫大した左腎を認める（矢印）。Class 2の気腫性腎盂腎炎

出血などによる絶対的な体液量の減少や，心機能障害による心拍出量の低下などに起因する。

治療戦略として，体液量の減少には輸液や輸血，心不全には強心利尿薬などを投与し，起因疾患への対応を基本とする。

2）腎性腎不全

腎性腎不全は腎実質の障害による腎不全であり，急性尿細管壊死によるものがもっとも多い。緊急血液透析を基本戦略とする。

3）腎後性腎不全

腎後性腎不全は，尿管結石，前立腺肥大などによる両側尿管，膀胱，尿道の閉塞に起因する腎不全である。救急処置により，腎機能の正常化，病勢の進行停止が期待できる。緊急手技としては，尿管にカテーテルを挿入して閉塞部を通過させる方法（図3）や，超音波とX線透視下にて腎瘻を造設する方法（図4）がある。

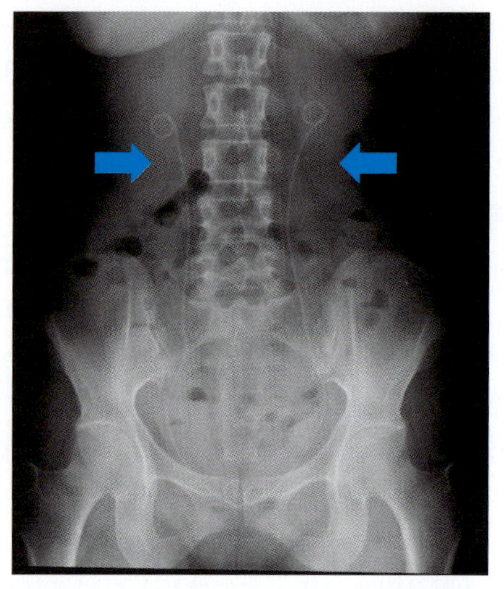

図3　両尿管に対するカテーテル挿入術

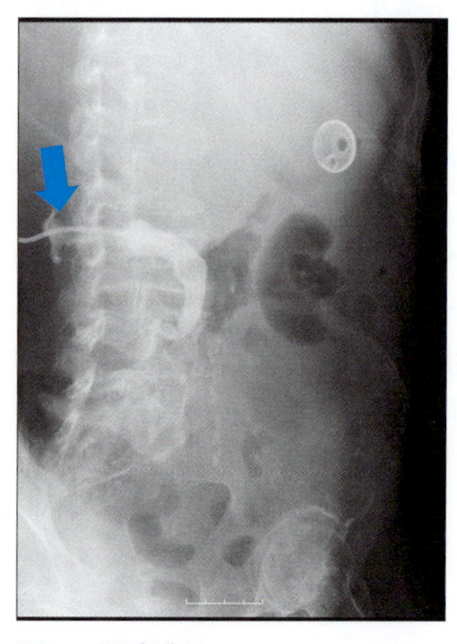

図4　腎瘻造設

4. 尿路系の出血

高度の血尿で膀胱内が凝血塊で充満される状態を膀胱タンポナーデといい，緊急処置（膀胱穿刺による膀胱瘻設置）が必要となる。膀胱タンポナーデをきたすような疾病として外傷以外では，腎・腎盂尿管癌や膀胱癌，腎動脈瘤・腎動静脈奇形などの血管異常，前立腺癌や前立腺肥大の術後出血などがあげられる。

血尿は，腎から外尿道口までの部位に存在する泌尿器科的疾患すべてで起こり得るため，出血部位の特定や，血尿以外の症状や触診から原因疾患を推定することが重要である。出血部位の推定は問診またはThompsonの2

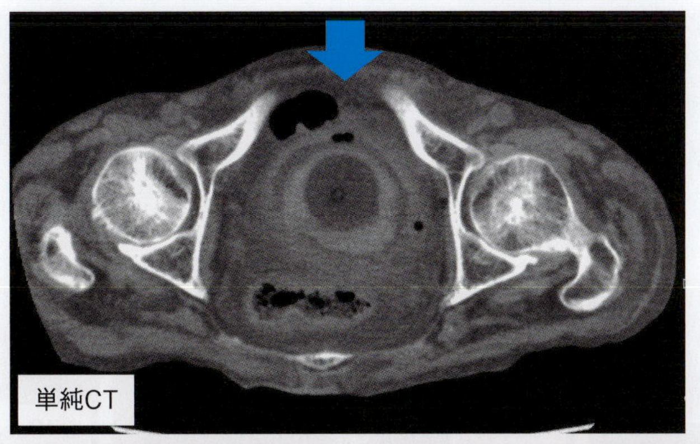

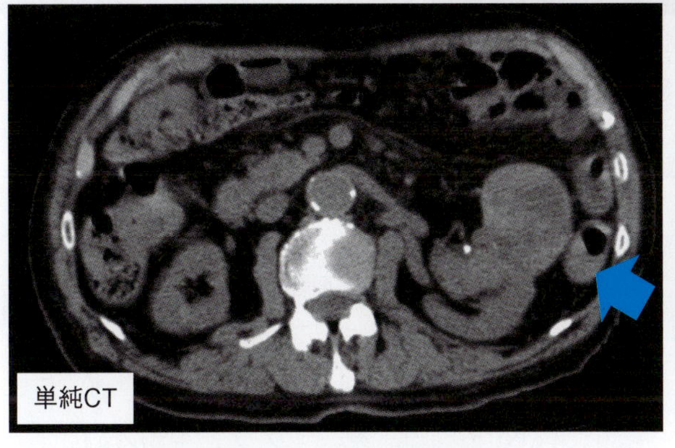

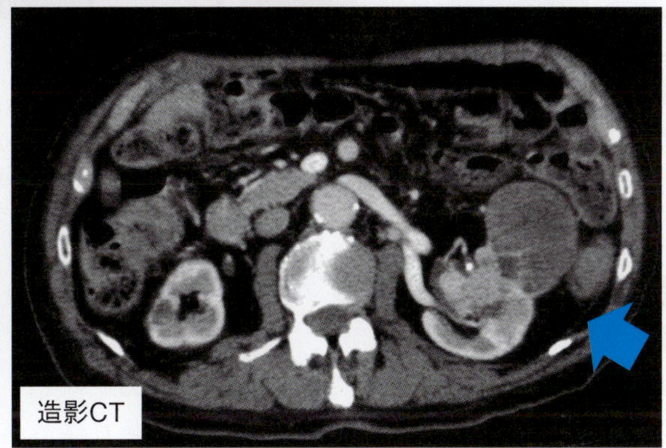

図5 膀胱タンポナーデ症例のCT所見
90歳代，男性。血尿増悪，貧血進行（Hb 5.6）を認めた。外来での膀胱鏡では明らかな腫瘍性病変は認めなかったものの，血尿で視界はpoor。間欠的に血尿の増悪を認めたため，上部尿路疾患の確認目的にて造影CTを施行した
単純CT像での膀胱内は高吸収で，血腫が疑われた。膀胱壁はびまん性に不整な肥厚が認められた。左腎に5 cm径の嚢胞性領域を認め，単純CT像で淡い高吸収を示し，内部に出血を伴う可能性。単純・造影CT像にて左腎盂内にmassの進展が認められる。尿管内への出血源と考えられた

杯分尿法で行う。初期血尿では前部尿道出血が推定され，終末時血尿では膀胱頸部・後部尿道出血が，全血尿では膀胱・上部尿路出血が推定される。

検査としては，血液・尿生化学的検査と画像検査が実施される。画像検査は超音波検査，CT検査がとくに有用であり，腎機能が許せば造影CTが望ましい（図5）。

血尿は通常，安静や補液，止血薬の投与によって寛解が期待できる。しかし，それらの効果が薄い場合，腎・尿管部出血に対しては，腎盂内にカテーテルを挿入して薬剤を投入する腎盂内薬物注入や，腎動静脈瘻が原因とされる場合にはIVRによる流入動脈の塞栓を行う。また膀胱出血に対しては膀胱洗浄にて対応するが，内視鏡下にて止血する方法や，IVRで原因血管を塞栓する場合もある。前立腺や尿道の出血に対しては，尿道内に止血用バルーンカテーテルを挿入・留置して止血する。

5. 急性陰嚢症

陰嚢または陰嚢内容の急激な有痛性腫脹をきたす疾患群の総称である。精巣（索）捻転症（図6）と精巣付属器捻転症，精巣上体炎が主たる疾患であるが，その鑑別診断は必ずしも容易ではなく，各疾患の特徴を理解して診断することが精巣救済率の向上につながる[12]。

産婦人科系の救急疾患

急激に発症した腹痛のなかで，緊急手術を含む迅速な対応を要する腹部疾患群を急性腹症と呼び[13]，主に外科・産婦人科領域にみられる疾患とされる[14]。救急診療における婦人科急性腹症に関する報告[15,16]では，救急外来を受診した女性の17%が，さらに40歳以下では45%が産婦人科疾患患者であったとされている。

産婦人科救急では，大量出血などにより生命にかかわる急性腹症があり，緊急性と頻度が高いものとしては異所性（子宮外）妊娠，卵巣出血，卵巣腫瘍破裂・茎捻転があげられる。また，周産期における出血は今もなお妊産婦死亡原因の第1位であり，危機的産科出血に際しては不可逆的になる前に早期診断し，適切な治療を行わなければならない。

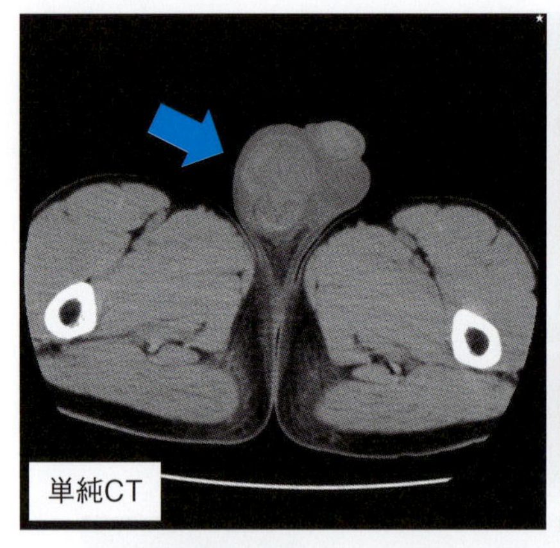

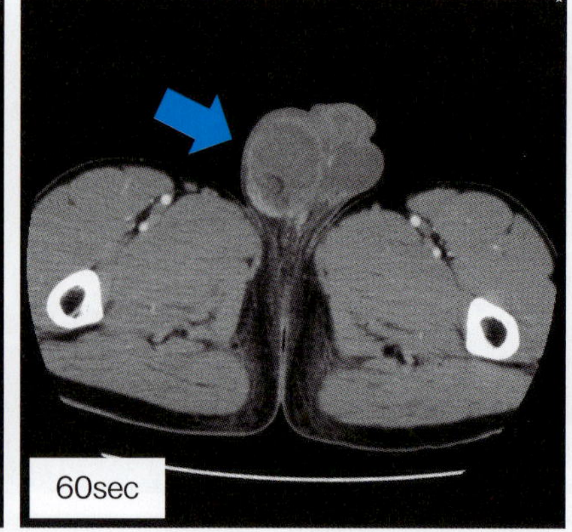

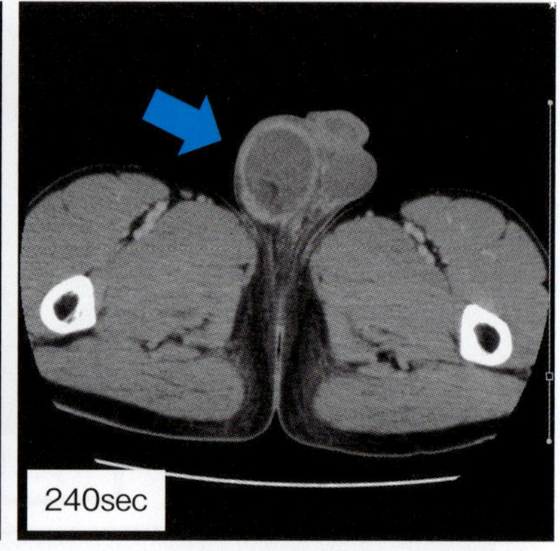

図 6　精巣捻転症例の CT 所見
20 歳代，男性。急性腹症にて来院。外来エコー上，精巣腫大，急性精巣上体炎疑いにて CT を施行した。右陰嚢は腫大し，正常の精巣は同定困難。精巣内部は単純 CT で不均一高吸収を呈し，造影後は辺縁のみが rim 状に増強されている（矢印）。捻転に伴う出血・壊死の所見。精巣捻転による緊急手術となり，精巣摘除となった

1．異所性（子宮外）妊娠

1）概　要

受精卵が異所性（子宮以外）に着床する妊娠の総称であり（図 7），全妊娠の 0.5～1%に発生する[17]。無月経，不正性器出血，下腹部痛が三大徴候とされ，下腹部痛にて救急受診する場合がほとんどである。近年，高感度 HCG（human chorionic gonadotropin；ヒト絨毛性ゴナドトロピン）妊娠検査薬と経腟超音波診断の普及によって早期診断が可能となり，卵管破裂を伴って重篤化する症例は減少している。

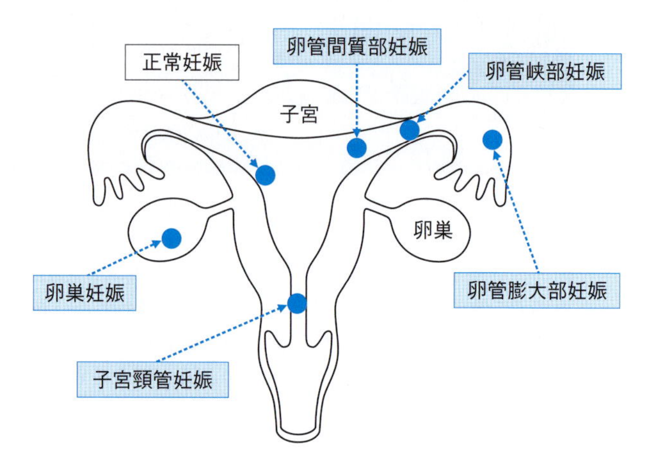

図 7　異所性妊娠の付着部位
卵管妊娠が 80％以上

2）症例 A

患者：40 代女性。

経過：最終月経から 6 週程度で続発性無月経となり，近隣婦人科を受診した。7 週で底部に 1 cm の変形を伴う胎嚢（gestational sac；GS）を認めた。血液検査で HCG 高値から低値へ変化し，稽留流産が疑われ，子宮内容除去術施行となった。しかし，7 週 5 日に HCG が再び高値となり，経腟エコーにて間質部に GS を疑う所見を認めた。異所性妊娠の可能性を疑って，造影 CT での評価依頼となった。

CT 撮影指示：単純 CT，造影 CT 3 相（delay time 40 sec，60 sec，240 sec）。

CT 撮影条件：120kv，CT-AEC，AIDR 3D（WEAK）。

造影剤注入条件：300 mgI 製剤を 3 ml/秒にて 80 ml 注入。

線量情報：表 2 に示す。

所見（図 8）：右卵管角に cystic lesion がみられ（矢印），周囲に筋層の肥厚および血管の増生を認める。ectopic pregnancy が考えられる。明らかな出血などの所見はなし。

表 2　症例 A：異所性妊娠例の CT 線量情報

region	protocol name	meanCTDIvol	DLP
abdomen	dynamic 単純（2 mm）	16.9	815.6
abdomen	dynamic 2 相（2 mm）	16.9	815.6
abdomen	dynamic 2 相（2 mm）	16.9	815.6
abdomen	腹部 delay-4 分（2 mm）	16.9	815.6
			3262.4

3）症例 B

経過：最終月経から 2 カ月，7 週にて市販の妊娠反応検査で陽性となる。8 週 0 日，近隣病院にて帝王切開瘢痕部に胎芽を認め，心拍が確認された。腹腔鏡ガイド下子宮内容除去術施行方針となり，MRI 後に術前の子宮動脈塞栓術（uterine artery embolization；UAE）を施行した。

MRI 撮影指示：Ax にて T1W，T2W，DWI，B-TFE，In/Out。Sag にて T1W，T2W，T2W 脂肪抑制。Co に

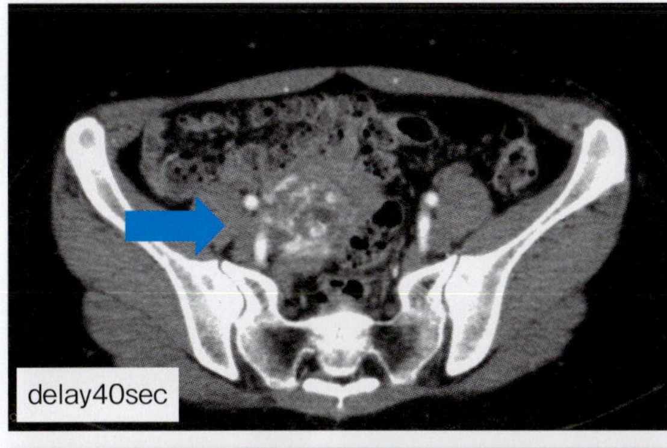

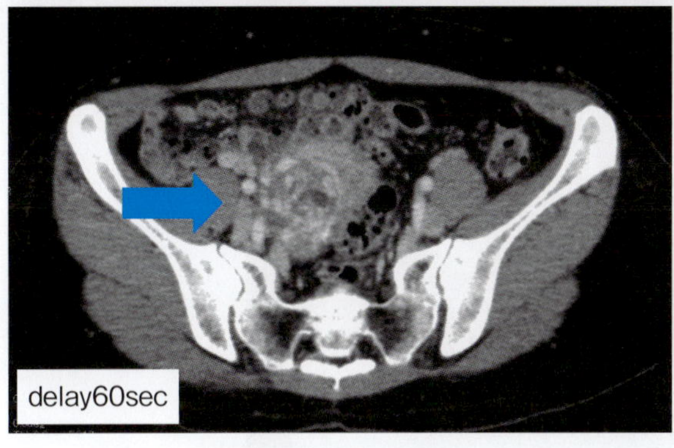

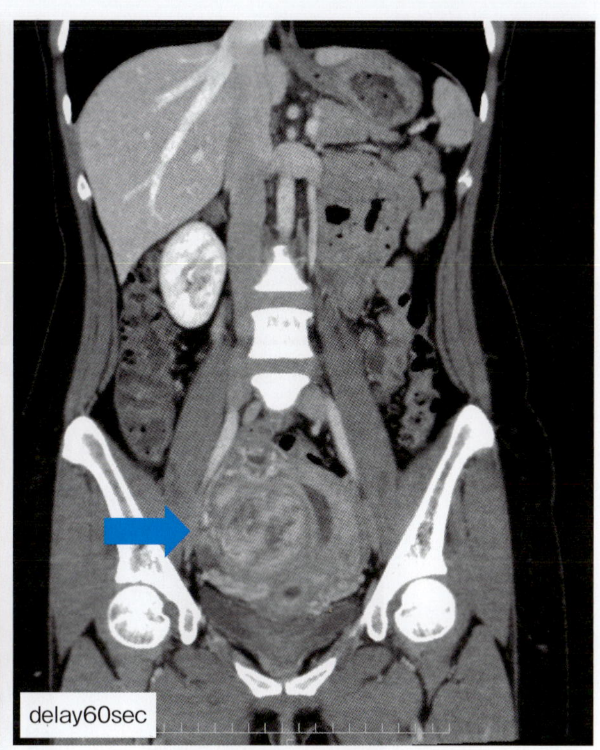

図8 症例A：異所性妊娠のCT所見

てT2W脂肪抑制。

所見（図9）：子宮において，内腔の切痕部に径12 mm大の嚢胞性領域を認める（矢印）。胎嚢の可能性あり。

術前UAE：腹部大動脈に挿入したピッグテールカテーテルより骨盤部のaortagramを撮影。両側子宮動脈の拡張を認めた（図10）。右内腸骨動脈造影し，右子宮動脈上行枝に対してUAEを施行した。塞栓物質にはセレスキュー®を用いた。

2. 卵巣出血

1）概　要

卵巣出血は，卵巣の血管断裂に伴う腹腔内出血のために，腹膜刺激症状を呈するものである。卵胞出血（20%）と黄体出血（80%）に大別される。自然止血例が多く，原則は保存的治療となるが，大量出血時には外科的処置が必要となる。

2）症例C

患者：20歳代，女性。

経過：急性腹症，下腹部痛にて受診。妊娠反応は陰性。

WBC 11,000 μl，CRP 0.5 mg/lにて，原因精査のため造影CT検査の依頼。

CT撮影指示：単純CT，造影CT 1相（delay time 240 sec）。

CT撮影条件：120 kv，CT-AEC。

造影剤注入条件：300 mgI製剤を2 ml/秒にて80 ml注入。

所見（図11）：左卵巣が腫大し，内部に明らかな出血を認めた（矢印）。

3. 卵巣腫瘍破裂・茎捻転

1）概　要

卵巣腫瘍破裂とは，卵巣腫瘍内容液が腹腔内に漏出し腹膜刺激症状を呈するものである。卵巣腫瘍茎捻転とは，卵巣腫瘍が支持靱帯を軸として捻れ，靱帯内血流が遮断され，卵巣がうっ血・阻血して強い痛みをきたすものである。小児では付属器の固定が不十分で可動性に富むため，正常卵巣でも捻転を生じることがある。

強い下腹部痛があり，妊娠反応が陰性で，卵巣腫瘍を認める場合には本疾患を疑う。破裂は卵巣腫瘍の10〜25%に生じるとされ頻度が高く，右側に発症しやすい。捻転は8〜12 cm程度の腫瘍サイズで好発し，周囲との癒着が乏しい良性腫瘍に生じやすい。

2）症例D

患者：20歳代，女性。

経過：深夜より右下腹部痛。採血は異常なく，発熱もなし。下痢，便秘症状なし。急性腹症診断のため，造影CT依頼。造影CT，経腟エコーなどの結果，右卵巣腫瘍，成熟嚢胞奇形腫・茎捻転が考えられ，緊急の腹腔鏡下卵巣嚢腫摘出術が施行された，

CT撮影指示：単純CT，造影CT 2相（delay time 60 sec，240 sec）。

CT撮影条件：120 kv，CT-AEC。

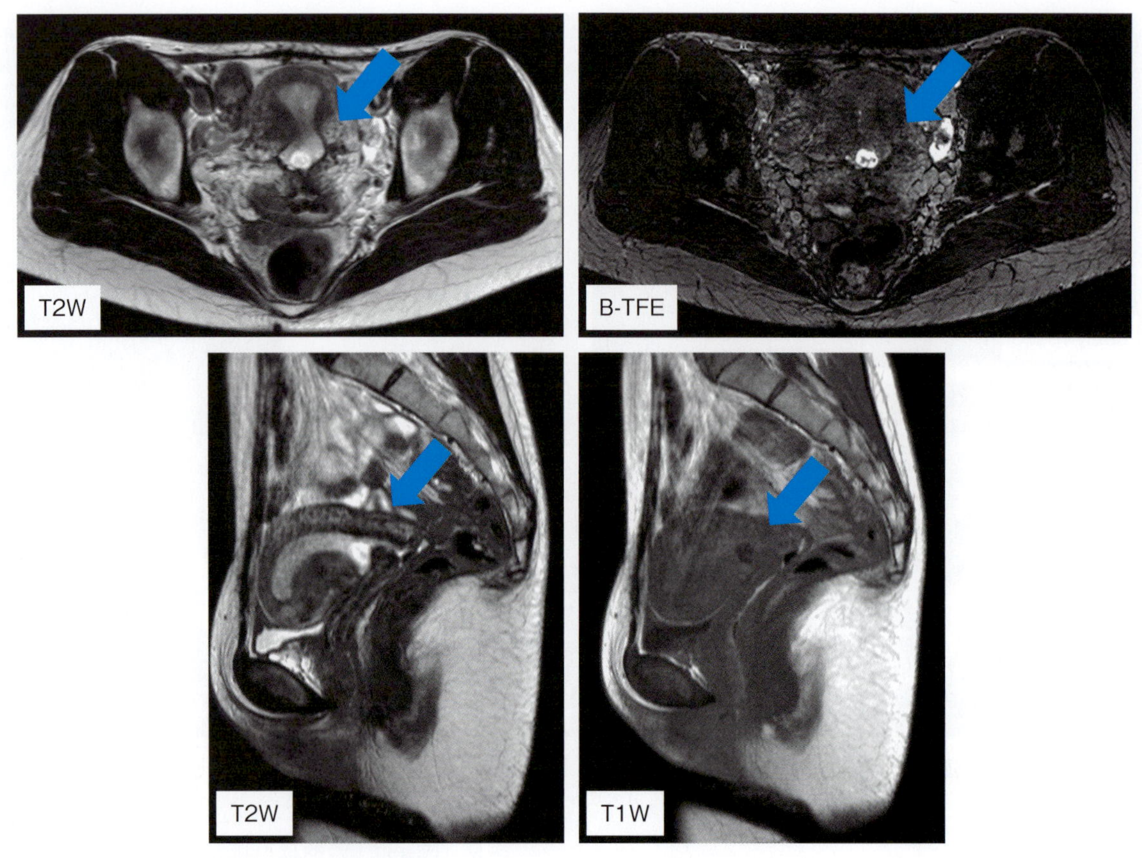

図 9　症例 B：異所性妊娠の MRI 所見

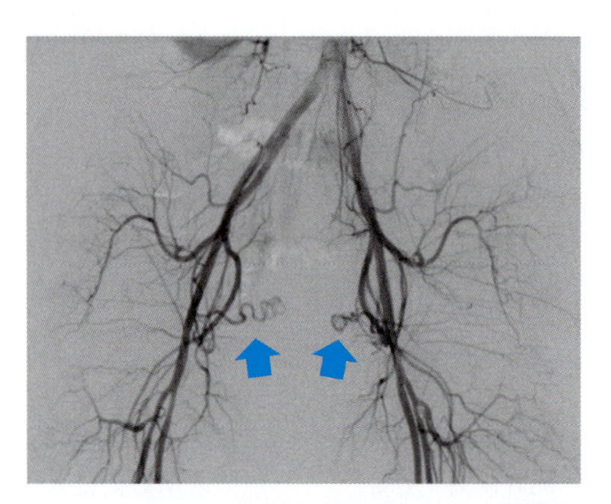

図 10　症例 B：異所性妊娠の術前 UAE 所見①

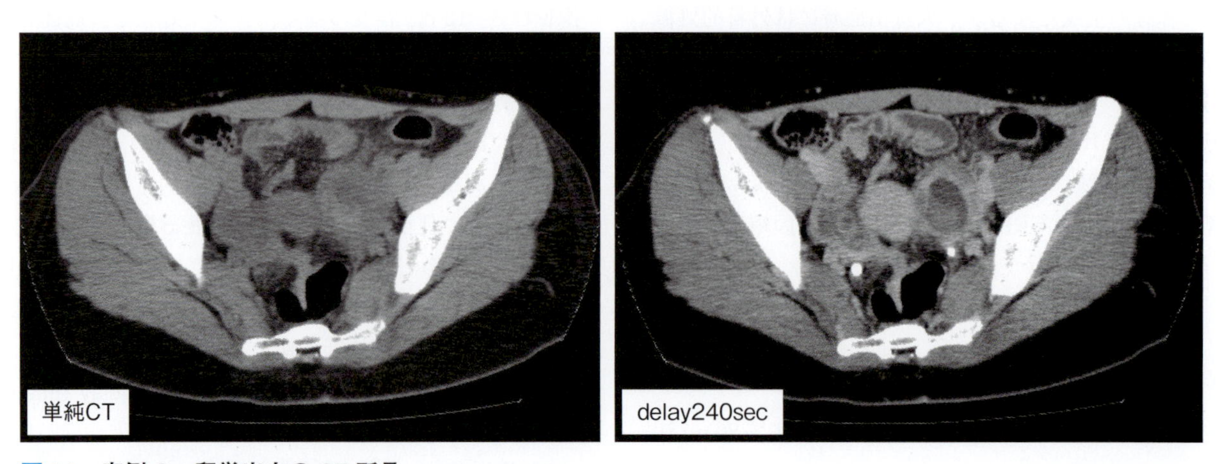

図 11　症例 C：卵巣出血の CT 所見

表3 症例D：卵巣腫瘍破裂・茎捻転例のCT線量情報

region	protocol name	meanCTDIvol	DLP
abdomen	6.1 abdomen	11.87	589.23
abdomen	6.2 abdomen（CE 60,240）	11.94	592.61
abdomen	6.2 abdomen（CE 60,240）	11.97	594.31
			1776.15

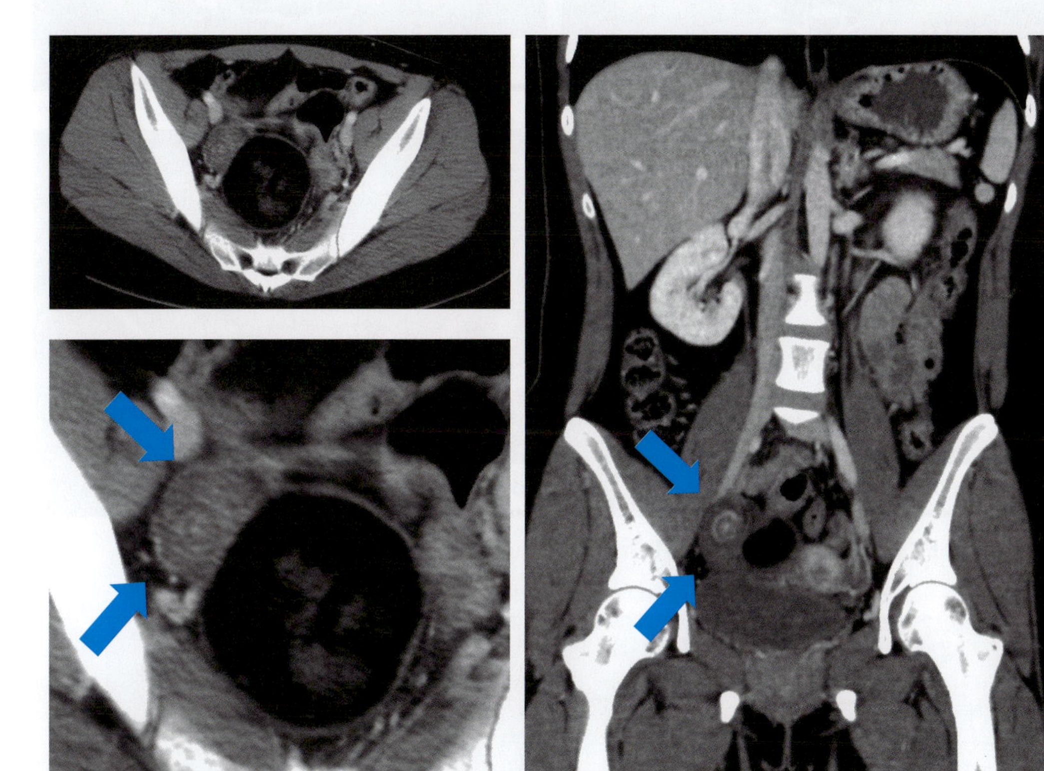

図12 症例D：卵巣腫瘍破裂・茎捻転のCT所見

造影剤注入条件：300 mgI製剤を2 ml/秒にて92 ml注入。

線量情報：表3に示す。

所見（図12）：右付属器領域において，径66 mm大の石灰化，充実性成分，脂肪成分が混在した領域が認められ（矢印），奇形腫を疑う。茎部に同心円状の脈管を含む腫脹した領域の描出が認められる。有症状の場合，右卵巣茎捻転が存在する可能性が疑われる。

4. 産科危機的出血

1）対応の基本方針

産科危機的出血治療の基本方針として，子宮内遺残物，産道裂傷，子宮収縮の確認など胎児・胎盤娩出後の基本的操作に加え，必要に応じて超音波，CT，MRなどの画像診断を行う[18]。出血が持続する場合，shock index（SI）値と計測出血量から循環血液量不足を評価する。SI値は「1分間の心拍数（脈拍数）÷収集期血圧（mmHg）」である。SI値1.5以上，乏尿，末梢冷感，SpO_2低下などのバイタルサインの異常，産科DICスコア8点以上のいずれかが認められた場合，産科危機的出血と診断する[19)20)]。また，施設によっては輸血のために搬送のタイミングが遅れることも想定されるため，患者状況によっては高次施設への搬送を優先すべき場合もある。

このような産科危機的出血への対応については，各施設でマニュアルを作成し，全スタッフが参加するシミュレーションを行い，医療チームとして対処法を確認しておくことが強く求められる。

血管造影検査および塞栓術は，出血性ショックに対する出血源検索と止血として非常に重要であるが[21]，出血性ショックにおける動脈塞栓術は，適応の決定から治療開始までをいかに短くできるか，時間との闘いである。そのため高次施設でも，スタッフへの連絡方法や搬入準備をプロトコル化するなど，普段から緊急手技に対応するための意識づけを行っておくことが重要である。

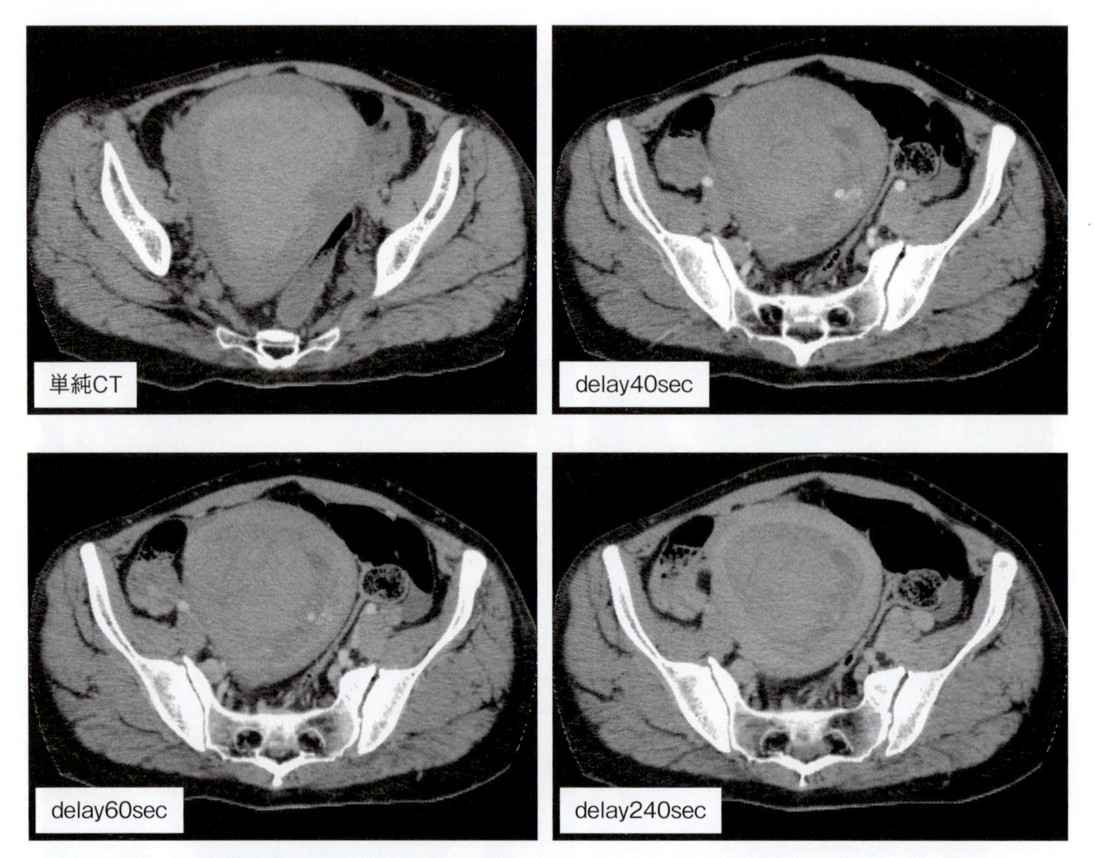

図 13　症例 E：産科危機的出血例の CT 所見

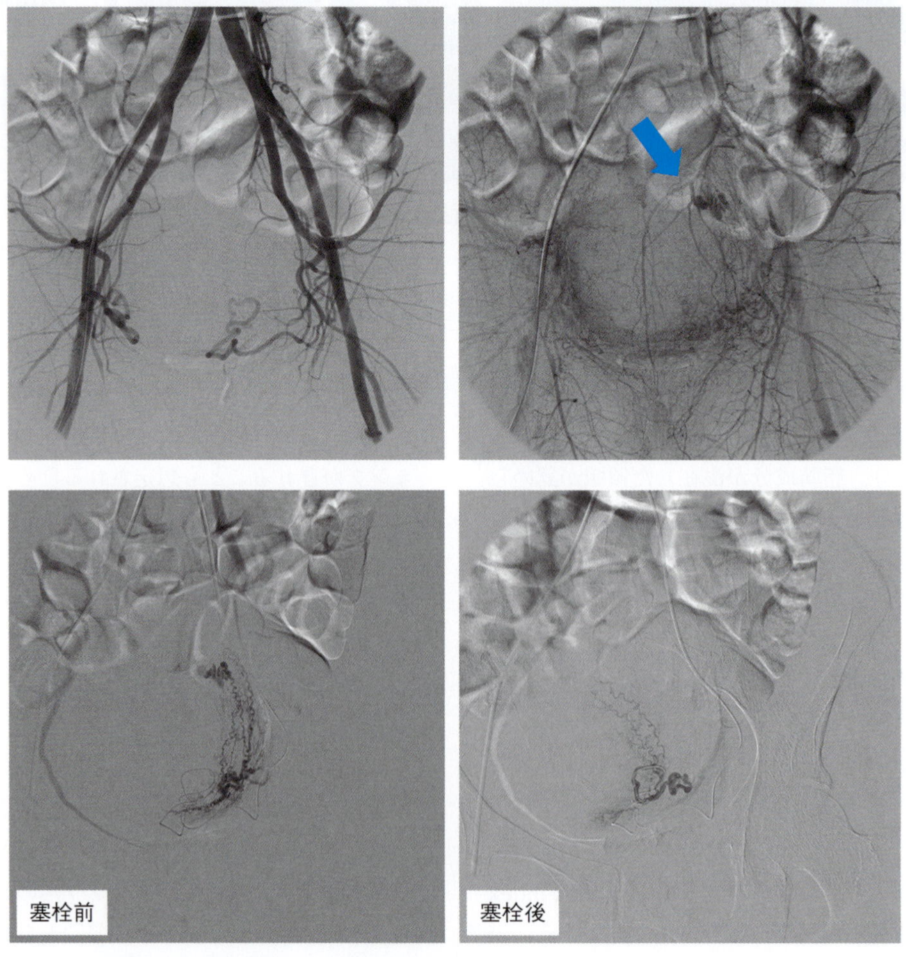

図 14　症例 E：産科危機的出血例の UAE 所見

2）症例E

患者：30歳代，女性。

経過：通常分娩後11日目，自宅にて不正性器出血があり，前医を受診した。子宮腔内に大量出血を認め，ガーゼパッキンのうえ救急搬送された。出血が1,400 mlを超えて出血性ショックに陥ったため輸血開始。超音波上で仮性動脈瘤破裂の疑いがあり，緊急CT検査を実施した。

CT所見（**図13**）：単純CT画像において，子宮は肥大し，内部にhigh density lesionを認める。出血成分と考えられる。造影早期相にて子宮後壁上部に境界明瞭な濃染域を認め，子宮動脈の仮性動脈瘤を考えて，同部からの出血と診断された。

UAE所見（**図14**）：aortogramにおいて，両側の子宮動脈の拡張がみられた。とくに左子宮動脈の上行枝から造影剤のpoolingを認め（矢印），同部位が責任血管と考えられた。マイクロカテーテルを超選択的に左子宮動脈末梢に挿入し，スポンゼル®にて塞栓した。

【文　献】

1）富永悠介，他：当院救急センターにおける泌尿器疾患の臨床統計．日泌会誌 107：239-244，2016.
2）井上克己，他：国立病院東京災害医療センターにおける泌尿器科救急患者統計．昭和医会誌 60：632-635，2000.
3）竹下英毅，他：急性陰囊症における精巣捻転症のリスクと発症日外気温および日内気温差の関係．日泌会誌 107：233-238，2016.
4）日本尿路結石症学会編：尿路結石症のすべて，医学書院，東京，2008.
5）日本泌尿器科学会，他：尿路結石症診療ガイドライン 2013年版，金原出版，東京，2013.
6）松崎章二：尿路結石．臨床検査 63：492-493，2019.
7）斉藤弥穂，他：腎・泌尿器疾患．Medical Technology 39：685-692，2011.
8）日本感染症学会，他：JAID/JSC感染症治療ガイドライン 2015；尿路感染症・男性性器感染症．日化療会誌 64：1-30，2016.
9）JAID/JSC感染症治療ガイド・ガイドライン作成委員会：JAID/JSC感染症治療ガイド2014，ライフサイエンス出版，東京，2014.
10）井上紘輔，他：急性腎不全と慢性腎不全の鑑別．綜合臨牀 59：1350-1353，2010.
11）平山陽，他：急性腎不全（尿毒症）．救急医学 33：1383-1388，2009.
12）Yang C, et al：Testicular torsion in children：A 20-year retrospective study in a single institution. ScientificWorldJournal 11：362-368, 2011.
13）急性腹症診療ガイドライン出版委員会編：急性腹症診療ガイドライン 2015，医学書院，東京，2015.
14）佐々木茂：産婦人科領域の急性腹症．日医大誌 60：415-418，1993.
15）村尾寛，他：子宮内膜症性囊胞破裂70例の臨床的検討．日産婦会誌 53：1850-1853，2001.
16）立澤直子，他：大学附属病院全診療部門支援型ERにおける急性腹症；性差からみた検討．帝京医誌 36：93-100，2013.
17）谷垣伸治，他：婦人科疾患．Medical Technology 39：699-707，2011.
18）小林隆夫：危機的産科出血への対応のコツと落とし穴．周産期医学 45：810-814，2015.
19）日本産科婦人科学会，他：産婦人科診療ガイドライン；産科編 2017，2017.
20）日本産科婦人科学会，他：産科危機的出血への対応指針 2017，2017.
21）堀　晃：産婦人科領域の救急疾患；CT診断とIVR．日獨医報 51：95-107，2006.

Ⅳ章 外傷診療における救急撮影

1 頭部，顔面，頸椎・頸髄外傷

頭部（頭蓋内），顔面，頸椎・頸髄は解剖学的に近接するため，損傷の合併を常に考慮しなければならない。JATEC™に従って，primary surveyでは気道・呼吸・循環の評価・対処を優先しながら，意識障害を評価する[1)]。気道・呼吸・循環が維持できたことを確認してから，secondary surveyにて局所の触診・視診などの身体所見や画像検査による評価を行う。

頭部外傷の特徴や注意点

1．意識障害と重症度（primary survey）

頭部外傷における初期の重症度評価の基準は，意識障害の程度である。頭部外傷に限らず，意識障害の評価はGlasgow Coma Scale（GCS）が基本になるが，わが国ではJapan Coma Scale（JCS）も用いられてきた経緯があるため，併用される場合が多い。

JATEC™では，GCS合計点8以下を重度，9～13を中等度，14～15を軽度頭部外傷としている[1)]。とくに重度頭部外傷では，初期から気管挿管による呼吸管理が行われる。

2．頭部・顔面部の局所所見（secondary survey）

1）頭部概観

頭部各部位の触視診による骨折変形の確認と，頭皮裂傷などの確認を行う。raccoon eyes, Battle's sign（頭蓋底骨折）がみられることもある。

2）眼周囲

眼球の突出・隆起は眼球後面の血腫を示唆し，場合によっては眼窩内圧除去のために切開を要する。眼球損傷（眼球破裂）や瞳孔所見を確認する。

3）耳　孔

髄液漏，耳出血（側頭骨骨折），鼓室内出血（聴器損傷）を確認する。

4）鼻　腔

髄液漏，鼻出血（頭蓋底・顔面骨骨折）を確認する。

5）口　腔

顔面（上顎）骨の安定性（Le Fort骨折）をみるとともに，歯牙損傷の有無を確認する。

3．損傷部位などによる分類

1）頭蓋骨損傷

頭蓋骨損傷は円蓋部と頭蓋底の骨折に分けられる。円蓋部骨折は，さらに線状骨折と陥没骨折（非開放性・開放性）に分けられる。線状骨折自体はとくに治療を必要としないが，血管溝（中硬膜動脈）や静脈洞を横断する骨折では硬膜外血腫を発症する可能性がある。陥没骨折では，陥没の深さ（1 cm以上/未満）と硬膜損傷（非開放性/開放性）の有無による髄液漏，静脈洞への圧迫の有無などが重症度・治療方針の基準となる。

頭蓋底骨折の合併症として，外耳孔や鼻腔からの髄液漏や気脳症が存在する場合の頭蓋内感染，血管損傷（解離，仮性動脈瘤，内頸動脈海綿静脈洞瘻など），顔面神経麻痺などの脳神経障害が起こることがある。

2）局所性脳損傷

局所性脳損傷には，急性硬膜外血腫，急性硬膜下血腫，脳挫傷・脳内血腫がある。いずれもmass effectによる脳ヘルニアや頭蓋内圧亢進が起こり得る。

3）びまん性脳損傷

びまん性脳損傷には，びまん性脳損傷（狭義），外傷性くも膜下出血，びまん性脳腫脹がある。びまん性脳損傷（狭義）のなかでも高度の意識障害を6時間以上伴うものは，従来びまん性軸索損傷（diffuse axonal injury；DAI）といわれている病態である。

4）外傷性くも膜下出血

外傷性くも膜下出血では，CTで比較的出血量が多く認められる場合，内因性の破裂性脳動脈瘤や，有意な頭蓋内血管損傷（仮性瘤など）も考慮しなければならない。大脳半球間裂や中脳周囲の外傷性くも膜下出血ではDAIを疑う[2)]。

5）びまん性脳腫脹

びまん性脳腫脹は，頭部への直接的な外力による一次的因子で起こる場合と，初期の呼吸・循環障害による脳血流低下・低酸素などの二次的因子で起こる場合がある。二次的因子によるびまん性脳腫脹は，ほとんどの場合において重度脳損傷である。局所性脳損傷とびまん性脳腫脹では，意識障害の程度が初期の重症度を規定する。

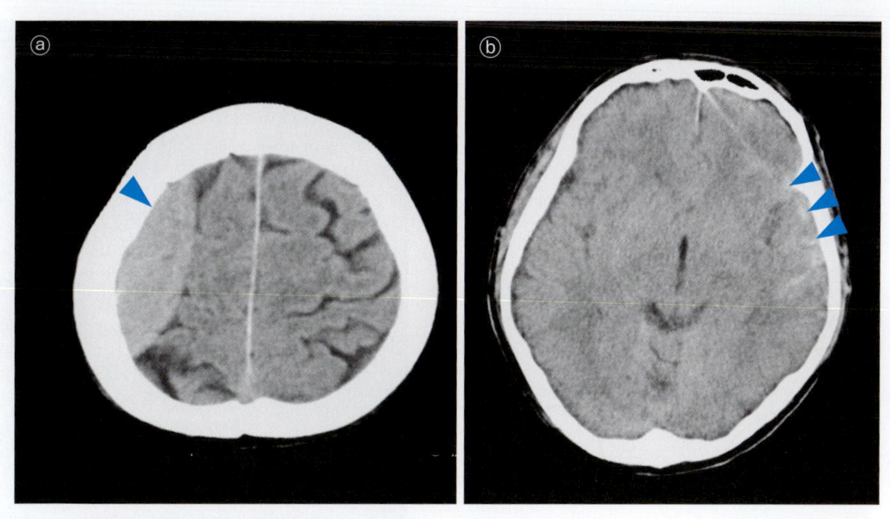

図1　頭部外傷のCT画像
a：打撲側（頭部右側）の硬膜外血腫（coup injury）
b：反対側の外傷性くも膜下出血（contre-coup injury）

4. mass effect，脳ヘルニア，頭蓋内圧亢進

脳挫傷に伴う脳内血腫・脳浮腫，急性硬膜外血腫，急性硬膜下血腫などの頭蓋内占拠性病変は，周囲の脳を圧迫・変形させるとともに，血管や脳脊髄液循環路を圧迫して脳虚血や脳室拡大を助長する（mass effect）。mass effectが高度になると頭蓋内圧を亢進させ，頭痛や嘔吐，意識レベルの悪化，さらにはCushing現象（徐脈を伴う高血圧）や，大脳鎌や小脳テントなどの硬膜と脳各部の間隙や大後頭孔からの脳ヘルニアを引き起こす。

とくに小脳テントを通したテント切痕ヘルニアは脳幹への圧迫となり，呼吸障害などによって生命が脅かされるため，緊急に対処（減圧）する必要がある。テント切痕ヘルニアの徴候としては意識障害を伴う瞳孔不同や片麻痺があり，Cushing現象や高度の意識障害とともにJATEC™では「切迫するD」と定義されている[1)]。

頭蓋内圧の亢進は，上記以外にも初期の他部位の外傷などに伴う呼吸・循環異常，感染，痙攣などによるびまん性脳腫脹（頭蓋外因子による二次的びまん性脳損傷）などでも生じ，脳血流の低下により広範囲に脳のダメージを引き起こし，最終的に脳死に移行することもある。

5. 損傷機序

頭部外傷の初期重症度と損傷機序は直接相関するものではないが，損傷形態から受けた外力のかかり方を想定するうえで重要である。外力を受けた直下に生じる直撃損傷（coup injury）と，外力を受けた対角線上の反対側に生じる反衝損傷（contre-coup injury：図1），回転的運動による頭蓋内の解剖学的歪みによって生じ得る剪断損傷（shear injury）などがある。外力を受けた直下の線状骨折と急性硬膜外出血などの直撃損傷，その反対側に生じる急性硬膜下出血や脳挫傷などの反衝損傷，剪断損傷ではびまん性軸索損傷が，典型的な発生機序による頭部外傷である。

6. 頭部外傷における感染

開放性陥没骨折や頭蓋底骨折で髄液漏や気脳症が存在する場合，硬膜損傷による頭蓋内外の交通が示唆されるため，感染による髄膜炎や膿瘍の発症に注意する必要がある。予防のために抗菌薬投与などの処置が行われる。

7. 頭部外傷における代謝異常

頭部外傷における合併症として，視床下部や下垂体の機能障害によりホルモン代謝の異常が起こり得る。とくに臨床的に問題になることが多いのは抗利尿ホルモン（antidiuretic hormone；ADH）の代謝異常である。代謝異常には，ADH分泌が低下し，腎における水分の再吸収が阻害されて多尿（中枢性の続発性尿崩症）となり，結果的に高ナトリウム血症が起こる場合と，ADHが過度に分泌され（抗利尿ホルモン不適合分泌症候群；SIADH），水分の再吸収が亢進して血液が希釈され低ナトリウム血症が起こる場合がある。いずれの場合も頭部外傷に対する治療と並行して，適切な電解質補正が必要となる。

顔面外傷の特徴や注意点

顔面外傷において，初期には顔面骨骨折に伴う外出血による循環障害と，気道周囲の軟部組織の損傷・浮腫，血液・異物，機械的な変形などによる気道閉塞が重要となる。骨折により顔面に分布する外頸動脈の分枝から出

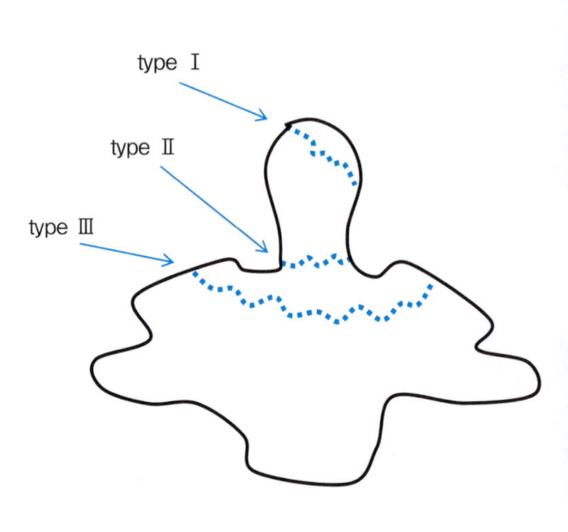

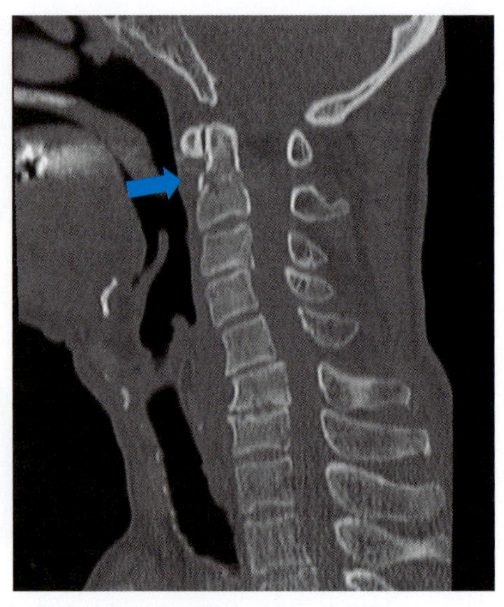

図 2　軸椎歯突起骨折の Anderson 分類と CT 画像（type 2，MPR）

血するが，口腔や副鼻腔から気管内へ血液が流入することで，気道閉塞や誤嚥性肺炎による呼吸阻害の原因となる。

また，大量の鼻出血であれば血圧低下も起こるため注意を要する。鼻出血では初期にはベロックタンポンによる圧迫止血が試みられるが，出血の制御が困難な場合には外頸動脈分枝の経カテーテル動脈塞栓術（TAE）も考慮される。

これらのことから，比較的大量の出血を有する顔面外傷においては，気道・呼吸・循環の維持に注意する必要がある。

頸椎・頸髄損傷の特徴や注意点

1．初期評価

頸椎の評価は，外傷初期診療における必須項目である。神経学的所見や局所症状などから頸椎・頸髄損傷が疑われる場合や，意識障害などにより神経学的所見や局所症状が不明瞭な場合，高エネルギー外傷などの受傷機転である場合は，頸椎・頸髄損傷が存在するという前提でハードカラーによる頸部固定を継続し，患者を愛護的に取り扱う。primary survey から継続されたハードカラーは，secondary survey における固定解除基準に従って脱着の判断を行う。

2．発生機序と損傷形態

頸椎損傷は頸部の過度な屈曲，回転，また軸方向への外力などによって起こり，それぞれの外力のかかり方に応じて特徴的な損傷形態がある。損傷形態により（支持器官として）安定型と不安定型に大きく分類され，治療方針を決定するための根拠となる。

頸椎を前方成分（前縦靱帯，前方半分の椎体と椎間板），中央成分（後方半分の椎体と椎間板，後縦靱帯），後方成分（椎弓，椎間関節，後方組織）に分け，中央成分を含む 2 カ所以上の損傷がある場合，基本的に不安定型頸椎損傷となる。

過度な前屈による脊椎損傷には，前方亜脱臼，Clay shoveler 骨折（下部頸椎の棘突起離開骨折），椎体圧迫骨折，椎体 teardrop 状骨折，椎体 chip 骨折，両側椎間関節脱臼（骨折），Chance 骨折（腰椎に好発する棘突起から椎体に至る離開骨折），後頭環椎脱臼がある。屈曲と回転力によるものとしては片側椎間関節脱臼（骨折），回転力によるものとしては回転性環軸椎脱臼がある。（過度）後屈によるものは，環椎前弓離開骨折，環椎後弓骨折，Hangman 骨折（軸椎椎弓根骨折），椎体 teardrop 状離開骨折がある。軸方向の外力によるものには，椎体破裂骨折，斜骨折，Jefferson 骨折（環椎前後弓の骨折）があり，そのほかに軸椎歯突起骨折（図 2）などがある。

とくに安定性の低い頸椎骨折として，環椎横靱帯の断裂が示唆される Jefferson 骨折〔環椎歯突起間距離（ADI）> 3 mm，横方向の環椎の突出 > 2 mm（片側），> 7 mm（両側合計）〕や，Anderson 分類 typeⅡ型歯突起骨折（歯突起基部骨折）は不安定であり，椎間関節骨折も容易に脱臼に移行するおそれがある（図 3）。

3．脊髄損傷

脊髄損傷は，高位診断（損傷脊椎レベル）と神経学的重症度の診断が重要となる。高位診断は身体表面の知覚分布と運動機能による。神経学的重症度は完全型・不完全型に分類され，完全型では基本的に損傷脊椎レベル以

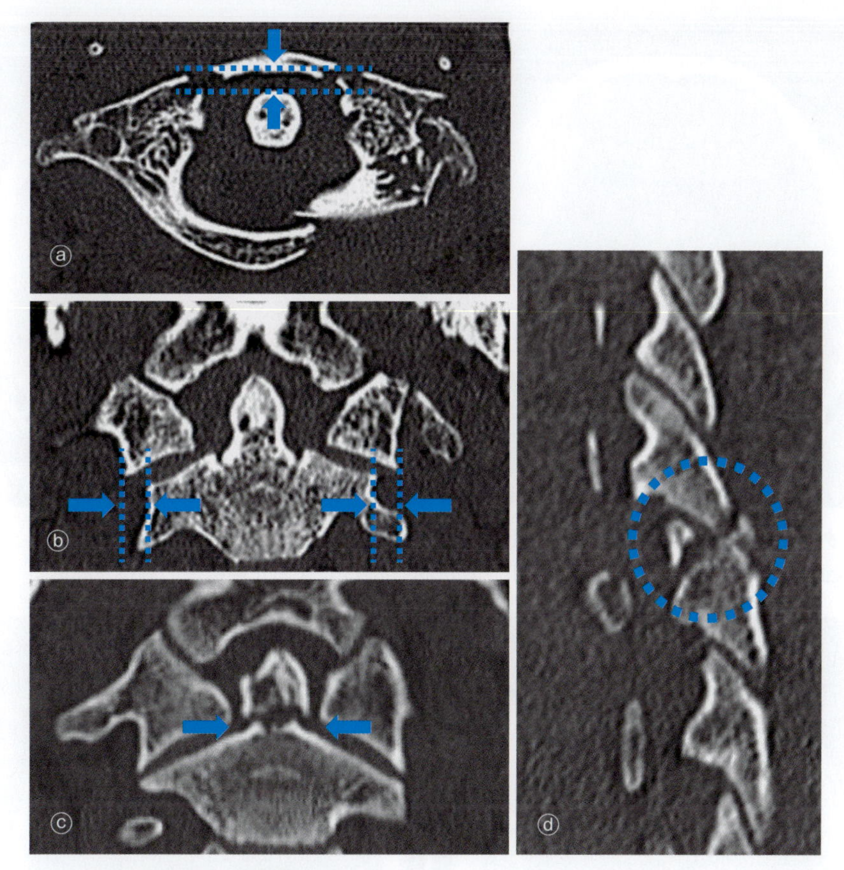

図 3　安定性の低い頸椎骨折
a：Jefferson 骨折（環椎歯突起間距離の開大）
b：Jefferson 骨折（環椎の横方向への突出）
c：Anderson 分類 type Ⅱ 型歯突起骨折（歯突起基部骨折）
d：椎間関節骨折

下の知覚・運動機能は完全に麻痺する。不完全型は中心性，前脊髄型，後脊髄型，Brown-Sequard 型に分類され，それぞれ損傷した脊椎レベルと損傷形態に応じた神経欠落症状が認められる。

脊椎損傷は脊椎への外力の存在を証明するものであるが，脊髄損傷が必ず存在するということではない。一方で，脊椎損傷が X 線画像では認められない脊髄損傷が起こる場合があり，SCIWORA（spinal cord injury without radiographic abnormalitities）という（図 4）。欧米では解剖学的に脊柱管の狭小な小児に多いといわれているが，わが国では比較的年齢の高い男性に多く，その原因としては日本人の脊柱管が比較的狭いことや，慢性的脊椎疾患の罹患率が高いことなどが考えられている。

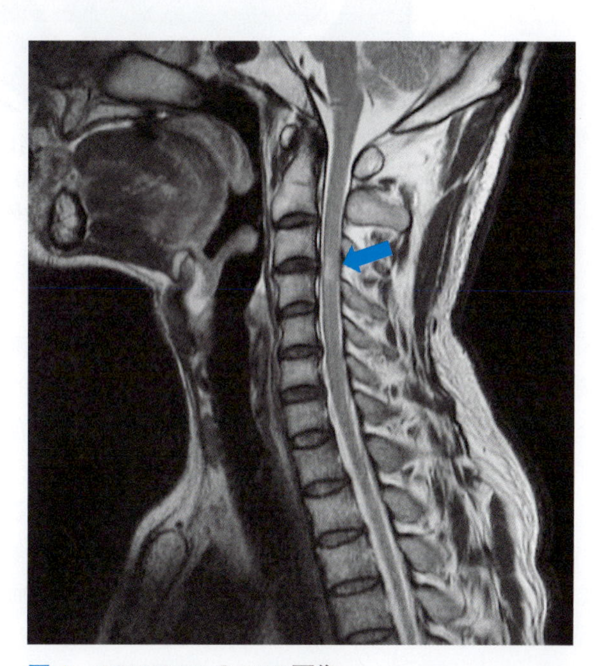

図 4　SCIWORA の MRI 画像
T2 強調 sagittal 像で第 3・4 頸椎レベルの頸髄に高信号領域を認める（矢印）

頭頸部血管損傷の特徴や注意点

頭頸部血管損傷には，動脈解離・内膜損傷（grade Ⅰ，血流低下を合併する場合は grade Ⅱ），仮性動脈瘤（grade Ⅲ），動脈閉塞（grade Ⅳ），動脈断裂（grade Ⅴ），動静脈瘻などがある。頭蓋底部血管や頭蓋内血管では頭蓋底

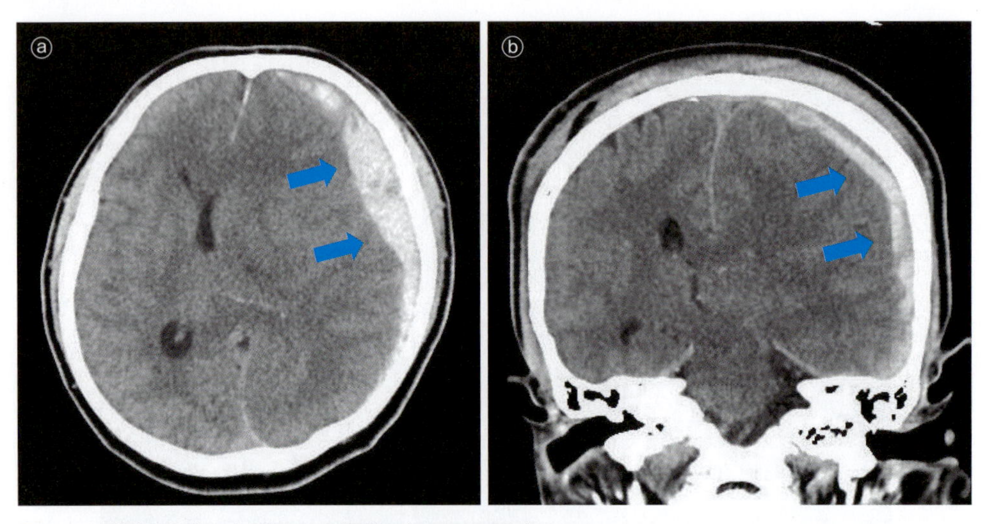

図5　外傷性硬膜下血腫のCT画像（thick MPR）
a：axial像，b：coronal像。血腫（矢印）のmass effectによる正中構造の偏位を認める

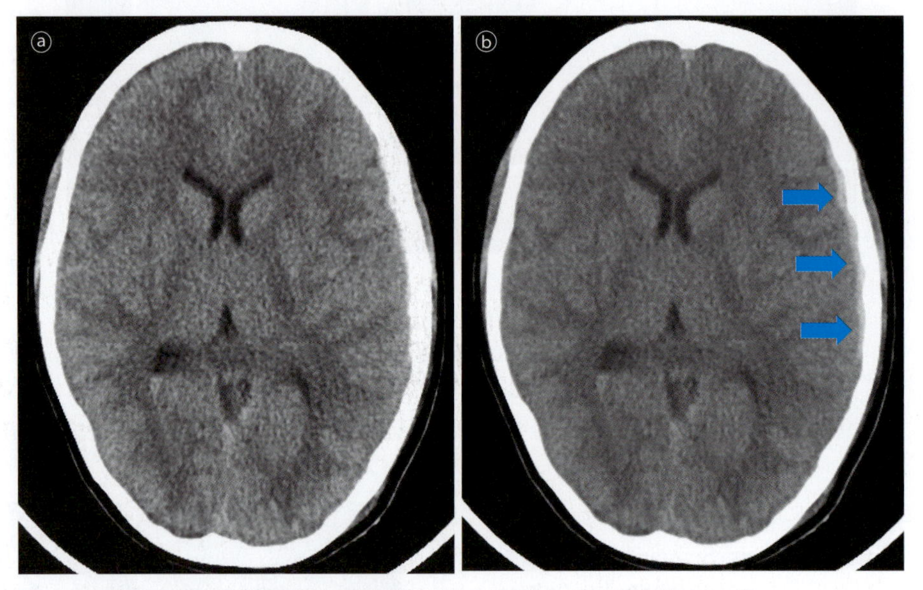

図6　window設定が骨表面の描出能に及ぼす影響（急性硬膜下血腫）
a：WW/WL＝70/35，b：WW/WL＝120/50
aでは皮髄コントラストは高いが，急性硬膜下血腫の指摘は困難である

骨折や顔面骨骨折，頭部への剪断力が危険因子であり，頸部血管の場合は頸部の過度な屈曲・回転，頸部への直接的な鈍的・鋭的外力が危険因子である。また解剖学的な点から，椎骨動脈損傷は頸椎骨傷（骨折・脱臼）と合併していることがある。

頭頸部血管損傷は脳梗塞の原因となる可能性があるが，頭部外傷・顔面外傷・頸椎損傷に合併することが多く，初期診断において画像検査以外で明らかな頭頸部血管損傷の所見を検出するのは困難である。

各モダリティの適応と画像所見

1．頭部外傷

JATEC™では，praimary surveyにおいて「切迫するD」が存在する場合，呼吸・循環が維持されていることを前提にsecondary surveyのはじめに頭部CT撮影を行うことが推奨されている[1)]。外傷性硬膜下血腫や硬膜外血腫，脳挫傷・脳内血腫などの占拠性病変と，それに伴うmass effectや脳ヘルニアの程度をCT（正中構造偏位，脳幹周囲脳槽の消失など）で診断する。

外傷性硬膜下血腫（図5）や硬膜外血腫などの骨に接する病変は見逃されやすいためwindow設定（window幅；WW，windowレベル；WL）の適正化を励行し，具体的にはWWを広げてWLを上げるとよい（図6）。また，このような骨に接する領域は再構成関数により描出能が異なるため注意が必要である（図7）。近年普及しつつあるdual-energy技術を用いれば，骨成分を除去した画像を構築することができるため，急性硬膜下血腫や急

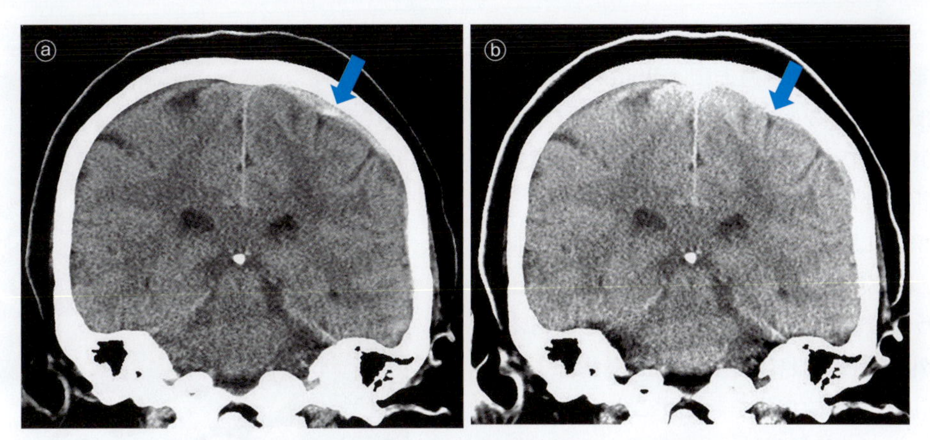

図7　再構成関数が骨に接する病変（急性硬膜下血腫）の描出能に及ぼす影響
a：ビームハードニング補正（＋）関数，b：ビームハードニング補正（－）関数
a では頭頂部の血腫が明瞭であるが，b では不明瞭となっている

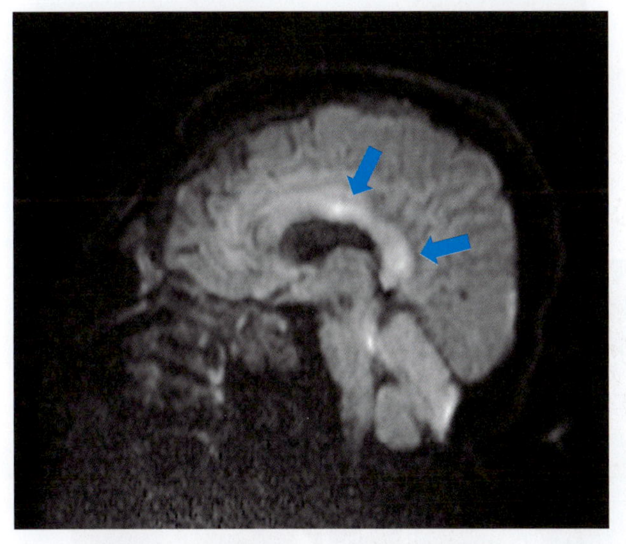

図8　重度びまん性脳損傷（びまん性軸索損傷）の MRI 画像
拡散強調 sagittal 像で脳梁に高信号領域を認める（矢印）

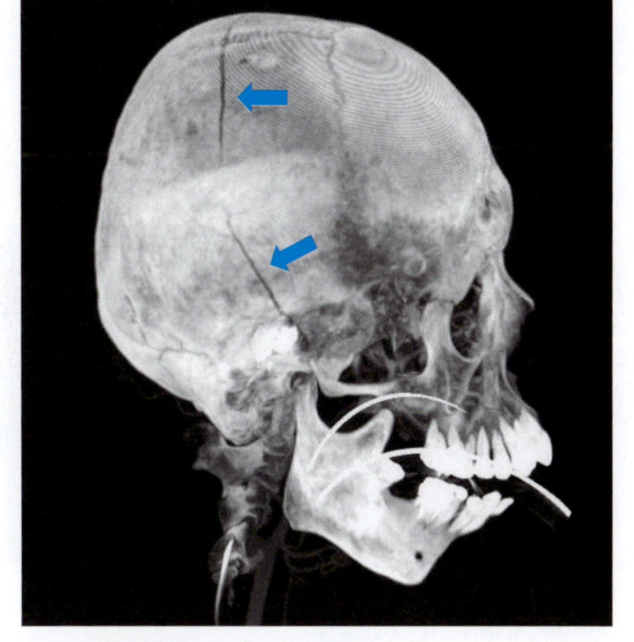

図9　頭蓋骨線状骨折の CT 画像（MIP）
骨折線を明瞭に認める

性硬膜外血腫などの骨に接する病変の検出に有効である[3)]。

脳内血腫では，脳挫傷に伴う出血が癒合して形成される場合と，内因性脳内血腫と同様に単発的に血腫を形成する場合がある。また，受傷後に時間が経過してから血腫形成（遅発性外傷性脳内血腫，delayed traumatic intracranial hematoma：DTICH）する場合があることにも注意しておく必要がある。

脳挫傷は前頭葉の頭蓋底に好発するため，骨とのパーシャルボリューム効果を考慮し，thin-slice 画像や MPR を用いて観察を行う[4)]。

著明な占拠性病変が存在しないにもかかわらず，重度の意識障害が 6 時間以上続く場合，重度びまん性脳損傷（びまん性軸索損傷）と診断される。重度びまん性脳損傷では，MRI で点在する脳梁や深部白質の浮腫や微小出血などの情報が得られる。さらに，MPR を用いることで解剖学的な把握が容易になる（図8）。また，脳内の微小出血を鋭敏に検出するには T2 強調像が有用である。

従来，頭蓋骨骨折の診断には単純 X 線が用いられてきたが，最近では頭部（脳）単純 CT においても MSCT によるヘリカルスキャンを用いる施設が多くなっており，再構成画像（VR，MIP など）を構築することで骨折の診断をより容易に行うことができる（図9）。

軽度頭部外傷における頭部 CT の適応基準については，北米の Canadian CT head rule[5)] や New Orleans criteria[6)]，英国の NICE ガイドライン[7)] などがある。

2. 顔面外傷

顔面骨骨折の形態的評価は，過去にはWaters法などの単純X線画像が基本であったが，現在ではCTによる3D・MPRなどが主流である。下顎骨・上顎骨，眼窩，副鼻腔などの骨折・変形の程度を立体的に把握する。

眼窩下壁と内壁は比較的薄く，眼球への鈍的外力で眼窩内圧が亢進し，眼窩底破裂（吹き抜け）骨折（blow out fracture）といわれる特徴的な骨折が起きることがある（図10）。眼球や外眼筋など眼窩内容の一部が骨折部より上顎洞内に陥頓して眼科的症状を起こすことがあるため，骨条件のみならず，軟部条件による観察も重要である（図11）。

ほかに顔面外傷では，上顎骨骨折においてLe Fort型骨折として3つのタイプに分類される（図12）。とくにLe FortⅢ型骨折は，頭蓋骨と顔面を構成する骨が完全に分離してしまうものであり，自動車事故などでガラスと顔面が接触した場合などにはガラス片が皮下に混入している場合があるため，X線検査（CT）を行った場合は必ず異物の有無も確認する。

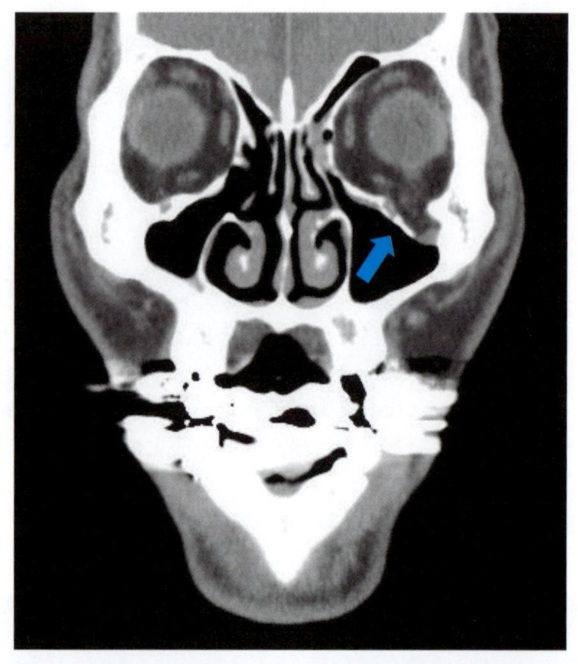

図10　眼窩底破裂（吹き抜け）骨折のCT画像（MPR）
左眼窩底にtrap door状の骨片を認め（矢印），眼窩内容の一部が落ち込んでいる

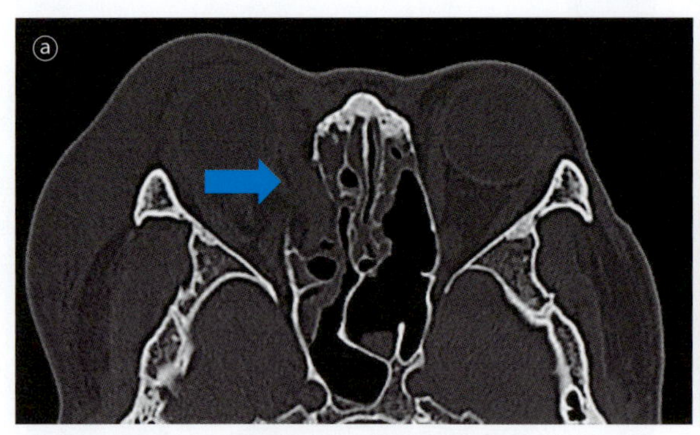

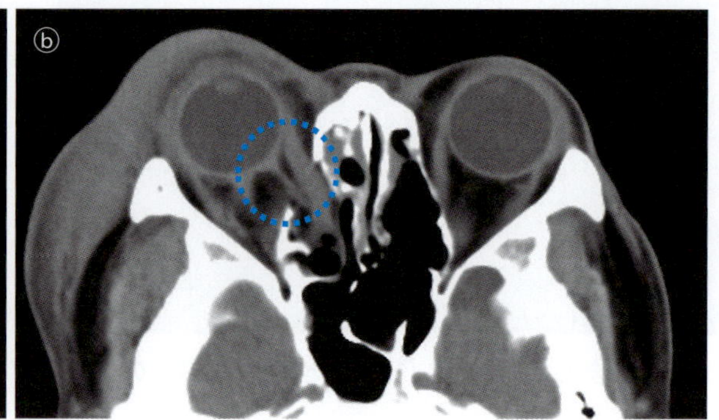

図11　複視症状を認めた右眼窩内壁骨折
a：骨条件，b：軟部条件
骨条件では右眼窩内壁骨折（矢印）を認めるが，軟部組織の情報は得られにくい。軟部条件では，右眼内直筋が内側壁内に入り込む様子が明瞭である（丸印）

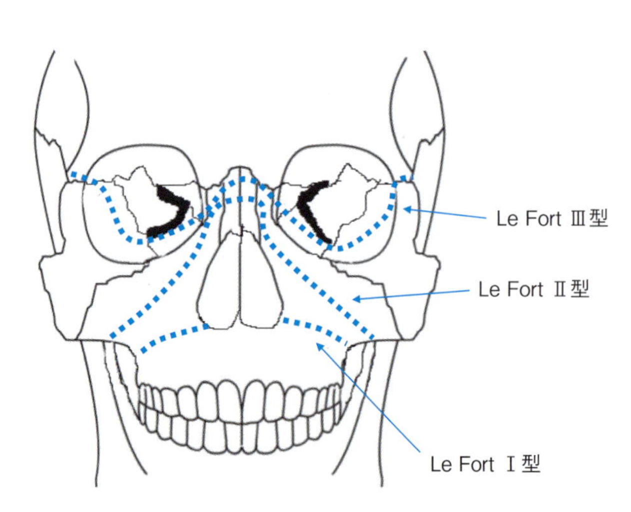

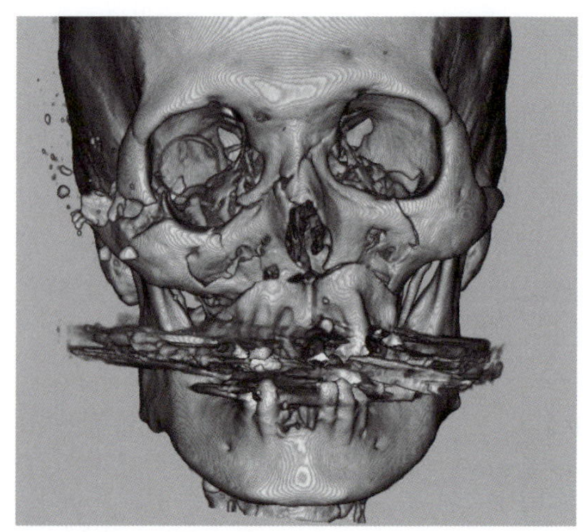

図12　Le Fort型骨折の分類と3D-CT画像（Le Fort Ⅰ型と右片側Le Fort Ⅱ型）

顔面骨骨折に伴う鼻出血に対するTAEでは，外頸動脈造影の側面像を基準として，外頸動脈分枝の造影剤漏出像を確認して出血動脈を同定し，動脈塞栓術を施行する（図13）。

3. 頸椎・頸髄外傷

頸椎の画像による評価は，意識が清明であることを前提に，神経学的異常や頸部の痛み・圧痛などの局所症状から頸椎損傷が疑われる場合や，頭部外傷などによる意識障害・飲酒や薬物・他部位の激痛を伴う外傷で神経学的所見や局所症状の評価が困難な場合に，受傷機転なども考慮して行われる。

JATEC™では，頸椎の画像による評価はCT（横断・矢状断・冠状断画像：図14）が推奨されており，単純X線（正面・側面・開口位）頸椎3Rは，CT撮影を行うことができない場合の代用と位置づけられている[1]。また最近では，外傷全身CT撮影（trauma pan-scan）が一般化してきており，頸椎スキャンもその一部として行われる場合がある。CTを含むX線検査では，各部位のアライメント・形状・間隙の異常の検出を基本に骨折や脱臼を診断し，不安定性や脊髄への影響を評価する。

骨傷をX線診断で確認した後，神経学的異常所見が明らかな場合や，骨傷形態により脊髄への影響が大きいと考えられる場合にはMRI撮影が行われ，脊髄損傷や脊柱管内の血腫，靱帯・椎間板などの軟部損傷を評価する。その際，脂肪抑制画像を追加することで脂肪組織と損傷に伴う浮腫との鑑別がより容易になる（図15）。

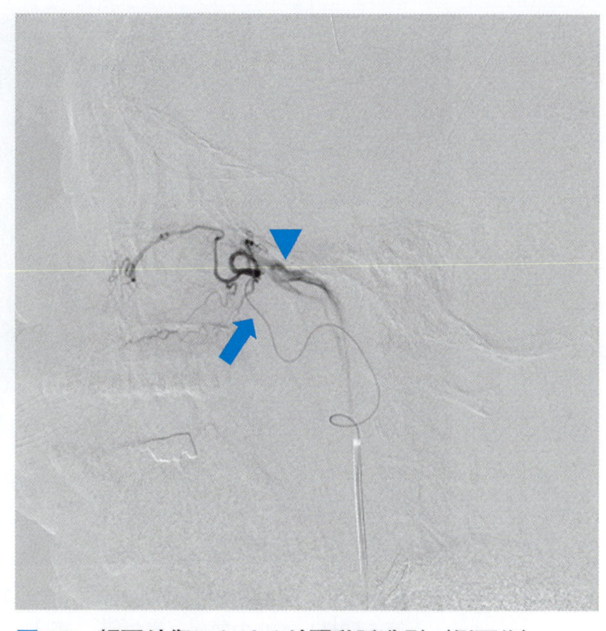

図13　顔面外傷における外頸動脈造影（側面像）
マイクロカテーテル（矢印）を血管損傷部まで挿入し，造影剤漏出（矢頭）を確認後にTAEを行った

4. 頭頸部血管損傷

頭頸部血管損傷は，前述した危険因子が存在する場合に考慮しなければならない。危険因子が存在する場合，頭頸部血管のCT angiography（CTA）がよい適応となる。外傷性動脈解離や動脈閉塞，仮性動脈瘤などを診断する。CTAの所見が不明瞭な場合や，IVRによる治療が検討される場合には，従来の血管造影検査の適応となる（図16）。

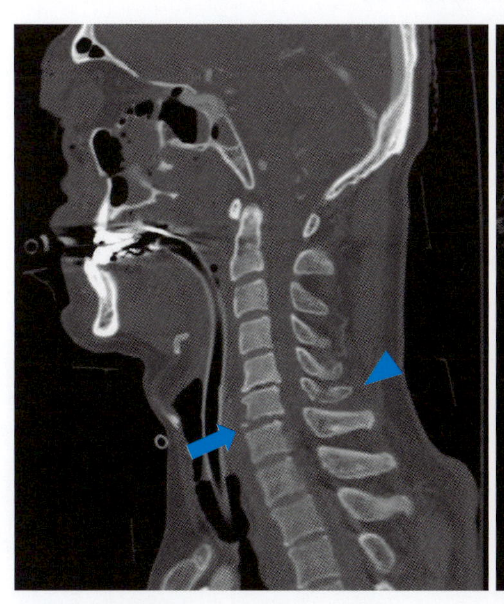

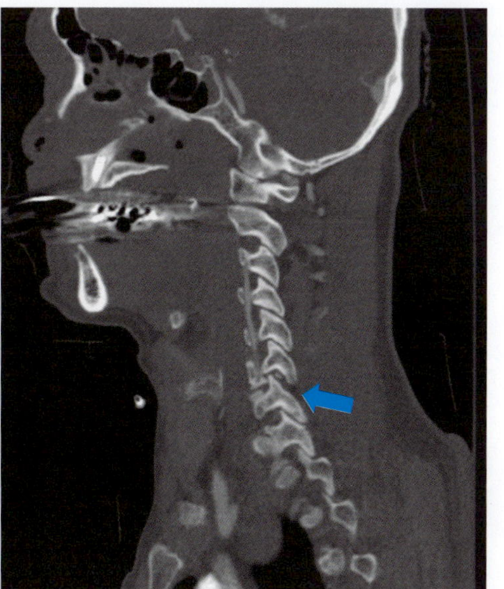

図14　頸椎損傷のCT画像（MPR）
第6・7椎体・椎間関節の亜脱臼（矢印）と棘突起骨折（矢頭）を認める

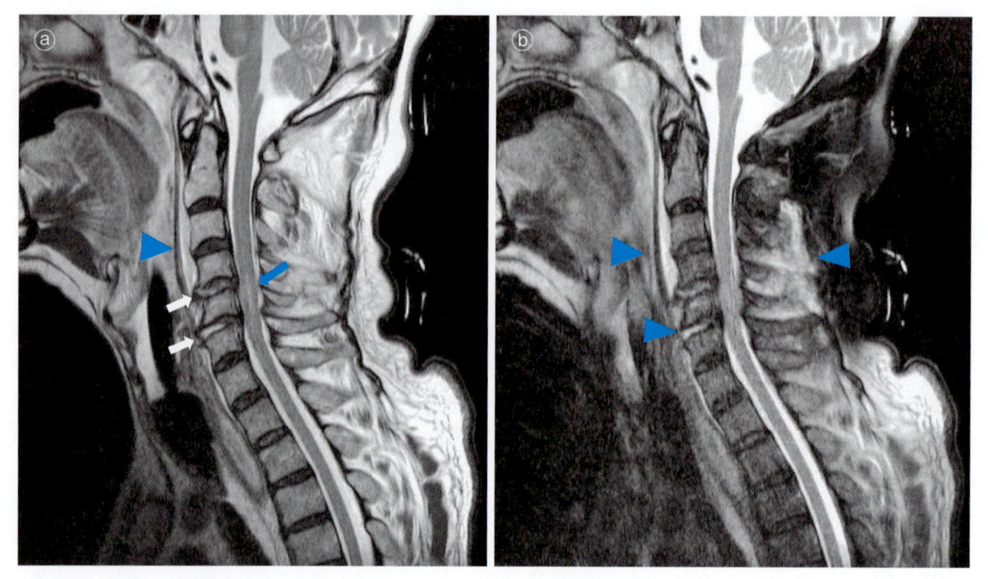

図 15　頸椎・頸髄損傷の MRI 画像（T2 強調像・sagittal）

a：第 5 頸椎レベルの頸髄（青矢印），第 4・5・6 間椎間板（白矢印），後咽頭腔の高信号領域（矢頭）を認める

b：脂肪抑制 T2 強調像で軟部組織の浮腫が明瞭になる（矢頭）

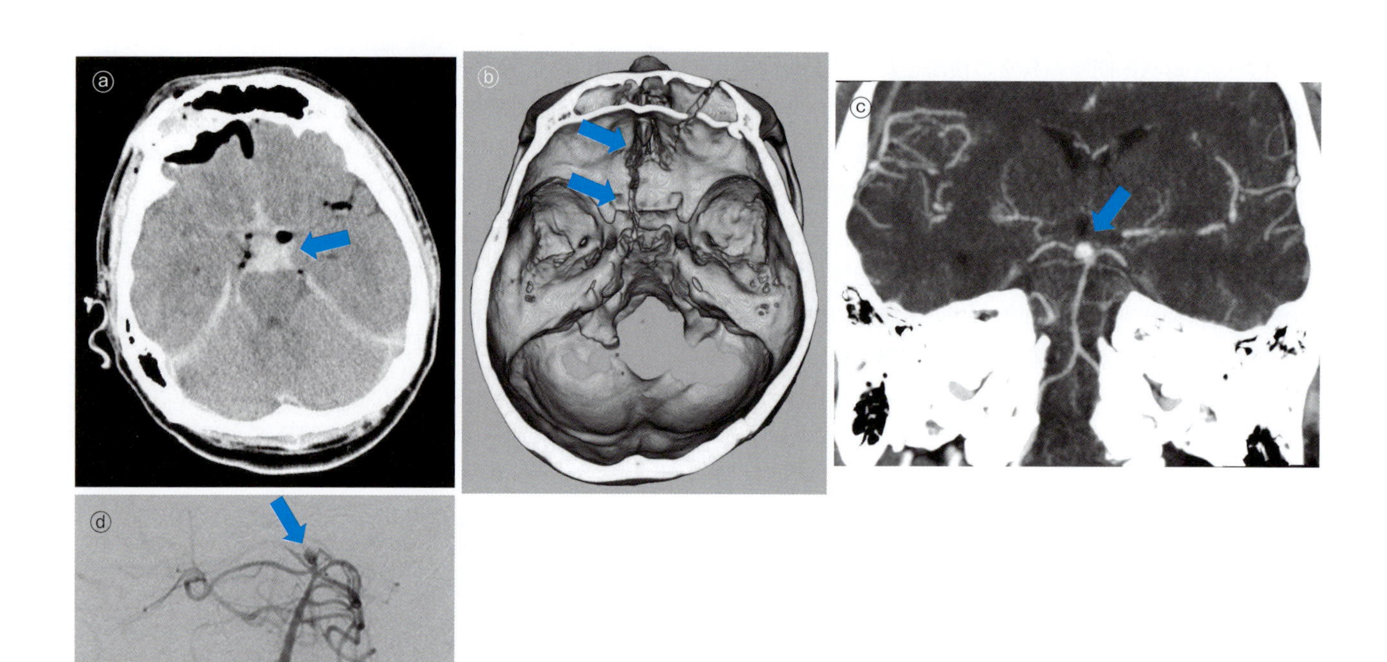

図 16　頭蓋内動脈の損傷（脳底動脈の仮性動脈瘤）

a：単純 CT。鞍上槽にくも膜下出血を認める

b：3D-CT。頭蓋底骨折を認める

c：CTA（MIP）。脳底動脈先端部に動脈瘤を認める

d：血管造影。CTA と同様の所見を認め（矢印），瘤内塞栓術（コイル）を施行

外傷性くも膜下出血が認められ，その量が比較的多い場合には，内因性の破裂性脳動脈瘤や頭蓋内血管損傷の鑑別診断が必要になる場合があるため積極的にCTAを行う。内頸動脈海綿静脈洞瘻（carotid-cavernous fistula；CCF）が疑われる場合には通常の血管造影を行い，動脈相において海綿静脈洞が描出されることで診断される。

治療方針と判断基準

1．頭部外傷

頭部外傷に関するガイドラインとして，『頭部外傷治療・管理のガイドライン』がある（2019年で第4版）[8]。

比較的多量の頭蓋内血腫や顕著な脳浮腫によりmass effectを認める場合，神経症状を認める場合，または急速に悪化するような場合には，速やかに外科的減圧術（外減圧など）を行う。それ以外では，意識障害の程度とCT所見をもとに，頭蓋内圧測定用センサーの頭蓋内留置も考慮して経過を観察する。

脳保護のため初期から脳低温療法が行われる場合があるが，現在のところその臨床的意義（根拠）は確立されていない。

2．顔面外傷

急性期には気道・呼吸・循環障害に対する治療を優先する。とくにベロックタンポンによる圧迫でも制御できない鼻出血に対しては，積極的に外頸動脈分枝（顎動脈などの出血責任動脈）のTAEを施行する。亜急性期以降は，骨折部の整復・固定術や，軟部組織損傷に対する再建術などを行う。

3．頸椎・頸髄外傷

基本的には骨傷形態と安定性を基準に治療方針が決定される。脱臼を起こしている場合は速やかに透視下整復術を行う。不安定型損傷ではハローベストによる固定が行われ，場合によって除圧目的の外科的な骨除去や脊椎固定術を施行する。安定型損傷の場合は基本的にハードカラーによる頸部固定が選択される。

4．頭頸部血管損傷

頭蓋内や頸部血管損傷では，損傷形態に合わせて抗凝固療法やIVRによる治療が選択される。断裂・閉塞血管に対しては再出血防止のためコイルによる動脈塞栓術，仮性動脈瘤に対してはコイルによる瘤内塞栓術が行われる。CCFに対しては経動脈的瘻閉鎖術や経静脈的静脈洞内塞栓術などが行われる。内膜損傷では脳梗塞を予防するために抗凝固療法が必要になる。また，内膜損傷や動脈解離に伴う有意な狭窄により血流低下（脳虚血）が想定される場合は，動脈内ステント内挿術の適応となる。

【文　献】

1) 日本外傷学会外傷初期診療ガイドライン改訂第5版編集委員会編：外傷初期診療ガイドラインJATEC™，第5版，へるす出版，東京，2016.
2) Mata-Mbemba D, et al：Traumatic midline subarachnoid hemorrhage on initial computed tomography as a marker of severe diffuse axonal injury. J Neurosurg 129：1317-1324, 2018.
3) Naruto N, et al：Dual-energy bone removal computed tomography（BRCT）：Preliminary report of efficacy of acute intracranial hemorrhage detection. Emerg Radiol 25：29-33, 2018.
4) Zacharia TT, et al：Subtle pathology detection with multidetector row coronal and sagittal CT reformations in acute head trauma. Emerg Radiol 17：97-102, 2010.
5) Stiell IG, et al：The Canadian CT Head Rule for patients with minor head injury. Lancet 357：1391-1396, 2001.
6) Haydel MJ, et al：Indications for computed tomography in patients with minor head injury. N Engl J Med 343：100-105, 2000.
7) National Institute of Health and Care Excellence：Head injury：Triage, assessment, investigation and early management of head injury in children, young people and adults（NICE guideline CG 176）. Arch Dis Child Educ Pract Ed 100：97-100, 2015.
8) 日本脳神経外科学会，他監：頭部外傷治療・管理のガイドライン，第4版，医学書院，東京，2019.

2 胸部・心外傷

胸部・心外傷患者対応の注意点

胸部には生命の維持を司る肺，心臓，大血管が属し，胸部・心外傷患者搬入時には，A・B・Cの異常を想定した対応が必要とされる。とくに，気道閉塞（Aの異常），フレイルチェスト（Bの異常），開放性気胸（Bの異常），緊張性気胸（B・Cの異常），心タンポナーデ（Cの異常），および大量血胸（B・Cの異常）は，致死的胸部外傷としてprimary surveyにて早期治療を要する緊急性の高い病態であり，診断にはバイタルサインや身体所見の採取を主体とした全身観察と，迅速な導入が可能な簡易超音波検査（FAST），胸部単純X線撮影が実施される。

secondary surveyでは，胸部X線撮影，CT撮影，血管造影，心電図，内視鏡などの各種検査を病態に応じて行い，外傷性大動脈損傷，気管・気管支損傷，肺挫傷，鈍的心損傷，外傷性横隔膜損傷，食道損傷，気胸，血胸を評価する。鋭的外傷（穿通性外傷）では，創の直下が損傷区域と推定できるため，損傷臓器を予測するうえで創の位置所見は重要である。創が鎖骨上縁（上縁），左鎖骨中線（左縁），右鎖骨近位1/3（右縁），心窩部（下縁）に囲まれた部位（Sauer's danger zone）にある場合には心損傷の危険性が高い，左右の乳頭を結ぶ線より尾側の下位胸部にある場合には経横隔膜的腹部臓器損傷の危険性が高い，など病態に応じた診療体制を整える必要がある。

初期診療における撮影では患者の病態が明らかになっていないため，安静を念頭に置いた対応が求められる。粗雑な患者対応によって，骨折した肋骨の鋭利な骨断端が大血管を傷つけて致死的状況に至る可能性もある。胸部単純X線撮影におけるカセッテ挿入時は必ず頸部を保護し，フラットリフトした状態で行う。また，不安定型骨盤骨折が疑われバックボードを離脱できない場合には，バックボードの下に枕木状のスペーサーを頭部と下肢の2カ所に配置し，スペーサーの間にカセッテを配置して撮影する。

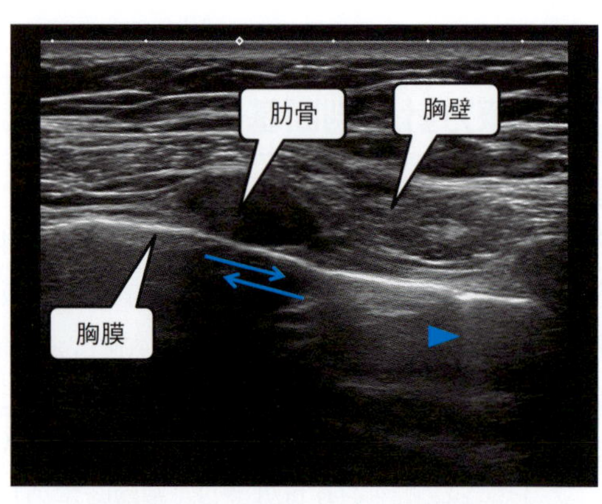

図1　健常者のEFAST所見（胸部縦操作）
矢印：lung-sliding sign。呼吸運動に伴い胸膜が横にスライドする動き。気胸では消失
矢頭：comet-tail sign。胸膜から深部方向に向かって伸びるエコー状のアーチファクト。気胸では消失

各モダリティの適応と画像所見

1．超音波検査

1）血胸，心タンポナーデ

胸部のprimary surveyでは，FASTにより血胸と心タンポナーデを診断する。血胸は胸腔内のecho-free spaceより評価し，心タンポナーデは心嚢内の液体および凝血塊貯留所見より評価する。

2）気　胸

外傷初期診療における超音波検査を用いた気胸の評価はEFAST（extended focused assessment with sonography for trauma）と呼ばれる。健常肺では臓側胸膜が呼吸に合わせてスライドする様子（lung sliding sign）[1]およびcomet tail signを確認できるが（図1），気胸が存在すると超音波が臓側胸膜に到達せず確認できなくなる。

軽微な気胸に対する胸部X線撮影の検出感度は低いが，CT検査の前に超音波検査で気胸が判明し胸腔ドレナージを挿入できれば，継続して実施されるCT検査にてチューブ位置とドレナージの効果を評価できるため効率がよい。

3）鈍的心損傷

心エコー検査により心臓の収縮異常，壁運動，弁・乳頭筋の異常（心嚢液貯留，壁運動異常，弁閉鎖不全，中隔破裂）を評価する。

4）胸部大動脈損傷

経食道心エコー検査は熟練を要するが，心臓および胸部大動脈の損傷検索に有用である。近年では，微細病変に対する血管内超音波検査（intravascular ultrasonography；IVUS）も有用とされている。

4）フレイルチェスト

連続する 3 本以上の肋骨の分節骨折，両側肋軟骨骨折で発生するとされるが，primary survey では多発性の肋骨骨折かどうかの迅速な判断を優先する。

2. 胸部単純 X 線撮影

1）気　胸

背臥位胸部 X 線撮影で見逃される気胸は潜在性気胸（occult pneumothorax）と呼ばれ，42.2%の確率で発生するとされ[2]，とくに anteromedial recess（前内側部）と subpulmonic recess（横隔膜部）の気胸が多い[3]。気胸の存在を示唆する背臥位胸部 X 線徴候（表 1，図 2）を手がかりとすることで，12～24%の潜在性気胸を低減できるとされる[4]。

2）血　胸

患側肺野に広範囲の透過性低下を認める。

3）心タンポナーデ

左第 1～4 弓の直線化を認める。

表 1　背臥位胸部 X 線における気胸の所見

前内側部（anteromedial recess）	
medial stripe sign（crisp cardiac silhouette）	縦隔・心臓辺縁の異常透亮像（心陰影の鮮鋭化）
肺下部（subpulmonic recess）	
basilar hyperlucency	肺底部の透過性亢進
double-diaphragm sign	横隔膜の二重輪郭像
deep sulcus sign	横隔膜角の深い切込み
distinct cardiac apex	心尖部の明瞭化
depressed diaphragm	横隔膜下方偏位
apical pericardial fat tags	心尖部に付着する脂肪層の描出
inferior edge of collapsed lung	肺の虚脱

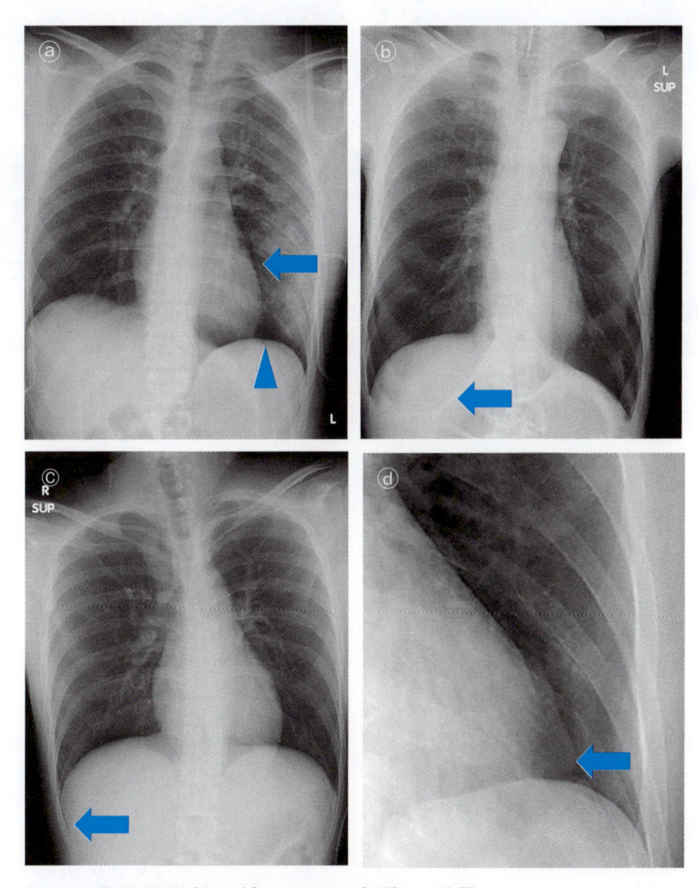

図 2　背臥位胸部 X 線における気胸の所見
a：medial stripe sign（矢印），basilar hyperlucency（矢頭）
b：double-diaphragm sign（矢印）
c：deep sulcus sign（矢印）
d：apical pericardial fat tags（矢印）

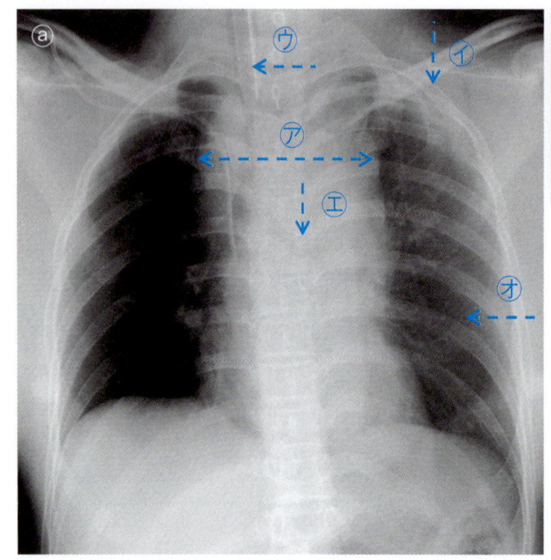

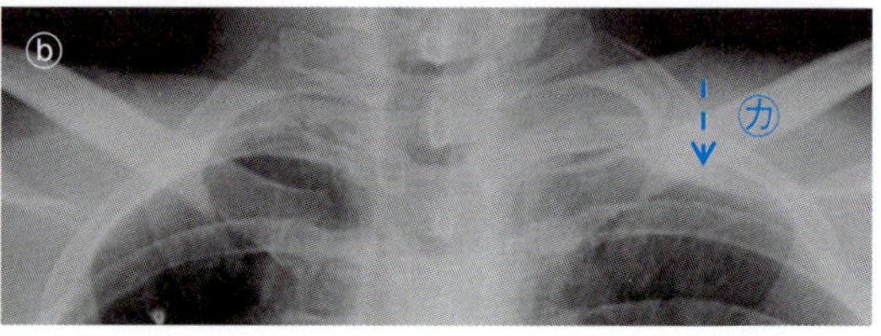

図 3　胸部大動脈損傷の胸部 X 線画像
㋐上縦隔の拡大
㋑左第 2 肋骨骨折
㋒主気管支の右方偏位
㋓左気管支の下方偏位
㋔左血胸
㋕apical cap

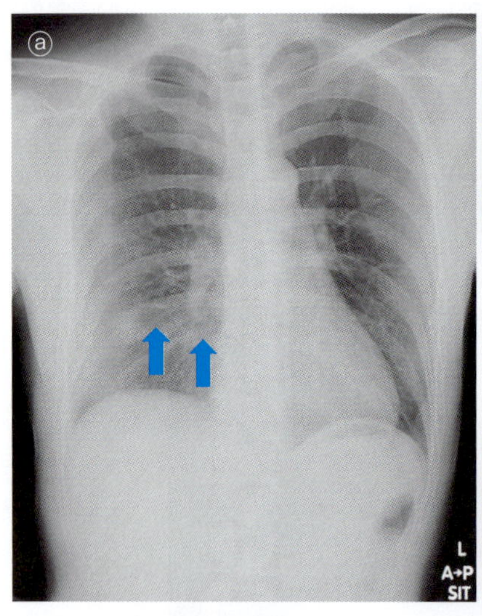

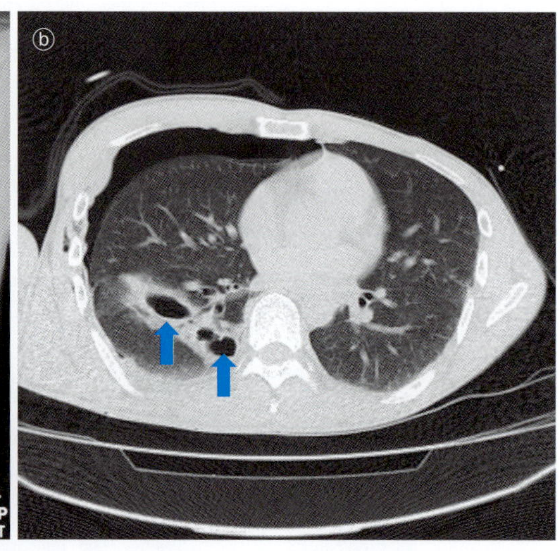

図 4　肺裂傷の画像所見
a：胸部 X 線撮影にて淡い挫傷像の中に低吸収部を指摘可能であり（矢印），外傷性肺気瘤を疑う
b：CT では air-fluid level を有する肺気瘤が明瞭（矢印）

5）胸部大動脈損傷

①上縦隔の開大，②第 1・2 肋骨骨折，③aortic knob の不明瞭化，④気管の右方偏位，⑤apical cap，⑥左主気管支の下方偏位，⑦PA window の不明瞭化，⑧食道あるいは nasogastric tube（NG tube）の右方偏位，⑨左血胸（肋骨骨折を伴わない）は大動脈損傷を疑う所見である（図 3）。しかし，縦隔脂肪，幾何学的拡大による異常像，およびその他の解剖学的異常所見の影響により，上縦隔の拡大（≧8 cm）の大動脈損傷に対する感度は 90%，特異度は 10% とされ[5]，確定診断は困難である。

6）肺挫傷

肺胞性出血による解剖学的肺区域に一致しない淡い雲状陰影が，肋骨・脊椎に隣接した部位に認められる。初期段階でははっきりしないが，時間経過とともに consolidation 化すると影が均一化し，明瞭に確認できるようになる。その後は消退傾向となるが，挫傷自体の増悪，肺感染や無気肺，脂肪塞栓，急性呼吸促迫症候群（acute respiratory distress syndrome；ARDS）を合併する場合もあるため経時的な評価を要する。

肺裂傷は肺組織の既存構造の破壊を反映したもので，肺挫傷とは区別され，画像的には air-fluid level を有する外傷性肺気瘤（traumatic pneumatocele）と air-fluid level を伴わない肺内血腫（hematoma）として認識される。鑑別診断は CT に劣るが，肺気瘤はある程度の大きさになると胸部単純 X 線でも指摘可能である（図 4）。

7）横隔膜損傷

横隔膜の挙上，下葉無気肺を伴う横隔膜陰影の不鮮明化，胸腔内消化管ガス像，横隔膜による腹腔内臓器絞扼

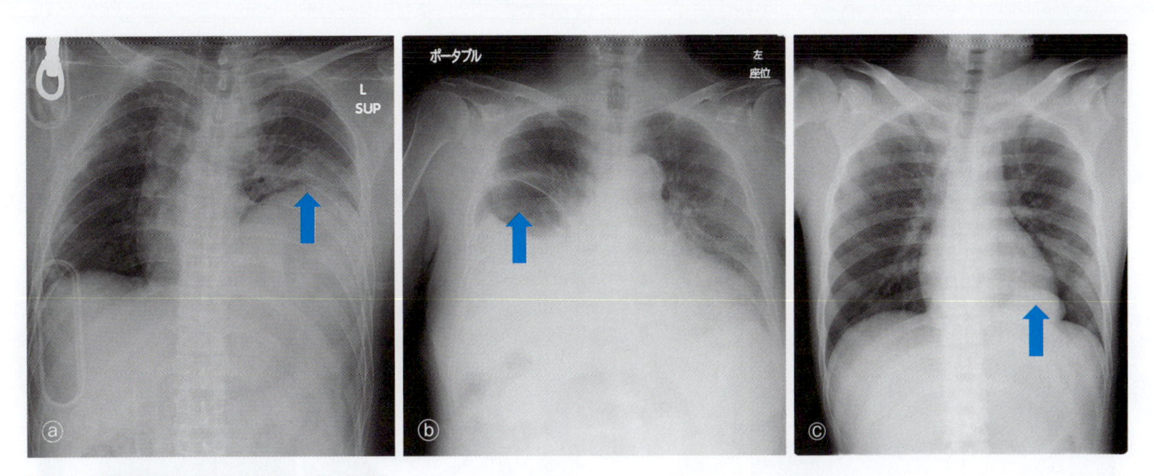

図 5　横隔膜損傷の胸部 X 線所見
a：横隔膜の挙上，b：胸腔内消化管ガス像，c：横隔膜による腹腔内臓器絞扼所見（collar sign）

所見（collar sign）を認める（図 5）。胃管が胸腔内に存在する場合も横隔膜損傷を疑い，胃管から造影剤を注入することで胸腔内に突出した胃を確認できる。

8）気管・気管支損傷

気胸，縦隔気腫や胸部から頸部にかけての皮下気腫を認める。気管周囲の気腫により，通常は見えない気管の辺縁が描出される（double wall sign：図 6）。

9）食道損傷

縦隔気腫，胸水貯留，縦隔陰影の偏位を認める。

3. CT 検査

撮影方法やパラメータは，GALACTIC ガイドライン[6]を参照されたい。

1）気　胸

軽微な気胸に対する胸部 X 線撮影の検出感度は低いため，気胸の評価があいまいでも皮下気腫や肋骨骨折などを認める場合には CT 検査を行ったほうがよい。胸腔ドレナージチューブが挿入されている場合，チューブの位置確認と効果（脱気，肺の拡張）の評価もあわせて行う。

2）胸部大動脈損傷

縦隔血腫は胸部大動脈損傷を疑う所見として重要であり，CT 撮影は特異度の低い胸部 X 線撮影に対して感度も高いため，胸部大動脈損傷の確定診断のための造影 CT 検査適否を決定するスクリーニングとして意義がある（図 7）。

一方で，外傷全身CT撮影の普及からもわかるように，とくに重症外傷に対しては胸部のみ撮影する segmented scan は行われなくなりつつあり，米国放射線医学会（American College of Radiology；ACR）が公表している検査の妥当性基準[5]でも，腹部鈍的外傷に適した画像診断法として（胸部を含む）腹部造影 CT 撮影が推奨されている。

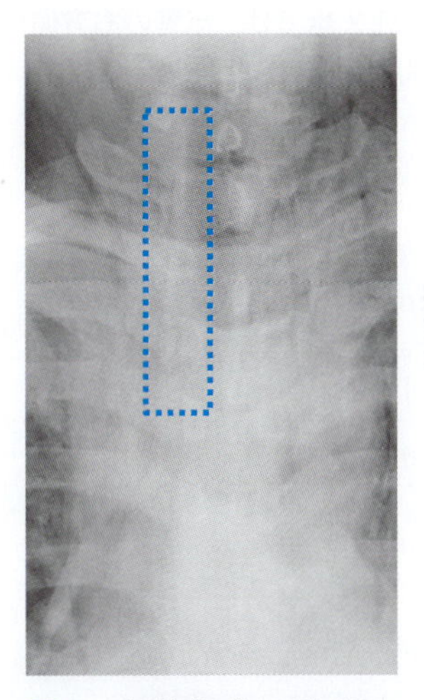

図 6　気管損傷の胸部 X 線所見（気管部拡大像）
気管の辺縁が描出される double wall sign（点線）を認める

また，心電図同期撮影は評価の障害となる心拍に伴うモーションアーチファクトを軽減することができ，上行大動脈の評価に有効である。画像再構成法として，胸部大動脈損傷の好発部位である大動脈峡部（isthmus）は CT の軸位断と平行に存在することと，直下を走行する肺動脈との partial volume effect を回避するため，診断には薄いスライス厚や MPR が適している。

3）肺挫傷

血液の吸い込みによる無気肺の程度や，呼吸不全の原因がフレイルチェストによる呼吸障害によるものなのか，肺挫傷による肺実質障害によるものなのかを評価する。

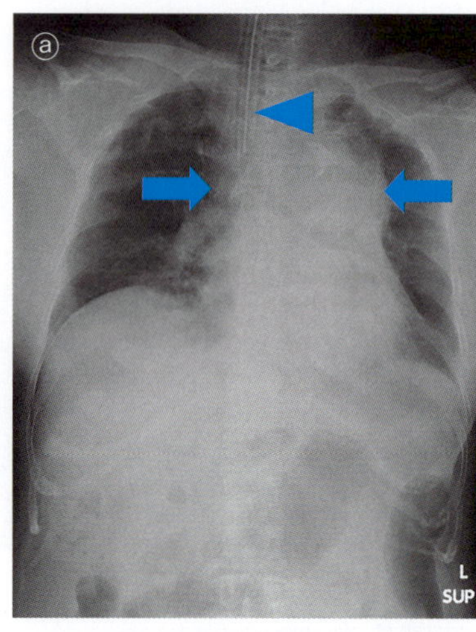

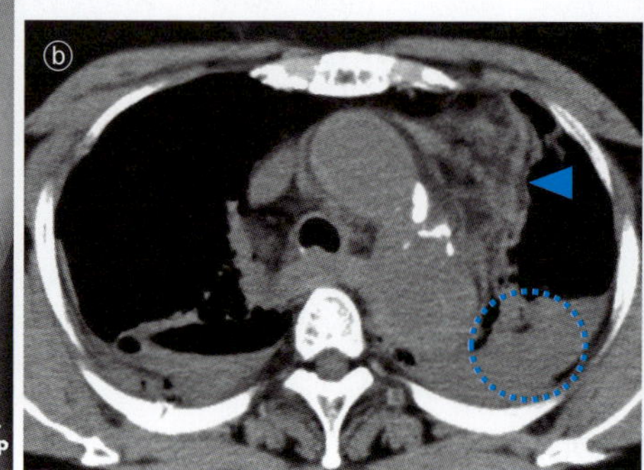

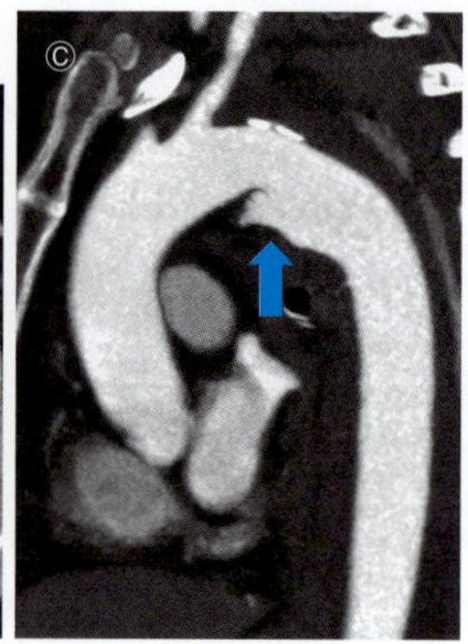

図7　胸部大動脈損傷の画像所見
a：胸部単純X線，b：単純CT，c：CTA（MPR斜め矢状断）
胸部単純X線では，気管の右方偏位（矢頭）と上縦隔の拡大（矢印）を認める。単純CTでは血胸（丸印）と縦隔血腫（矢頭）を認め，CTAでは大動脈峡部に仮性動脈瘤（矢印）を認める

表2　横隔膜損傷のCT所見

dependent viscera sign	横隔膜が損傷すると腹腔内の実質臓器や管腔臓器の支えがなくなり，軸位断で背側に落ち込んで後部の肋骨に隣接する
collar sign	臓器ヘルニアを示唆する部分的なウエスト様の狭窄
hump sign（右の横隔膜損傷）	肝のこぶ状に突出した丸いヘルニア部分の描出
band sign（右の横隔膜損傷）	横隔膜の裂けた辺縁に沿ってみられる肝の帯状の低吸収域で，モーションアーチファクトとの鑑別が必要
diaphragm discontinuity	横隔膜の連続性の欠損で左に多い。横隔膜の欠損は横隔膜損傷に特異的でなく，先天性無症候性Bochdalek孔ヘルニアと考えられている
intrathoracic visceral herniation	胸腔内への臓器突出
thickening of the diaphragm	横隔膜の肥厚
dangling diaphragm sign	破裂した横隔膜の自由端が胸壁から離れ，直角に離れた腹部の中心に向かって内側にカールしているように見える

4）横隔膜損傷

横隔膜損傷の代表的なCT所見を表2，図8に示す。所見の検出にはMPRが有効である。

5）気管・気管支損傷

損傷部より末梢の無気肺像，損傷部周囲の気腫像から疑うことができるが，これらの所見は気胸や食道損傷と重複するため鑑別診断は困難である。そのため，気管の裂傷，裂孔，断裂および変形などの直接所見が診断の手がかりとなる。CT検査による仮想気管支鏡（virtual bronchoscopy：図9）は気管内部の形態情報を内視鏡的に観察できるが，有用性に関するエビデンスは確立されていない[7]。

6）胸郭損傷

三次元画像構築を行い，肋骨・胸骨・肩甲骨などの胸郭を形成する骨傷を評価する。肋軟骨骨折の評価には骨関数ではなく軟部関数で再構成した画像が評価に適しており，最大値投影法（MIP）も有効である。上位肋骨骨折では，頸部および胸部の血管損傷に注意が必要であり，下位肋骨骨折では肝外傷や脾外傷に注意が必要である。胸骨骨折は外力の大きさによっては心損傷の原因となるため，矢状断画像で骨転位の程度を評価する。

4．食道造影検査

食道損傷の確定診断にガストログラフィン®による食道造影を実施する。X線透視およびX線撮影を行う場合には，原液もしくは2倍希釈液を用いる。最近の診断指針における推奨度は低いが，CT撮影により損傷を検策する場合には20～30倍希釈液を用いる。

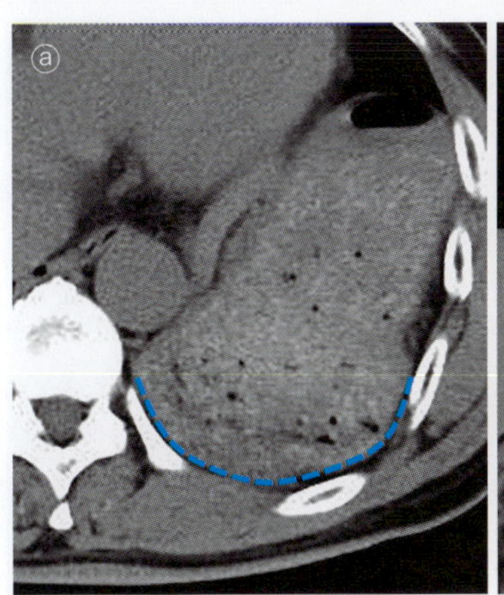

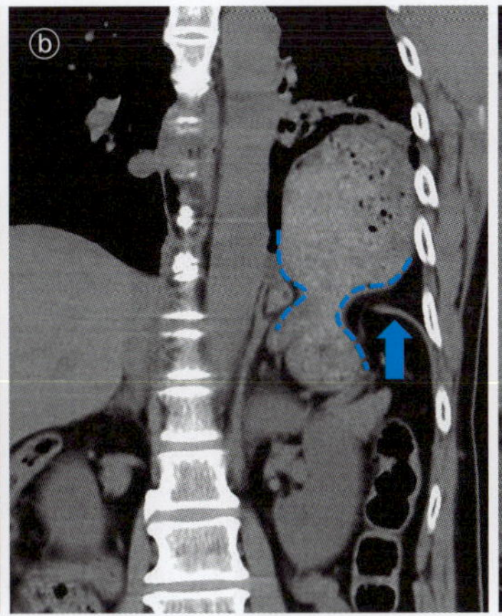

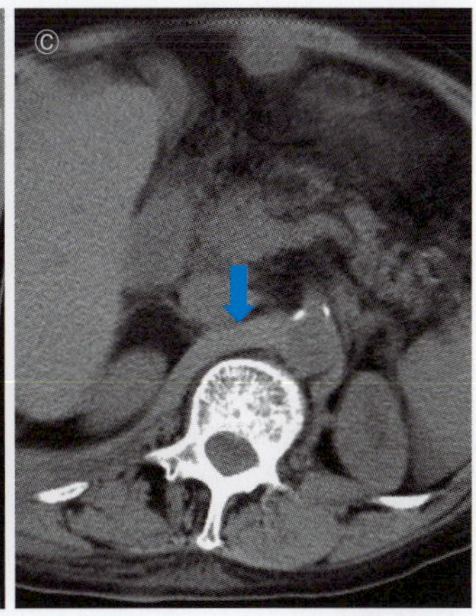

図 8　横隔膜損傷の CT 所見
a ：dependent viscera sign（点線部）
b ：collar sign（点線部）と diaphragm discontinuity（矢印）
c ：thickening of the diaphragm（矢印）

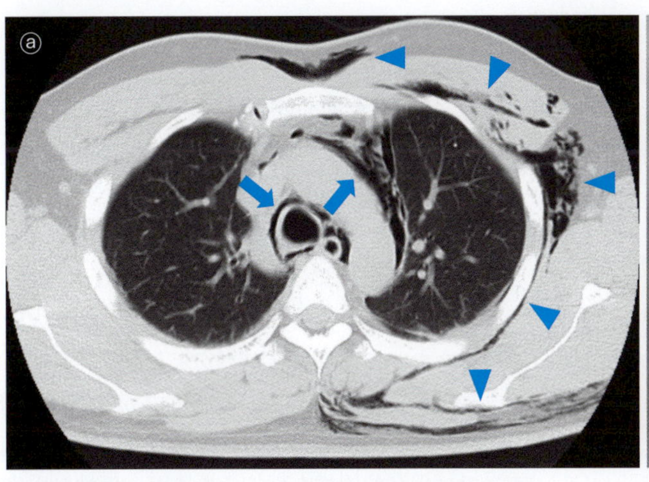

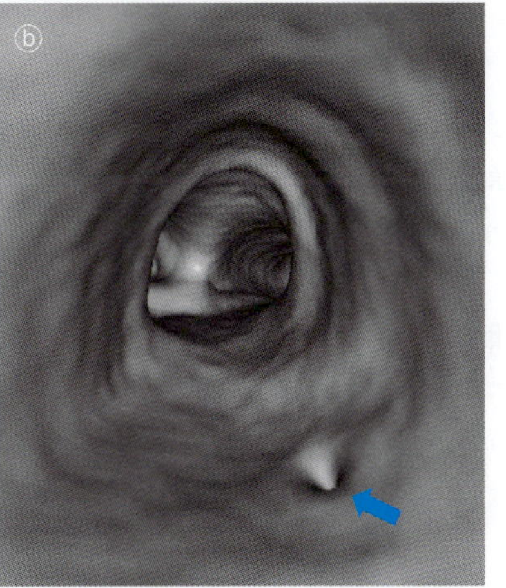

図 9　気管支損傷例の CT 所見と仮想気管支鏡画像
a：縦隔気腫（矢印）と皮下気腫（矢頭）を認める
b：CT 画像で構築した仮想気管支鏡画像（頭→尾方向）にて裂孔部と推定される壁不整が描出（矢印）

5. 心電図検査

鈍的心損傷に対するスクリーニング検査として，12 誘導心電図検査を全症例に対して行う。

6. 血管造影検査

従来，大量血胸や持続する出血に対しては開胸術が第一選択とされ，TAE を目的とした血管造影検査の適応については確立されていなかったが，近年では胸壁からの出血は TAE の対象となっている。

7. MRI 検査

初期診療においての適応は困難であるが，大動脈損傷，横隔膜損傷，脊椎・脊髄損傷の診断に有用である。

8. 内視鏡検査

気管・気管支損傷および食道損傷の確定診断に実施する。

9. 胸腔鏡検査

診断がはっきりしない横隔膜損傷は，胸腔鏡や腹腔鏡検査を実施して確定診断に至る。改善しない気胸・血胸の評価にも適用される場合がある。

治療方針と判断基準

1. 緊張性気胸

急速にチアノーゼやショック状態となり，緊急の胸腔穿刺またはドレナージを行う。胸痛，呼吸窮迫，患側の呼吸音消失と鼓音，皮下気腫，胸郭膨張および気道内圧

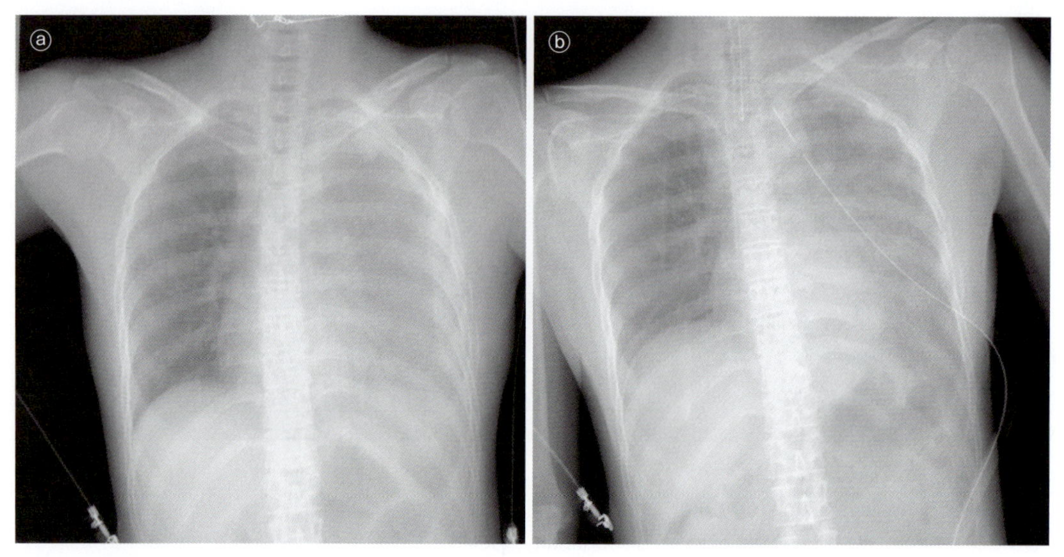

図10　大量血胸のX線所見
a：肺野（左）が消失するX線の透過性低下を認める
b：胸腔ドレナージ後。1,000 mlの排液があり開胸術が施行された

の上昇など呼吸に関する異常と，頻脈，低血圧，頸静脈怒張など循環に関する異常から判断し，画像診断は適応されない。

2. 気　胸

微量であっても陽圧呼吸下にある努力呼吸，人工呼吸器下の集中治療，全身麻酔下手術で増大するおそれがあるため，事前に発見して胸腔ドレナージを実施する必要がある。

3. 血　胸

大量血胸に対して胸腔ドレナージを行い1,000 mlの血液が急速に回収された場合，開胸止血術を行う。胸部X線撮影にて肺野が消失するほどのX線透過性低下を認める場合には要注意である（図10）。また，胸腔内の血液が凝固した凝固血胸では胸腔ドレナージの効果が低いため，胸腔鏡下または開胸下にて凝血塊の除去を行う。

4. フレイルチェスト

多発肋骨骨折を主体とする胸郭損傷と奇異呼吸を認めればフレイルチェストと診断される。バストバンドなどによる外固定で対処するが，呼吸状態が改善しない場合には人工呼吸下にて持続陽圧換気（continuous positive pressure ventilation；CPPV）や圧補助換気（pressure support ventilation；PSV）による内固定を行う。とくに胸骨骨折に伴う肋軟骨骨折は呼吸機能に与える影響が大きいため，胸骨骨折の評価は手術の適否を左右する。肋骨や胸骨の骨折部断端の偏位が大きい場合や動揺が不安定な場合には，外科的固定の適応となる。

5. 胸部大動脈損傷

仮性動脈瘤，解離型，内膜損傷解離に分類される。仮性動脈瘤は，かろうじて外膜が保たれつつ動脈瘤を形成するタイプで，人工血管置換術やステント留置の適応となる。解離型では，上行大動脈に及ぶStanford A型やDeBakey Ⅰ・Ⅱ型は，心タンポナーデや大動脈閉鎖不全をきたして循環動態が不安定となる場合があるため早期の手術適応となるが，比較的安定しているStanford B型，DeBakey Ⅲ型では降圧療法の適応となる。内膜損傷では保存的治療も可能であるが，仮性動脈瘤に進展する場合もある。内膜損傷の評価については，好発部位である大動脈峡部は経胸壁エコー検査の盲点であるため経食道エコー検査が適しており，その診断精度は造影CTに勝る。

6. 肺挫傷・気管支損傷

治療方針上で胸腔ドレナージが効果的な血胸とは鑑別を要し，air bronchogramは肺実質内の出血（肺挫傷）であることを示唆する。肺胞の連続性が破壊された肺裂傷は，感染を合併した場合に遷延化し，外傷後肺膿瘍として増大傾向を示すため注意が必要である。肺の拡張が不十分で大量の気漏が続く場合には重篤な肺裂傷や気管支損傷の可能性があり，緊急開胸手術となる場合がある。さらに，①自己心拍のみでは手術室への移動が困難，②人工呼吸管理において酸素化が不十分，③肺損傷に気道出血が合併した症例で健側に患側の出血が流入して換気が障害されている，④気管支損傷修復時の補助手段，⑤高度の肺挫傷で酸素化が不十分，といった場合には体外循環を用いた呼吸・循環補助であるECMO（extracorpo-

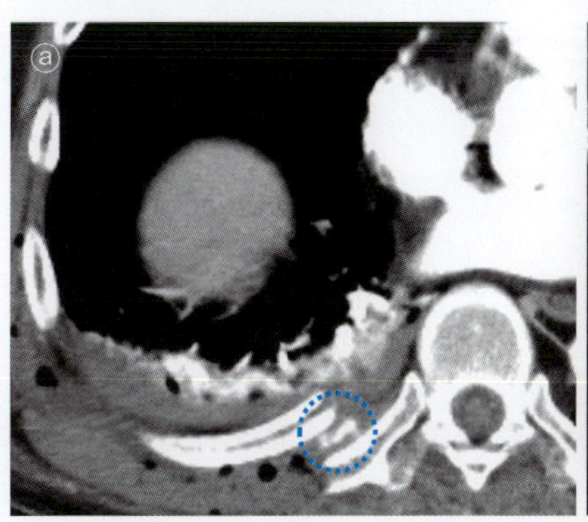

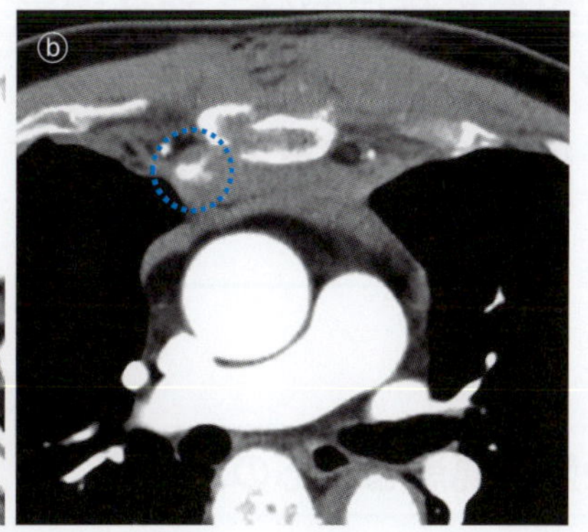

図 11 胸壁動脈損傷の造影 CT 所見
a：肋間動脈からの出血（丸印），b：内胸動脈からの出血（丸印）

real membrane oxygenation）/PCPS（percutaneous cardiopulmonary support）の適応判断が必要となる。

7. 横隔膜損傷

各種モダリティを用いた検査および診断的腹腔洗浄法（diagnostic peritoneal lavage；DPL）により腹腔との交通が確定的であれば，手術適応となる。急性期には腹腔内臓器損傷の確認のため，原則的に腹部からアプローチして横隔膜の修復術を行う。横隔膜の裂傷部に腹腔内臓器が嵌入し絞扼されることで二次的に消化管の壊死や穿孔が生じ，重篤な感染症に至ることもある。

8. 胸壁動脈損傷

単純 CT にて胸壁直下および縦隔血腫を認めれば，肋間動脈，内胸動脈，最上胸動脈，横隔動脈の損傷を疑う。造影 CT により活動性出血（図 11）を認めた場合，TAE の適応となる。

9. 気管支動脈損傷

気管支と血管系の交通により大量気道内出血（大量喀血）をきたしている場合，急速に致死的な低酸素血症をまねくため，超緊急開胸下に肺門部遮断を施行する。

10. 鈍的心損傷

心エコー検査にて大動脈弁，僧帽弁の損傷を認めれば，緊急手術が必要である。

【文 献】

1) Lichtenstein DA, Menu Y：A bedside ultrasound sign ruling out pneumothorax in the critically ill：Lung sliding. Chest 108：1345-1348, 1995.
2) Zhang M, et al：Occult pneumothorax in blunt trauma：Is there a need for tube thoracostomy? Eur J Trauma Emerg Surg 42：785-790, 2016.
3) Tocino IM, et al：Distribution of pneumothorax in the supine and semirecumbent critically ill adult. AJR Am J Roentgenol 144：901-905, 1985.
4) Ball CG, et al：Are occult pneumothoraces truly occult or simply missed? J Trauma 60：294-298, 2006.
5) American College of Radiology：ACR Appropriateness Criteria, 2019.
6) 高木卓編：放射線医療技術学叢書（27）；X 線 CT 撮影における標準化；GALACTIC，第 2 版，2015.
7) 水島康明，他：気管・気管支損傷．救急医学 32：907-911，2008.

3 腹部・骨盤外傷

腹部・骨盤外傷患者対応の注意点

腹部には血液の豊富な実質臓器，消化液を含む管腔臓器，および泌尿器が属し，出血性ショックと汚染による腹膜炎をきたす。さらに，血行が豊富な骨盤の損傷では，骨折自体からの出血や骨盤周囲の血管の損傷により重篤な後腹膜出血をきたす。このように，腹部・骨盤外傷患者搬入時のprimary surveyではCの異常を想定した対応が求められ，初期診療ではFASTと骨盤X線撮影を行う。

Cの評価および画像診断の結果から，緊急止血術か，CTによる局所観察を含むsecondary surveyかを決定する。ショックが改善しない場合には開腹止血術や止血目的のIVRを優先し，ショックから離脱できればCT検査を実施する。CT検査室に移動する前には必ず循環動態の再確認とFASTによる再評価を行って，循環が安定し，液体貯留の急激な変化がないことを確認したうえで移動する。循環動態の安定化が得られていない状況で検査室に移動してはならない。

各モダリティの適応と画像所見

1. 超音波検査

primary surveyの生理学的評価と並行して，腹腔内液体貯留の迅速評価を行う。熟練度にもよるが，微量のフリーエアに対する感度はCTより高く，高エコーに描出され，穿孔部に限局した浮腫性変化や腹水貯留も同時に評価できる。

2. 骨盤X線撮影

primary surveyではABCDEの評価およびFASTに引き続き，後腹膜出血の原因となる骨盤骨折を評価する。腰椎骨折および腸腰筋陰影の消失を評価可能であるが，もっとも重要なのは安定型骨盤骨折と不安定型骨盤骨折との鑑別であり，恥骨結合と仙腸関節の離開を観察する（図1）。パネルの大きさは，情報量の多い半切サイズもしくは半角サイズが適している。脊髄損傷や不安定型骨盤骨折が疑われてバックボードを離脱できない場合には，バックボードの下に枕木状のスペーサーを頭部と下肢の2カ所に配置し，スペーサーの間にパネルを配置して撮影する。腰椎横突起骨折も腰動脈出血や腸腰靱帯の損傷による骨盤動揺性の助長をきたすため，不安定型骨盤骨折とみなすべき所見である。液体貯留の評価は超音波検査に移行したが，液体貯留の間接所見であるガス像の変位や腸腰筋陰影の消失にも注意する。

FASTと骨盤X線撮影のいずれにも異常がない場合は，腹部大動脈，下大静脈，膵，腎，十二指腸，上行結腸，下行結腸などの高位後腹膜腔への出血を疑う。

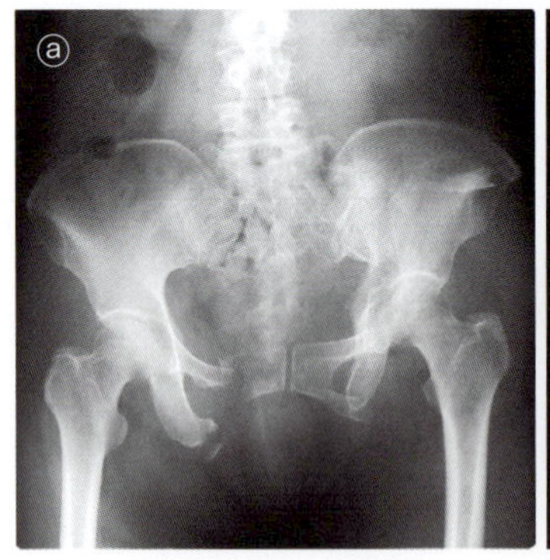

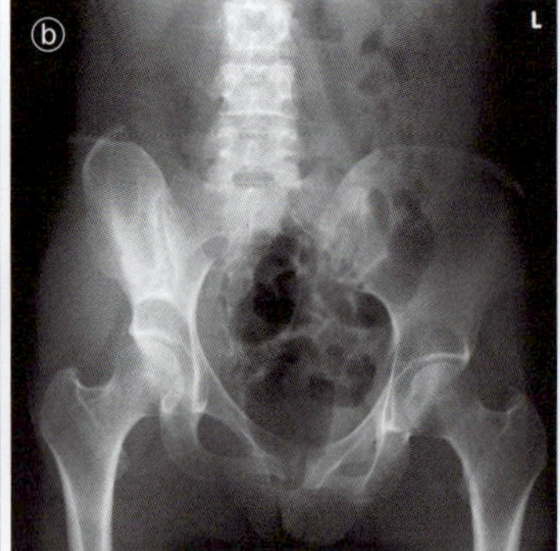

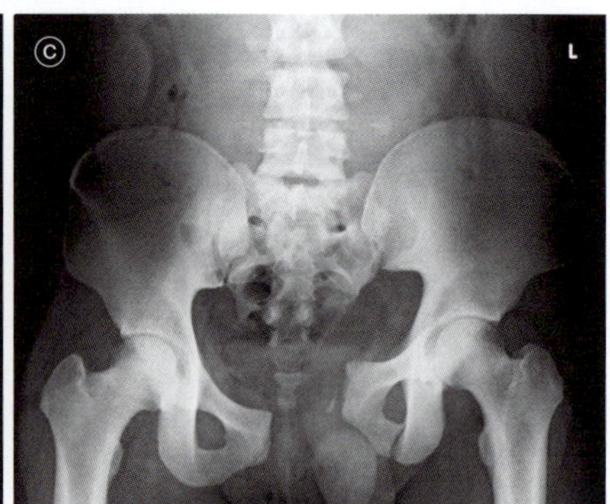

図1　不安定型骨盤骨折

a：前後圧迫型（AP compression type）
b：側方圧迫型（lateral compression type）
c：垂直剪断型（vertical shear type）
不安定型骨盤骨折の主な所見として，仙腸関節の開大，骨盤横経の左右差，腸骨稜上縁の高さの左右差がある

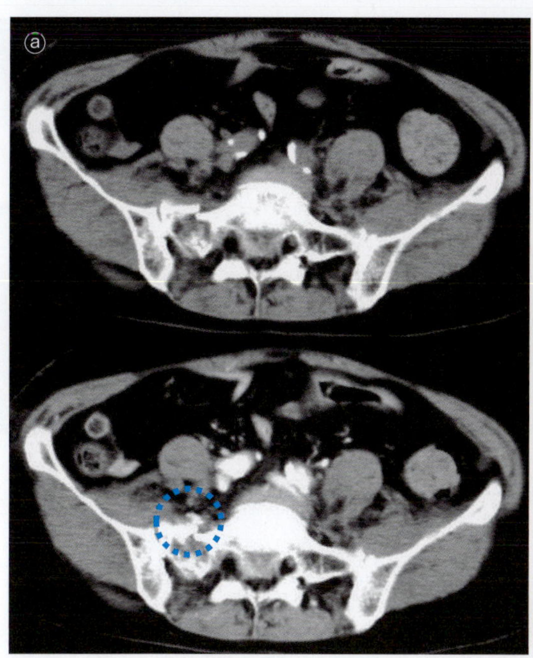
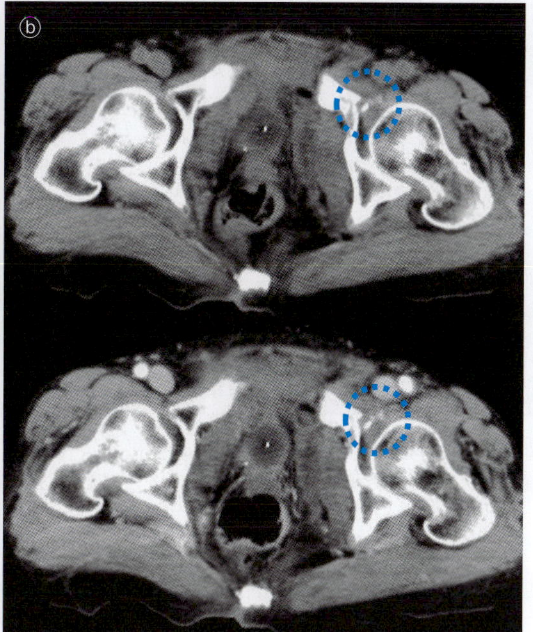

図2　骨盤外傷における活動性出血と骨の鑑別
a：造影CT（下段）の活動性出血様所見（丸印）が，単純CT（上段）では認められない
b：造影CT（下段）の活動性出血様所見（丸印）が，単純CT（上段）でも認められる

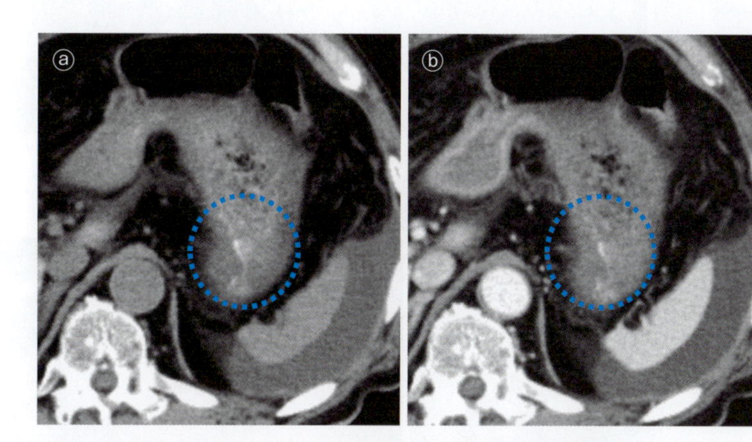

図3　骨盤外傷における活動性出血と食物残渣の鑑別
a：単純CT，b：造影CT
造影CTにて胃内に活動性出血を疑わせる所見を認めるが（丸印），単純CTでも同じような陰影（丸印）があることから活動性出血を否定でき，食物残渣であるとわかる

3. CT検査

secondary surveyで実施する。撮影方法やパラメータはGALACTICガイドライン[1]を参照されたい。

初期診療では動脈相と実質相の造影CT撮影を行い，造影剤血管外漏出像，実質臓器損傷，管腔臓器損傷を重点的に評価する。単純CTは実質臓器損傷に対する診断感度が低い[2]ため省略してもよいが，腹水と血液貯留との鑑別，粉砕骨折の骨片や消化器内の食物残渣が活動性出血（extravasation）と紛らわしい場合に有用である（図2，3）。

1）活動性出血の評価

活動性出血はその大きさやCT値がさまざまであり，症例によっては面積が2 mm^2と微小なものもある[3]。そのため，厚い再構成スライス厚ではpartial volume effectによりコントラストが低下し，検出能に影響するおそれがあり，少なくとも血腫がある部位や骨盤骨折による出血など骨に隣接する部位では，1 mm以下の薄い再構成スライス厚や，最大値投影法（MIP）およびMPRで評価すべきである（図4）[4]。また，動脈相と平衡相の比較により活動性出血と仮性動脈瘤との鑑別が容易になり，動脈相で認められる活動性出血様所見も平衡相で広

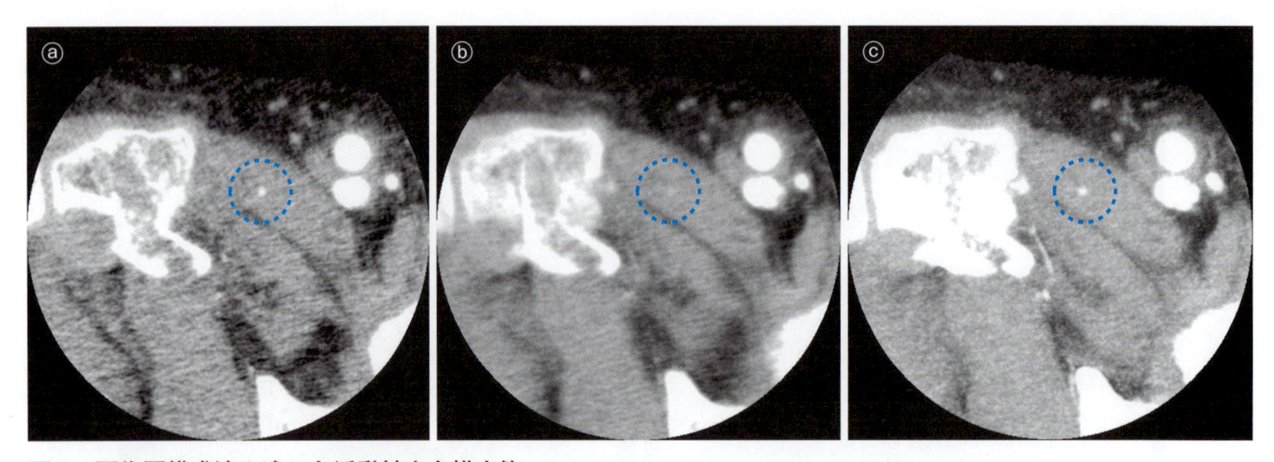

図4　画像再構成法の違いと活動性出血描出能
a：平均値表示（再構成スライス厚：1 mm），b：平均値表示（再構成スライス厚：5 mm），c：MIP 表示（再構成スライス厚：5 mm）

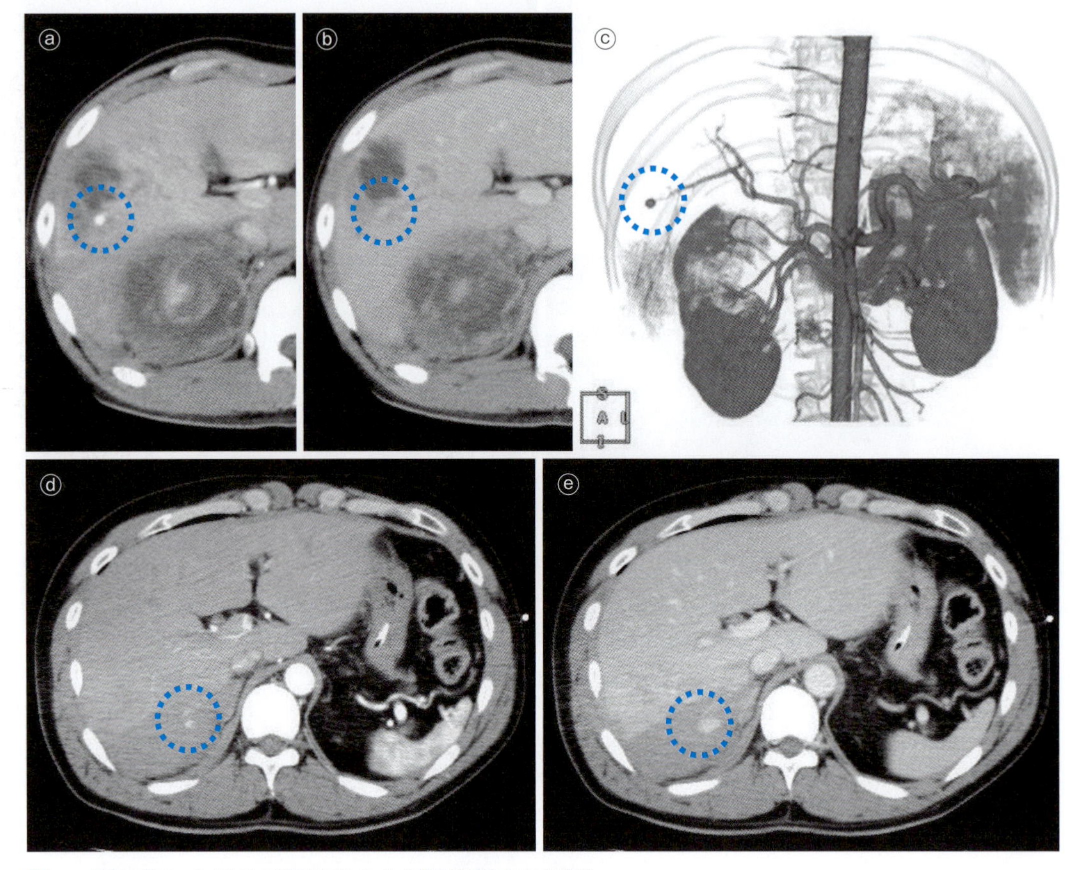

図5　肝外傷における活動性出血と仮性動脈瘤の鑑別
上：仮性動脈瘤。動脈相（a）で認められる高濃度の点状出血様像（丸印）の径が，平衡相（b）でも変化しないことから仮性動脈瘤（c）と診断できる
下：活動性出血。動脈相（d）で認められる高濃度の点状出血様像（丸印）が，平衡相（e）では薄く広がっている（丸印）ことから活動性出血と診断できる

がっていなければ仮性動脈瘤の可能性が高い（図5）[5]。動静脈瘻（AV shunt）や肝動脈門脈瘻（AP shunt）も動脈相の画像により診断することができ，平衡相のみでは診断できない。

2）末梢血管の描出

脾動脈や腎動脈など終動脈からの出血に対する超選択的 TAE では，可能なかぎり出血部に近い部位を塞栓する必要があり，その出血血管を同定するためにも末梢血管の描出が重要である。MIP は，閾値設定や partial volume effect による人為的・物理的因子による画質変化が少ないため微小構造物の描出に適しており，活動性出血の栄養血管を同定できれば IVR の支援情報として有効

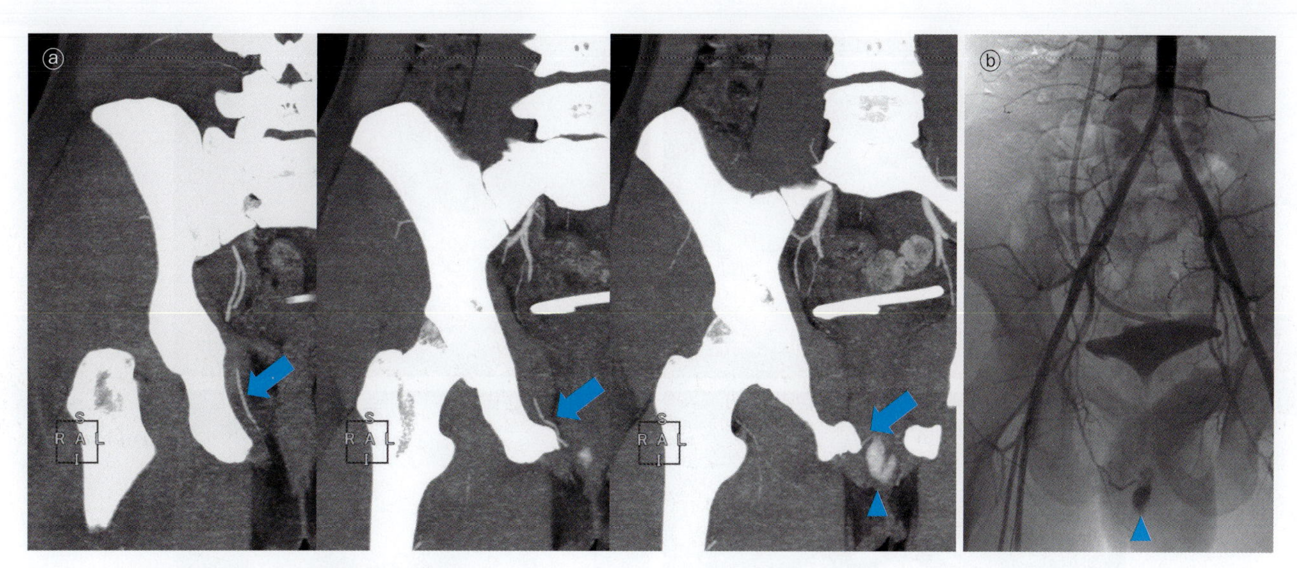

図6 thin-MIP を用いた末梢血管の描出
a：thin-MIP（冠状断）の連続画像（再構成スライス厚：20 mm）。MIP は末梢血管の描出能が高く，溢血（矢頭）と出血血管（矢印）との関係が明瞭であり，さらに thin-MIP とすることで骨の重なりを回避できる
b：血管造影

である（図6）。さらに，軽微な血管損傷を評価できれば遅発性の仮性動脈瘤の破裂を回避できる可能性もある[6]。

3）peri-portal tracking

門脈周囲の低吸収域は，peri-portal tracking と呼ばれる単純 CT では読影困難な所見であり，Glisson 鞘内への出血，胆汁，リンパ液の進展を示唆する。後に胆汁腫を形成する場合があるため経過観察が必要となるが，緊張性気胸，心不全，輸液過剰，肝静脈を圧迫する血腫などによる Glisson 鞘内リンパ浮腫でも認められるため，注意が必要である。

4）脾損傷の評価

脾では動静脈の交通にリンパ流が加わり，造影剤を急速注入した場合に生ずる不均一な染まり（early bolus contrast effect）を脾損傷と誤認することがある。とくに心不全患者や出血性ショックでは心拍出量が低下して血液の循環速度も遅くなるため，この現象が強調される。

5）管腔臓器損傷の評価

管腔臓器損傷も CT で正確な診断が可能である。管腔臓器損傷の CT 所見としては表1[7]に示すものがあげられる。画像所見を図7，8に示す。血管の数珠状変化と突然の途絶は腸間膜損傷固有の所見であり[8]，動脈相で詳細に血管の形態評価を行う必要がある。

6）泌尿器損傷の評価

血尿や泌尿器損傷を疑う所見を認めた場合には，遅延相撮影を追加する。CT 値が 300 HU を超える新たな高濃度造影剤の顕在化を認めれば，泌尿器損傷と確定できる。

泌尿器損傷を疑う画像所見（図9，10）には，腎盂に届くような深在性（内側性）の腎損傷，厚さ 2 cm を超える腎周囲液体貯留[9]，Retzius 腔（膀胱前腔）の液体貯留および Molar tooth sign がある[10]。膀胱壁の肥厚/連続性の途絶を認めれば膀胱破裂を疑う。

尿道損傷を疑う所見（図11）として，まず恥坐骨骨折があげられる。なかでも坐骨恥骨枝骨折はもっとも頻度が高く尿道損傷の 82％に認め，恥骨上枝骨折が 47％，恥骨体骨折が 29％と続く[11]。そのほか，尿生殖隔膜脂肪の歪み・不明瞭化および坐骨海綿体筋内血腫は尿道損傷の 88％に認められ，前立腺辺縁不明瞭化と周囲脂肪濃度上昇が 59％，閉鎖筋内血腫が 53％と続く[11]。

遅延相の最適撮影開始時間は門脈相撮影後 9 分とされているが[12]，現実的には造影剤注入開始後5～8分が一般的である。

表1 管腔臓器損傷の CT 所見と発生頻度

所見	頻度（%）
腹腔内液体貯留 平均 CT 値 52.3 HU（16～113 HU）	90.9
腸間膜血腫/脂肪濃度上昇	84.8
腸管壁肥厚/血腫 ＞3 mm（小腸），＞5 mm（大腸）	42.4
造影剤活動性血管外漏出	36.3
腹腔内遊離ガス	21.2
腸管壁不連続	6.1
限局性腸管造影不良域	6.1
特異的 CT 所見の欠如	9.4

〔文献 7）より引用・改変〕

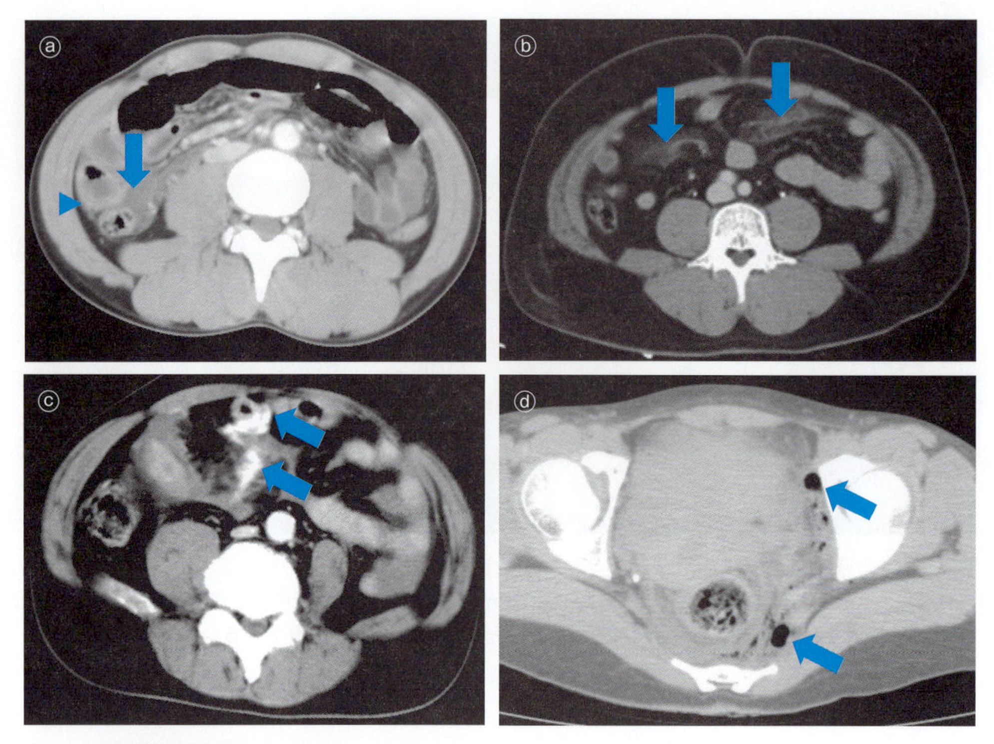

図7　管腔臓器損傷のCT所見

a：腹腔内液体貯留（矢印）。肥厚腸管壁（矢頭）の近くにみられることが多い
b：腸間膜血腫/脂肪濃度上昇（矢印）
c：造影剤血管外漏出像（矢印）
d：腹腔内遊離ガス像（矢印）

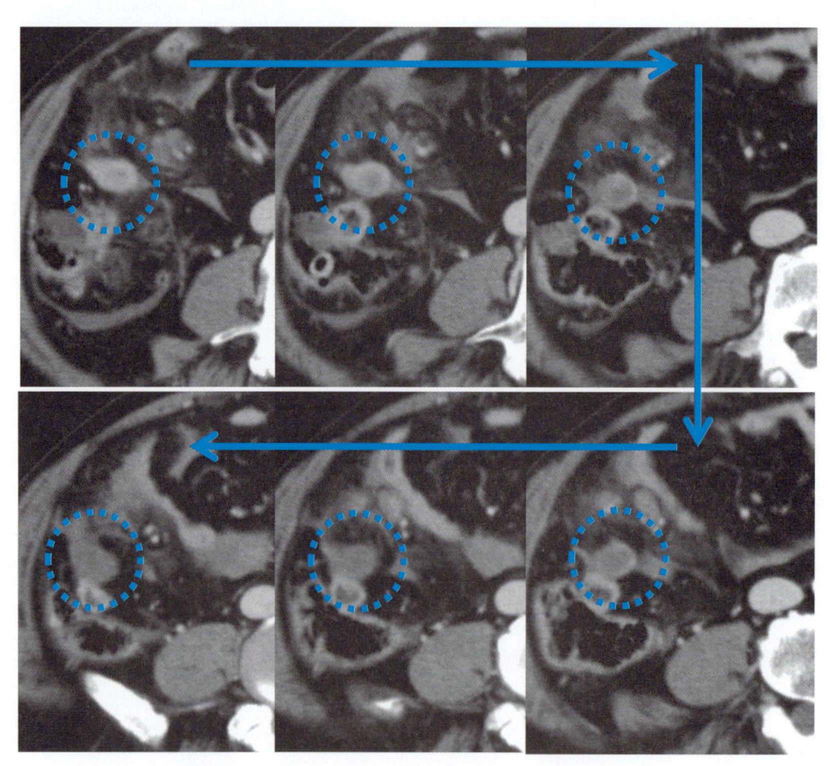

図8　管腔臓器損傷の造影CT所見（限局性腸管造影不良域）

腸管（丸印）を連続的に追跡することで，造影効果が頭尾方向に低下していく様子がわかる

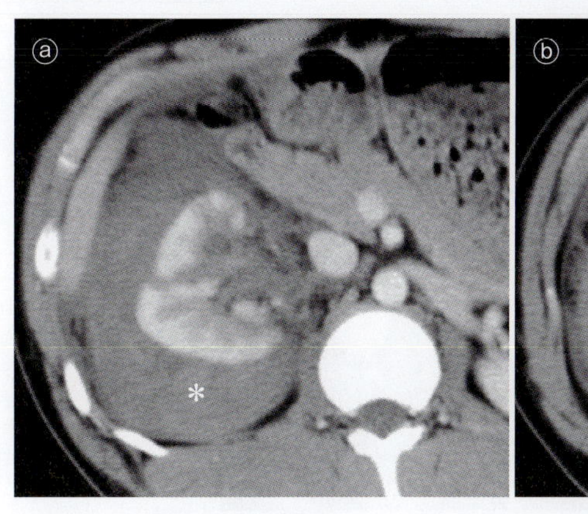

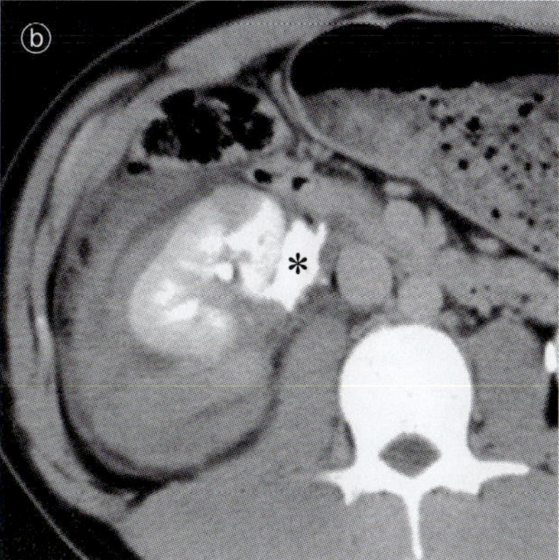

図 9　泌尿器損傷を疑う CT 所見（腎盂尿管移行部損傷）

a：実質相，b：遅延相

実質相にて深在性腎損傷と腎周囲に厚さ 2 cm を超える液体貯留（＊）を認めるが，明らかな造影剤の漏出は認めない。遅延相では CT 値が 300 HU を超える造影剤漏出像を認める

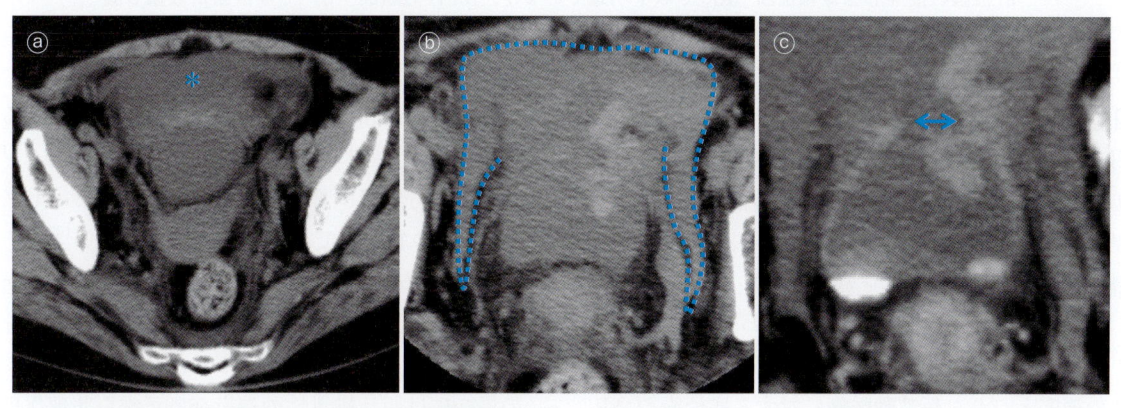

図 10　泌尿器損傷を疑う CT 所見（膀胱破裂）

a：Retzius 腔（膀胱前腔）の液体貯留（＊），b：Molar tooth sign（点線），c：膀胱壁の途絶（矢印）

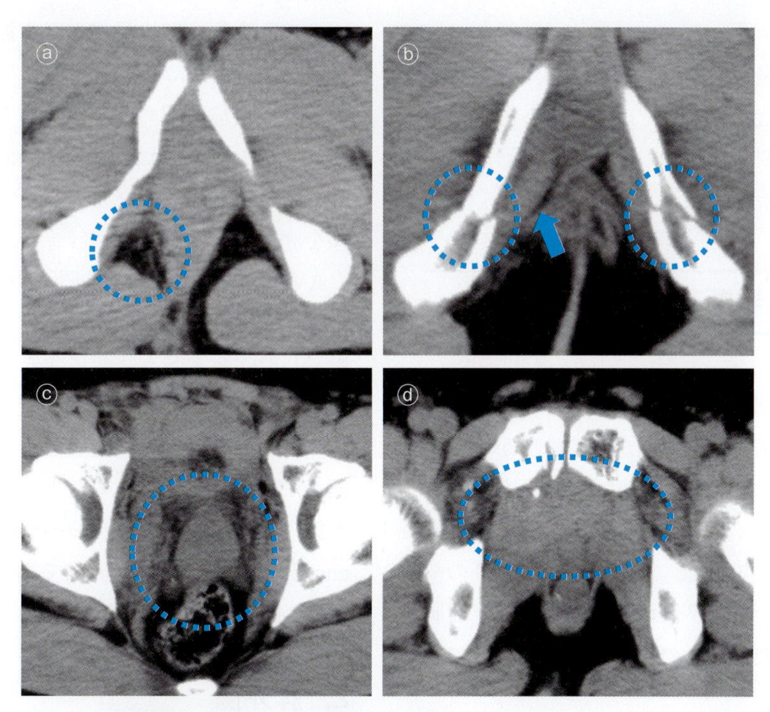

図 11　尿道損傷を疑う CT 所見

a：尿生殖隔膜脂肪歪み・不明瞭化（丸印）

b：坐骨恥骨枝骨折（丸印）と坐骨海綿体筋内血腫（矢印）

c：前立腺辺縁不明瞭化と周囲脂肪濃度上昇（丸印）

d：閉鎖筋内血腫（丸印）

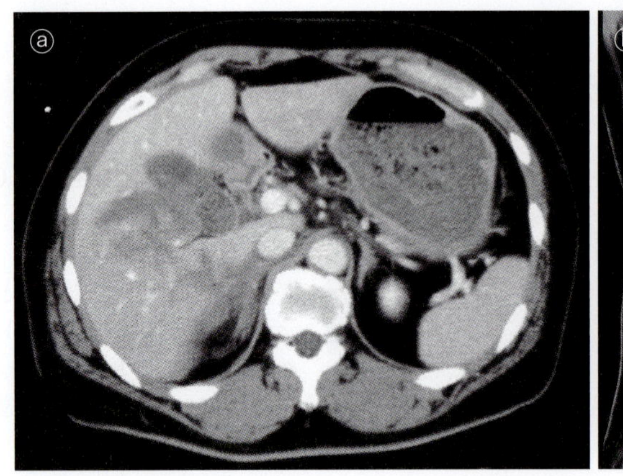
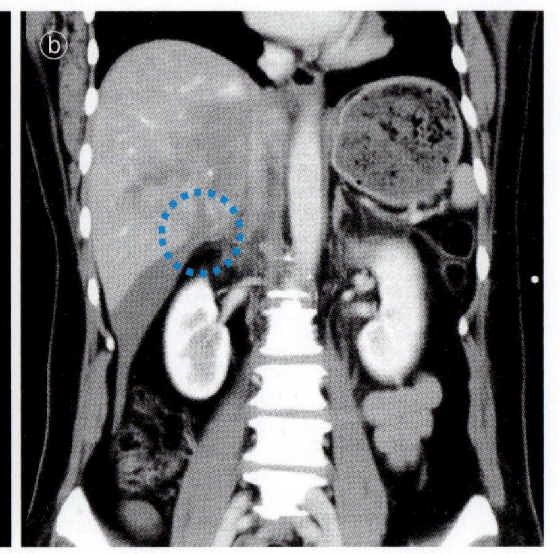

図 12　肝外傷の CT 所見
肝被膜の損傷形態は軸位断（a）では不明瞭であるが，MPR 冠状断（b）では被膜が破損し腹腔と交通している様子が明瞭である（丸印）

4. 血管造影検査

腹腔内出血，骨盤骨折による後腹膜出血に対し，TAE を目的とした血管造影を行う。CTA 撮影後は早急に 3D 画像構築を行って，アンギオ支援に備える。

管腔臓器損傷や鋭的外傷（穿通性外傷）による出血に対しては開腹術が選択されることが多かったが，最近では IVR の適応例も増加している。出血以外の血管性病変も IVR の適応となり，仮性動脈瘤に対する塞栓術や AP shunt では門脈圧亢進症の治療や血行動態の改善を目的とした TAE が行われる。

5. MRI 検査

胸部外傷と同様に外傷初期診療における適用は困難であるが，MR 胆管膵管造影（MRCP）は，膵外傷の治療方針を決めるうえで重要な主膵管の評価や嚢胞形成の診断に有用である。

治療方針と判断基準

1. 肝外傷

CT にて日本外傷学会臓器損傷分類Ⅲ型に相当する被膜断裂がある場合，損傷部から出血が腹腔に広がりやすく，出血量も多くなるため注意が必要である。CT 軸位断で被膜の断裂所見があいまいな場合，MPR による評価を追加する（図 12）[13]。また，右下横隔動脈は肝の無漿膜野を走行しているため，S7 領域の損傷や被膜下血腫を認める症例に対する血管造影の際は確認しておくべきである[14]。

循環動態の維持に 2,000 ml 以上の補液を必要とする症例は，主幹部肝静脈および肝後面下大静脈損傷を伴う肝損傷の可能性がある。TAE 適用の限界基準とされ[15]，ガーゼパッキングにより静脈性の出血を一時的に止血する DCS（damage control surgery）の適用となる。同じく胆管損傷も，米国外傷外科学会分類の Grade Ⅳ（日本外傷学会分類Ⅲb 型に相当）の肝外傷およびセグメント 4，5，8 の肝外傷で合併する可能性が高い[16]。そのため肝外傷を認めた場合には drip infusion cholangiographic-CT（DIC-CT）を行うことで，胆管損傷の合併を評価することができる。ただし，ビリルビン値が 4 mg/dl 以上の場合には胆汁排泄性の造影剤は正常な薬理作用が機能せず[17]，診断に必要な造影効果が得られないことがあるため注意を要する。また，DIC-CT を行う場合，残存する血腫や造影剤が診断上障害になる場合があるため，DIC-CT を行う前に単純 CT を撮影しておくとよい。

経過観察 CT にて被膜下および損傷部に約 20 HU の低吸収域の増加を認めれば胆汁腫を疑う[18]。経皮経肝胆道ドレナージ（percutaneous transhepatic cholangio-drainage；PTCD）を行って胆汁腫を造影し，周囲組織との関係を評価する（図 13）。

AV shunt は静脈の早期濃染から診断することがある。緊急性は高くないが IVR の適用対象であるため，造影 CT で診断すべき病変に含まれる[19]。AP shunt の CT 所見（図 14）としては，末梢門脈枝の早期濃染（他の門静脈より CT 値が 20 HU 以上高い門脈枝）と，肝動脈の血流が相対的に増加することによる楔状の肝実質不均一濃染（transient hepatic parenchymal attenuation differences；THPAD）が代表的であり[20]，とくに前者の読影には MIP が有用である。

2. 脾外傷

脾摘出後には免疫機能が低下するため保存的治療とすることが望ましい。extravasation を認める場合，もしくは日本外傷学会脾損傷分類Ⅲ型に相当する損傷程度が大きい場合には，TAE と保存的治療を組み合わせた非手

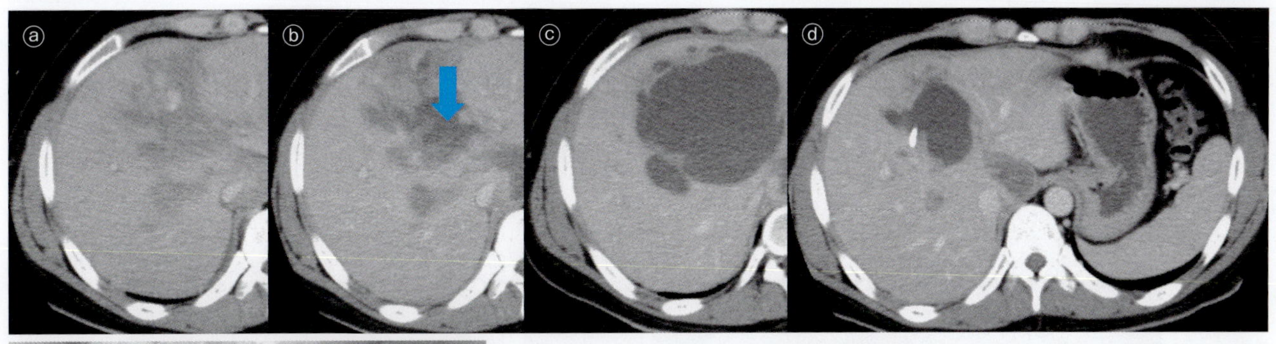

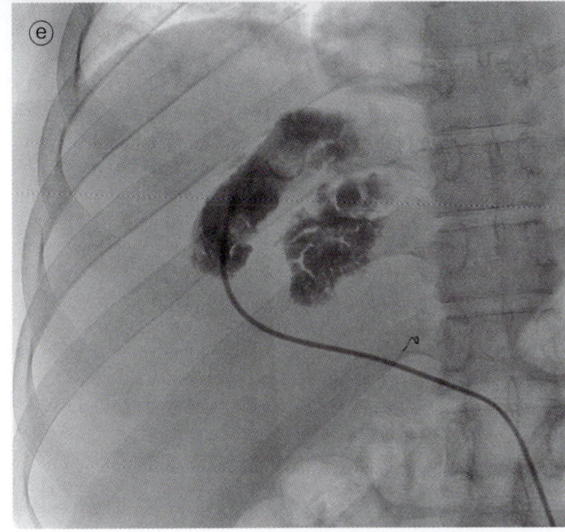

図 13　肝外傷（胆汁腫）の CT 所見
a（第 1 病日）：初回 CT にて複雑深在性肝損傷を認める
b（第 4 病日）：CT 値が約 20 HU の低吸収域の増加を認める（矢印）
c（第 12 病日）：実質内に巨大な胆汁腫の形成を認める。この後 PTCD を施行
d（第 22 病日）：PTCD 後，胆汁腫は縮小傾向
e（第 12 病日）：PTCD にて周囲組織との関係を評価

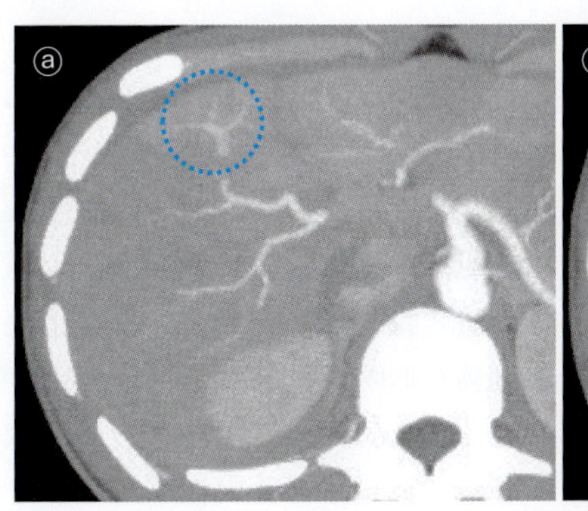

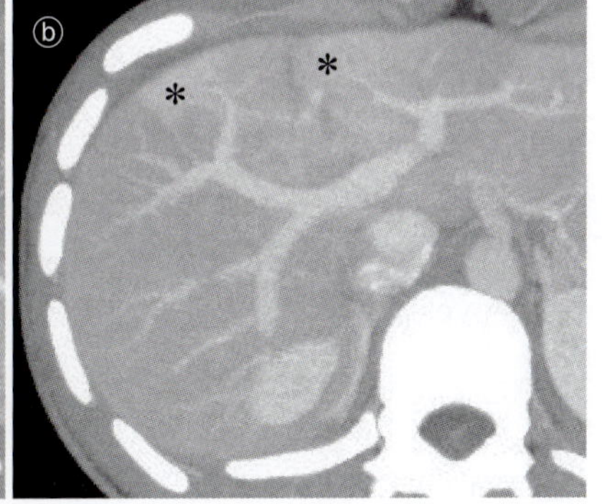

図 14　AP shunt の CT 所見（肝外傷）
a：早期動脈相，b：後期動脈相
早期動脈相では末梢門脈枝の早期濃染（丸印）を，後期動脈相では THPAD を認める（＊）

術療法（non-operative management；NOM）の適応となることが多い。

脾動脈は終動脈で側副血行路がないため，出血部を塞栓すれば確実な止血効果が得られるが，止血部より末梢側の脾機能は廃絶するため，出血血管が同定可能な画像診断は超選択的 TAE の術前情報として重要である。仮性動脈瘤に対しては，脾動脈本幹の塞栓により灌流圧が低下して（短胃動脈からの血流あり）出血制御が可能である。一方で，脾門部における動脈本幹の離断や，損傷範囲が脾門部に至る複雑な損傷や粉砕型の損傷では，IVR は非適応で脾摘出となる。

3. 膵外傷

膵管断裂を診断できれば手術適応となるが，CT 検査にて指摘されることはまれである。内視鏡的逆行性胆管膵管造影（endoscopic retrograde cholangiopancreatography；ERCP）を実施して造影剤の漏出を認めれば確定診断に至る。

4. 腎外傷

腎は Gerota 筋膜と後腹膜に覆われているため，タンポナーデ効果により出血が腎周囲腔に限局していれば温存治療が期待できる。しかし，尿路損傷の可能性が高い深

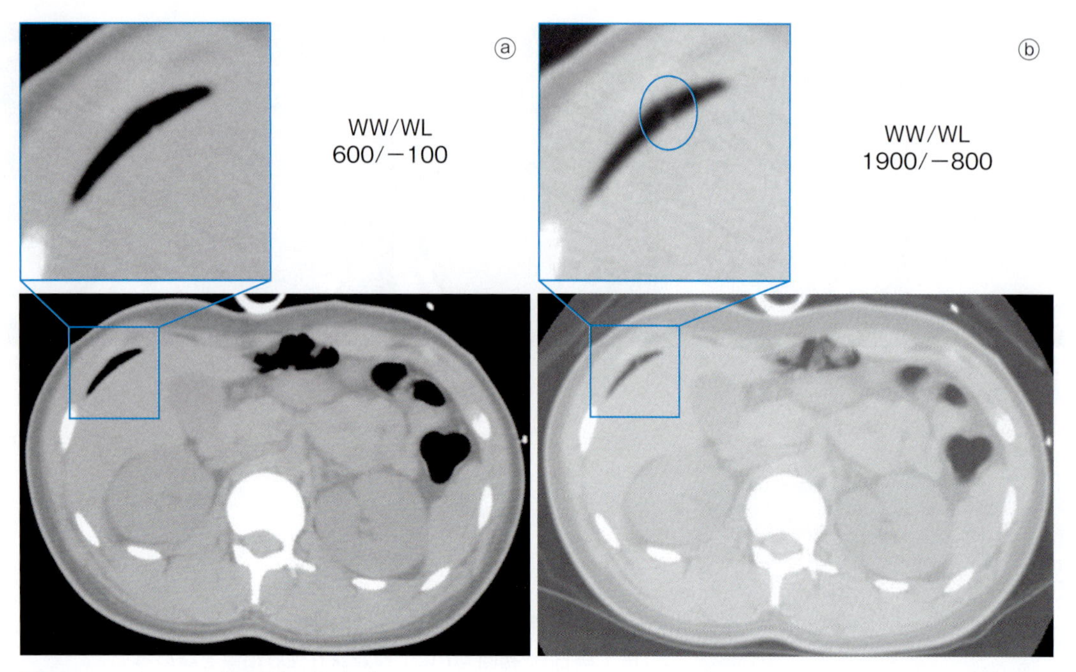

図15　フリーエア読影時の注意点
右肺に気胸があり腹膜外に進展している場合，フリーエアと誤診するおそれがある。気胸の確認とwindow調整（a：WW/WL＝600/－100，b：1900/－800）にて空気像内の結合織（丸印）を観察し，結合織を認めればフリーエアを否定できる

在性損傷および腎茎部損傷は手術適応となる。

造影CT遅延相にてCT値が300 HUを上回る新たな高濃度造影剤の漏出を認めれば尿路損傷と診断され，全腎の造影不良があれば腎茎部損傷である。片腎を摘出する可能性があり，CT検査の猶予がない場合は経静脈性腎盂造影検査（intravenous pyelogram；IVP）により対側の腎機能を確認しておく。

腎動脈は脾動脈と同じく終動脈であるため容易に止血効果が得られるが，高度の腎外傷に対するTAEは壊死や膿瘍形成をまねくこともある。一方で，腎静脈損傷ではDCSが施行される。

5. 管腔臓器損傷

CT検査で，局所的な造影不良（虚血），腸管周囲に限局した低濃度（20 HU程度）の液体貯留，腹腔内遊離ガス像（フリーエア），後腹膜気腫，縦隔気腫などの異所性ガス像を認めた場合ほぼ確定診断所見となり，開腹術の適応となる。活動性出血に対するIVRの適用も進んでいるが，腸管および腸間膜の修復が必要であるため，外科的手術は避けられない。また，フリーエアは気胸の腹膜外進展や鋭的外傷による刺入部からのガス混入が偽陽性となり得る（図15）。腹水や胸水，後腹膜の液体貯留も管腔臓器損傷にみられる所見である。

大腸は小腸と比較して穿孔によってフリーエアが出現しやすいが，後腹膜腔臓器である十二指腸は腹膜炎をきたさないことが多いため見逃されやすく，小腸は通常虚脱しているため受傷後早期に認められないことがある。また，大腸では血流障害をきたしやすい。従来，十二指腸損傷の評価法として経口的あるいは胃管から希釈した造影剤を注入していたが，最近は推奨されていない[21]。

管腔臓器の血管損傷は腸間膜損傷によるものと後腹膜血腫を形成するものに分けられるが，腸間膜の出血に対するTAEは，血管がアーケード状の構造であるため，断端の両端から動脈性出血をきたすこと，塞栓物質によって腸管壊死をきたしやすいことなどから推奨されない。そのため通常は開腹手術が適応されていたが，最近では超選択的TAEも可能であるため，症例を選べば根治止血も期待できる[22]。また，意識障害などにより腹部の身体所見を評価することが困難な場合には，試験開腹術を考慮する。

6. 骨盤外傷

造影CT検査にて活動性出血を認めればTAEの適応となる。しかし，血腫によるタンポナーデ効果や血管攣縮により，活動性出血に対する造影CTの検出感度は血管造影と比べて低く（図16），とくに外側仙骨動脈，腸腰動脈などの後方骨盤輪によって生じた血管損傷においてこの傾向は強い。そのため，後方骨盤輪損傷による巨大な血腫が存在する症例や，CTAにおいて血管の急激な途絶を認める症例（図17）は，血圧安定後に再出血を

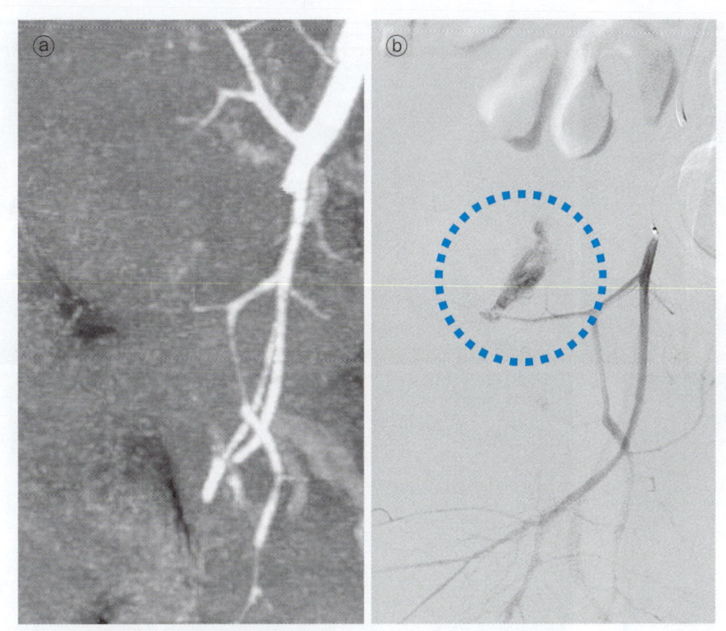

図 16　骨盤外傷の画像所見
a：造影 CT（動脈相，MIP 表示），b：血管造影
CT では認められない活動性出血が血管造影では明瞭である（丸印）

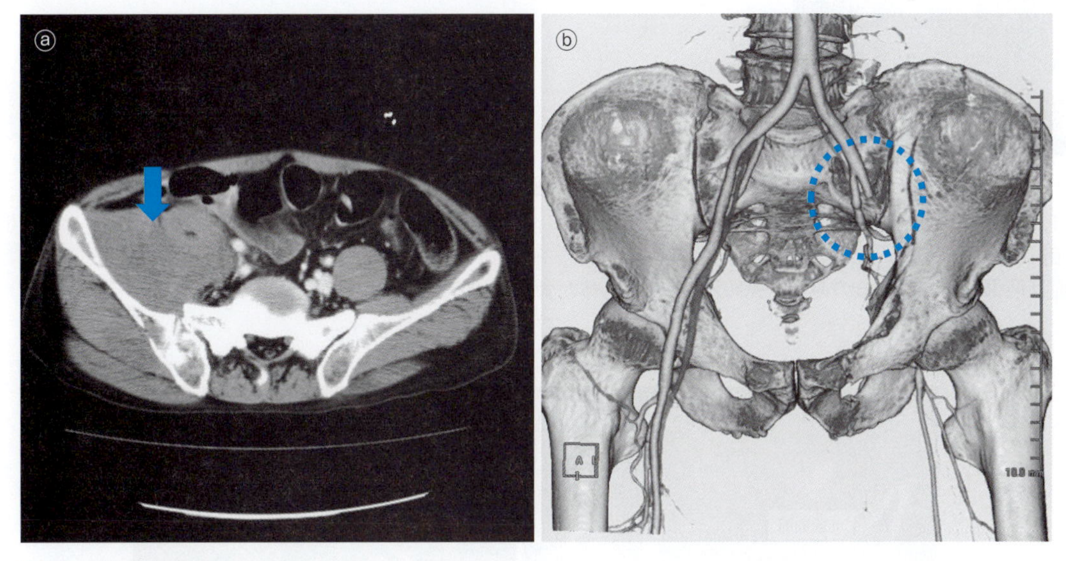

図 17　骨盤外傷の CT 所見
a：造影 CT（動脈相），b：CTA
巨大な血腫（矢印）や血管の急激な途絶像（丸印）は，出血をきたした痕跡であり，循環が安定し，血圧が回復すれば再出血する可能性を示唆する所見である

きたす可能性があるため，活動性出血の評価があいまいであっても積極的に血管造影を試みたほうがよい。

静脈性出血や骨折部からの出血は整復固定術により制御され，動脈性出血は TAE により制御されるが，骨盤外傷による出血の多くは前者であるため，止血術としては一般的に整復固定術が優先される。整復固定術には主に，①簡易固定法（全症例対象，ピンなし），②anterior flame（部分不安定型骨折対象，腸骨稜・下前腸骨棘にピン），③C-clamp（完全不安定型骨折対象，腸骨翼にピン）がある。骨折形態によって選択される術式やピンの位置が異なるため，その評価は重要である。

造影 CT と単純 CT のサブトラクション法は，misregistration が軽微であれば骨折部からの出血を描出でき，治療方針決定の支援画像となり得る（図 18）。また，活動性出血に AV shunt を伴う場合，TAE の塞栓物質にゼラチンスポンジを使用すると shunt 部から塞栓物質が遠位に飛散するおそれがあるためコイル塞栓が推奨される。そのため，AV shunt の確認は重要である（図 19）。

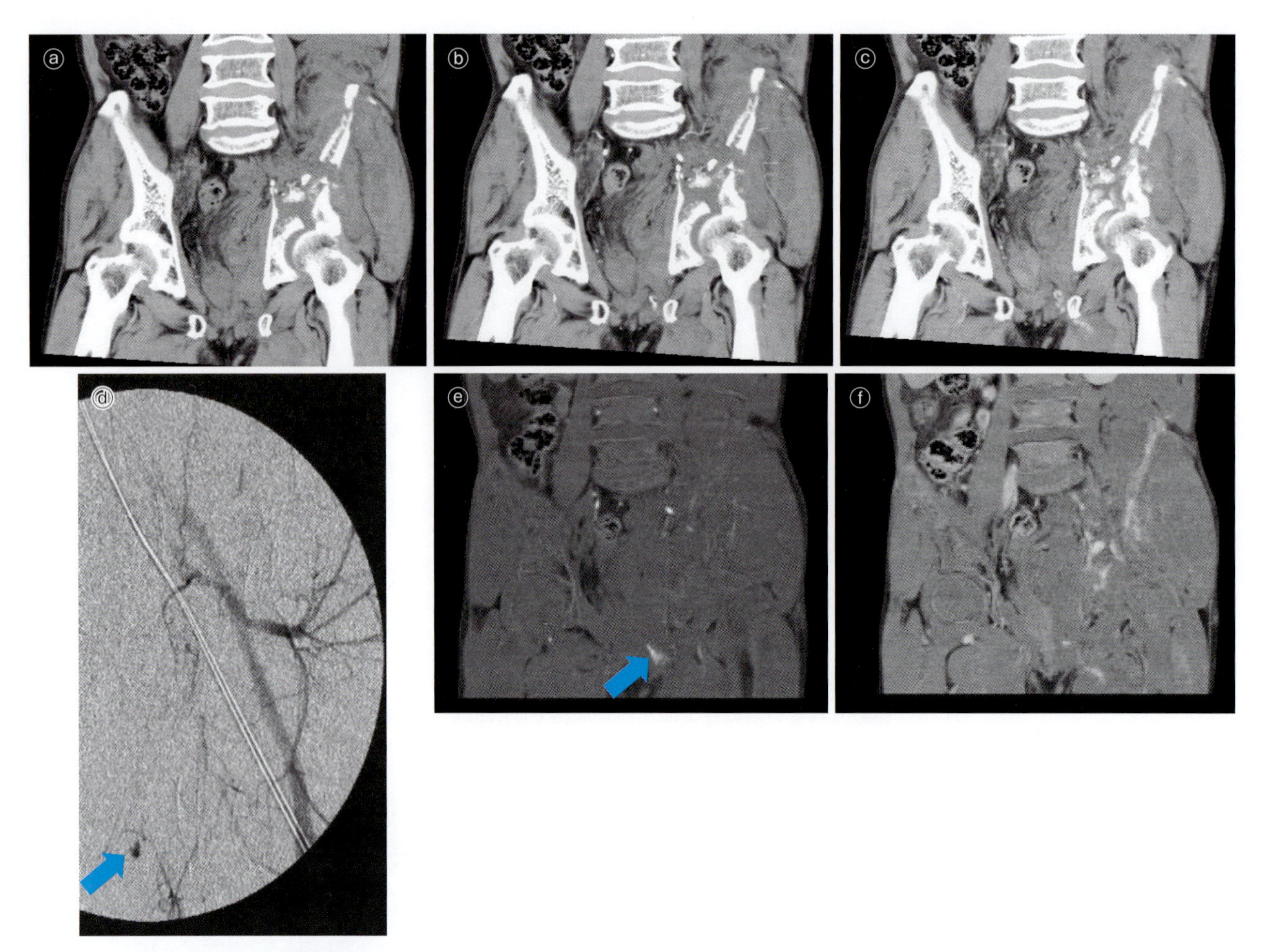

図 18　サブトラクション法を用いた骨折部からの出血評価
a：単純 CT，b：造影 CT（動脈相），c：造影 CT（平衡相），d：血管造影，e：サブトラクション（動脈相），f：サブトラクション（平衡相）
動脈性出血は恥骨付近に認めるのみで（矢印），出血の主体が骨折部からの静脈性出血であることが明瞭

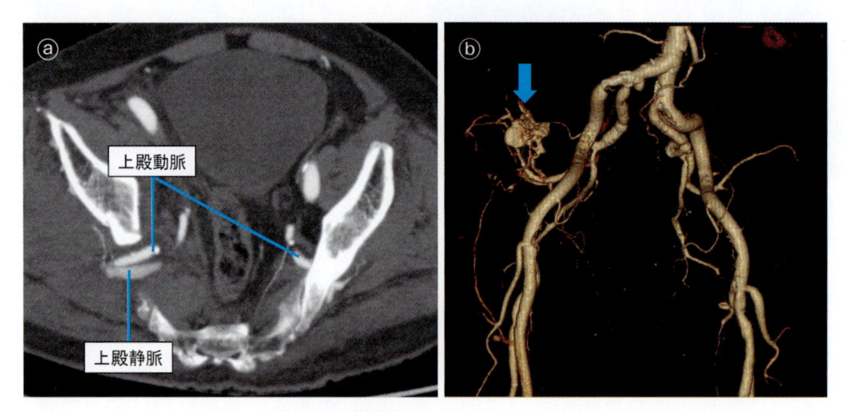

図 19　AV shunt の CT 所見（骨盤外傷）
a：動脈相（MIP），b：同 VR（矢印は活動性出血）
左右の上殿動脈を比較すると，左側は上殿動脈のみ描出されているが，右側は上殿動脈と併走する上殿静脈も確認できる

ショックの原因が明らかに骨盤骨折による後腹膜出血である場合，CT 検査を省略して止血術を優先する。出血源が内陰部動脈，閉鎖動脈，外側仙骨動脈などの骨盤内部血管である場合，cross circulation による健側からの出血を考慮して健側の血管も塞栓する。TAE や整復固定術による止血効果が得られない場合は，後腹膜ガーゼパッキング術を行う。

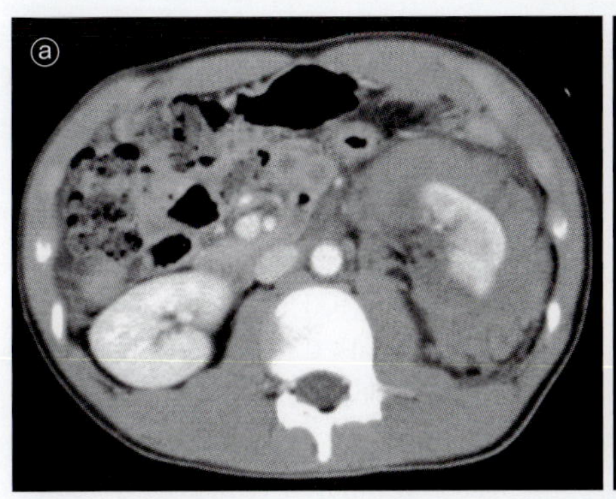

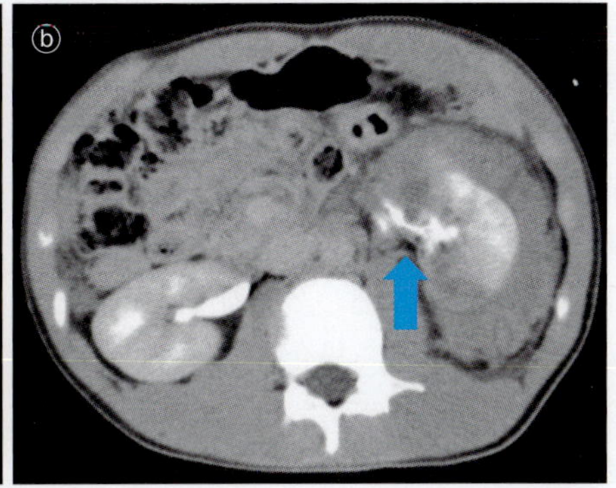

図 20 尿管損傷の造影 CT 所見
実質相（a）では左腎周囲腔に液体貯留を認めるが，尿漏を伴うかどうかは明らかでない
排泄相（b）にて新たな高濃度の造影剤漏出像（矢印）を認め，尿漏と診断できる

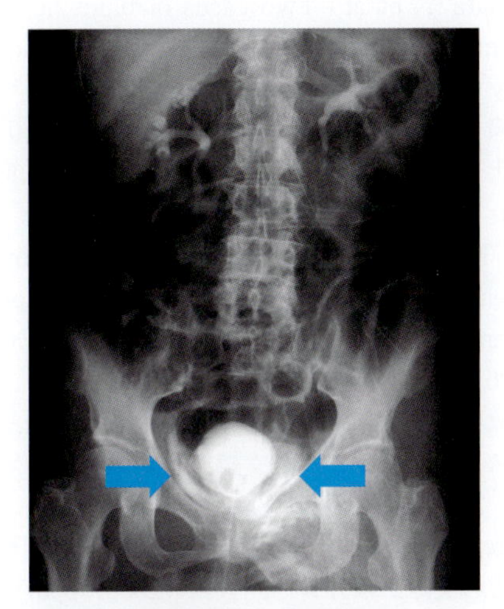

図 21 膀胱破裂の画像所見
膀胱周囲の組織内に造影剤が漏れ，火焔状を呈する（矢印）。腹膜外膀胱破裂と診断できる

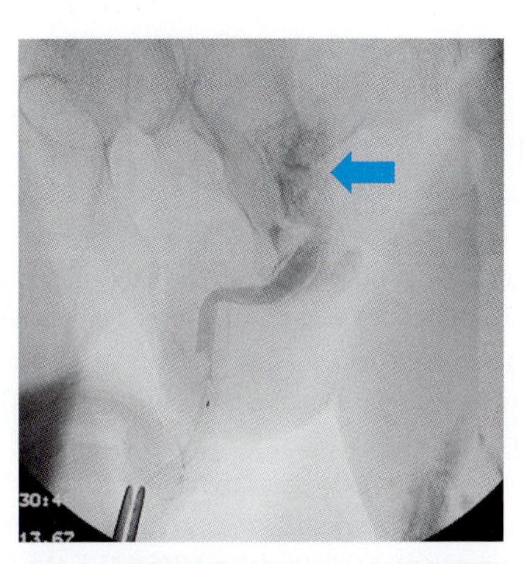

図 22 尿道損傷の逆行性尿道造影所見
尿道膜様部に造影剤の漏出像を認める（矢印）

7. 尿管損傷

肉眼的血尿から尿管損傷を疑い，造影 CT 排泄相にて腎盂尿管近傍に尿漏を認めれば確定診断に至る（図 20）。治療方針の決定には完全断裂か不完全断裂かの鑑別が必要であり，逆行性腎盂造影を行う。完全断裂型は手術適応で，不完全断裂型にはステントが留置される。

8. 膀胱破裂

腹膜内膀胱破裂，腹膜外膀胱破裂，膀胱挫傷に分類される。腹膜内膀胱破裂は尿が腹腔内に漏れて尿腹水となり，手術適応であるため鑑別が必要である。腹膜外膀胱破裂は骨盤骨折に合併することが多い。透視下膀胱造影は膀胱破裂の診断に有効で，腹膜内膀胱破裂では腹腔内に造影剤が漏れ，腸管の輪郭が描出される。腹膜外膀胱破裂では，膀胱周囲の組織内に造影剤が漏れるため火焔状となる（図 21）。腹膜内膀胱破裂では，開腹して裂創部を縫合閉鎖する。腹膜外膀胱破裂では通常，尿道カテーテル留置によるドレナージが施行される。

9. 尿道損傷

逆行性尿道造影を行って（図 22），完全断裂型か不完全断裂型かの鑑別を行う。完全断裂型では膀胱瘻を増設し，不完全断裂型では透視下にて尿道カテーテルを留置する。透視および撮影はLAOもしくはRAO 45°で行い，造影剤を注入する。後に正面撮影を追加する。

10. 腹部コンパートメント症候群（ACS）

開腹術を行った後に大量の細胞外液補充液が輸液されると膠質浸透圧が低下し，腸管の浮腫や後腹膜出血などにより，通常の閉腹術では循環障害や呼吸障害，脳循環障害，腎機能障害が発生する。これを腹部コンパートメント症候群（abdominal compartment syndrome；ACS）と呼び，閉腹時に腸管脱出していれば一時閉腹せず，silo closure 法や vacuum-pack 法を採用する。

11．鋭的外傷（穿通性外傷）

緊急開腹術の適応は，①ショック，②内臓脱出（腸管・大網），③腹膜炎である。手術適応と創の深さには関係があり，創が皮下組織にとどまっている場合は帰宅可能で，筋膜穿通，腹膜穿通と創が深くなるにつれ開腹術の可能性が高くなる。創が腹腔内に達し，活動性出血または腸液漏出を伴う腸管損傷を認める場合，緊急開腹術の適応となる。このように，鋭的外傷において創の進展度は治療方針を決定するうえで重要であるため，皮下脂肪が明瞭にみえるwindow設定で評価する。

CT検査による管腔臓器損傷所見は有用であるが，創部からのガス混入によりフリーエアは疑陽性になり得ることや，横隔膜損傷に対する検出率も低いことから，管腔臓器損傷所見のみから開腹手術の適応を除外することは推奨されず，DPLや腹腔鏡も考慮する[23]。

【文　献】

1）高木卓編：放射線医療技術学叢書（27）；X線CT撮影における標準化；GALACTIC，第2版，2015.
2）Naulet P, et al：Evaluation of the value of abdominopelvic acquisition without contrast injection when performing a whole body CT scan in a patient who may have multiple trauma. Diagn Interv Imaging 94：410-417, 2013.
3）Anderson SW, et al：Blunt trauma：Feasibility and clinical utility of pelvic CT angiography performed with 64-detector row CT. Radiology 246：410-419, 2008.
4）一ノ瀬嘉明，他：外傷診療におけるCT検査trauma panscanと胸部外傷．レジデントノート増刊14：1036-1045, 2012.
5）Hamilton JD, et al：Multidetector CT evaluation of active extravasation in blunt abdominal and pelvic trauma patients. Radiographics 28：1603-1616, 2008.
6）中尾彰太，他：遅発性仮性動脈瘤を来した鈍的肝損傷の1例．日外傷会誌25：361-365，2011.
7）LeBedis CA, et al：CT imaging signs of surgically proven bowel trauma. Emerg Radiol 23：213-219, 2016.
8）Brofman N, et al：Evaluation of bowel and mesenteric blunt trauma with multidetector CT. Radiographics 26：1119-1131, 2006.
9）Baghdanian AH, et al：Utility of MDCT findings in predicting patient management outcomes in renal trauma. Emerg Radiol 24：263-272, 2017.
10）Korobkin M, et al：CT of the extraperitoneal space：Normal anatomy and fluid collections. AJR Am J Roentgenol 159：933-942, 1992.
11）Ali M, et al：CT signs of urethral injury. Radiographics 23：951-963, 2003.
12）Keihani S, et al：Optimal timing of delayed excretory phase computed tomography scan for diagnosis of urinary extravasation after high-grade renal trauma. J Trauma Acute Care Surg 86：274-281, 2019.
13）山下寛高，他：腹部実質臓器損傷．救急医学35：236-238，2011.
14）Mizobata Y, et al：Two cases of blunt hepatic injury with active bleeding from the right inferior phrenic artery. J Trauma 48：1153-1155, 2000.
15）萩原章嘉：ダメージコントロールサージェリーと経カテーテル的動脈塞栓術．ダメージコントロール，メディカルレビュー社，東京，2003，pp58-67.
16）Yuan KC, et al：Screening and management of major bile leak after blunt liver trauma：A retrospective single center study. Scand J Trauma Resusc Emerg Med 22：26, 2014.
17）日本放射線技術学会：腹部・骨盤救急撮影法．放射線技術学スキルUPシリーズ；標準救急撮影法，オーム社，東京，2011，pp98-180.
18）吉岡敏治：肝損傷．救急疾患CTアトラス；その撮り方・読み方の実際，永井書店，大阪，2006，pp67-80.
19）日本IVR学会，他：肝外傷に対するIVRのガイドライン2016，2016.
20）Nguyen CT, et al：MDCT diagnosis of post-traumatic hepatic arterio-portal fistulas. Emerg Radiol 20：225-232, 2013.
21）American College of Radiology：ACR Appropriateness Criteria, 2019.
22）檜垣賢作，他：腸間膜損傷におけるIVRの有用性．日腹部救急医会誌25：809-813，2005.
23）松本松圭，他：腹部刺創の診断と治療．救急医学35：269-275，2011.

4 四肢外傷

四肢外傷患者対応の注意点

救急外傷のなかで四肢外傷の頻度は高く，歩行可能な軽度外傷から重度外傷まで損傷程度も多様であり，Waddleの三徴候（p.47参照）に代表されるように，損傷が多部位にわたることもある。通常の撮影と異なり，バックボードやシーネ固定具のまま撮影するという特殊な環境となることもあり，必ずしも撮影基準線や基準点に対して2方向撮影ができない場合もある。このようなケースにおいてはX線撮影により二次損傷をまねくおそれがあるため，注意が必要である。さらに，ポジショニング時の肢位の調整は医師と確認しながら行うことが原則であり，複数スタッフで撮影を行う状況下では周囲への放射線防護や感染対策，チューブ・ルート類の誤抜去，撮影寝台からの転落などに対する配慮も必要である。

また，大腿骨のように解剖学的に体積の多い部位の骨折は出血によるショック症状をきたす場合もあり，注意が必要である。外傷に伴う臓器損傷を合併している場合もあるため，優先順位の高い治療は，主要な動脈からの活動性出血に対する止血となる（**図1**）。活動性出血があった場合にはその出血の箇所を評価し，free space，loose space，tight spaceの順に時間的猶予の有無を意識

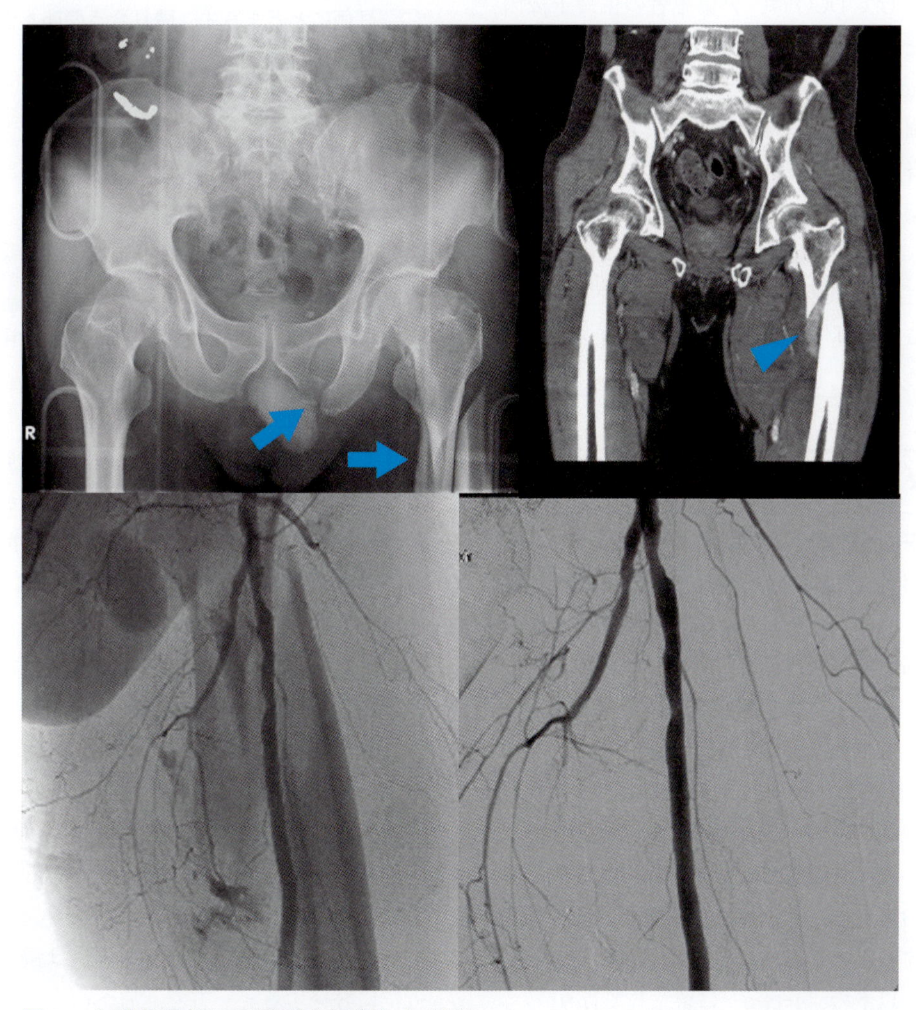

図1　大腿骨骨折にて動脈を損傷した症例
左大腿骨と左坐骨に骨折があり（矢印），造影CTでは大腿骨の骨折部付近にextravasationを認める（矢頭）。血管造影で損傷血管が深大腿動脈であることを確認し，同部位に対してTAE施行した

する必要がある。

とくに多発外傷患者の骨折に対しては，激しい損傷に気をとられることなく，生命の危機を脅かす臓器や血管の損傷を見落とさないよう注意が必要である。そのため，JATEC^{TM}の流れに沿ったプロセスが必要とされ，とくにCT検査は損傷した血管を診断・治療するうえで重要な位置づけとなる。さらに，四肢外傷を契機として圧挫症候群（クラッシュ症候群）や脂肪塞栓症候群，コンパートメント症候群に陥る可能性もあるため，患者容態の変化や造影剤の投与時には注意が必要である[1]。生命の危機から離脱できても，骨・関節疾患が適切に診断できなかった場合，病悩期間の延長や機能障害を残す可能性があることから，初診時の正確な外傷診断は根本治療を決定するうえで重要な位置づけとなる。

また，多発外傷の治療方針を決定するうえで，early total care（ETC）とdamage control orthopedics（DCO）という2つの概念の理解が重要である[2]。ETCとは，受傷24〜48時間以内に骨折に対する根治的内固定術を行うものである。対してDCOは，外傷患者の生命予後因子を考え，ETCそのものが手術侵襲として高く，術中出血によってsecond-hitとなり得る可能性がある場合に，急性期では創外固定などの一時的な固定法で対応し，集中治療室での全身管理を経て患者状態が改善したタイミングで根本的治療に進むというものである。この場合，「骨折のあるゾーン＜軟部組織の損傷ゾーン＜最終的手術を行うゾーン＜DCOを行うゾーン」の順に対象とする範囲が広くなることを理解して，撮影範囲をコントロールする必要がある。

X　各モダリティの適応と所見

1．各モダリティの適応と評価

四肢外傷に対する画像診断の基本となるのは単純X線撮影であるが，前述したとおり，緊急性の高い症例ほど全身状態の評価を完了した後に行うべきである。すなわち，四肢外傷の評価を急ぐあまり単純X線撮影へのプロセスを短絡させることは避けなければならない。

単純X線写真は，疼痛，腫脹，変形，軋轢音，異常可動域などの臨床所見を証明するための診療材料として重要な役割をもつ。読影に際しては，長管骨の血管溝・骨端線・軟部陰影の重なり，種子骨・過剰骨などは骨折線に似た所見を呈する場合があるため注意が必要である。

骨折の評価は，以下の“4-two”に留意して行う。

1）two view

可能な限り2方向から観察する。ただし，確定診断に迷うケースや鑑別診断に必要であるとされた場合には，

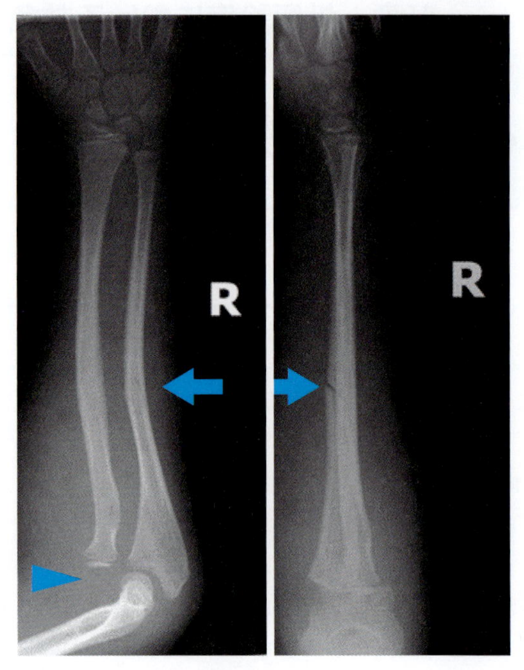

図2　モンテジア骨折
尺骨骨折（矢印）に伴い橈骨頭が脱臼しており（矢頭），モンテジア骨折を呈している。骨折部のみの評価にとどまらず，隣り合う関節を含めた撮影と評価が必要

斜位撮影が追加されることもある。

2）two limbs

評価困難な場合，健側同一部位と比較する。

3）two occasions

骨折線が明らかでなくても症状から骨折を疑う場合，後日フォローアップする。

4）two joints

骨折部に隣り合う関節を含めて評価する（図2）。

なお，局所所見が明らかであるにもかかわらず単純X線写真による診断が困難な場合には，単純X線写真にて斜位撮影の追加や，CT[3]もしくはMRI[4]などが選択される。股関節において単純X線撮影での評価が困難な潜在骨折に対しては，CTに比べてMRIの感度が高いこともあり，臨床症状から考えたモダリティの選択が重要となる（図3）。また高齢患者の場合，脆弱性骨盤骨折の所見が大腿骨頸部骨折の臨床所見と似ているため，注意が必要である。脆弱性骨盤骨折に対して，単純X線写真で評価が困難な場合にはCTが有用である。

また，受傷機転を考慮した撮影や読影も重要である。例えば，肩の直達外力による損傷は鎖骨遠位端や上腕骨近位に好発する。一方で，肩への介達外力による骨折は鎖骨中央部1/3に好発し，鎖骨骨折の85％を占める。さらに，Maisonneuve骨折（図4）のように，外傷によるエネルギーが骨膜間内で作用して別部位への損傷として

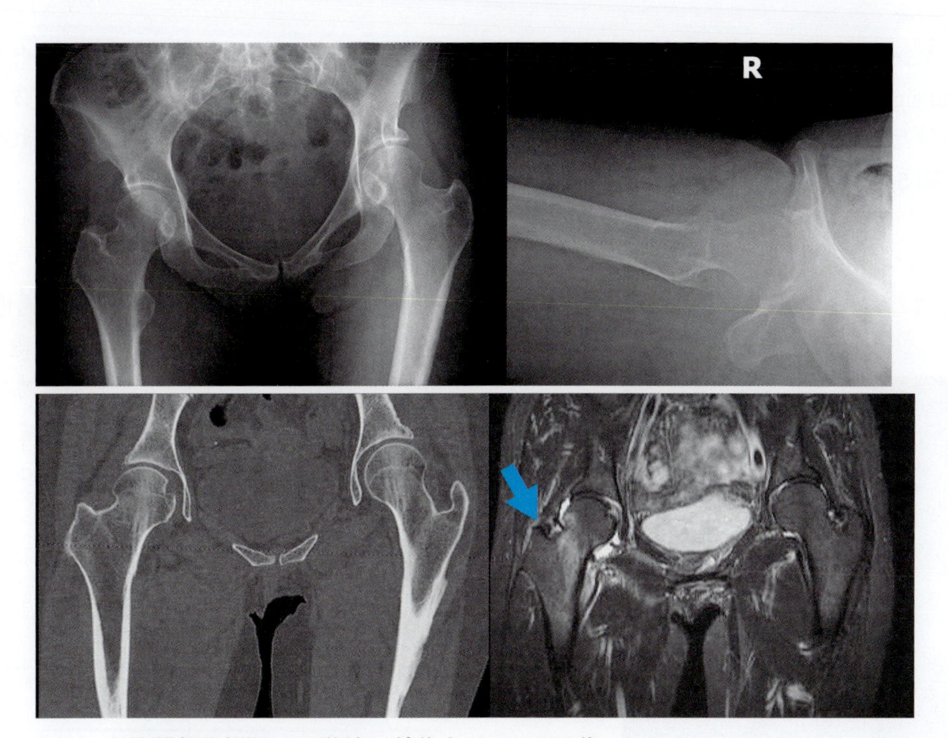

図 3　右股関部骨折疑いの単純 X 線像と CT・MRI 像
52 歳，女性。転倒後より右股関節痛
単純 X 線像で右股関節部に明らかな骨折線を指摘できない。同部位 CT 画像でも積極的に骨折を示唆する所見は認められない。次に MRI を施行したところ，転子部に骨髄浮腫を認めた（矢印）

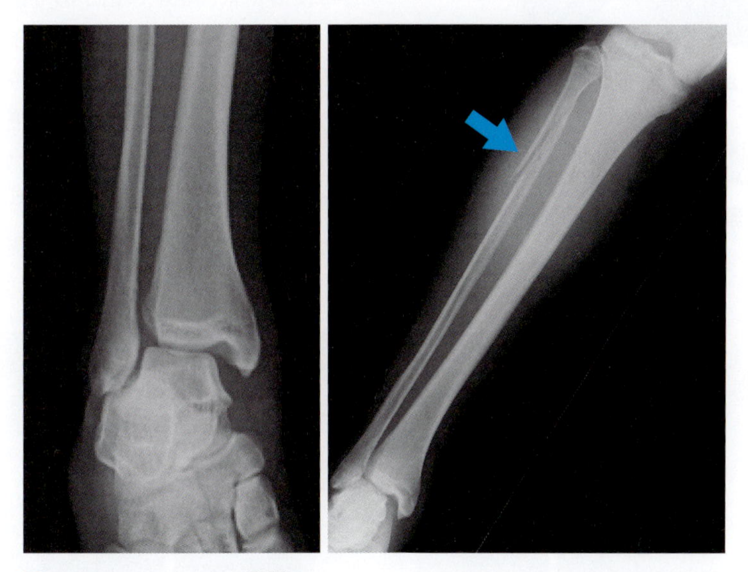

図 4　Maisonneuve 骨折
足関節正面像では距骨の外側へのシフトが認められる。脛腓靱帯結合内で作用するエネルギーが下腿骨近位に及び，腓骨近位の骨折を引き起こす（矢印）。主な症状が足関節周囲に生じるため，下腿近位の骨折を見逃してしまうおそれがある

働くことがあるため，受傷機転・解剖メカニズムの特徴を理解することは重要である。

2. 骨折を示唆する間接的所見

1）fat pad sign

X 線肘関節側面像で，正常な anterior fat pad は涙滴状の透亮像，posterior fat pad は屈曲時には肘頭窩に入り込み描出されない。外傷などで関節液の貯留がある場

合，fat pad は近位側に押し上げられる。anterior fat pad は帆船の帆（sail sign）のように，posterior fat pad は肘頭窩・鉤状突起付近の骨と軟部組織の間に透過陰影として描出される（図 5）。関節内出血，滑膜炎，腫瘍性病変でも観察されるが，骨折を疑うべき重要な所見である。とくに橈骨頭骨折は骨片の偏位が少なく，周辺骨との重なりなどから見落としやすい骨折であり，fat pad sign が骨折を示唆する重要な所見となることがある[5)]。

図 5　fat pad sign を呈する肘関節 X 線像
anterior fat pad は sail sign（矢印）を呈し，posterior fat pad も明瞭に描出されており（矢頭），骨折を強く疑う所見である

ただし，関節包外の骨折や関節包自体が損傷しているような症例では fat pad sign は認められないため，注意が必要である。

2）fat fluid level

膝関節，あるいは肩関節でみられる。脂肪-血液間で液面形成を認め，上層は脂肪により透過像を呈する（図 6）。この所見は層面に対して平行な X 線を入射する必要があり，cross-table lateral 撮影が有効となる。MRI では血液成分がヘマトクリット効果によって 2 層に分離し，脂肪層と合わせて 3 層を呈し，“double fluid-fluid levels”と呼ばれる特徴的な所見となる。fat fluid level は関節腔内に脂肪と血液が混在している状態であり，関節内骨折を示唆する重要な所見となる。

治療方針と判断基準

1．骨　折

骨折を外界との交通で分類すると，閉鎖性骨折と開放性骨折に分けられる。閉鎖性骨折は骨折部の皮膚軟部創がなく，外界と交通していないものである。開放性骨折は皮膚や軟部組織に創があり感染の危険が高く，骨折治癒過程に不利なファクターを多く含んでおり，骨癒合が得られたとしても病的骨折の原因になることもある。開放性骨折は軟部組織損傷の程度によって初期治療が異なり，Gustilo の開放骨折分類に定義される（表 1）。開放骨折の golden hour は受傷から治療開始まで 6 時間以内とされ，時間を意識した画像提供が重要となる。

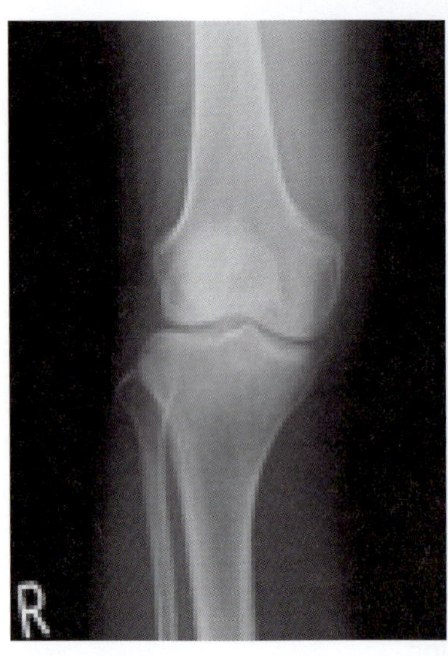

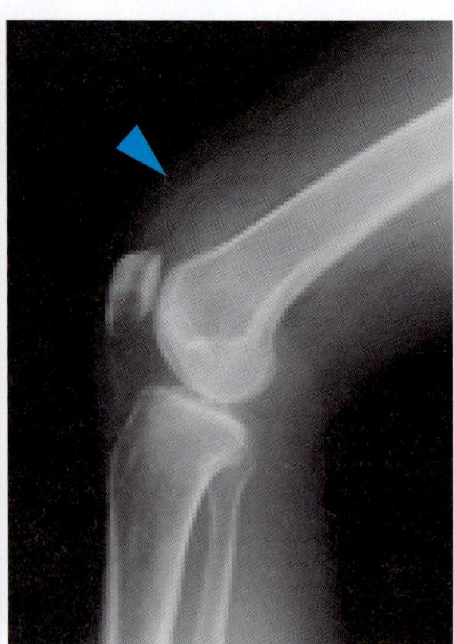
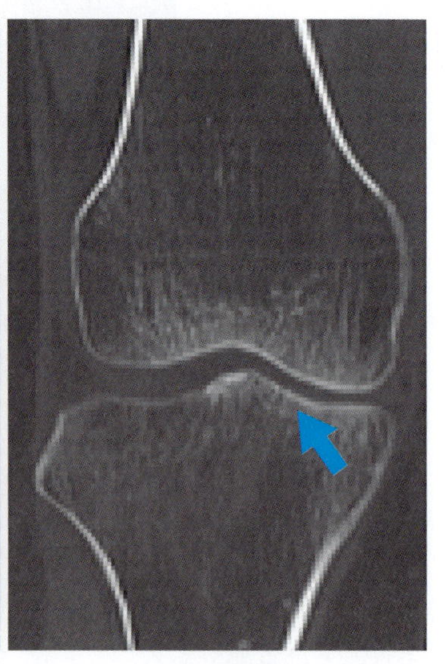

図 6　fat fluid level
膝関節 2 方向撮影で骨折部を指摘することは困難である。しかし，fat fluid level（矢頭）に着目すると，関節内骨折を疑って CT 撮影に進むことができる。CT にて脛骨高原骨折が確認できた（矢印）。なお，本症例の膝関節側面像は cross-table lateral 撮影を行っている

表1 Gustiloの開放骨折分類

Type Ⅰ	開放創が1 cm以下で正常な開放骨折
Type Ⅱ	開放創が1 cm以上あるが，広範な軟部組織損傷や弁状創を伴わない開放骨折
Type Ⅲ-A	開放創の大きさに関係なく，強度の外力による広範な軟部組織の剝離や弁状創を伴うが，軟部組織で骨折部を被覆可能な開放骨折
Type Ⅲ-B	骨膜の剝離を伴う広範な軟部組織損傷と著しい汚染を伴う開放骨折
Type Ⅲ-C	開放創の大きさに関係なく，修復を必要とする動脈損傷を伴う開放骨折

転位した骨折に対しては可及的に整復が行われる。その方法としては，徒手整復，ギプス固定，インプラント固定がある。使用されるインプラントとしては，髄内釘，スクリュー，プレート，ワイヤー，創外固定などがある。

2. 脱　臼

脱臼に対しては通常の体位での撮影が困難な場合が多く，脱臼の程度や骨折の否定などが重要な情報となる（図7）。大腿骨頭や上腕骨頭は脱臼から整復までの時間が長くなると外傷性骨壊死のリスクが高くなる。

3. 捻挫，靱帯損傷

疼痛と軽度の機能障害を認める。受傷直後には血腫はないが，しだいに内出血や浮腫が発生する。軽症例の場合は疼痛や腫脹も軽度であり，2週間程度の湿布・弾性包帯固定で治癒する。中等症例では2～4週間のテーピングあるいはギプス固定が必要となり，重症例では3～6週間のギプス固定もしくは手術を要することもある。中等症例・重症例をなおざりにすると異常動揺性を残すことがある。とくに小児の足関節などでは，小骨片が見逃されて捻挫と誤診されるケースもあり，裂離骨折を過小評価しないよう，必要に応じて斜位撮影を追加する。

また，膝関節の内側側副靱帯損傷では，受傷直後に認められなかった石灰化や骨化が2～3週の修復過程を経て生じるPellegrini-Stieda disease（図8）や，高率で前十字靱帯損傷を伴うSegond骨折（図9）なども知られており，靱帯損傷を疑う間接的所見の評価も重要となる。

4. 四肢轢断

轢断部分の撮影に関しては，まず止血が優先される。撮影時は創部の感染，出血による周囲の汚染に注意する（図10）。また，患者の循環動態が不安定な場合にはdamage controlを含めた重要臓器に対する治療が優先され，轢断肢の再癒着は適応とならない場合もある。

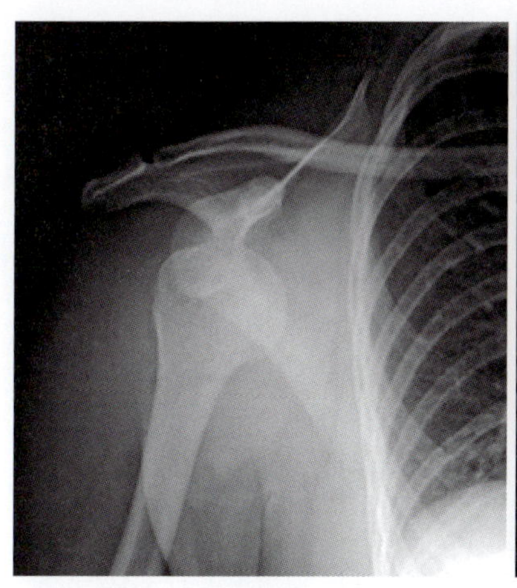
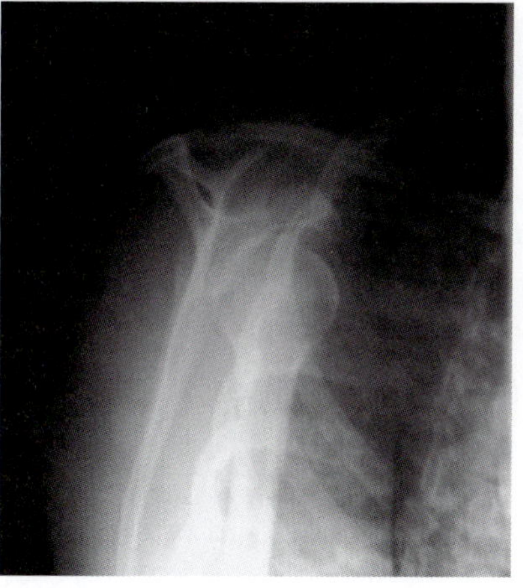

図7 脱臼した肩関節のX線像
臥位撮影のため正面像は肩関節に対しストレート入射して撮影。肩関節を2方向から撮影することにより前下方脱臼であることが証明できる

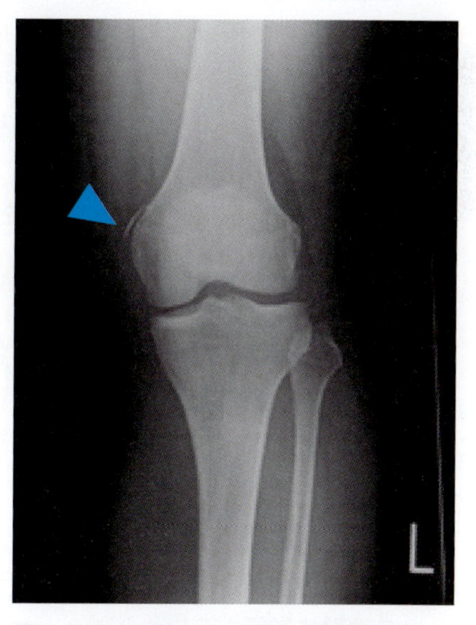

図8 Pellegrini-Stieda disease
内側側副靱帯起始部に異所性の骨化病変を認める（矢頭）。裂離骨折と似た所見を呈するが，内側側副靱帯損傷の修復過程で認められるもので，損傷の既往を含めた評価が必要

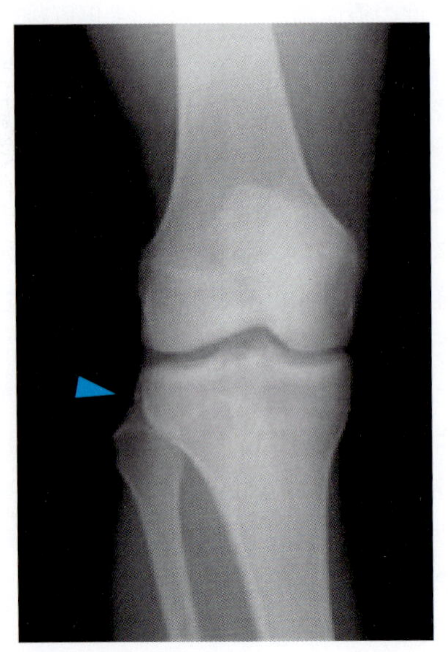

図 9　Segond 骨折
脛骨外側顆に剝離骨折を認める（矢頭）。高率で前十字靱帯損傷を伴うことを念頭に評価する。腸脛靱帯の牽引によるメカニズムで発生する

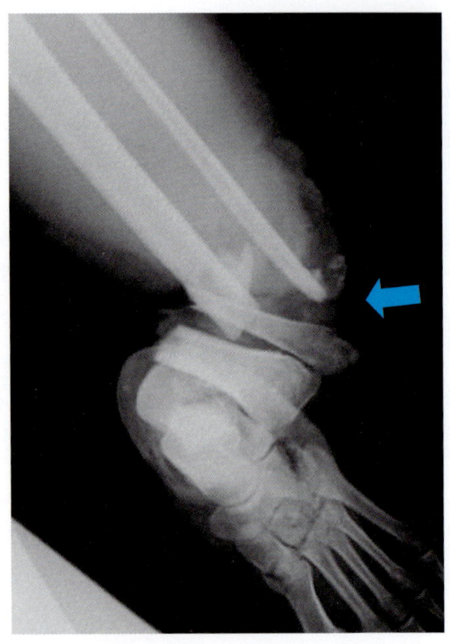

図 10　轢断された足関節の X 線像
交通外傷による受傷。脛骨・腓骨ともに完全骨折し，骨折部に一致して轢断状態である（矢印）。さらに轢断遠位部については足関節が内側脱臼している

四肢外傷に合併する緊急疾患

1．圧挫症候群（クラッシュ症候群）

四肢の長時間の圧迫によって広範な横紋筋融解が起こり，循環不全や急性腎不全を引き起こす状態。脱水，高カリウム血症などをきたし，ミオグロビン尿は高度になると赤ワイン色を呈する。脱水の補正と，カリウム・ミオグロビンの wash out を目的に補液を行う。

2．コンパートメント症候群

骨格筋の腫脹や浮腫によって筋膜・骨・骨間膜に囲まれた解剖学的区画の内圧が上がり，循環不全による筋組織・神経の壊死が起こる状態。筋膜切開を行う。

3．脂肪塞栓症

従来は骨折部から流れ出した脂肪滴が静脈内に入り込み全身循環に影響を及ぼすと考えられていたが，現在では外傷後に起こる体内脂質代謝の変化により発生するという説が有力とされている。

発熱・頻脈がみられ，前胸・腋窩・結膜に点状出血斑が出現し，湿性ラ音の聴取，胸部 X 線で snow storm 様陰影を認める。死亡率は 10～20％である。受傷後 12～48 時間の潜伏期を経て発症するのが典型であるが，電撃型では潜伏期を経ず，受傷直後から全身臓器へ広範に脂肪塞栓を形成して急速に死の転帰をとる。

【文　献】

1）日本外傷学会外傷初期診療ガイドライン改訂第 5 版編集委員会編：四肢外傷．外傷初期診療ガイドライン JATEC™，第 5 版，へるす出版，東京，2016，pp175–185.
2）Bone LB, et al：Early versus delayed stabilization of femoral fractures：A prospective randomized study. J Bone Joint Surg 71A：336–340, 1989.
3）西岡真樹子，他：マルチスライス CT の臨床応用；骨関節・脊椎・四肢領域での応用．臨床画像 17：322–328, 2001.
4）Ohashi K, et al：Role of MR imaging in acute injuries to the appendicular skeleton. Radiol Clin North Am 35：591–613, 1997.
5）Skaggas DL, et al：The posterior fat pad sign in association with occult fracture of the elbow in children. J Bone Joint Surg Am 81：1429–1433, 1999.

5 妊婦外傷

妊婦外傷の特徴

救急診療のなかで，まれに妊婦外傷に遭遇する機会がある。妊婦外傷の原因としては，交通事故が66％ともっとも多く，次いで転落が11％，薬物障害が9％，自殺未遂とドメスティック・バイオレンスが5％と続く[1)]。

妊婦外傷の特徴として，母体にとっては小さなダメージであっても，胎盤剥離や循環不全などを合併して胎児が死亡に至る場合がある。そのため，通常の外傷診療の手順に加えて外傷に合併する産科的疾患の影響についても考慮し，母体同様に胎児も救命するよう努めなければならない。また，妊娠子宮が大きくなるにつれ子宮と胎児の損傷リスクも上がるため，妊娠週（妊娠初期：～15週，妊娠中期：16～27週，妊娠後期：28週～）は非常に重要な情報の一つとなる。

妊婦外傷診療の流れ

母体のバイタルサインが安定していなければ胎児の救命は不可能であるため，母体の安定化を最優先事項としなければならない。画像診断も同様であり，放射線の使用が必要な場合にもこの原則を救命チームの共通認識としておかなければならない。

診療の流れとしては，通常の外傷患者と同様にJATEC™に基づくABCDEアプローチを行うが，妊婦外傷の場合はこれに「F」=「Fetal assessment and Forward transfer」が追加される。

1. Airway

増大した子宮による腹腔内圧上昇と食道下部括約筋力の低下，胃内容物の消化遅延から，胃内容物の逆流を起こしやすい。意識レベル低下時には誤嚥を生じやすく，注意が必要となる。

2. Breathing

妊婦の酸素消費量は非妊婦に比べて約20％増大し[2)]，十分な酸素投与が必要となる。また，子宮底の上昇などから横隔膜が挙上して肺容積が減少するため軽度の過換気となっており，慢性呼吸性アルカローシスを呈する。

3. Circulation

妊婦の循環血液量は増大しており，多量の出血が起こっても頻脈や血圧低下などのバイタルサインの異常を呈しにくいため，出血性ショックの評価に注意が必要である。

4. Dysfunction of central nerve system

外傷妊婦の死亡原因でもっとも多いのは頭部外傷である。意識レベルの低下や間代性痙攣を認めた場合には，一般的な頭部外傷のほかに子癇の可能性も考慮しなければならない。高血圧，蛋白尿，高度浮腫，妊娠高血圧腎症などが重要なエピソードとなる。

5. Exposure

非妊婦と同様に全身の衣服を取り，活動性出血や開放創の有無を評価する。加えて，性器出血や破水，胎児娩出がないかを確認する。

6. Fetal assessment and Forward transfer

Fetal assessmentとして，母体の初期評価が安定している場合，速やかに胎児評価と産科的評価へ移行する。胎児の評価は専門性を有することから産婦人科医や小児科医のサポートが必要となる。

Forward transferとして，自施設で産科医や小児科医のサポートが不十分であれば，緊急転送も重要な選択肢となる。この場合，救急医に加えて産婦人科医や小児科医の診療が可能な施設や，NICUなどの環境が整備された施設を選択する必要がある。Forward transferに関しては，他疾患と同様に，画像検査を行った場合にはその画像をスムーズに可搬媒体に出力できる環境を整備しておく必要がある。

妊婦外傷患者対応の注意点

妊娠20週以降の妊婦を仰臥位にすると，①妊娠子宮が下大静脈を圧迫して静脈還流と心拍出量が低下する，②妊娠子宮が大動脈を圧迫して子宮動脈血流量が低下するなど，仰臥位低血圧症候群に陥ることがあるため，原則として左側臥位とする。

また，妊娠22週以降の場合には胎児心拍数陣痛図（cardiotocogram；CTG）を装着し，胎児心拍と子宮収縮を連続モニタリングする必要がある。とくにCTGによる連続モニタリングは母体状態を反映するバイタルサインの一種として位置づけ，母体のprimary survey後，速やかに行う必要がある。

妊婦外傷に対するリスクマネジメント

1．被ばくの影響

救急現場では，患者の救命と医療被ばくの間にトレードオフが存在する。緊急度が上がるほど，救命を優先するために医療被ばくを考慮する優先順位が低くなりやすい。時として，患者本人もしくは家族からの承諾を得ずに放射線を使用せざるを得ないケースも想定されるため，被ばく線量およびその影響について，緊急度と行為の正当化・最適化を含めた説明ができるよう環境を整備し，遡及的におおよその線量推定が可能な管理のもとで救急撮影を行うべきである。

検査に対する承諾が可能な場合には，患者・家族と十分なインフォームド・コンセントを行う必要がある。母体と胎児の置かれている状態の説明に加えて，検査として放射線の使用が必要とされるエビデンスを納得してもらわなければならない。国際放射線防護委員会（ICRP）の2007年勧告では，胎芽・胎児期の放射線による胚の致死・形態異常等のしきい線量は100 mGy，重度の精神遅滞のしきい線量は300 mGyとされていることから，100 mGyという胎児線量が指標となる。なお，しきい線量は妊娠全期間にわたっての合算となるため，妊娠期間中の放射線検査の有無や履歴も，可能な範囲で確認すべきである。単回の通常検査ではしきい線量を超えるような撮影はないであろう。

とくに妊婦外傷の場合，妊娠に対する防護上の観点からスキャン範囲や照射線量を過度に制限することは，重篤な疾患の見落としにもつながりかねないため，必ずしも患者のためにならないということを意識しなければならない。

2．造影剤の使用

造影剤の使用に関しては，日本医学放射線学会から「造影剤血管投与のリスクマネジメント」[3]のなかで説明同意書のモデルや副作用対応に関する標準的モデルが紹介されているが，造影剤の使用そのものに関するガイドラインは公表されていない。

胎盤は水溶性造影剤に対するバリア能を有さず，母体に投与された造影剤は胎児の血液循環へ移行するため，まれに胎児の甲状腺機能に異常をもたらす可能性がある。しかしながら，母体への造影剤投与に関しても，前述した被ばくと同様に考える必要がある。母体の生命に影響を及ぼすような重症妊婦外傷診療において，造影剤投与の代替となる診断法を検討することは必要であるものの，胎児へのリスクを理由に造影剤投与を遅疑逡巡することは避けなければならない。

妊婦外傷に伴う産科的合併症

1．子宮破裂

外傷性の子宮破裂は，妊娠子宮の打撲によって生じる。分娩中にみられるものと異なり子宮底が破裂するため，出血量は比較的少量である。母体死亡率は10%以下であるが，胎児の救命には困難をきたす。

2．常位胎盤早期剝離

鈍的腹部外傷による胎児死亡の原因としてもっとも多く，重度外傷の40～50%，軽度外傷の1～3%にみられる。下腹部痛や，子宮の硬化と圧痛をきたし，性器出血を伴うこともある。これとは別に，外傷後に子宮収縮による腹部の張りを感じることもあるが，必ずしも流産や早産に結びつくものではなく，90%は自然軽快する。

3．切迫流早産，破水

重篤な腹部鈍的外傷の約3割が切迫流早産の徴候を呈する[4]。頻回な子宮収縮は胎盤剝離の徴候である可能性もあり，注意が必要である。

4．胎児損傷

外傷によるものはまれであるが，頭蓋骨骨折，頭蓋内出血，長管骨骨折，軟部組織損傷などがみられ，とくに頭部外傷は妊娠後期に多い。胎児の状態と週数によって娩出を考慮する。

5．胎児母体間出血

胎児血が母体血へ移行することがあり，外傷により発症する確率が高い[5]。移行血が少量の場合は問題ないが，多量の場合は胎児貧血や胎児死亡を引き起こす可能性がある。

6．母体心肺停止

母体が心肺停止に陥った場合，非妊婦と同様に心肺蘇生を施行する。この際，仰臥位低血圧症候群に注意する。

胎児が体外生活可能な週数であれば，心肺蘇生の開始から4〜5分以内に行う死戦期帝王切開が有用であり，心肺停止から出生までの時間と新生児の神経学的予後は相関する。胎児を娩出する結果として，心肺蘇生中の母体の循環動態が改善され，母体の生存率も高めることにつながる[6)]。

【文　献】

1）村尾　寛，他：妊婦外傷80例の臨床的検討．日産婦会誌 52：1635-1639，2000.
2）坪内弘明，他：救急医が婦人科疾患を見出す際のpitfallと妊婦外傷（交通外傷など）対応．救急医学 32：1083-1087，2008.
3）日本医学放射線学会医療事故防止委員会：造影剤血管内投与のリスクマネジメント，2006.
4）Williams JK, et al：Evaluation of blunt abdominal trauma in the third trimester of pregnancy：Maternal and fetal considerations. Obstet Gynecol 75：33-37, 1990.
5）Peariman MD, et al：A prospective controlled study of outcome after trauma during pregnancy. Am J Obstet Gynecol 162：1502-1510, 1990.
6）Goodwin TM, et al：Pregnancy outcome and foetomaternal hemorrhage after noncatastrophic trauma. Am J Obstet Gynecol 162：665-671, 1990.

V章　その他救急疾患・診療における撮影

1 中　毒

中毒患者の診療において，画像診断により中毒物質の特定に至るケースは少なく，そのような目的で撮影が行われることはない。中毒患者の撮影において必要となるのは，患者の全身状態のスクリーニングとしての胸部X線撮影と，薬剤の吸着剤として投与した活性炭に混合したガストログラフィン®の経過を観察する腹部X線撮影である。とくに胸部X線画像は，嘔吐や誤嚥の多い中毒患者の経過観察のうえで重要な情報となる。

中毒症状の特徴と患者対応

中毒に至る原因は能動的な要因と他動的な要因に分けられ，患者への対応と中毒物質による危険性など注意すべき点が多い。

中毒患者に多くみられる中枢神経症状としては，脳の全般的抑制もしくは興奮があげられる。意識障害や筋力低下，呼吸麻痺，痙攣などがみられ，瞳孔症状と副交感神経症状が特徴的である。瞳孔症状として，抗コリン薬，覚醒剤，コカイン，フグ毒，ボツリヌス毒などの中毒では散瞳がみられる。一方で，コリンエステラーゼ阻害薬（有機リン，カーバメート，神経ガス），麻薬，ニコチン，α遮断薬などの中毒では縮瞳がみられる。

刺激性ガスの吸入により呼吸器が障害を受け，重症例では肺水腫が出現する。中枢神経の異常から呼吸障害も発生するが，有毒物質の吐物誤嚥は呼吸器にとって重篤な障害となる。刺激性ガスには，塩素，塩化水素，アンモニア，亜硫酸ガス，硫化水素，ホスゲン，二酸化窒素などがある。一方で，循環器に作用する中毒物質も数多く存在する。危険な症状として，不整脈，低血圧，異常高血圧がある。とくに三環系抗うつ薬による中毒では，抗不整脈薬の投与により心停止をきたす場合がある。

中毒患者の体位は原則として左側臥位とするが，誤嚥による危険性が高い薬品が原因の場合には半坐位が望ましい。また，中毒物質には有毒ガスを産生するものや接

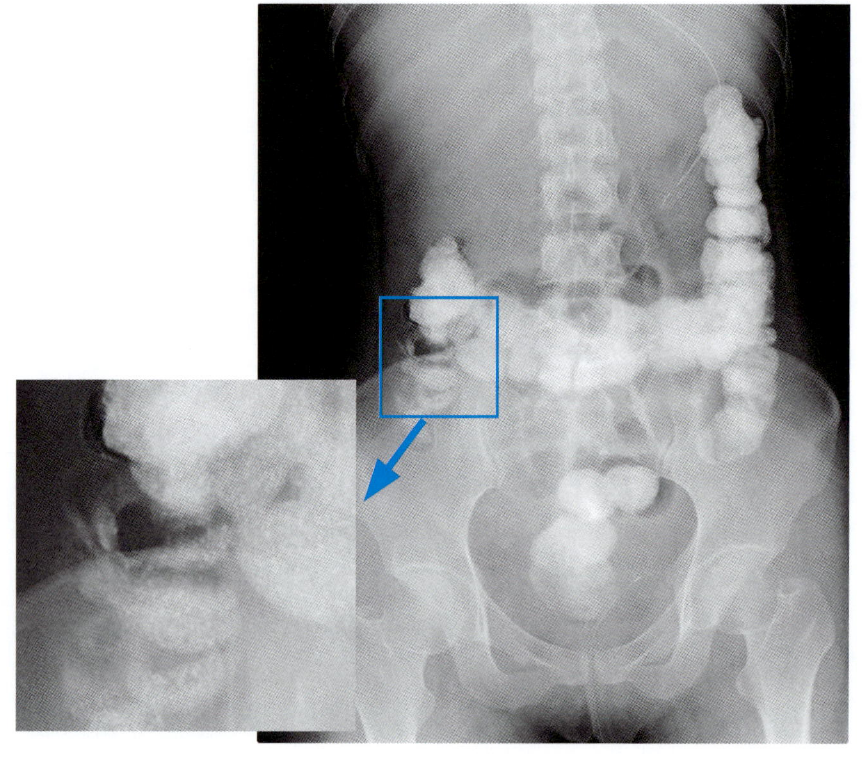

図1　中毒患者に投与したマグコロール®とガストログラフィン®溶液を含む腹部X線画像
点状陰影がマグコロール（第3病日）

触により曝露するものもあるため，中毒患者を扱う際には注意を怠ってはならない。硫化水素ガス中毒やクロルピクリン中毒患者の場合には毒ガス用マスクが必要となるが，診療室の空気の流れを強制的に一方向にして，極力風下には回らないなどの対応も重要である。また，シアン中毒患者の診療では吐物や付着物に触れてはならない。

自損による中毒患者は診療に協力的でないことが多く，目を離した際に自傷行為に至る可能性もある。放射線診療区域で撮影を行う際などに人目が少なくなる場合があるため，このような患者の撮影時には監視役のスタッフを呼んでおく。同様に，覚醒剤中毒患者の撮影時も不穏やせん妄，幻覚，痙攣などが出現する可能性があるため単独では撮影を行わず，複数スタッフによる注意が必要である。

中毒患者の撮影

中毒患者の撮影としては，胸部X線撮影と腹部X線撮影が主たる撮影である。

胸部X線撮影は，中毒物質としての異物の撮影と，入院時スクリーニング，および異物誤嚥の有無を確認する目的が主となる。患者の重症度によっては気管挿管や胃洗浄のための胃管挿入といった処置が必要となるため，無用な撮影を防ぐためにも処置後の確認に合わせて撮影を行うよう心がける。

腹部X線撮影は，胃内洗浄後マグコロール® とガストログラフィン® の混合溶液の通過確認のために継続して撮影する場合がある。マグネシウム製剤であるマグコロール® は，大腸内にとどまることによりガストログラフィン® 中に粒子状の陰影として描出される（図1）。

2 ガス壊疽

ガス壊疽とは，ガス産生を伴う感染症の総称である。ガスのない場合には壊死性筋膜炎となる。ガス産生菌は，*Clostridium* 属と非 *Clostridium* 属に分類される（表1）[1]。ガス壊疽の治療手段決定において，起炎菌の判別およびその広がり，基礎疾患，合併症の有無は重要な要素となる。とくに注意すべきなのは，組織内にガスが認められないからといって *Clostridium* の感染を否定できない点である。

ガス壊疽の画像診断と撮影

ガス壊疽の画像診断では，ガス像の有無およびその広がりをできるかぎり詳細に描出する必要がある。従来から用いられてきたのは一般X線撮影による軟部組織撮影であり（図1），軟部組織を撮影するため低電圧撮影を行い，比較的低濃度の描出をする条件設定がふさわしいとされてきた。しかし，X線のエネルギー変化に伴う吸収係数の変化を考えると，軟部組織の低電圧撮影は含有する気体の描出には適しているが，骨組織のコントラスト比が高いため，骨組織に重なる部分の空気の描出が不

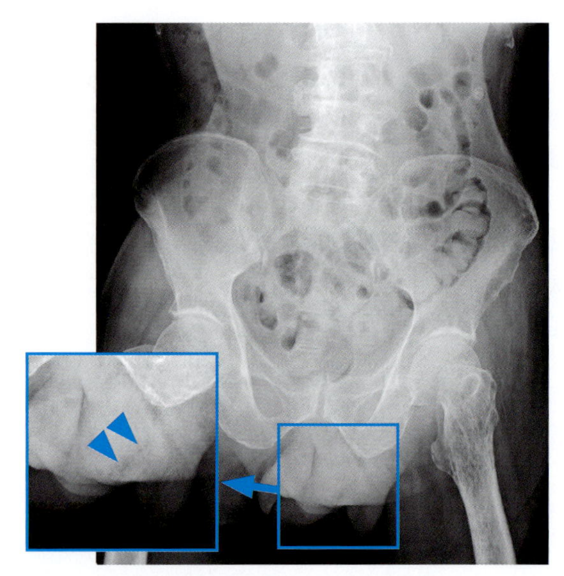

図1　一般X線撮影によるガス壊疽におけるガス像の描出

表1　*Clostridium* 属と非 *Clostridium* 属の鑑別

		Clostridium 属	非 *Clostridium*
原因		汚染創，異物混入	齲歯，扁桃炎，痔核，鶏眼，靴ずれ
起炎菌		*Clostridium* （*C. perfringens*，*C. septicum* など）	*Escherichia coli* 嫌気性 *Streptococcus* など
局所症状	疼痛	初期に激痛，後に消失	軽度
	色調	黒色，暗赤色	通常の発赤，浮腫
	臭い	特有な強烈な腐敗臭	通常の感染臭
	膿	腐肉汁，ドブの水様	膿様
X線		皮下から筋肉内へのガス像	皮下・筋膜に限局したガス像
進展		急速	緩徐
全身状態		急速に悪化	ゆっくりと悪化
基礎疾患		とくになし	糖尿病，肝疾患，悪性腫瘍など
好発年齢・性		青壮年，男性	高齢者
予後		早期に治療すれば良好	不良（死亡率30%程度）

〔文献1）より引用・改変〕

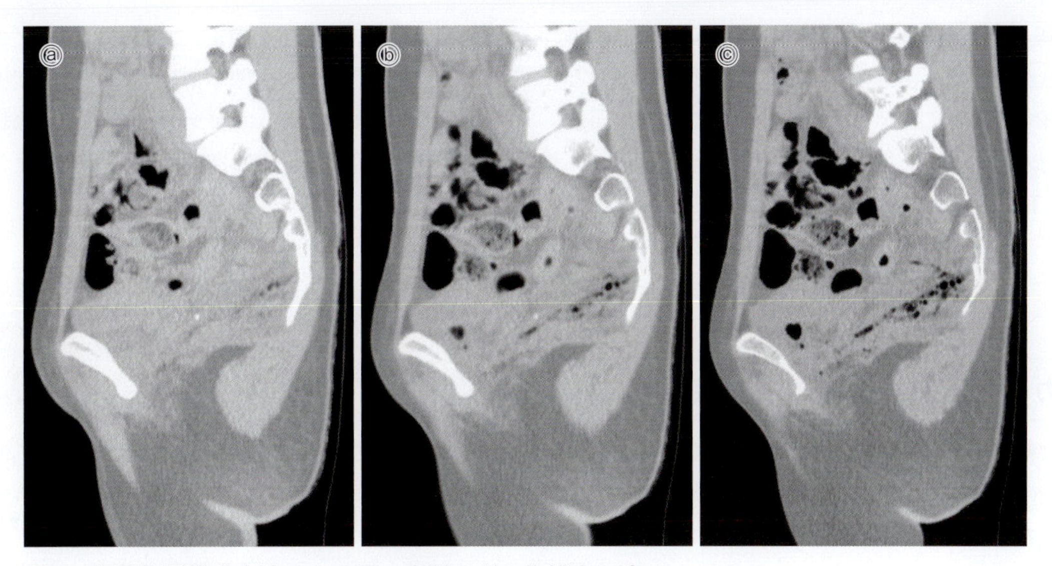

図 2　各画像再構成方法による同一症例のガス像描出の違い
a：MIP，b：MPR，c：Min-IP
5 mm thickness，convolution kernel：腹部標準（FC3），WW/WL：850/－200

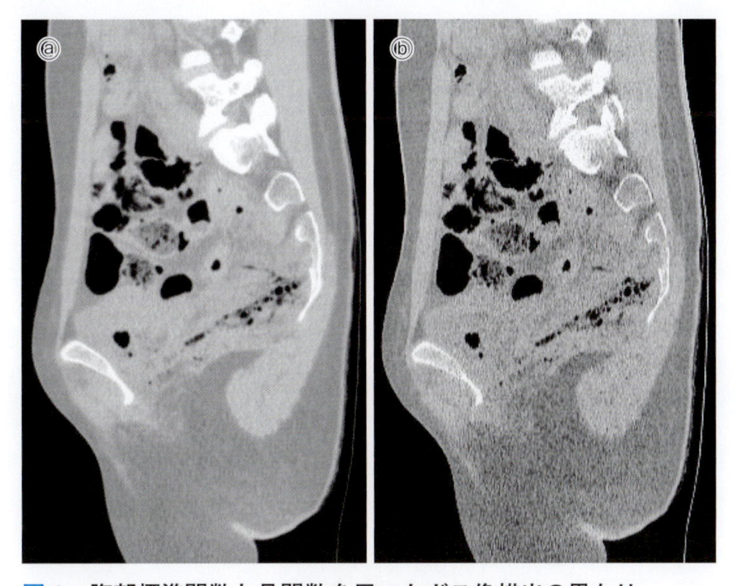

図 3　腹部標準関数と骨関数を用いたガス像描出の異なり
a：腹部標準関数（FC3），b：骨関数（FC30）
Min-IP，5 mm thickness，WW/WL：850/－200

良となる可能性があった。

一方で，MSCT を用いた組織内空気像の描出は，画像処理方法によっては比較的少量の空気であっても見逃すことなく描出することができる。図 2 は，5 mm の同一元画像を MIP 法，MPR 法，Min-IP 法を用いて再構成したものである。この画像から，ガス像の描出には Min-IP 法がふさわしいことがわかる。また，ガスのように軟部組織と高い被写体コントラストを有する物質の再構成は，同一の照射線量であっても，空間分解能を優先するフィルタを用いて再構成することでより詳細な画像を描出することができる（図 3）。両フィルタ処理を行ったときの空間分解能を表す MTF を図 4 に示す。

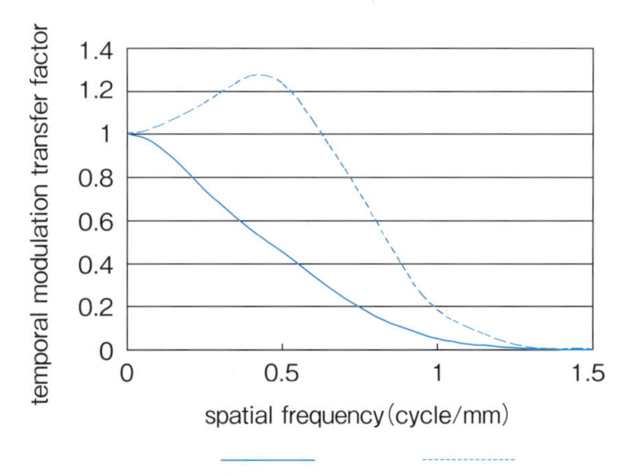

図 4　腹部標準関数と骨関数 MTF の比較

一般X線撮影は短時間に広範囲の二次元画像を取得できることから，ガス壊疽の有無や病態の進行状況などを経過観察する場合に依然として有効であることは間違いない。一方で，MSCTによる人体のボリュームデータの取得は，精細でより多くの情報を診療に返すことができる。目的に応じた撮影および画像の再構成によって，より正確な情報を提供したい。

ガス壊疽患者撮影の注意点

感染症患者の撮影を行う場合には，感染創の汚染拡大と院内感染の予防のためにも標準予防策を厳密に遵守する。とくにガス壊疽患者を撮影する場合には，長袖のガウン着用を基本とし，帽子，マスク，ゴーグルなどの着用の手間を惜しまず，基本に忠実に撮影を実施すべきである。撮影機材であるカセッテや移動式X線装置に体液が付着する可能性があるため，消毒用ティッシュなどを用いてそのつど清拭すべきである。

また，ガス壊疽患者の創部処置に伴って，多くの場合にドレナージチューブが挿入されている。撮影時にはこれらチューブ類の抜去事故に注意してカセッテの挿入・抜去を行う。

【文　献】

1）嶋津岳士：特殊感染症．日本救急医学会監，救急診療指針，第3版，へるす出版，東京，2008，p608.

3 異　物

放射線撮影による異物の検出は，通常X線透過度の異なりを用いて行う。救急医療施設で用いられるX線装置，超音波診断装置，MRI装置などの画像診断機器には画像の描出においてそれぞれ異なった物理特性をもつことから，それらを有効に活用して異物を検出する。

異物には，存在する部位による分類（表1）と物理的性質による分類（表2）がある。加えて，画像診断面からの表現では，通常存在することのない陰影を描出することも異物の撮影と同様に考えることができる。例えば，消化管穿孔による腹腔内遊離ガス像や，ガス壊疽症例における組織内ガスを描出することも，異物の描出とみなすことができる。

異物の撮影では，撮影対象となる物質が既知であり，存在する可能性のある部位もおおよそ把握できる状況であることが多い。したがって，描出の良否は次の2つの点に影響される。一つは，その物質の物理特性を理解し，それに適した撮影手技を行うことである。対象物質にふさわしいモダリティの選択と，適正な撮影条件の設定および画像処理が必要となる。もう一つは，適正な撮影方向および範囲である。

異物描出における物理的特性

異物の描出を左右する画像の要素は階調度（コントラスト）である。人体と異物間に維持することにより，視覚での認識が可能となる。

X線画像でコントラストを補償する要素は，撮影条件と散乱線除去グリッドの使用となる。被写体の大きさと異物の種類によって撮影条件が変化するため，それぞれに適したグリッドを選択する必要がある。

CT検査では，異物のおおよその組成から，異物の存在位置までを詳細に描出することができる。さらに，MSCTは人体のボリュームデータを容易に取得できるため，皮下の異物などについても詳細で精度の高い情報を提供することが可能である（図1）。

超音波診断装置を用いた異物検出では，音響インピーダンスにより画像の信号強度が変動するため，目的物質の信号強度を知っておく必要がある。一般に頸部や腸管内の異物検出に有効であり，金属製の電池やプラスチック類，袋状の容器に入った薬品なども高い音響インピーダンスを有しているため，被ばくを受けることなく検出

表1　存在部位による異物の分類

体腔内異物	気道異物（気管，気管支） 消化管異物（食道，胃，腸管） その他の体腔内異物（血管内，尿路系，生殖器）
組織・実質臓器内異物	腹腔内遊離ガス，実質内ガス，銃弾，刃物，飛来物 石灰化，奇形腫

表2　物理特性による異物の分類

物理現象	相対値	物質の例
X線吸収	高	金属（針，釘，弾丸，ナイフ），マグネシウム製剤，鉄製剤 ヨード製剤，カルシウム塊，骨片，ガラス片 重鉱物：ケイ酸塩鉱物（黒雲母，輝石）
	等	石英，長石（アルミノ珪酸塩）
	低	空気
音響インピーダンス	高	空気，ガラス，金属
	低	水，液体
T1強調画像信号強度	高	脂肪，メトヘモグロビン，造影剤
	低	水，血液

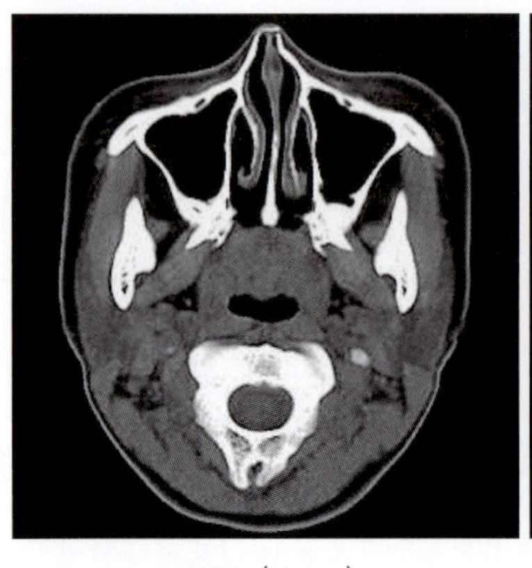
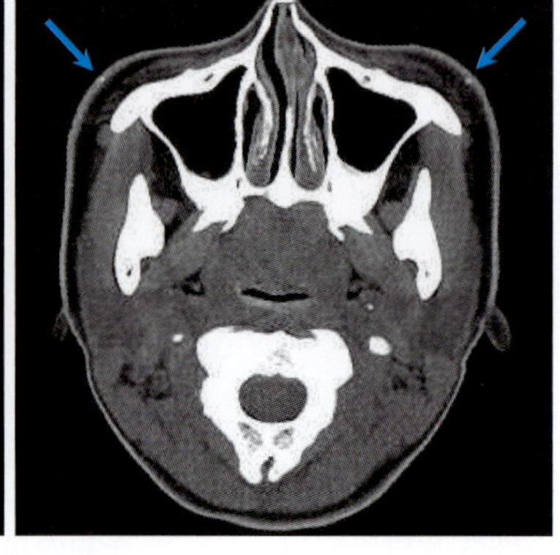
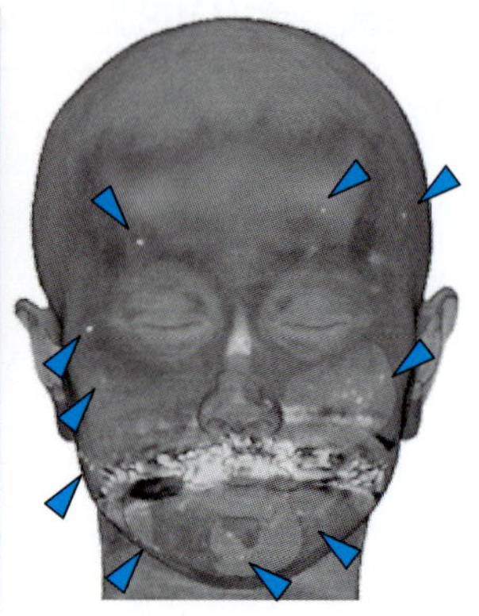

図1　顔面異物における各種投影法（CT）
MIP表示はパーシャルボリューム効果の影響が少なく，MPRと比較して良好な描出が可能である。VRでは影なし表示が適しており，複数の異物を表示可能である

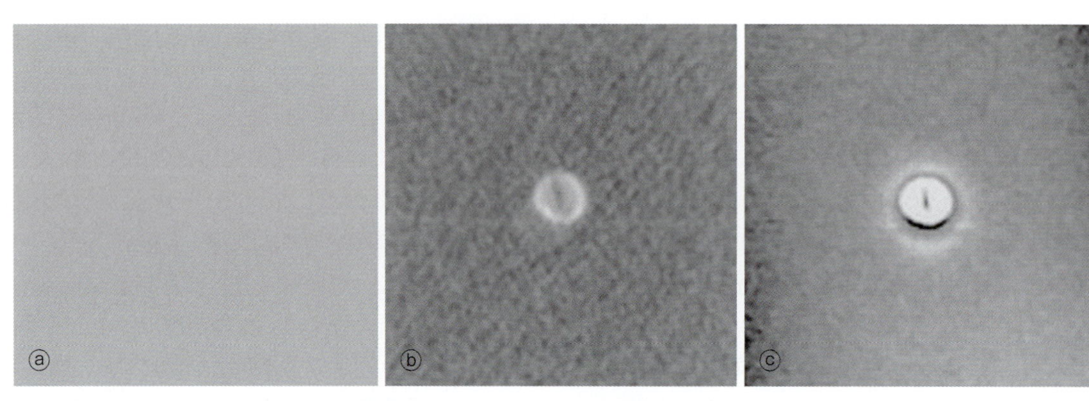

図2　各種モダリティを用いた撮影によるピーナッツの描出
a：X線画像，b：CT画像，c：MRI画像

することができる。

MRIはX線吸収差を用いた検査とは異なり，人体の水素原子核の存在による信号をもとに画像を構成するため，存在する物質の組成の異なりを表現しやすい。MRIを用いた異物診断でもっとも典型的なものは，小児によくみられるピーナッツによる気道異物である。ピーナッツの脂肪分がT1強調画像において高い信号強度で描出され，高い検出感度を得ることができる（図2）。

異物の撮影法

異物の撮影では，その物質の存在位置が限局されないかぎり，広い範囲を撮影する。気道異物・腸管異物では，それぞれに胸部全体・腹部全体を撮影範囲とする。とくに銃創など飛来物による異物撮影では，異物が体内を広範囲に移動する可能性があるため注意を要する。

人体と高いコントラストを有する異物の場合には，空間分解能を優先するフィルタ処理を行い，低コントラストの異物に対しては画像が妥当なS/N比を維持するよう撮影条件に注意する。コントラストの低い食道異物の描出に造影剤を用いる場合があり，造影剤の経口投与と同時にX線テレビなどで食道造影を行う。また，刺創などから異物の入射位置が明瞭な場合には，刺入位置に小さなX線吸収マーク（18 G注射針など）を置いて撮影を行うと検出の助けとなる。

X線撮影による異物の描出では，存在位置を特定するために原則として2方向撮影が望ましいが，頭部など球形の被写体の場合には，2方向撮影を行ったとしても頭蓋の内部か外部かを特定することは不可能である。一方で，CT，超音波，MRIなど断面画像を観察するモダリティでは，存在位置を高い精度で特定することができる。

異物撮影では微小な物質を検出することが多いため，撮影の前に被写体の体表や衣服に画像上障害となり得る物質がないか注意深く確認する。イメージングプレートの傷やゴミの付着も障害陰影となるため，撮影機材の日常管理を怠ってはならない。異常陰影出現時は，カセッテ内やグリッドも確認する。さらに体内にある物質として，石灰化や子宮内避妊具，残留造影剤，イソジン®，ヨードホルムガーゼなどのヨウ素製剤やマグコロール®，フェロミア®，ヒ素などの金属製剤の陰影に注意する。

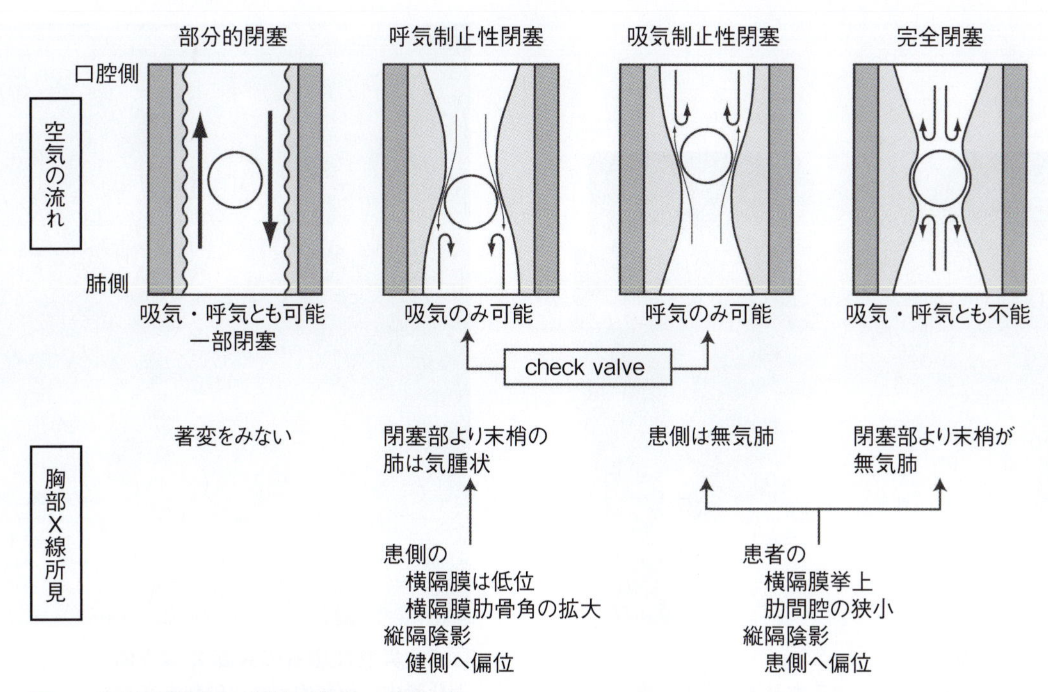

図 3 気管支閉塞の分類と胸部 X 線所見

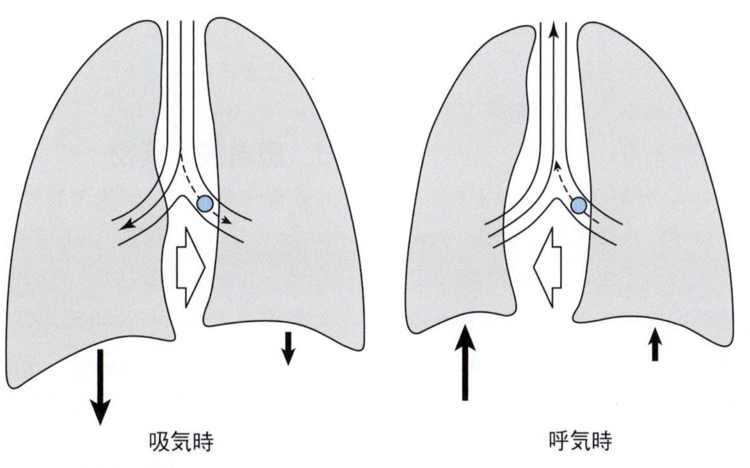

図 4 気管支異物による Holzknecht 徴候
吸気時縦隔は患側に，呼気時には健側に移動する。患側の横隔膜は吸気時，呼気時とも移動量は少ない

異物撮影の実際

1. 気道異物

気管支閉塞の画像所見は，その閉塞様式により無気肺や肺気腫など各種の所見がみられるため，正確な診断は容易でない（図 3）。

気道異物は乳幼児に多く発生する緊急度の高い病態である。発生要因として代表的なものが前述したピーナッツであり，MRI の T1 強調画像で直接描出することができる。ピーナッツは水分によって膨張するのに加えて，含有する脂肪酸により化学性肺炎を誘発する。

胸部 X 線撮影は原則として吸気時の撮影を行うが，異物による気管支閉塞を疑う場合，呼気時撮影を加えることにより Holzknecht 徴候を描出することが可能であり（図 4），異物の存在を証明する画像情報となる（図 5）。呼気時の撮影が困難な場合には，患側を下にした側臥位撮影を行うか，呼気に合わせて上腹部を圧迫して撮影する（forced-expiratory method）。

2. 消化管異物

食道異物ではほとんどが生理的狭窄部に停滞し，75% が第 1 狭窄部とされる。

小児の固形異物は X 線非透過性物質であることが多く，咽頭から骨盤までの範囲を X 線透視あるいは X 線撮

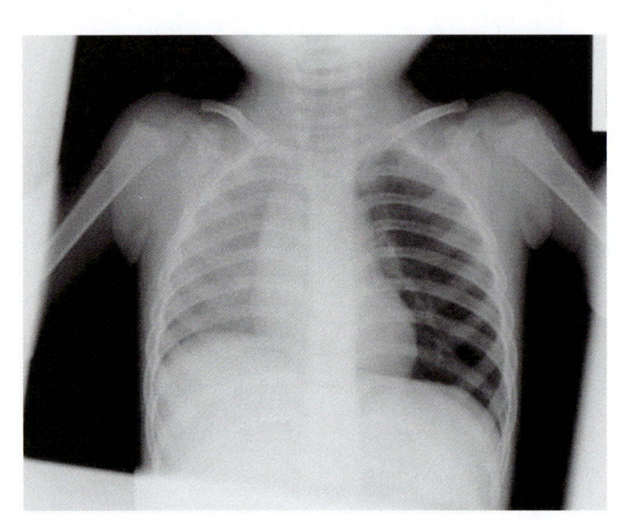

図5　左気管支内異物
呼気撮影で，右肺のみの換気による右肺透過性低下像

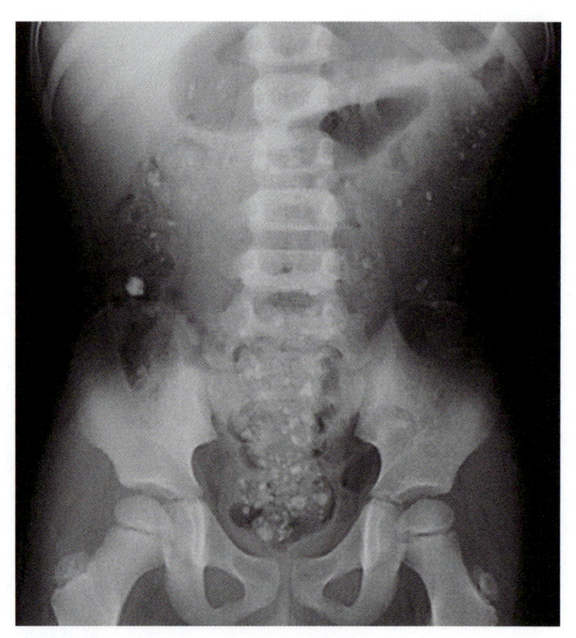

図6　異食症患者の腹部X線画像
消化管内に比較的大きな砂利を多くみる

影にて検査する。硬貨のような扁平型異物は，食道内では正面像で円形の陰影となり，気管内では前後方向に陥入し正面像で縦長の陰影として描出されることが多い。また，気道異物との鑑別，胃内と小・結腸異物を鑑別するために側面像の撮影も必要である。

ボタン型電池の被覆穿孔による消化管内への内容物流出は現在ではほとんどみられず，水銀電池の使用も大幅に減少している。一方，リチウムイオン電池の誤嚥では電力が長時間継続し，電池周囲にアルカリ性の液体を産生して周囲の腸管が穿孔することもあるため，早期にマグネットカテーテルなどにより摘出すべきである。リチウムイオン電池の停滞位置と経過時間の鑑別は，その診断上重要である。

針，カミソリ，魚骨，義歯などの鋭的異物，あるいは長さ6 cm以上の大きな異物では，食道穿孔による膿瘍形成や縦隔炎などの重篤な合併症をきたしやすいため，X線撮影またはCT撮影を行って縦隔気腫，ガス産生性膿瘍によるガス像，縦隔陰影の拡大を観察する。異物が胃や小腸に達している場合にも経過観察が必要である。下剤は蠕動運動を促進し，異物周囲の便塊形成を妨げ，穿孔のリスクを高めるため，鋭的異物に対しては使用禁忌である[1)]。

X線透過性異物に対しては，頸部軟線側面撮影もしくは食道造影を行う。造影剤としては，気管内への誤嚥や食道穿孔，後の内視鏡検査への影響を考慮して，低浸透圧ヨード造影剤を用いる。

外傷患者の体表に付着する砂利の組成は多くが石英か長石であり，X線吸収の高い重鉱物の絶対量は少ない。一方で，小児の異食症などの場合には比較的大きな砂利を摂取していることが多いため，X線撮影でも描出可能な場合がある（図6）。

3. 皮膚侵入異物

X線撮影では，接線撮影を含む2方向撮影を行う場合が多い。とくに異物が深部にある場合にはX線吸収性のカテーテル類を用いて，その位置・深さ・方向を知ることが重要である。X線透過性異物の描出は困難であるが，軟線撮影を行うことで大きな木片であれば淡い陰影として描出できる。そこに感染が加わっていれば，軟部陰影に濃淡像を呈することがある。CRを用いる場合には，対象に応じた画像処理を行う。

異物が複数箇所に存在する場合，もしくは骨陰影との重複が避けられない場合には，CT撮影が適している。自動車用ガラスなどのX線吸収が高い異物であれば，比較的低線量でも描出可能である。

4. 頭蓋内異物

頭蓋内異物では，脳実質，神経，血管への影響を診断する。まず背臥位にて頭部正面・側面単純X線撮影を行い，必要に応じてWaters，Towne，軸位撮影を加える。CT撮影では，脳実質の評価に加えて三次元画像構築を行うことにより，異物の存在位置や侵入経路をより解剖学的に理解することができる。血管損傷が疑われる場合には，CTAもしくは血管造影を施行する。

5. 眼内異物[2)]

眼内異物では，異物の存在部位により処置や手術方法が異なるため，異物の有無に加えて正確な位置情報が必要である。

一般X線撮影を用いた眼窩の撮影は，正面がCaldwell法で，そこに側面撮影を加える。異物が眼球の内か外かを判別する際にはCaldwell法で患者の頭が動かないよう固定し，眼球を上下左右に動かして二重露出を行う（重複撮影）。異物の像が二重に見えれば眼内か眼球壁に存在する異物であり，位置に変化がなければ眼球外に存在する異物と判定できる。側面像も同じ要領で撮影する。

CT撮影では，断面像の観察に加えてMPR画像を構築することにより，眼窩内および頭蓋底の損傷検出に有用である。異物の確認や位置の判定だけでなく，異物周囲の眼窩内の変化，さらには頭蓋内の変化を同時に観察できるなど情報量は多いが，水晶体被ばくへの配慮を怠ってはならない。

また，X線透過性異物に対しては超音波検査が有用な場合もある。

【文　献】

1）Palme CE, et al：Fish bones at the cricopharyngeus：A comparison of plain-film radiology andcomputed tomography. Laryngoscope 109：1955-1958, 1999.
2）谷内修：眼内異物．救急医学 22：1743-1746，1998.

4 熱傷，電撃傷

ここで扱う熱傷とは広範囲熱傷をいい，Ⅱ度もしくはⅢ度熱傷の面積が体表面積の20%を超す場合である。熱傷による人体の反応は急速であり，受傷後の時間経過によって循環動態は動的に変動する。救命救急センターでは，刻一刻と変動する熱傷患者の病態を絶え間なく観察し，輸液や投薬の適切な管理を継続することになる。胸部X線撮影は，重症熱傷患者の循環動態の把握と呼吸機能の評価に欠くことのできない情報である。

熱傷の分類と病態

熱傷の評価項目として，熱傷面積と深度がある。熱傷面積の計算にはスコアシートを用いるが，そのほかに「9の法則」「5の法則（小児用）」などの簡易な計算方法も存在する。

皮膚は表皮と真皮より成り立っている。熱傷は皮膚の損傷であり，その深度は表皮および真皮のどこまで損傷が及んでいるかによって表1に示すように分類される。

熱傷受傷後の病態は，3つの病期に分けられる。

1. 受傷からリフィリング（48時間）まで

熱傷による侵襲は患者に全身性の炎症反応を引き起こす。これにより動的に循環動態が変動し，全身性炎症反応症候群（systemic inflammatory response syndrome；SIRS）の病態に至る。この炎症反応によって患者の血液中の水分は，血管内から血管外に向けた透過性が亢進するため，循環血液量減少性ショック状態となる。この対症療法として患者の循環血液量を補う大量輸液を行うが，血液は低蛋白血症状態となり，血液中の水分は血管外への漏出が継続し，全身の浮腫が進行することになる。

2. リフィリング期（48～72時間）

炎症反応の消失に伴って血管外スペースに移行していた浮腫液が血管内に戻る時期を迎える。このリンパ管を通じて行われる現象をリフィリング（refilling）と呼ぶ。患者の循環血液量は急速に増加し，中心静脈圧の上昇とともに大量の利尿が開始される。ただし，熱傷に感染症を伴うと血管透過性の反応が異常となり，この時期が判別しづらくなる。

熱傷患者の胸部X線撮影は，重症であれば背臥位撮影が基本となるため，胸部X線画像から正確な心胸比（cardiothoracic ratio；CTR）を測定することは不可能であるが，毎日の経過を観察することで循環血液量の増減の大まかな指標とすることが可能である。通常，下大静脈などの径を計測することで，放射線を用いることなく非侵襲的に経過観察ができる。

3. リフィリングから熱傷創の閉鎖まで

この時期は感染期とも呼ばれ，熱傷創には壊死組織が存在し，外界に対する防護機能を損なっている。同時に代謝の亢進状態にあり，酸素消費量増加，高体温，高血糖などの症状が出現する。

熱傷患者の撮影と経過観察

前述したように，熱傷患者の経過中には体液量の大幅な変動や浮腫状態の遷移があるため，経過観察画像は大きな役割をもつ。

1. 経過観察画像の撮影

熱傷患者の撮影では撮影条件および画像処理パラメー

表1　熱傷深度の分類

分類	深度	症状・所見
Ⅰ度熱傷（EB）	表皮（角質層）のみの損傷	紅斑・発赤，熱感・疼痛
浅達性Ⅱ度熱傷（SDB）	真皮の表層部（有棘層・基底層）にとどまる損傷	水疱・びらん 疼痛・灼熱感・知覚鈍麻
深達性Ⅱ度熱傷（DDB）	真皮の深層部（乳頭層・乳頭下層）に達する損傷	
Ⅲ度熱傷（DB）	表皮と真皮全層の損傷	羊皮紙様，無痛

EB：epidermal burn，SDB：superficail dermal burn，DDB：deep dermal burn，DB：deep burn

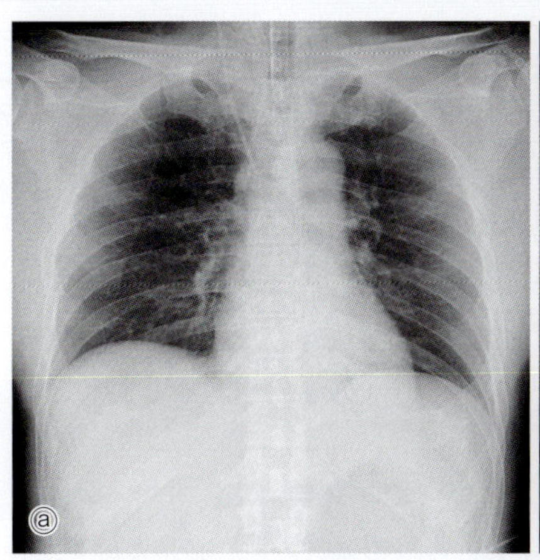
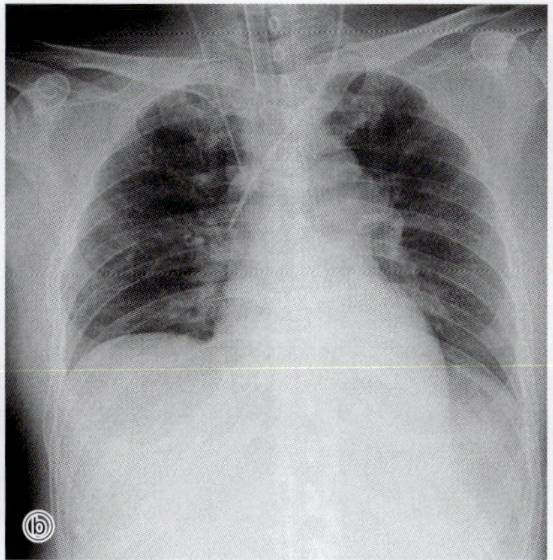
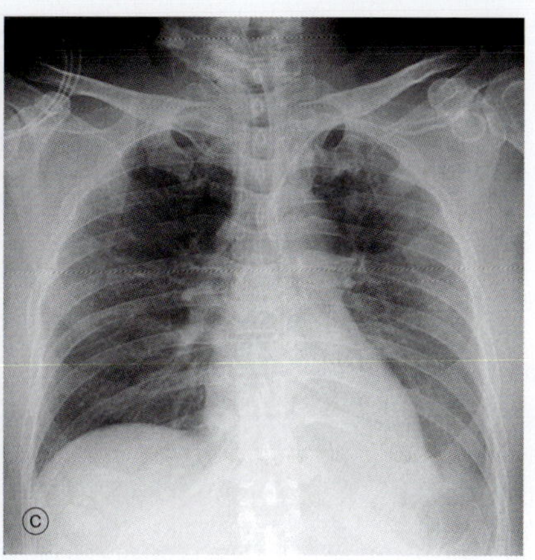

図 1 熱傷患者の経過観察に用いる胸部 X 線画像
a：受傷日，b：第 3 病日，c：第 10 病日
同一撮影条件，同一画像処理パラメータで経過観察を行うことで，患者の変化を認識できる

タを均一に保つ必要があるため，放射線情報システム（RIS）に経過観察に必要な撮影条件や画像処理，撮影ポジショニング，そのほかの注意点などを記載することが望ましい。FPD や CR は画像処理パラメータが被写体によって変動するため，通常の使用方法では体格が変動する患者の経過観察には適さない。X 線強度変換パラメータのラチチュードなど固定できる箇所を定めて毎日の撮影を行うことにより，熱傷患者の胸部の状態経過を正確に把握することができる（図 1）。

また，熱傷患者の体液分泌は大量であるため，バーンパッドの交換に合わせて撮影するなど，医師と合意のうえで撮影時期を決める必要がある。

バーンベッドは，シリコンビーズのなかに空気を通すことにより空気ベッドのように背面の減圧が可能であるが，患者の臥床する状態では背面が凹面となっており，ビーズを覆うシートがカセッテにより破損することがある。また，バーンベッド動作中には正しく患者を平面に保つことも難しいため，下記のような撮影手順が望ましい。

(1) フラットリフトが可能な数のスタッフを招集する。
(2) 1 人がバーンベッドのスイッチを持ちながら，全員で患者を持ち上げる。
(3) フラットリフトした際，バーンベッドの電源を切る。
(4) ベッドのビーズが平らになったとき，カセッテを患者の胸部下に設置する。
(5) 設置したカセッテに合わせて患者を降ろす。
(6) 撮影後，フラットリフトを行ってカセッテを除去する。
(7) バーンベッドの電源を入れ，柔らかくなったビーズの上に患者を降ろす。

2. 撮影時の注意点

広範囲熱傷患者は通常シートなどに覆われており，モニタケーブルやドレナージチューブ，導尿カテーテル，直腸カテーテルなども存在している場合がある。熱傷患者の場合，これらを皮膚と縫合して固定していることがあり，これらの損傷は患者の多大な苦痛につながるため十分な注意を要する。また，気管挿管チューブや胃管なども縫合により固定されている場合があるため，同様の注意が必要である。

一般に，胸部 X 線撮影によるチューブ類の位置確認では，顔面の向きにより約 1 cm の誤差が生じるとされる。加えて，熱傷患者のように顔面にも浮腫が生じている場合には，気管挿管チューブの位置計測において誤差要因が増えるため，再現性のある正確な撮影を心がける。

重症熱傷患者は，代謝面でも防護面でも感染症に対して脆弱な状態にある。院内で用いる各種画像診断機器は多くの患者に触れるため，熱傷患者のような易感染性患者の撮影時には院内感染を起こさないよう使い捨て防護袋などに入れて撮影を行うべきである。そのうえで撮影を担当する診療放射線技師は，スタンダードプリコーションを遵守した撮影を心がける。

電撃傷の特徴と撮影時の注意点

電撃傷は熱傷の一つのカテゴリーであり，その分類と定義を表 2 に示す。搬入当初は受傷時の状況を調査し，身体所見と合わせて分類を想定した治療が行われる。表在部は通常の熱傷診療に準じて治療する。

高電圧熱傷の場合，通電された四肢骨格筋のコンパートメント症候群に注意すべきである。熱傷部分の血流測定はドップラー血流計や末梢部分の所見から判断される

表2　電撃傷の分類と定義

名称	定義
アーク熱傷	弧光の高熱による熱傷
電気火炎熱傷	電気閃光熱傷に着衣などの周囲のものの燃焼によって生じた熱傷を含めたもの
(電気) 閃光熱傷	弧光および電気スパークによる熱傷
高電圧熱 (損) 傷	電撃傷のうちとくに高電圧によるもの
低電圧熱 (損) 傷	電撃傷のうちとくに低電圧 (家庭で使われる程度の電圧) によるもの
雷撃傷	落雷によって起こる電撃傷で, 5,000～20万A, 数百万Vに達するが通電時間は短く, 心停止, 心室細動などを起こす。本質的には電撃傷

が, 造影CT撮影による圧挫組織の同定も可能である。圧挫の程度により減張切開や四肢切断の判断が必要となり, 圧挫症候群 (クラッシュ症候群) とみなして集中治療管理が行われる。高ミオグロビン血症による腎不全を合併する場合もあるため, 造影撮影時には腎機能検査データの確認が必須であり, 腎不全と判断された場合には撮影後に血液透析を行う。また, 高電圧熱傷の場合には皮膚に裂傷を生じる場合もあるため, 撮影時には創部の感染や出血に注意する。

電撃傷患者は, 電撃時に飛ばされたことによる外傷を合併していることも多い。また, 電撃傷による筋収縮は時に骨折を誘発する可能性があるため, 骨折を疑う症状を訴える患者の場合には, 脊椎や四肢など必要に応じて電撃部分の骨X線撮影を行う。さらに, 顔面付近に感電した場合には眼球損傷を伴う場合がある。

従来のX線装置は構造上, 雨天時などに電撃傷を誘発する可能性があったが, 現在使用されている装置は安全基準が充実し, 電撃傷の発生は非常にまれである。しかし, 診療用X線装置は短時間定格が150kVの高電圧発生装置であるため, 電撃傷に対する定期的な安全管理は不可欠である。

5 確認目的撮影

気管挿管チューブ

気管挿管チューブの留置は，患者の呼吸に直接影響を与える重要な処置である。その留置位置は表1[1)〜5)]に示すように各種の報告がなされているが，施設ごとに正しい位置を定義しておくことが望ましい。

気管挿管チューブの位置は，撮影時の頭部の位置によって変化する。頸部が中間位で撮影する胸部X線AP画像では，下顎骨下端は頸椎5番ないしは6番に位置する。そこから下顎を胸椎1番まで頸椎を屈曲させて移動することで，気管挿管チューブは約1.9 cm気管の奥に移動し，逆に頸椎を伸展することにより約1.9 cm引き抜かれる。一方，頭部を横に回旋することで，気管挿管チューブは中間位の位置から約0.7 cm引き抜かれる。これらのことから，頭部から胸部にかけて入射線束に対し正面を向き，頭部は前・後屈および回旋もないことが，正しい位置確認画像撮影のためには望ましい。

気管挿管チューブ留置による合併症として，気管損傷，食道内挿管，声帯損傷，歯牙損傷，右気管支片側挿管，事故抜去，チューブ閉塞，胃内残渣物吸引，気胸，無気肺，バルーンによる障害，不整脈，喉頭攣縮などがある。

中心静脈ルート

救急診療で用いられる中心静脈内留置カテーテルとしては，中心静脈圧（central venous pressure；CVP）ルートが多く，ほかには中心静脈栄養法（intravenous hyper-alimentation；IVH）カテーテルがある。

CVPの測定意義は，循環血液量の指標と心機能の評価である。カテーテルはポリウレタンもしくはポリ塩化ビニールでできた柔軟なものであり，X線を吸収するマーカーで標識されている。構造としてはダブルルーメンもしくはトリプルルーメンカテーテルが多く，先端の開口部以外に側孔がある。挿入経路は鎖骨下静脈もしくは頸静脈，尺側皮静脈，外頸静脈，大腿静脈などである。カテーテルの体内留置長は，血栓予防などの観点からできるかぎり短いことが望ましい。今日ではエコーガイド下での穿刺が一般的になっているため，動脈誤穿刺はまれである。

表1　報告のある気管挿管チューブ留置の正常位置

・気管分岐部より2 cm以上上方，かつ声門より2 cm以上下方
・気管分岐部より3〜5 cm手前（最適は4 cm）
・気管分岐部より5±2 cm手前
・鎖骨内側終端の中間
・胸椎3番もしくは胸椎4番の高さ
・大動脈弓の高さから上方へ3.4〜5 cm

〔文献1)〜5) より作成〕

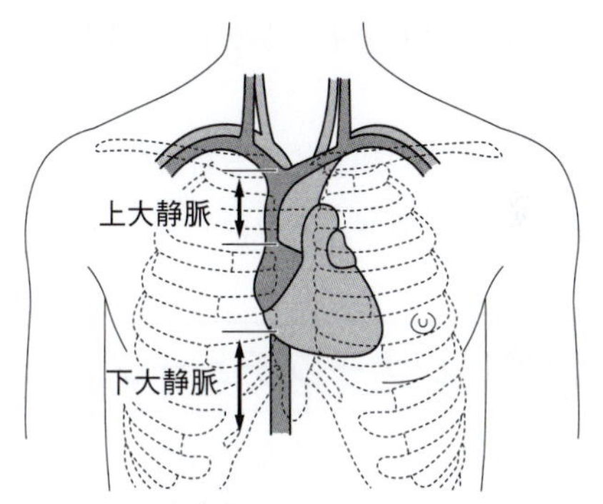

図1　中心静脈ルートの留置位置となる上大静脈および下大静脈の範囲

中心静脈という解剖学的領域はなく，頭側からアプローチするカテーテルの留置位置は上大静脈，足方からの場合は下大静脈となる（図1）。カテーテルの留置位置としては，透視下で挿入することはほぼないため，穿刺部からカテーテル先端までの距離が留置する位置の基準となり，頸静脈や鎖骨下静脈からは15〜16 cmでの留置が標準とされている。これは，X線画像上では右第1弓中央部付近，すなわち上大静脈となる。

合併症としては，気胸，空気塞栓，カテーテル閉塞，感染，血胸，胸水，縦隔水腫，心嚢水腫，静脈塞栓，肺動脈塞栓，内胸動脈損傷，不整脈，横隔神経麻痺，カテーテル切断，カテーテル血管外留置があげられる。

気管切開チューブ

輪状甲状靱帯切開による気管切開チューブ（図2）の挿入は観血的手技であるため，処置後に行う確認の胸部X線撮影では食道損傷による縦隔気腫の確認に加えて，出血も確認する。外出血は容易に観察できるが，注意すべきは気管内へたれ込む出血である。

気管切開チューブを挿入する輪状甲状靱帯切開部は頸椎5番から6番周辺の高さにあり，比較的体格の大きな患者の場合，肺野全体を視野に入れることを重視すると視野から外れることがある。そのため，可能であれば大きな視野サイズの検出器を用い，挿入部を視野に入れて撮影することが望ましい。

また，縦隔内の情報として気管の状態や気管切開チューブの位置，縦隔気腫の有無，気管内の異物も描出する必要があり，画像処理パラメータは撮影時に求められた階調度に対してダイナミックレンジ圧縮などが必要となる。

気管切開チューブの挿入による合併症としては，食道穿孔，皮下気腫，出血などがある。

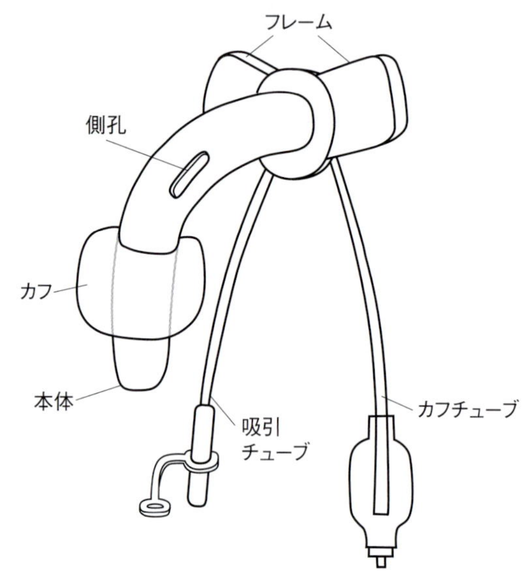

図2　気管切開チューブの構造

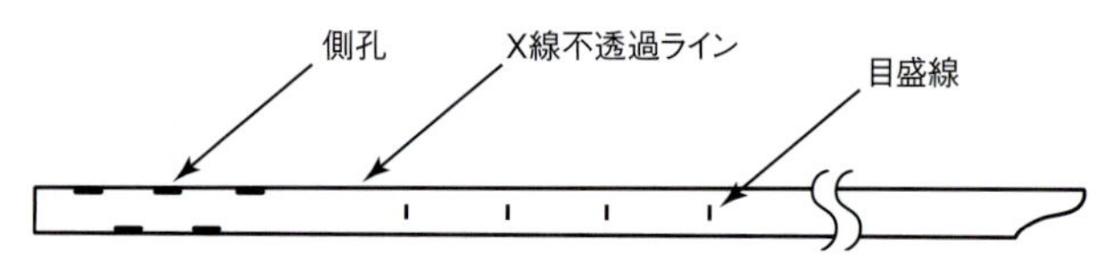

図3　胸腔ドレナージチューブの構造

胸腔ドレナージチューブ

胸腔ドレナージチューブ挿入の目的は，胸腔内に貯留した空気や液体を排除することであり，気胸や血胸，膿胸，乳び胸などに対して行われる。チューブの材質はポリ塩化ビニールで柔軟な構造をもち，滅菌されている。また，X線撮影で位置を確認できるように，X線吸収体でマークがつけられている。チューブには先端部の穴と，その手前にいくつかの側孔があり，吸引器に接続することで持続的に吸引することが可能となる（図3）。

チューブの留置後に行う胸部X線撮影では，チューブ位置の確認はもとより，排液の効果，脱気の効果や合併症として出血の有無を確認する。時に肺損傷や肋間動脈損傷が生じることがあるが，経過観察で管理可能な場合が多い。また，比較的長期間虚脱していた肺を急速に再膨張させることにより再膨張性肺水腫をまねくことがある。このような目的の撮影に際しては，撮影の時期を医師と相談したうえで決定することが望ましい。

チューブの抜去に際しては，12時間以上チューブをクランプした状態で胸部X線撮影を行い，胸腔内に再貯留のないことを確認して抜去する。

胸腔ドレナージチューブ挿入による合併症としては，片側肺浮腫，肺損傷，胸壁出血，脱気の継続，チューブ閉塞，気胸の継続，皮下気腫，大血管損傷があげられる。

ペーシング電極（体内，体外）

ペーシング電極は，ペースメーカによる心拍の調整を体外より行う際に用いる。緊急処置として体表に装着する体外ペーシング用の電極は粘着テープによるシール型で，外表所見により電極位置が観察可能である。一方，体内に留置するカテーテル形式のペーシング電極は，埋込型ペースメーカ装着までのつなぎとして用いられる。材質はポリウレタンが多く，カテーテル先端部に電極が複数極露出する（図4）。

挿入部位は鎖骨下静脈を経路とすることが多く，できるかぎり透視下での挿入が望ましい。カテーテル先端部の留置位置は右室内で，ペーシング可能な位置を確認したうえで留置する。本処置におけるカテーテル位置確認と合併症の検索は重要な情報となる。ペーシングを行っている状態での撮影となるため電極は脱着不可能であり，事故による脱落も許されないことを認識して撮影に臨む。心臓内の電極に起因する合併症もあるため，超音波診断も実施する必要がある。

ペーシング電極カテーテル挿入による合併症としては，気胸，感染，血胸，静脈塞栓，肺動脈塞栓，内胸動脈損傷，横隔神経麻痺，カテーテル切断，カテーテル血管外留置，心室穿孔，心タンポナーデがあげられる。

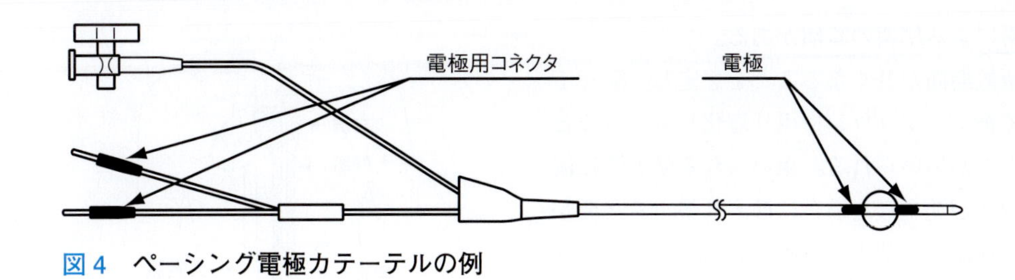

図4　ペーシング電極カテーテルの例

肺動脈カテーテル

肺動脈カテーテル（Swan-Ganz カテーテル）は，左心系・右心系双方の心不全の状態を把握して治療方針を決定したり，血行動態の変化や治療の効果を早期に把握するために用いられ，その適応は虚血性心疾患患者や心筋炎，そのほかの心不全患者である。肺動脈カテーテルを用いた計測により，心不全の程度および原因が Forrester 分類として判断される[6]。

カテーテルの導入には鎖骨下静脈が主に用いられ，右房，右室を経由して肺動脈に留置される。カテーテル挿入は透視下で行われる場合が多く，病室で行う場合にはカテーテル先端部の血圧を測定して先端位置を推測し，最後に確認の胸部X線撮影を行う。肺動脈に留置されたことの証明として右室圧からカテーテルを進行させ，先端部のバルーンを拡張し，右室圧から楔入圧に変化することをもって確認する。

カテーテルは通常のポリウレタン製カテーテルより硬く柔軟性に乏しいため，血管や心臓に損傷を与える可能性がある。通常は3ルーメンか4ルーメンの構造をもち，電極やバルーン拡張用の孔もあることから，孔の内腔は狭い。また，カテーテルの破裂や断裂をまねく可能性があるため，肺動脈カテーテルを用いた造影剤などの薬剤急速注入は禁忌である。

肺動脈カテーテル挿入による合併症としては，気胸，肺動脈血栓症，感染症，血腫などがある。

胃　管

胃管とは，経鼻もしくは経口で胃内に挿入されるチューブである。胃内への水分や薬物の注入，または胃内容物を体外へ誘導・排出するために使用され，使用に際しては挿入経路に病変や異物がないことを前提とする。注入用の胃管を栄養チューブと呼ぶことがある。排出用の胃管は，イレウスや消化管出血などに対して上部消化管の減圧を目的に使用される。胃管挿入による合併症としては，口腔内の感染症や誤嚥がある。

通常，短期間留置する胃管は塩化ビニール製が多く，栄養チューブなど長期に留置する胃管はシリコン製が多い。挿入経路としては経鼻が多く，意識清明な患者の場合には留置位置の確認は不要であるが，意識レベルが低下していたり，喉頭反射が低下している患者に挿入する場合には透視下での挿入が望ましい。透視下での挿入が不可能な場合には，日本医療機能評価機構の認定病院患者安全推進協議会が推奨する「経鼻栄養チューブ挿入の安全確保」[7]に準じ，以下のような点に注意してチューブ位置の確認を行う。

1）胃内容物吸引による確認

胃内容物を吸引し，pH 5.5 以下であるかを確認する。ただし，プロトンポンプ阻害薬などを用いている場合には pH 6 以上となる場合があるため信頼性に欠ける。

胃泡音を確認する方法は精度が低く，胃内容物の逆流がない場合には栄養を注入すべきでない。X 線撮影を実施して，カテーテルの先端位置を確認する。

2）栄養剤注入後の観察

注入を開始したら，異常の早期発見に努めた観察を行う。

3）リスク評価とインフォームド・コンセント

チューブの挿入前に，栄養供給の必要性や潜在的なリスクを考慮して患者評価を行う。患者の容態によって，透視下での挿入より安全な方法を検討する。また，挿入に先立って患者・家族へ説明し，同意を得る。

4）環境整備

輸液回路との誤認を防ぐことや，X 線撮影に対応した機器を使用するなど，総合的に安全に配慮した環境・仕組みを整備する。

ED チューブ

栄養管理の目的で消化管内に留置されるチューブを ED チューブという。通常は経鼻で挿入され，先端は胃内もしくは腸管内に留置する。このような経管栄養法は，嚥下障害などにより経口で食事を摂ることができない場合や摂取が不十分な場合に用いられ，腸管の通過障害，吸収障害がないことが適応基準となる。挿入による合併症として，口腔内感染症，栄養剤の逆流による誤嚥，管内残留栄養素による細菌の繁殖がある。

チューブは留置期間が長くなることを想定し，5～8 F と胃管に比べて細く，シリコンやポリ塩化ビニールなど柔軟な構造のものが用いられる。用いられる栄養源は流動食であり，閉塞が発生した場合には入れ替える必要がある。栄養源の逆流を予防するため，Treitz 靱帯を過ぎて空腸内に留置することが多い。位置確認の基準は胃管に準じるが，ED チューブは留置位置が空腸であることが多いため，横隔膜全体と腸骨翼周辺までを撮影範囲とする。

イレウスチューブ

イレウスの保存的治療に用いられるチューブで，ウレタン樹脂やポリ塩化ビニール製である。チューブを腸管の閉塞部近傍まで挿入し，口側腸管内を減圧することにより腸管の閉塞症状を緩和し，浮腫の軽減から閉塞の解除へと導く。ただし，絞扼性イレウスは腸管の血行障害により壊死を伴うため外科的手術の適応となる。

イレウスチューブの先端にはバルーンがあり，腸管の蠕動によって進みやすくなっている。チューブの先端には開口部があり，ここを通じて腸管内の造影撮影が経時的に行われ，腸管内液体の動態を観察する場合もある。挿入は透視下で行われ，チューブをできるかぎり閉塞部の近くまで進める。挿入による合併症として，口腔内汚染による感染症，ガイドワイヤー抜去不能がある。

イレウス患者の腹部 X 線撮影は，イレウスに特有の鏡面像を確認するため立位撮影が一般的であるが，チューブから注入された造影剤の通過状態の確認や，イレウスチューブの位置確認としては，背臥位腹部 X 線撮影で情報を多く得ることができる。

PCPS

PCPS（percutaneous cardiopulmonary support）は，大腿静脈から脱血し，酸素化した血液を大腿動脈に返血することによって右室・左室両心の補助を行うものであり，心停止や心原性ショック症例に対する緊急心肺蘇生や，重症冠動脈疾患に対する経皮的冠動脈形成術（percutaneous coronary intervention；PCI）時の補助循環システムとして適応される。脱血カテーテルは中心静脈内に，送血カテーテルは大腿動脈内に留置する（図 5）。その先端確認を目的とした X 線撮影としては，横隔膜と鼠径部を照射野に含む腹部 X 線撮影が適当である。

補助循環システムを導入した患者の造影 CT 撮影は，通常の末梢ルートを用いて造影することが可能である。

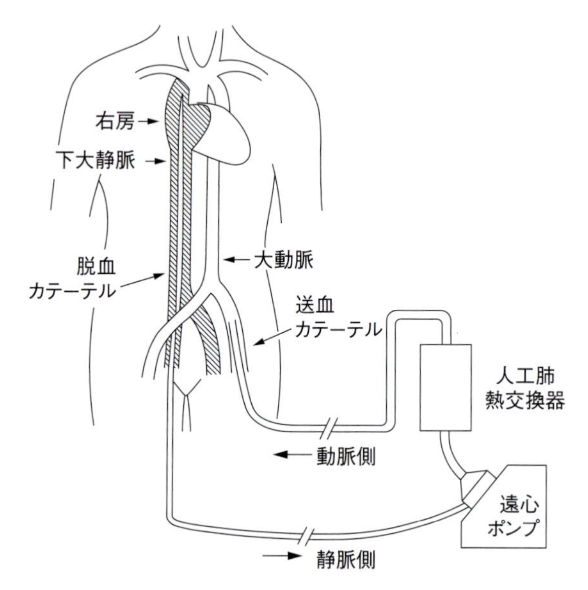

図 5　PCPS 回路の接続例

ただし，PCPS 装置の流量と患者の循環不全の重症度によって造影剤の出現時間は大きく変動するため，自動的な造影剤検出機能を用いた造影ではなく，マニュアル機能で観察時間を長くして造影剤の循環を待ち撮影する。とくにいったん心停止を経過した患者では，造影剤の循環時間が大きく遅れる傾向がある。

PCPS の禁忌として，動脈硬化の強い場合，大腿動脈が細くカニュレーションできない場合，両側大腿静脈閉塞がある場合があげられる。また，中等度以上の大動脈弁閉鎖不全がある場合には，流量補助により左室負荷が増大する傾向があるため適応とならない。合併症としては，血管外カテーテル留置，穿刺部位からの出血，下肢の虚血，神経障害，空気塞栓症（バルーン損傷による）がある。

IABP カテーテル

IABP（intra-aortic balloon pumping）カテーテルは，心不全患者やショック患者の補助循環装置として使用され，適応は，収縮期血圧が 80 mmHg 以下の患者，心係数が 2.0 L/min/m^2 以下や時間尿量 30 ml 以下の重症心不全もしくは心原性ショック患者である。IABP の導入により，心収縮期のバルーン収縮による血液吸引効果としての心拍出量増加と，心拡張期のバルーン膨張による冠動脈の血流増加効果が期待できる。ただし，カテーテルを鼠径部から経皮的に挿入して大動脈内を逆行させ，大動脈内でバルーンを高速に拡張・収縮させるため，大動脈弁閉鎖不全，解離性大動脈瘤，腸骨動脈，大動脈に高度な屈曲をもつ患者の場合には禁忌となる。

カテーテルの先端位置は，胸部大動脈の左鎖骨下動脈

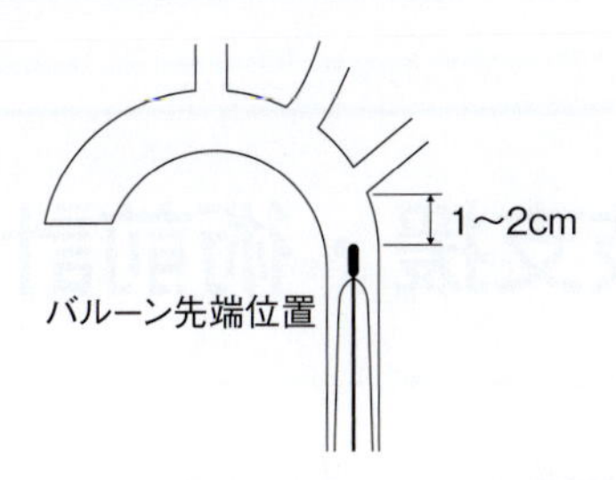

図 6　IABP カテーテルの留置例

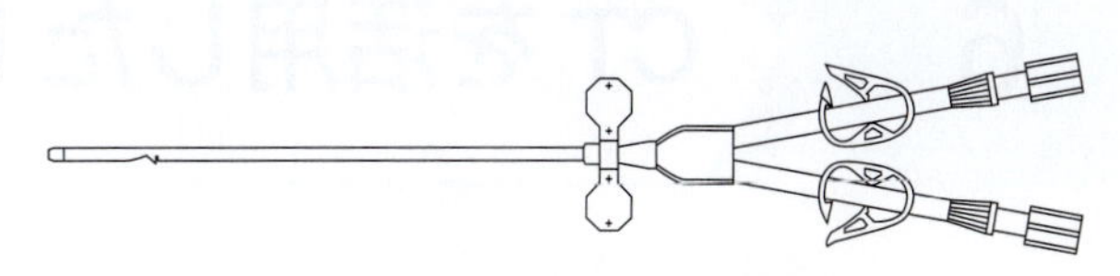

図 7　ブラッドアクセスカテーテルの例

分岐部より足側 1～2 cm 程度である（図 6）。そのため，位置確認撮影時は胸部大動脈をすべて含む撮影が望ましい。また，経過観察目的で撮影する場合，トリガーとなる電気信号にどの信号を使用しているかを事前に確認しておく。トリガー信号には心電図波形と動脈圧波形があり，心電図波形を使用している場合には不注意に電極を外すことにより IABP システムが停止してしまう。

バルーンの拡張に障害が生じるとシステムは自動的に停止し，すなわち患者の補助循環が作動しないことを意味するため，注意を要する。また，停止状態にあるバルーンカテーテルには血栓が付着しやすく，血栓塞栓症が生じる可能性もある。

透析用ブラッドアクセス

透析目的で血管内に留置するカテーテルをブラッドアクセスと呼ぶ（図 7）。一般にブラッドアクセスは中心静脈ルートと同様の扱いでよいが，流量が多いためカテーテルが太い。挿入部位は大腿静脈もしくは内頸静脈，鎖骨下静脈である。挿入による合併症として，気胸，血胸，穿刺部の出血，カテーテル断裂，カテーテル血管外留置があげられる。

VP シャント

水頭症の治療として行われる手術であり，脳室内の髄液を腹腔内に流出させることによって，脳室内の髄液量を適正に保つことを目的とする。穿頭部から側脳室にシャントチューブを入れ，そのチューブと頸部から胸部，腹腔内へつながるチューブを接続する。腹腔内で留置する位置は骨盤腔内もしくは肝上面である。合併症として，出血，チューブ断裂，圧バルブ故障，圧バルブ破損などがあげられる。

穿頭部にはシャント圧を決定する可変バルブがついており，術後にバルブのダイアル設定値を確認するため頭部 X 線撮影を実施することがある。同時に，皮下に埋没するチューブの経路確認のための撮影も行われる。

頭蓋内圧（ICP）センサー

頭蓋内にチューブもしくはセンサーを挿入することにより，頭蓋内圧（intracranial pressure；ICP）を測定する。ICP の亢進は，外傷をはじめ虚血症状，占拠性病変の出現，代謝異常などによって引き起こされ，脳ヘルニアなど重篤な症状をまねく場合があるため，センサーなどを使用して経過観察を行う。ICP を確認することで，平均血圧と ICP の差から脳灌流圧が計算できる。

ICP センサーには脳室ドレナージ型と光ファイバ型がある。後者は頭部の位置が変化しても常に計測可能であり，測定点も脳室内，脳内，硬膜下などが選択できるため，今日ではよく用いられている。挿入部位として，左右いずれかの前頭側頭部より穿頭してセンサーを留置する。挿入による合併症として，感染，挿入部の出血，髄液漏れなどがある。

【文　献】

1）Techanivate A, et al：Estimation of the proper length of orotracheal intubation by Chula formula. J Med Assoc Thai 88：1838-1846, 2005.
2）Evron S, et al：Proper insertion depth of endotracheal tubes in adults by topographic landmarks measurements. J Clin Anesth 19：15-19, 2007.
3）Goodman LR, et al：Radiographic evaluation of endotracheal tube position. AJR Am J Roentgenol 127：433-434, 1976.
4）Bednarek FJ, et al：Endotracheal tube placement in infants determined by suprasternal palpation：A new technique. Pediatrics 56：224-229, 1975.
5）Pappas JN, et al：Predicting proper endotracheal tube placement in underexposed radiographs：Tangent line of the aortic arch. AJR Am J Roentgenol 173：1357-1359, 1999.
6）Forrester JS, et al：Filling pressures in the right and left sides of the heart in acute myocardial infarction：A reappraisal of central-venous-pressure monitoring. N Engl J Med 285：190-193, 1971.
7）認定病院患者安全推進協議会：提言；経鼻栄養チューブ挿入の安全確保，2006.

6 CTを活用したIVR手技支援・術前計画

緊急IVRに求められる迅速性と確実性

外傷による臓器損傷や骨軟部組織の損傷による活動性出血，吐下血，喀血，腫瘍破裂などに対する血管塞栓術，膿瘍や胆道系の感染症などに対する経皮的ドレナージなど，救急診療においてはいつでも緊急IVRが必要となる状況が発生し得る。

一方で，夜間・休日など時間外の緊急時にはマンパワーが限られていることも多く，常に経験豊富なIVRスタッフがスタンバイできているわけではない。そのようななかで，重症患者を相手に迅速かつ確実な治療を提供するためには，日頃から手技や機器操作に関する鍛錬，知識や経験の蓄積，IVRに携わるチームでの連携体制の構築が必要となることはいうまでもない。術前CTを活用したIVR手技支援・術前計画（pre-procedural planning；PPP）[1]も手技時間の短縮や合併症を減らし安全・確実な手技を行ううえで有用である。

CTを用いたIVR手技支援

MSCTが多くの救急施設で運用されるようになり，さまざまな疾患の診断や治療方針決定に活用されている。撮影されたCTのボリュームデータは詳細な解剖学的情報を有しており，これを診断や治療方針決定だけでなく，IVR手技を支援するための画像作成や，それを用いた手技内容のシミュレーション・術前計画に役立てることができる。PPPを行ううえでは，thin-slice画像やMPRをはじめ，血管の分岐や走行を把握するためのVR（volume rendering）やthick-slab MIP（maximum intensity projection），胆管走行を把握するためのMIN-IP（minimum intensity projection）などのほか，透視下手技の画面と類似した仮想透視画像（virtual fluoroscopic image）が有用である。

仮想透視画像とは，透視時の画像に類似したray summation imageの上に血管の走行や治療対象部位などを重ねて表示させたものである。透視下では主に骨構造や金属濃度を示す人工物（脊椎固定具やステント，チューブ類のマーカーやステープラー，消化管のクリップなど）が位置を把握するうえでの基準点となる。治療対象病変やそこへアプローチするための血管などの分岐・走行が，透視下で骨構造に対してどのように位置しているかという情報が重要である。このような情報を，透視画像に類似した見比べやすい画像で可視化して「直感的」に把握できることで，確実に手技を進めることができる。

作成した画像は任意の角度に回転させることができ，血管分岐を重なりなく把握するためのworking angleをシミュレーションしたり，斜位時の病変が透視上のどこに位置しているかを把握するのに役立つ。マッピングや病変位置確認のための撮影を減らせるため，被ばくや造影剤使用量の減少，手技時間の短縮につながる。喀血や多発外傷に対する動脈塞栓術など，多数の血管の情報が必要な手技でより有用であり，起始部の位置を把握して手技に臨むことで1本あたりの血管選択に要する時間を30秒～1分でも短縮できれば，仮に10本の血管の選択をする場合には手技全体で5～10分も短縮できることになる。

仮想透視画像の作成

仮想透視画像作成には，末梢動脈まで追跡できるような動脈優位相のボリュームデータを用いるのが理想的である。血管を追跡しながらプロットを行うため，1 mm以下のスライス厚でオーバーラップ50％以上，再構成関数は中周波数関数程度での処理が望ましい。実質相や平衡相の画像でも，予定している手技に必要な血管がプロット可能であれば作成することができる。胆道系手技用の仮想透視画像を作成する場合には，むしろ実質相や平衡相の画像のほうが胆管を追跡しやすい。

緊急時にCT撮影が終わりしだい，いち早くPPPに用いる造影相のボリュームデータをワークステーションに送信できるよう，CT撮影プロトコルでの再構成の順序を調整し，ワークフローを習熟しておく。また，ワークステーションはCT室や画像処理室だけでなく，救急外来や血管撮影室などにも設置して，場所を選ばずに仮想透視画像の作成を行えるようにし，作成中あるいは作成後のワークステーションの画面を血管造影室内のモニタに映し出せるようにしておくとよい。ここでは，代表的なワークステーションであるZiostation2（ザイオソフト社）およびVINCENT Ver4.4（富士フイルムメディカル社）での作成方法を紹介する。

ボリュームデータから単純写真に類似したray summation imageを作成する。実際に手技を行う透視野の範囲に合わせて画像を拡大し，白黒反転して，骨構造の輪郭を明瞭にするenhanceフィルタをかけることで，透視画面に類似した画像を作成することができる。この画像に重ねて，手技に必要な血管や胆管の走行を，パス機能を使ってプロットすることや，フリーラインで膿瘍腔などスペースの断面像をトレースして描出することで，手技に役立つ仮想透視画像を作成することができる[2]。

責任分枝だけでなく，そこに向かうまでの過程で問題となるような枝の分岐や，正面像で重なって間違えやすそうな枝の走行も示しておくと治療の際に役立つ。しかし，情報が多すぎても肝心な部分が見えにくくなり，作成作業にも時間がかかってしまう。これから行う手技の内容や目的，使用されるデバイスの特徴を理解していれば，手技に必要十分なものだけをプロットすればよく，作業時間も短縮できる。術者自身，あるいは術者に対して指示や助言を行う医師や診療放射線技師が画像を作成する場合には，作った本人がわかる範囲で適宜省略して記載することで，さらに時間短縮が可能である。例えば，多発外傷症例などですべての対象血管を細かくプロットする時間的猶予がない場合，血管の起始部のみを点で示したり，カテーテル選択上問題となりそうな血管分岐のみをプロットしたりするだけでも役に立つ。

このようにして作成した仮想透視画像は救急疾患に対するIVRをはじめ，さまざまな透視下手技に活用することができる[3]。実際の作成例として，血管塞栓術を行った腰動脈損傷（図1），脾損傷（図2），多発外傷（図3）[1]，経皮的ドレナージを行った閉塞性胆管炎（図4），術後膿瘍（図5）[2]の仮想透視画像を呈示する。

多発外傷例における PPP運用の実際

ショックや凝固障害を伴った多発外傷に対するIVRは，緊急IVRのなかでもとくに時間を強く意識して一刻を争って迅速に止血する必要があり，そのような質の高い外傷IVRを提供するためにはマンパワーが必要となる。外傷外科手術や冠動脈インターベンションが医師1人で行われないように，外傷IVRもそのポテンシャルを最大限に発揮するためには複数の医師によって行われる必要がある。『外傷専門診療ガイドライン JETEC』[4]では，IVRに携わる医師を司令塔（conductor），術者（operator），助手（assistant）に分けて配置する「COAシステム」が紹介されており，ここでは同システムを採用している施設における多発外傷症例に対するPPPの運用について解説する。

搬送時の病院前情報や救急外来でのprimary surveyの状況からIVRが必要な可能性があれば，IVRチーム（医師，看護師，診療放射線技師）を早めに招集し，速やかにIVRが開始できる体制を整えておく。CTを撮影すると同時に，CTコンソール画面上にてFACT[5]またはadvanced FACT[4,6]での読影を開始する。FACT陽性でIVRが必要と判断した場合，ただちに患者をアンギオ寝台へ移動する。移動の間に術者や助手はカテーテルや塞栓物質などの道具の準備を行い，司令塔はPPPを行う。すなわち，仮想透視画像を作成しながら手技全体の流れを計画する。移動から血管造影開始までの時間は10分足らずしかないこともあるため，前述したように血管の起始部のみ，分岐部のみなど，手技に必要な情報のみに適宜省略してプロットする。あるいは，手技開始までにとりあえず最初に塞栓を行う2，3本の血管のみプロットし，それらの血管を治療している間に他の血管を追加プロットしていくという場合もある。

司令塔は作成した仮想透視画像と実際の透視画像を見比べながら，術者の操作するカテーテル先端位置に対し，上下左右どの方向にどの程度動かせばよいか，目標血管の分岐部が椎体の辺縁や棘突起・椎弓根といった脊椎のどの構造と重なっているか，目標血管の分離認識を容易とする斜位の角度などについてきめ細かく指示を出す。術者は指示のままに透視画面だけをみながらカテーテル操作に専念することができ，各血管を秒単位で選択することが可能となる。司令塔は患者の循環動態や凝固能を把握しながらIVR手技全体の方針，手技が膠着した場合には手術への移行の判断などを行っている。手技の進行具合に応じて，FACTに引き続く第二段階のCT読影を行ったり，追加で仮想透視画像を作成したりする。

マンパワーが少ない施設での運用

しかし，このようにマンパワーを確保できる施設は限られているのが実状であり，医師が1人で緊急IVRを行っている施設も少なくないと思われる。マンパワーが不足している施設においては，診療放射線技師が司令塔に近い役割を担って術者に助言を与えながら手技を進めていくという形での運用も期待され，すでにそのような体制で緊急IVRを行っている施設もある。そのような場合にも仮想透視画像を活用することで，より具体的かつ効果的な助言を与えることができるようになるであろう。

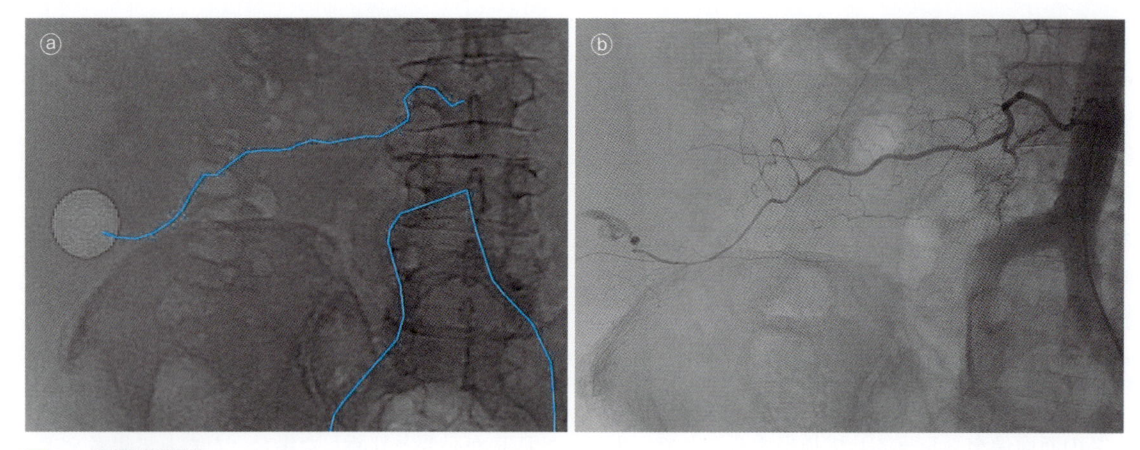

図1　腰動脈損傷

右第3腰動脈遠位からの出血症例。仮想透視画像(a)では術前CTにてextravasationを認めた位置を丸で囲み，同部に向かう責任血管の走行を線で示している。L3棘突起上縁右側より起始していることがわかり，実際の血管撮影（b）では速やかに血管選択することができた

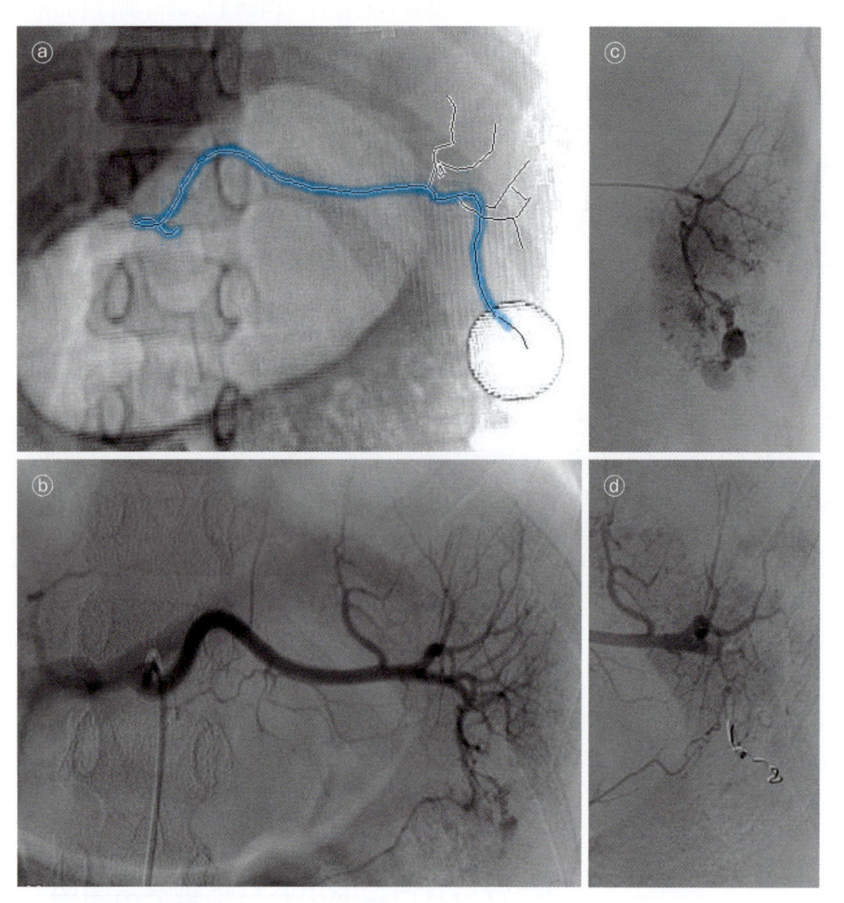

図2　小児脾損傷

CTにて脾下極から腹腔内へ注ぐextravasationを認め，ただちに血管撮影室へ移動。血管造影の準備と同時進行で仮想透視画像（a）を作成。腹腔動脈の分岐位置と脾動脈・責任分枝の走行を把握。CT撮影から10分後に腹腔動脈を撮影（b）。すでに把握している責任分枝を迅速に選択し（c），手技開始後9分で止血を確認した（d）

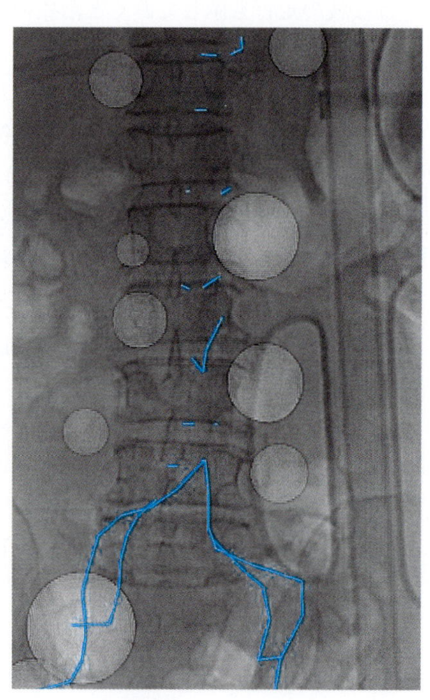

図3　多発外傷

高所からの墜落により骨盤骨折や傍椎体領域に多発出血を認めた。多数の血管を選択する必要があり，起始部のみプロットした仮想透視画像を作成した

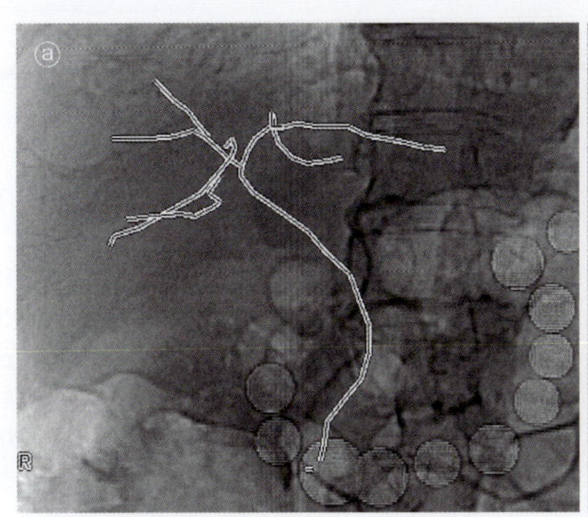

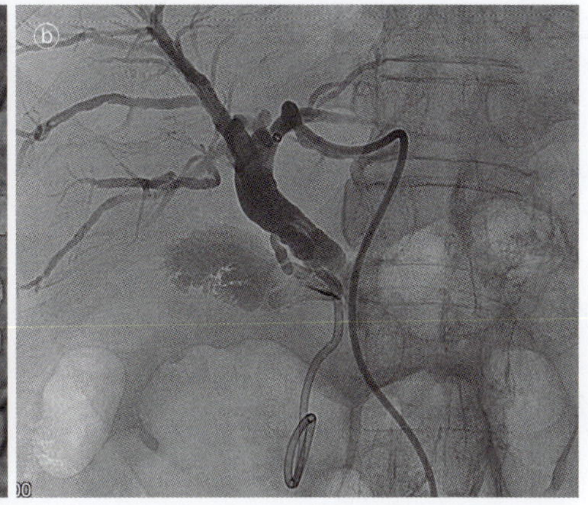

図4 閉塞性胆管炎

下部総胆管結石による急性閉塞性化膿性胆管炎に対してPTBD（percutaneous transhepatic biliary drainage）を施行した症例。術前CTより作成した仮想透視画像（a）では，胆管の走行を線で描き，十二指腸の走行を丸で示している。エコーガイド下に胆管穿刺後，胆管内圧を上昇させ，合併症のリスクを高める造影剤注入は最小限とし，仮想透視画像を参照しながらガイドワイヤーを進め，内外瘻チューブを留置した（b）

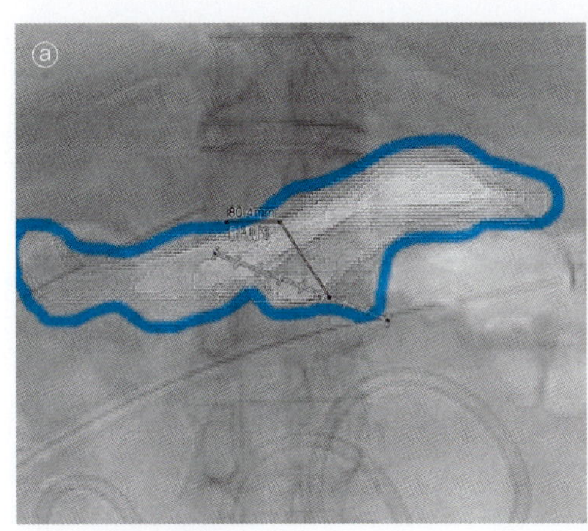

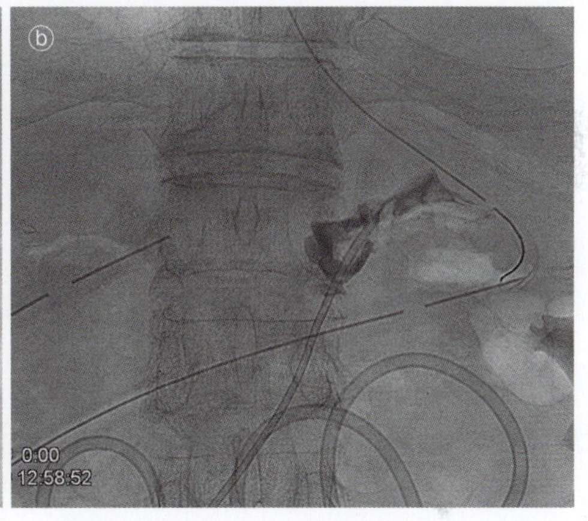

図5 術後膿瘍

術後の膿瘍形成に対してドレナージを施行した症例。仮想透視画像（a）では膿瘍腔をトレースして示している。膿瘍は主に2本のドレーンと胃管に囲まれる範囲に広がっていることがわかり，実際の透視下（b）でもこれらのチューブ類は位置を把握するうえでメルクマールとなる

仮想透視画像の作成は，ワークステーションの操作という観点では簡単な類に含まれると思われ，医師よりもワークステーションの扱いに長けている診療放射線技師のほうが速やかに作成できると思われる。注意したいのは，仮想透視画像は単に一種の再構成画像として作成されること自体に意味があるのではなく，手技に活かされて初めて有用性を発揮するということである。手技に真に役立つ仮想透視画像を作成するには，CTで診断された損傷や活動性出血所見に基づいて，どの血管の選択造影・塞栓が必要となるか，どのような順序で血管選択を行っていくか，責任血管を選択するうえでどのような位置・血管分岐に関する情報が必要かを想定する必要があり，そのためには救急外傷診療に対する理解，画像診断・血管撮影・IVR手技など多面的な知識や経験を要する。また，術者となる医師と円滑なコミュニケーションを図るうえで，血管の名称や略称，血管解剖や主な血管の破格（腎動脈が複数本存在する場合や脾動脈上極枝が大動脈や脾動脈近位部から早期分岐する場合があるなど）に関する知識も身につけておかなければならない。

そのほかに，各損傷に対してプロットする血管をIVR医と話し合ってあらかじめ決めておくという方法もある。例えば，骨盤骨折の場合には両側の総腸骨・内腸骨・外腸骨動脈，L4，L5の腰動脈についてプロットする，肝損傷の場合には腹腔動脈から左右肝動脈の区域枝に至るまでの分岐や走行，シェファードフック型カテーテルを用いる場合にはカテーテル形成に用いる両側腎動脈をプロットする，などである。また，術者が次に選択しようとする血管名を指示し，診療放射線技師が随時仮想透視画像を追加作成していくという運用も可能と思われる。

IVR手技を支援するためのPPPに関して概説した。仮想透視画像は，診療放射線技師であれば簡単なトレーニングを行うことで誰でも作ることができると思われるが，何をどのように描くかという判断こそが手技に役立つ画像を作成するうえで重要となる。マンパワーや診療体制に応じて各施設でどのようにPPPを運用するかについて，診療放射線技師とIVR医の間で協議し，迅速かつ確実なIVR手技の遂行に役立てることができれば，患者の救命に大きく寄与すると思われる。

【文　献】

1）一ノ瀬嘉明，他：外傷IVRにおける仮想透視画像（Virtual Fluoroscopy）の活用．インナービジョン 27：巻頭特集，2012.
2）一ノ瀬嘉明：IVR BOOK 2014 DIVISION1 放射線科領域のIVR；ziostation2．RadFan 12：40-41，2014.
3）妹尾聡美，他：救急IVR領域における3D画像の有用性について．臨床画像 29：1430-1444，2013.
4）日本外傷学会外傷専門診療ガイドライン改訂第2版編集委員会編：蘇生に必要なIVR．外傷専門診療ガイドライン JETEC，第2版，へるす出版，東京，2018，pp65-75.
5）日本外傷学会外傷初期診療ガイドライン改訂第5版編集委員会編：Trauma Imaging．外傷初期診療ガイドライン JATEC™，第5版，へるす出版，東京，2016，pp227-235.
6）一ノ瀬嘉明，他：時間を意識した外傷CT診断：Focused Assessment with CT for Trauma（FACT）からはじめる3段階読影．日外傷会誌 28：21-31，2014.

7 ハイブリッドERシステムにおける役割

ハイブリッドERとは

ハイブリッドERとは，重傷外傷患者の初期診療から蘇生を目的とした緊急手術まで対応できるよう，CT装置や血管造影装置をはじめとする各種検査機器や，麻酔器などの医療機器を配備した救急初療室のことである。そして，ハイブリッドERシステム（hybrid emergency room system；HERS）とは，それを活用した診療体制のことを指す。2011年8月に世界初のハイブリッドERがわが国で稼働開始し，2019年現在で国内11施設と，その数が増えてきている[1]。

ハイブリッドERのレイアウトとしては，主に救急初療室にIVR-CTを設置したシステム（図1）と，IVR-CT初療室とCT検査室を隣接させた“2ルーム（dual room）型”のシステム（図2）がある。後者は，隣接した2室間を自走式CTガントリが移動できるようにすることで，2室の効率的な活用を目的としたものである。

また，元々がIVR-CTシステムはカテーテル台での運用が主となるが，設置計画時に手術台を組み合わせたシステムに変更しておくことでさまざまな手術にも対応可能となる。施設のコンセプトによってスペースやシステムの配置，運用方法も異なるが，救命処置から検査，治療に至るまで対応可能なのがHERSである。

ハイブリッドERシステムの特徴

HERSの特徴は，その「空間的優位性」と「時間的優位性」にある[2]。

1．空間的優位性

患者を移動させることなく，CT検査や血管造影，血管内治療，手術（とりわけdamage control surgery）を含む診断・治療行為を同じ場所でただちに実施することができる。すなわち，移動によるリスクがなくなる。

2．時間的優位性

上記の空間的優位性から，早期に安全かつ迅速なCT検査が可能となるため，それを用いたprimary surveyを実施することができ，初期診療時間の短縮につながる。

このように，HERSは一般的な救急初療室に比して圧倒的な空間的優位性・時間的優位性を備えており，JATEC™のprimary surveyで除外しなければならない呼吸・循環に大きな影響を与える状態の変化にも迅速に対応することができる。これにより外傷初期診療に大きな変化をもたらし，防ぎ得た外傷死（preventable trauma death；PTD）を減らすとともに，脳卒中や虚血性心疾患，大動脈疾患といった重篤な内因性疾患についても救命率の向上に寄与するとされている。

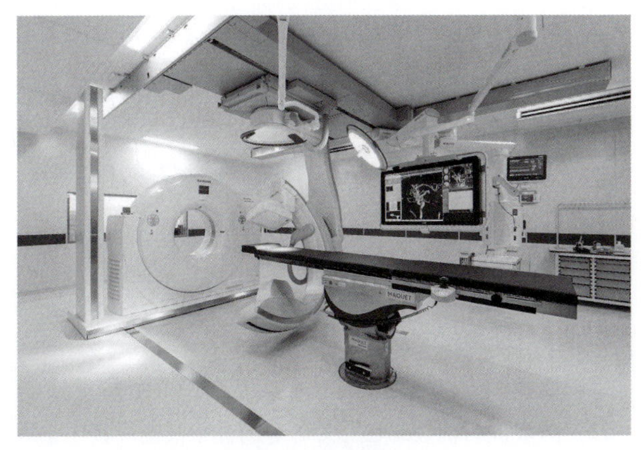

図1　ハイブリッドER（手術台）

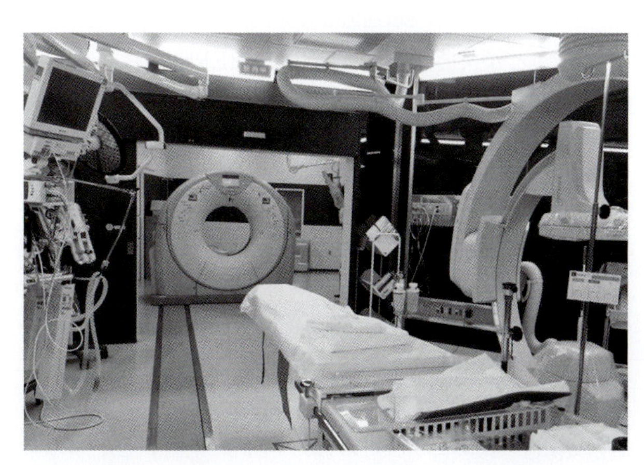

図2　2ルーム型ハイブリッドER

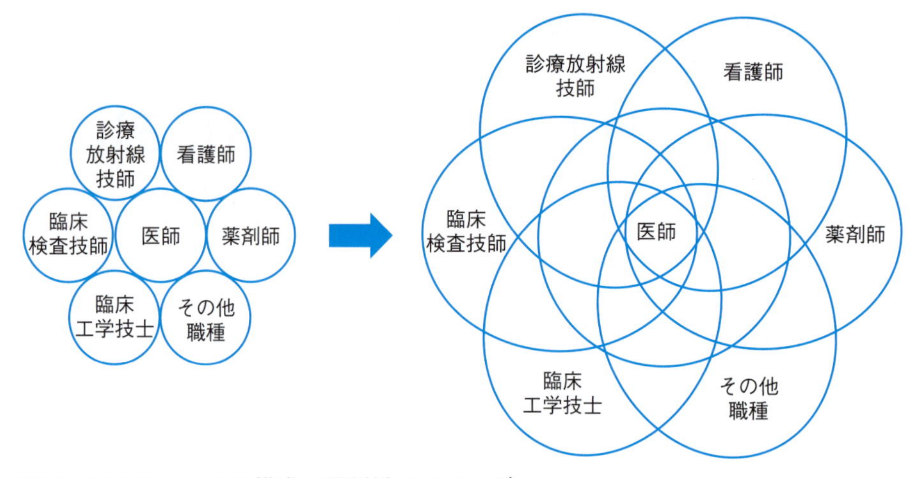

図3　HERSチームの構成・関係性のイメージ

ハイブリッドERシステムにおける診療

ハイブリッドERに搬入される患者は，重症外傷や重篤な内因性疾患で致死的状態であることが多い。このような患者を救命するためには，治療に至るまでの時間がより重視される。そのスピードを確保・向上するために重要となるのが，「チーム医療」と「戦略」，そして「先を読む力」である。

1. 急性期の診療

急性期の診療における緊急度の評価は“ABCDEアプローチ”で実施される。とりわけ外傷診療においては，JATEC™に沿って救命優先の原則を重視したprimary surveyが行われ，CT検査はsecondary surveyとして実施すべきとされている[3]。しかし，HERSにおける診療では，全身CTを用いてprimary surveyを実施できるため，B・C・Dの評価と状態安定化のための対応が早くなる。また，系統的な損傷検索の画像情報も同時に得られるため，結果としてsecondary surveyに要する時間も短縮することができる。このようにHERSにおける診療は，JATEC™のprimary surveyと目的は同様であるものの，その診療手順が異なる。そのため，HERSに対応したガイドラインの改訂や開発も，今後期待されるところである。

2. チーム医療

救急医療は，医師1人で対応することはできない。プレホスピタル（事故や災害の現場など）から始まる「救命の連鎖」[4]をつなげるために，ハイブリッドERへの搬入後は医師・看護師だけでなく，診療放射線技師も含めた多職種がチームとなって対応する必要がある（図3）。

3. 戦略（strategy）と戦術（tactics）

「戦略（strategy）」を立てずして，「戦術（tactics）」を使うことはできない。救命という目的を達成するために，チームリーダーであるコマンダーは，「戦略」としての診療方針・手順を決定し，チームにその「戦略」を共有して指示を出すことが求められる。チームメンバーはその「戦略」を理解し，“先を読んで”準備・対応することで，処置，治療，検査（FAST，CT，IVRなど）の「戦術」を効率的に実施することができる。

多職種連携の重要性

1. チームダイナミクスの実践

HERSチームとして機能するためには，診療放射線技師としての知識と熟練した技術を備えるだけでなく，効果的なチームダイナミクスの要素をよく理解し，実践できることが重要である（p.37参照）[4]。

2. 専門職連携実践（IPW）

医師，看護師，診療放射線技師，臨床工学技士，臨床検査技師，薬剤師，救急救命士など，ハイブリッドERで初療に携わるスタッフの職種は多岐にわたる。それぞれが診療の流れを把握したうえで，お互いの動きを理解して協力することが，共通の目的（救命≒よりよい医療）達成へつながる。これが，専門職連携実践（Inter-professional work；IPW）である。

3. 専門職連携教育（IPE）

専門職連携教育（inter-professional education；IPE）とは，診療放射線技師としての専門性や役割・責任を理解するのはもちろんのこと，他領域の専門職と連携し，ともに学ぶことで相互理解を深め，信頼を築くための学

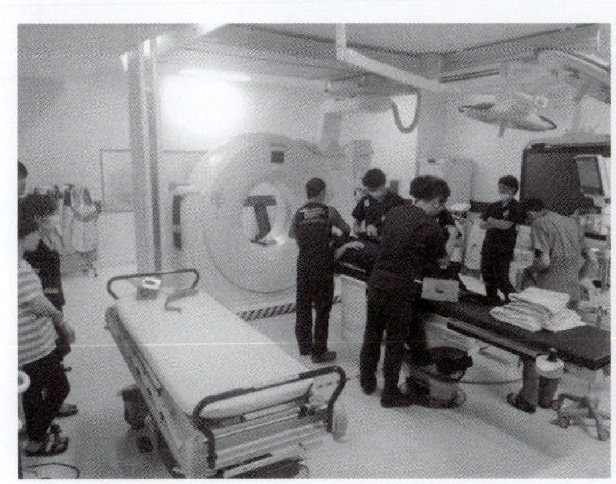
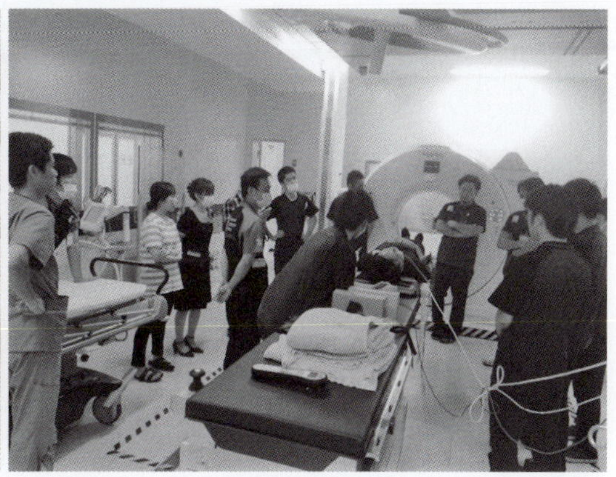

図4　ハイブリッドERにおける連携教育の様子
左：シミュレーショントレーニング，右：デブリーフィング

習のことである。on-the-job trainingだけでなく，off-the-job trainingでのシミュレーショントレーニングやデブリーフィングを実施することが，チームとしての質向上につながっていく（図4）。また，臨床現場の医療従事者だけでなく，学生教育においてもチュートリアルや多学科合同実習としてIPEが実施されており，医療の質向上に多職種連携は必須である。

ハイブリッドERシステムにおける診療放射線技師

HERSにおける診療放射線技師には，安定した最適な画像情報の提供，安全性を保障する知識・技術，治療戦略の理解，そして迅速な対応が求められる。これらを達成するため，表1に示すようなテクニカルスキル・ノンテクニカルスキル（ヒューマンスキル）を習得する必要がある。

CTや血管造影などの放射線画像診断機器が常設されているハイブリッドERにおいて，診療放射線技師はなくてはならない存在である。HERSチームの一員として，撮影方法・内容の提案や，異常所見発見への協力（読影補助），そして，戦略を理解して協働すること（IPW）が重要である。さらに，撮影時などには一時的にリーダーとして行動することも必要である。そのような診療放射線技師の役割を理解したうえで，常にチーム内でコミュニケーションをとり，情報共有に努め，効率的なチームダイナミクスを実践することで，患者の救命に貢献しなければならない。

表1　HERSで求められるテクニカルスキル・ノンテクニカルスキル

テクニカルスキル
・撮影技術と知識の向上： 造影タイミング，panscan protcolの検討，FACT習得，IVR対応など ・安全管理や感染対策の理解，実践 ・診療の流れの理解，把握 ・疾患の予測と共通認識 ・相互の業務介助： アンパッケージ，心肺蘇生，心電図検査準備など ・他職種業務の知識と理解： 生化学検査（とくにABG），薬品名・薬効など
ノンテクニカルスキル
・状況認識 ・情報共有 ・コミュニケーション ・リーダーシップ

【文　献】

1）HERS研究会ホームページ.
2）渡部広明：最新のハイブリッドERがもたらす救急医療の変革．月刊新医療 536：38-41，2019.
3）日本外傷学会初期診療ガイドライン改訂第5版編集委員会編：外傷初期診療ガイドラインJATEC™，第5版，へるす出版，東京，2016.
4）American Heart Association：ACLSプロバイダーマニュアル，シナジー，東京，2016.

Ⅵ章 安全管理の技術と知識

1　撮影機器の管理と撮影時の注意点

救急初期診療における撮影時の注意点

救急患者の特徴は時間・場所を問わない突然の発症や受傷である。患者は，老若男女，年齢もさまざまで，疾患においても内因性疾患であったり，外傷であったり，軽症から重症まで多岐にわたる。その多くは予期せぬものであり，心配や恐怖から精神的不安を抱いていることがある。各施設における救急体制を理解し，どのような対応をすべきか，常に把握しておくべきである。

1．施設に合わせた準備・対応

救命救急センターのような三次救急医療施設では，救急車到着前に事前の連絡が入る。このとき，患者の性別，年齢，受傷原因や状態（バイタルサイン）などを聞き，到着までに事前の準備を速やかに行って，到着と同時に治療を開始できることが，全スタッフの目的とするところである。診療放射線技師の業務においては，ポータブルX線装置の準備，予測されるカセッテの準備は当然のこと，X線CT，MRI，血管造影など，事前に手配・準備しておくことが望まれる。また，感染防護（ガウン，手袋，マスク）など初療のため必要な準備も考慮して，全体を把握し行動する。

二次救急医療施設では，初療室での待機は少ないが，施設によって対応が異なる。ポータブルX線装置を常備している施設は少なく，多くはX線撮影室に移動して検査が行われるであろう。また，重症度・緊急度もさまざまで，多くの病態が考えられる。

日常診療でもいえることであるが，装置の日常点検（始業・終業点検）は必須である。2007年4月からの医療法一部改正に伴い，医療機関の「医療安全の責任強化」が明確となり，医療機器の品質と安全の確保は必須となっている。始業・終業計画に沿った点検の実行を必ず行うことが，救急診療においても必要である。日本画像医療システム工業会（JIRA）のホームページで「放射線業務の安全の質管理マニュアル」や「放射線関連装置の始業・終業点検表」が公開されているため，点検表の作成・記録に際して参考にされたい。

また，「平成31年厚生労働省令第21号」などによる医療法施行規則の一部改正に基づく安全管理体制と被ばくの防護をふまえ，診療用放射線の安全に努めなければならない。2019年10月現在，放射線管理および線量記録が求められているのは，CT検査，血管造影，核医学検査であるが，安全管理の対象には単純X線撮影，X腺透視検査も含まれる。品質管理はもとより，線量の管理・記録，研修など，施設における安全管理の構築が必須となった。

2．患者の二次損傷などの防止

撮影時には患者状態をスタッフ間で情報共有し，十分に把握すべきである。どのような疾患か，外傷であればどのような受傷かを知ることは，急変時の必要資器材や薬剤の準備・対応においても重要となる。医療設備における二次損傷の多くは防ぐことができるものであるため，発生の防止に努めるとともに，その危険性を周知しておくべきである。

1）脊椎疾患における二次損傷

とくに注意すべきものとして，脊椎疾患における二次損傷があげられる。その発生防止には患者の固定が重要であり，搬送や観察の際には注意を要する。未知の損傷に対して，搬送時にバックボードを使用するケースが多く，そのまま継続使用して撮影を行う場合もあるが，バックボードによる固定は患者の背面に対して障害を与える可能性があり，早期離脱が望まれる。脊椎を保護しながら，背面観察や患者移動を行う際にはフラットリフトもしくはログロールがとられる。

2）精神的不安・自殺企図などへの対応

患者の精神的不安に対して，丁寧に相手を落ち着かせるような口調・音調に気を配り，不愉快・不快な感情をもたせないように対応することも重要である。とくに自傷行為（自殺未遂など）の患者に対しては注意が必要である。自殺企図患者に対して行ってはならないこととしては，①安易な激励，②自分の価値観で相手を説得する，③相手の話を聞かない/話をさせない，④一方的に話をする，⑤批判・否定する，などがあげられる。

3）不穏・興奮への対処，その他

救急医療の現場でもっとも身体的治療の障害となるのは，不穏や興奮である。原因としては，せん妄，幻覚・

表1 ポータブル撮影時のトラブル一覧

	当事者	分類	事象	状況など	内容
患者情報入力のミス	医師	間違い	オーダー違い		オーダーの左右間違い
	技師	間違い	画像内患者名間違い		画像処理段階での患者名間違いが判明
コミュニケーション・トラブル	医師/技師	コミュニケーショントラブル	オーダー指示どおりに撮影したことによる目的部位の欠損		鼠径部からCVを入れた患者のカテ先確認撮影を医師がコメントもなく胸部とオーダーしたため，撮影担当者もそのまま胸部を撮影したら，カテ先が見えないとクレームが入った
	技師/看護師	コミュニケーショントラブル	撮影場所の近くに妊婦看護師がいた	撮影時	撮影の際は，周囲のスタッフに一言声をかけて周囲スタッフなどの存在を確認してから曝射しているが，撮影と同じタイミングで妊婦の看護師がポータブルのそばを通り激怒。撮影担当技師に医療器材を投げつける
手技のミスにより負傷を伴うアクシデント・負傷につながるインシデント	技師	間違い	患者へのインシデント	ベッド柵の上げ下げ時	ベッド柵を下げたまま，その場から離れて撮影。一歩間違えれば，患者がベッドから落ちる事態となっていた
	技師	間違い	患者へのインシデント	ギャッジアップ時	坐位撮影のためにベッドをヘッドアップする際，酸素チューブが引っ張られて患者の首が締め付けられそうになった
コネクタ外れ，ルート類，センサ類などの抜去・切断など	技師	間違い	呼吸器チューブなどのコネクタ外れ	ギャッジアップ時	呼吸器とカニューレをつなぐ蛇管をよく見ないでベッドのギャッジアップをしてしまい，気切部から蛇管が外れた
	技師	器物破損	ルート類の誤抜去・切断	ベッド柵の上げ下げ時	ベッド柵を下げた際に点滴ライン類の引っかけによる抜去
マット・シーツなどの破損	技師	器物破損	マット・シーツなどの破損	カセッテ抜き差し時	カセッテ抜き差し時の熱傷ベッドのシーツ，温冷水循環用ブランケット，ベッドの布シーツ類の破損
頭上から部品・医療器材の落下，頭上にある医療器材の破損	技師	間違い	天吊り器材の落下	アーム・支柱の操作時	照射野を合わせるため下を向いたまま，アームを高く伸ばして動かしていたら，天吊り式の点滴棒に接触し，外れて患者の上に落ちた
	技師	器物破損	天吊り器材の破損	アーム・支柱の操作時	アームを伸ばし過ぎて天吊りのモニタに接触させ破損
経年劣化・整備不良などによる装置の不具合	技師	始業/終業点検	装置の不具合	経年劣化・整備不良	ハンドスイッチの断線により，午前中の病室ポータブル撮影ができなかった
	技師	始業/終業点検	装置の不具合	経年劣化・整備不良	照射野サイズの調整機構にガタがきていたことに気づかず，撮影後に画像処理をしたら照射野が半分くらい閉じてしまっていた
経年劣化・整備不良や撮影前の確認不足による画像内への異物混入	技師	間違い	画像内の障害陰影	確認不足	体温計が腋窩に挿入されたままの撮影
	技師	始業/終業点検	画像内の障害陰影	確認不足，経年劣化・整備不良	胸部臥位撮影時，可動絞り内のネジが照射口に落ちているのに気づかず撮影し，画像内に入り込み再撮影
装置との接触による物損事故	技師	器物破損	装置との接触（物損）	装置の操作ミス・注意不足	ベッドサイドでポータブルの微調整をしていたとき，うっかり勢いよく動かしてしまい，ベッド横にぶら下がっている，チェストチューブの陰圧式バッグにぶつかって破損した
	技師	器物破損	装置との接触（物損）	装置の操作ミス・注意不足	ポータブルを病室扉にぶつけて破損
患者間違い	技師	間違い	患者間違い	苗字での確認	苗字のみでの確認による患者違い
	技師	間違い	患者間違い	部屋番号での確認	個室で部屋番号だけの確認のみですでに別の患者がいることに気づかず患者間違い
部位間違い	技師	間違い	部位間違い		「胸部」「腹部」，「右」「左」といった，似たような字体の見間違い・撮影間違い
	技師	間違い	部位間違い		撮影部位間違い
撮影前確認，撮影準備，その他の状況でのトラブル	技師	間違い	ME機器の操作ミス		バルンポンピングのトリガーモードの基本的なことを熟知していない技師が撮影時に心電図を除去してしまった
	技師	間違い	業務効率上の判断ミス		抑制帯を離脱しないままカセッテ挿入したことで，患者に苦痛を与え，ポジショニングの難易度も上がり，逆に時間がかかってしまった

妄想，頭部外傷後の回復過程のなかで発症する通過症候群などがあげられる。協力が得られないため診療に時間を要し，患者の行動から目が離せなくなってしまう。精神疾患が疑われる場合には，主治医と相談のうえで対応すべきである。撮影には必ずスタッフの付き添いが必要であり，コミュニケーションに注意を怠らないようにする。また，妊娠中の患者の撮影に際しては十分な説明が必要であり，被ばくに対する不安を取り除くことも重要である。

ポータブル撮影時の注意点

ポータブル撮影は，移動できない患者に対して行うことから，患者の状態が不安定であることは容易に判断できる。そのため，撮影室での撮影より注意が必要であり，患者の安全性を確保することが重要である。

日本救急撮影技師認定機構のホームページで公開されているポータブル撮影時のトラブル一覧から一部を抜粋し，**表1**に示す。多岐にわたるトラブルが発生していることがわかり，その原因は技術だけでなく，多職種が関

表 2　ICU においてヒヤリ・ハットやインシデントが発生しやすい理由

- 重症患者であるため，行われる医療行為が複雑で密度も高い
- 重症患者においては，医療事故が発生した際に生命予後に影響が及ぶ可能性が高い
- 重症患者は容態が急変しやすいため，医療従事者には迅速で的確な適応能力が必要とされる
- 重症患者はそれ以外の患者に比べ，生命維持装置を装着し，多種類の薬剤や輸液などを必要とすることが多い

〔文献 1）より引用・改変〕

係するコミュニケーショントラブルなどによるものもある。情報共有と危険性の認識が重要である。

1．初療室におけるポータブル撮影

初療室でのポータブル撮影は治療と同時進行で行われることが多く，治療の状況をみて撮影することが望ましい。また，患者を不用意に動かしたり，位置確認のため不用意に触知することは，損傷や出血の助長・増悪につながる。そのため，体表目標から位置を確認し，カセッテ挿入の際には他スタッフの協力を得るべきである。

不用意な退避は治療の妨げとなるが，撮影時には他スタッフに退避を促して，ある程度の（防護の至適）距離や遮へい物をおくようにする。自施設で使用している機器の出力を測定するなどして，最適な防護距離を確認しておくとよい。患者ベッド間の距離も確認すべきである。また，多重事故などで複数患者の同時撮影を行う場合には，患者の撮り間違いなどに注意する。

2．集中治療室などにおけるポータブル撮影

厚生労働省の「集中治療室（ICU）における安全管理について」によると，ICU は表 2[1] に示すような理由により，インシデントの発生しやすい場所であるとされる。

ポータブル装置に関しては，ただちに使用できる状態にある機器に位置づけられ，使用に際しては表 3 に示すような危険性に注意するとともに，使用前の動作の確認が重要である。また，ICU 症候群（急性の妄想が主）などの精神的疾患にも注意を要する。

また，ポータブル装置は移動して撮影を行うものであるため感染源となりやすく，装置の不用意な移動は院内感染の原因となり得る。装置に感染除去のための清拭用品を備え付けておく。

表 3　ICU などにおけるポータブル撮影時の危険性

- カセッテ挿入・撤去時の患者損傷
- カセッテ挿入・撤去時の点滴ルート，チューブなどの抜管・抜去
- ポータブル装置の追突，衝突
- 患者の撮り間違い
- 撮影部位間違い　など

X　一般撮影室の設備と撮影時の注意点

一般撮影室では，多様な疾患や状態を呈する患者への対応が予想され，患者の移動手段は独歩からストレッチャーまでさまざまである。早急な緊急処置が必要な患者の撮影を行うことは少ないが，緊急時に備えて多様な設備を整えることが重要である。

1．一般撮影室の設備

救急患者の多様な病態や急変にも緊急で処置が行えるよう，設備を整えることが望ましい。

吐瀉に備えてガーグルベースン，なければビニール袋だけでもあるとよい。酸素・吸引の配管が備えられていればよいが，ない場合は酸素ボンベと流量計があると対応しやすい。また，撮影室に準備する施設は少ないが，SpO_2モニタや血圧計，救急カートなどを，急変時に撮影室近辺や放射線科内，最低でもフロア内に設置する。

1）X 線管

X 線管は天井走行式が多く，患者に侵襲を加えることは少ないが，万が一に備えて外に触れる部分には外装（ツーブス）を設置する，高圧ケーブルなどには保護カバーを付けるなど，患者やスタッフが触れてもけがのないように保護しておくとよい。また，患者移動の際には邪魔にならないように，X 線管を上や端などに動かすといった配慮も必要である。

2）その他の撮影装置や備品

その他の撮影装置として，立位リーダーやブッキーテーブル，撮影補助具などさまざまなものが設備としてあげられるが，X 線管と同様に端や角には保護カバーなどを付けておくとよい。機器への挟み込みに注意するだけでなく，そもそも挟み込まないような工夫をしておくべきである。また，立位撮影時には転倒などを起こす可能性があるので，補助具などで転倒しにくくしておく。

感染症などへの対応として清拭用具などを準備しておき，患者ごとに清拭を行うのが望ましい。

2．一般撮影室における撮影時の注意点

1 人の技師で多様な患者の撮影を行わなければならな

いこともあるため，患者急変時に人を呼ぶための設備や，人がすぐ駆けつけてくれるような体制づくりが必要である。また，状態の悪い患者には複数名のスタッフで対応することが望ましい。

1）内因性疾患患者の場合

内因性疾患の患者では，救急撮影時に刻々と病態が変化することを考慮して，患者の状態を確認しながら撮影を行う。撮影体位に関しても，例えば立位の指示に対して盲目的に従うのではなく，医師と相談し，坐位または臥位などで撮影できないか検討することも必要である。一方で，起坐呼吸で呼吸困難を訴える患者を臥床させることで心停止をまねく場合などもあるため注意する。呼吸が止められない場合は，目視により吸気・呼気を確認して撮影する。

2）外傷患者の場合

(1) 頭部外傷

頭部を下げることにより，静脈還流が悪化し，頭蓋内圧が亢進する。出血性ショックのない場合は，頭部を軽度挙上する逆トレンデレンブルグ体位（セミファウラー位）に保つ。頭部外傷による頭蓋内圧亢進に伴い嘔吐が生じる可能性があるため，不用意な体位変換を行うべきでない。

(2) 顔面外傷

外出血に加えて，鼻，耳，口腔内出血など，腔内出血の可能性がある。鼻・耳出血では髄液漏を伴うことがあり，その場合は凝血しにくく大量に出血する。鼻出血は咽頭部から比較的大量に出血するため，気道閉塞に注意する。

(3) 脊椎損傷

呼吸状態の異常や四肢麻痺などの症状を引き起こす場合があるため，患者の取り扱いに注意が必要である。頸椎損傷（疑いを含む）では，ネックカラーを不用意に除去すべきではない。撮影に際しては呼吸障害などを考慮し，医療スタッフの付き添いが必要と考える。頸椎損傷では仰臥位，胸腰椎の損傷は状態により側臥位で搬送・撮影することも考慮する。

(4) 胸部外傷

肋骨骨折は呼吸によって苦痛を伴うことが多い。体位の変動に注意する。フレイルチェストは連続する複数の肋骨が複数箇所の骨折を呈する状態で，奇異呼吸（骨折のない胸郭とのシーソー状呼吸性動揺）をみることがある。

(5) 骨盤・四肢外傷

重度の骨盤骨折は出血を伴い，それによる容態変化(出血性ショックなど)に注意が必要である。不安定型骨盤骨折患者の移動時にログロールは禁忌であり，フラットリフトを行う。

四肢外傷においても，優先されるべき治療は動脈性出血の止血であり，大腿など体積の多い部位からは出血量が多いとされている。脱臼などの場合，患者体位に無理をせずに撮影を行う。脱臼時は一方向のみ撮影し，骨折の精査は整復後に多方向撮影を行う場合がある。

一般撮影・ポータブル撮影ともに，外傷の撮影ではより大きめのカセッテを用い，それによって不明確な外傷に対して観察範囲を広げることを考慮する。また，撮影の際には無理な体位をとらせないようにし，シーネ固定位の2方向など，医師と相談してできるかぎり機転を利かした，柔軟な撮影が必要となる。

画像所見から早期固定などが必要と考えられる場合には，撮影途中でも医師に報告して固定を行うことで，二次損傷を防ぐよう努力する。

CT室の設備と撮影時の注意点

1．CT室の設備

CT室ではさまざまな患者の検査を行うが，その対応には準備や設備配置が重要である。CT本体に関しては，使用する機器について熟知しておくことが重要であり，寝台の可動範囲（上下，頭尾方向移動）や撮影できる寝台の位置，使用する移動速度（撮影条件により異なる）などを把握しておくことが望まれる。

また，撮影室内の温度は，使用する装置に準じた環境設定のため院内の設定温度より低い場合があるため，患者の保温を考慮する。

1）インジェクタ

造影剤を使用する際に使用する。造影検査は各疾患や目的臓器に対して至適な造影法があるが，3〜5 ml/秒などの急速注入に際しては血管外漏出などが発生することがあるため，留置針の使用が推奨される。また，注入時には自動停止やシリンジ破損につながるおそれがあるため，注入圧の設定などを確認する。

2）造影剤

ヨード量の多い造影剤は粘稠度が高くなるため，注入刺激を少なくするよう使用前に加温しておくのが望ましい。

3）撮影室内の設備

患者状態の急変や造影剤へのアレルギー反応などにも迅速に対応できるよう設備を整える。酸素や吸引器などは必ず設置し，使用できることを確認しておく。酸素マスク，チューブなどの備品の残量も確認すべきである。SpO_2モニタや心電図モニタ，血圧計などのモニタ類は，常に使用できるよう常設する。なお，患者搬送に使用されていたモニタなどはそのまま使用する。設定や表示が機器によって異なる可能性が高いため，変更すると患者のモニタリングに影響を及ぼす。

救急カートは常設するが，カート内には薬品なども含まれているため，使用前後の施錠状態を把握し，すぐに使用可能な状態であることを確認する。

また，患者移動の際にロールボードなどがあると，救急時の患者脊椎保護などに役立つ。

2. CT 室における撮影時の注意点

1）患者の状態に応じた撮影

各施設においてさまざまな救急 CT 撮影プロトコルが使用されているが，患者に合わせてプロトコルを選択するのは，現場にいる診療放射線技師の判断によることが多い。常日頃の業務から，何を求められているかを考え，患者状態に合わせて適切な撮影条件やプロトコルを選択することが望まれる。症例ごとの撮影条件などが紙 1 枚程度の簡潔なマニュアルにされていると，救急時にも多彩な条件や注入レートなどの選択がしやすくなり，不慣れな技師でも迅速な対応が可能となるであろう。

なお，ペースメーカ植込み部位への CT 撮影は，ペースメーカ本体のリセットを引き起こす可能性があるため原則禁忌である。

2）造影剤の使用

造影剤の使用による診断能向上が多く報告され，救急撮影での使用頻度も増加しているが，副作用の出現に注意して迅速に対応できるようにしておくことが重要である。

造影剤使用の副作用は軽度なもの（熱感，悪心・嘔吐）から重篤なもの（ショック，呼吸困難）までであるが，これらを確実に予知する方法はない。救急患者においては慎重投与すべき患者に当たる可能性が高いことを念頭に置き，さまざまな事象をふまえ，医師の立ち会いのもと投与することが望まれる。また，たとえ軽度の副作用であったとしても，重篤な副作用の前駆症状の可能性もあるため，早急に対応すべきである。

妊婦・産婦・授乳婦については，診断上の有益性が危険性を上回ることを担保できるときのみ投与・検査を行う。幼児・小児に対する造影剤の使用に関しては，その使用量に注意する。

X 血管造影室・IVR 室の設備と撮影時の注意点

1. 血管造影室・IVR 室の設備

カテーテルを直接血管内に挿入するため，手術室に準ずる清潔な環境が必要であり，清潔の保持と適切な空調設備が求められる。検査中は清潔部・不潔部を理解しておくことが重要である。

検査時には専門の看護師などの配置が望ましいが，そうでない場合を想定して撮影室内の物品，薬品，カテーテルなどの保管場所を知っておくことは，緊急時の対応を円滑にするためにも重要である。

1）撮影機器

撮影機器は，主に専用の装置を使用する。通常，血管造影装置で行われるが，flat panel detector（FPD）を搭載した TV 装置で，digital angiograghy（DA），digital subtraction angiography（DSA）などの機能を搭載したものでも検査可能である。

使用前には透視，撮影の確認をしておき，使用造影剤なども確認する。また，ショックや急変で処置が優先される場合に管球を一時的に外すことも考慮するとともに，動作範囲も把握しておき，その範囲に資器材などを置かないような指示・工夫が必要である。

2）インジェクタ

専用シリンジを用いるが，造影剤注入時には空気を混入させないようにする。カテーテルをつなぐ際も，エアチェックを医師に任せるのではなく，技師自身でも確認する。カテーテルの種類によって耐圧性能が異なるため，注入条件は必ず確認する。

3）血管内超音波

血管内超音波（intravascular ultrasound；IVUS）は，モニタ・操作盤からなる装置本体と，モータードライブユニット，イメージングカテーテルなどから構成される。イメージングカテーテルには，機械遊走式と電子遊走式の 2 種類がある。

4）その他

除細動器や大動脈内バルーンパンピング（intra-aortic balloon pumping；IABP）を準備するとともに，体外式ペースメーカや人工呼吸器などがいつでも使用できるように用意する。

2. 血管造影・IVR 検査時の注意点

各施設における撮影条件のプロトコルを理解しておき，検査時の被ばくの程度（患者，術者，スタッフ）を推定して放射線防護を適切に行うことは，診療放射線技師の役目である。自施設の装置の出力や線量を把握しておく。

IVR 時は皮膚への被ばくが 1 カ所に集中しやすいため，透視パルスレートを低く，撮影時のフレームレートも可能なかぎり低く設定し，被ばくを抑えることが重要である。撮影条件は，検査終了時に被ばく部位とともに

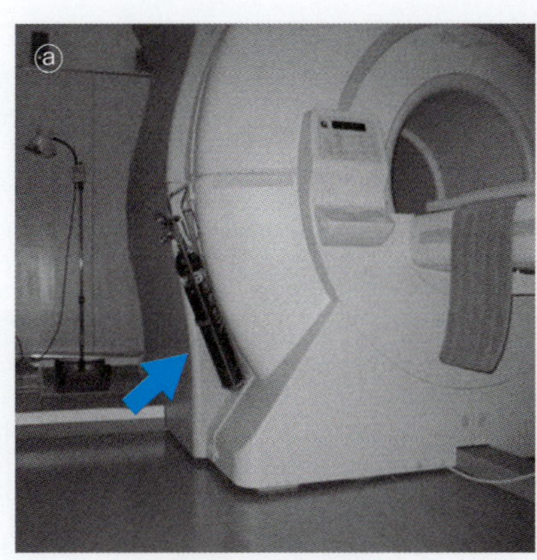
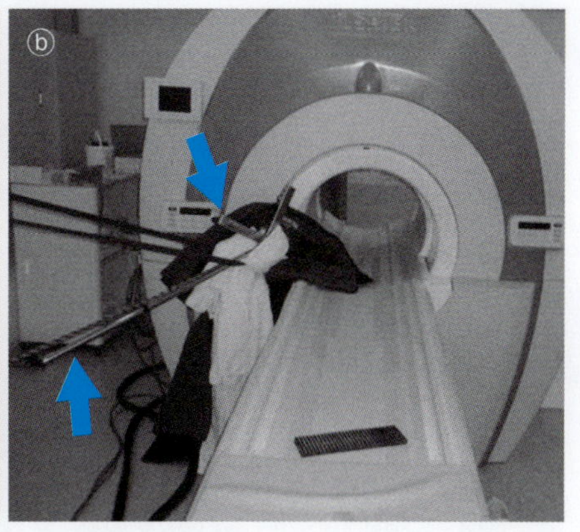

図1 強磁性体の吸着事故
a：酸素ボンベがガントリの側面に吸着，b：点滴台がガントリの開口部に吸着

記録しておき，確認できるようにする。

以下に述べるような検査の内容を熟知して，進行状況をしっかりと認識し，次に行うことをあらかじめ把握しておくことが，検査の進行において重要となる。

1）頭　部

破裂脳動脈瘤の治療におけるコイル塞栓術や血栓吸引術がある。検査時は3D-angiographyによる位置確認が必須となってきており，多くの症例で撮影されている。塞栓術の場合，全身麻酔下で施行されることが多いため，3D撮影の回転時は頭部周囲に置かれている機器の状況を把握しておく。術中再破裂などを起こしやすいため，患者の急激な状態変化にも対応できるよう，検査中は注意をはらう。

2）心　臓

PCI検査中は心電図変化が起こりやすい。原疾患や，冠動脈内に造影剤が注入された際の心筋虚血，緊急時は再灌流による不整脈（心室頻拍，心室細動など）に注意する。カテーテルの操作時や左心室造影時にはカテーテルによる刺激により心室期外収縮などの誘発，バルーン拡張による血流の遮断により貫壁性（Q波）の心筋虚血など，刻々と変化する状況と心電図に注意を要する。

心電図変化をきたした場合には，一過性の場合もあるが，心室頻拍，心室細動，心房細動など除細動が適応となることもあるため，患者の装置からの素早い離脱にも備えておく。

3）腹部，その他

消化管出血や腹腔内出血に代表される出血性ショックなど，入室時すでに患者が不安定な状態である場合や，IVR手技の合併症などさまざまな病態が考えられることを考慮して対応することが望ましい。

撮影時，呼吸停止が可能な患者にはその方法と注意点，例えば呼吸停止が長めであることや呼気で停止することを伝え，協力を得る。また，確認と練習を兼ねて，どの程度の呼吸停止が可能か予行しておくとよい。

上肢・下肢造影時には，撮影範囲や手技によって寝台に対する頭尾方向や立ち位置なども変わることから，機器の配置を考える。

4）小児腸重積（非血管系IVR）

乳幼児の腸重積における腸重積部位の確認と整復を兼ねて非血管系IVR検査が行われることがある（主にX線TV室）。硫酸バリウム（$BaSO_4$）やガストログラフィン®，生理食塩液や空気を注入して整復を試みる。とくに6倍に希釈したガストログラフィン®は生理食塩液とほぼ等張であり，腸管穿孔時の漏出にも比較的安全である。小児に対しての抑制用具を準備しておく。

MRI室の設備と撮影時の注意点

MRI装置の国内設置台数は飛躍的に増加しており，救急医療にMRI検査が利用される場面も多くなっている。一方で，非常に強い磁場を用いるその特殊な環境下において，救急診療という逼迫した状況で患者の安全管理が疎かになり，インシデント・アクシデントの報告が多くなっているという現実もある。MRI検査の安全管理を考える場合，非常に強い静磁場，高周波磁場（ラジオ波；RF），急激に変化する傾斜磁場，そして騒音を考える必要がある。緊急検査においては，とくに強い磁場に対する注意がもっとも重要であり，国内においても，酸素ボンベや点滴台などの吸着事故の報告が少なくない（図1）。

1．救急医療におけるMRI検査施行の調査

救急医療におけるMRI検査の実際を調査した山城ら[2]の報告によると，夜間・休日時間帯の救急患者に対するMRI検査施行施設は，230施設中163施設（71％）であった。そのうち，当直者のみで検査を施行している施設は39％であり，MRIを専門に担当している技師が常駐して

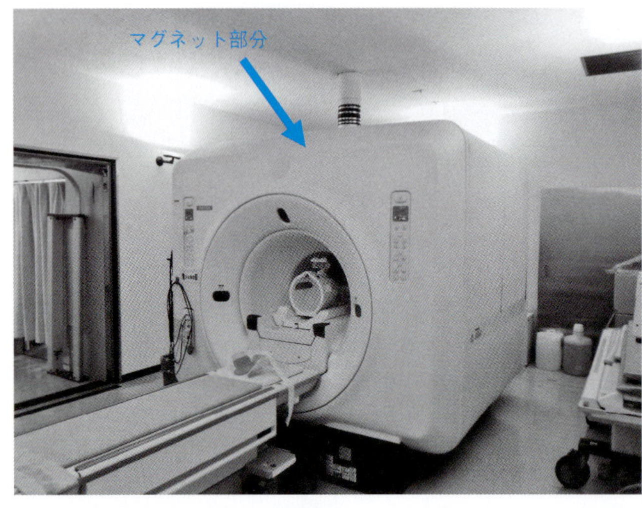

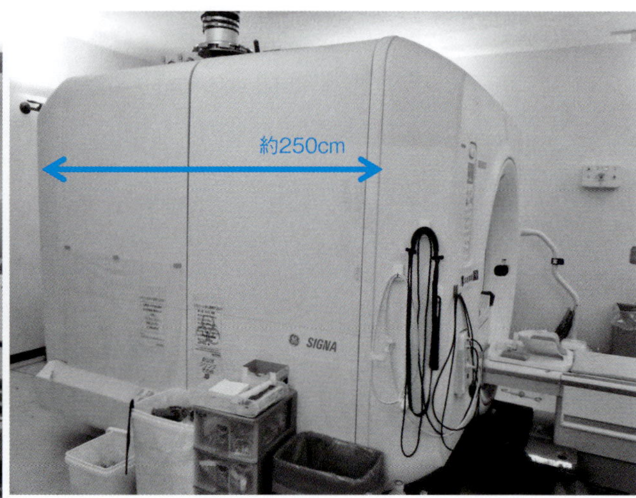

図 2　1995 年に設置した装置
ガントリ（マグネット）部分は約 250 cm。頭部の検査でもほぼ全身がマグネット内に入る

いる施設は 6%であった。MRI 検査を施行している施設の半数以上で，オンコール体制で検査が施行されている。検査対象疾患としては，69%の施設で脳卒中および脊椎・脊髄疾患を対象としていた。検査時に強磁性体の吸着事故などが発生しており，高磁場区域立ち入りに関する教育の不十分さが指摘されている。一方で表利らの報告[3]では，サンプル数の少ない点や地域による格差が大きいことを前提に，24 時間体制で MRI 検査に完全対応している施設は約 20%であった。日勤時間帯のみ対応する施設が約 30%で，残りの 50%は夜間・休日時間帯の緊急頭部検査に対応していなかった。両報告とも，時間外の緊急MRI検査体制をとっていない理由として，MRIを操作できる診療放射線技師が不足している点があげられている。これには，検査を施行するうえでの安全面の不安も，当然含まれていると考えられる。

2012 年には，日本救急撮影技師認定機構による「緊急MRI 検査における多施設アンケート現状報告」がなされ，その結果は機構のホームページ上で公開されている。回答を得た 85 施設のうち，82 施設で時間外の急性期脳梗塞疑いの症例に対する MRI 検査を施行していた。また，ほとんどの施設で緊急 MRI 検査には 1.5 T 装置が使用されており，検査時間は 30 分以内，もしくは 20 分以内の施設が多かった。さらに，患者の急変対応のため，検査に医師が付き添う施設が多かった。ほとんどの施設で年 1 回以上の安全教育が行われている一方で，金属持ち込みによる吸着事故が多くの施設で発生していた。

現状では，多くの施設で夜間・休日の緊急検査に対応しており，安全管理にかかわる講習会や啓発活動などが広く行われているものと思われるが，現実には夜間・休日時間帯の強磁性体吸着事故が少なくない。MRI を専門に担当していない技師が1人で緊急MRI検査を施行する場合の安全管理にかかわる教育体制を，各施設で検討・整備する必要がある。

2. 静磁場環境の変化

国内でMRI装置が稼働した当初は，常伝導磁石や永久磁石を用いた 0.15 T 程度までの磁場強度であった。その後，超伝導磁石を用いた装置が多くなり，0.5 T や 1.0 T 装置が稼働しはじめ，現在では 1.5 T 装置が中心となっている。さらに，メーカー各社が 3.0 T 装置の開発を進めており，国内における設置数も増加している。

装置の高性能化とともに，マグネットの軽量化・小型化，ボア（患者が入る空洞）の大口径化が進んでいる。1995 年に設置した装置と 2014 年に設置した装置を比べてみると，マグネット部分の長さが大きく異なることがわかる（図 2，3）。このマグネット部分の小型化が，検査室内の磁場環境を大きく変えている。

静磁場の減衰を図 4 に示すが，3.0 T 装置や最近の小型装置では急激に磁場が減衰していることがわかる。また，静磁場強度別の 5G（ガウス）ライン（磁場の影響の管理が必要な磁場強度のライン。5G より内側は磁場管理区域となり，立ち入り制限が必要）を図 5 に示す。静磁場強度に関係なく，Z 軸方向 4～5 m で 5G になっている。ガントリの開口部での磁場強度は，3.0 T で 18,000G，short magnet タイプの 1.5 T で 9,000G，1995 年に設置した旧型の 1.5 T で 4,200G である（ガウスメータを使用した実測値）。強磁性体に対する吸引力は強磁性体の質量と静磁場の傾斜に大きく関係するため，3.0 T 装置や最近の short magnet タイプの 1.5 T 装置のように静磁場強度が急激に立ち上がる装置では，吸引力を感じた瞬間に，非常に強い力で吸引されることになる。

このように，旧型の 1.5 T 装置などと比べて，MRI 検

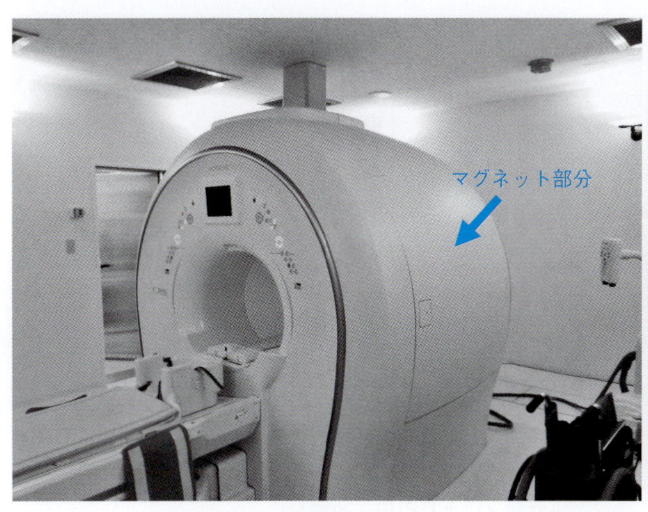

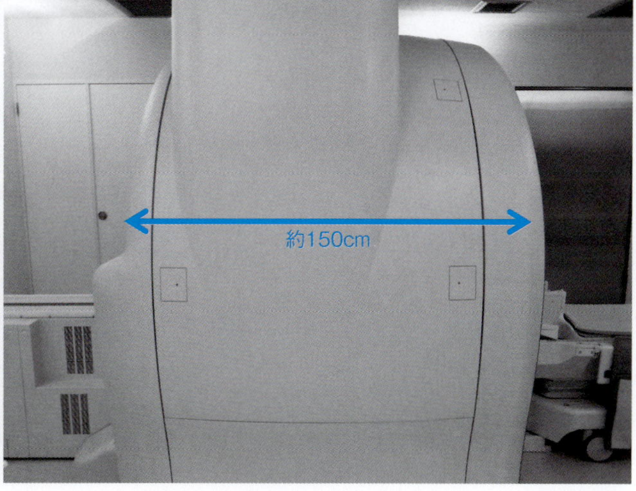

図3　2014年に設置した装置
ガントリ（マグネット）部分は約150 cm。旧型装置と比較してマグネット部分が大幅に短縮している

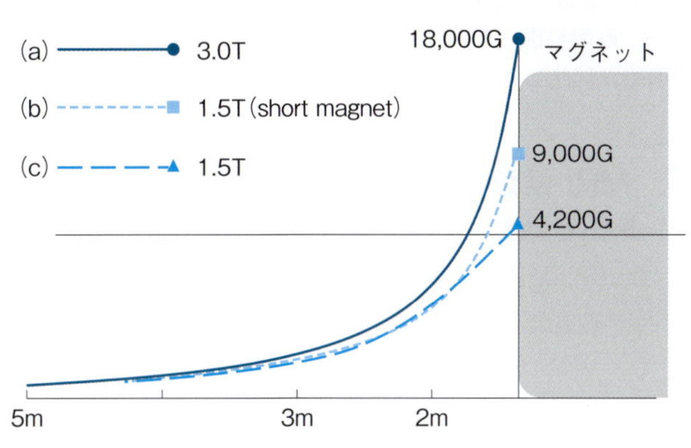

図4　ガントリ開口部での磁場強度
3.0 T装置や最近のshort magnetタイプの1.5 T装置では，ガントリ近傍で急激に磁場強度が立ち上がっている

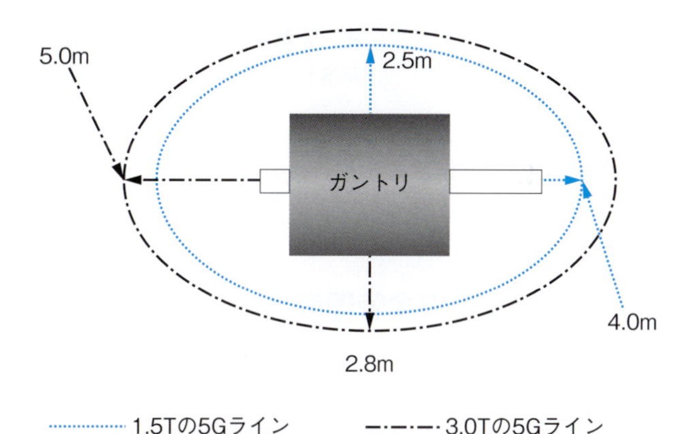

図5　静磁場強度と5G（ガウス）ライン
3.0 T装置と1.5 T装置の漏洩磁場分布に大きな違いはない。狭いスペースに高磁場装置を設置できるという利点はあるが，強磁性体に対する吸引力を考えた場合，非常に危険性が高まっているといえる

査室内の磁場環境が大きく異なっていることに注意が必要である。

3. MRI室の設備

MRIは非常に強い磁場を使用して検査を行うため，他の医療機器では考えられない対応を求められる。検査室の設備や構造も特別なものとなる。

1）酸素配管

酸素ボンベの吸着事故が少なくないため，検査室内への酸素の配管は必須である。後述するが，2001年に米国で発生した酸素ボンベの吸引による死亡事故の原因の一つとして，酸素配管が配備されていなかったことがあげられている[4]。

2）SpO_2モニタ，人工呼吸器

緊急検査を施行しているときに患者状態を把握するためSpO_2モニタ（パルスオキシメータ）を使用することもあり，MRI室内で使用できる装置を準備しておく必要がある。また，人工呼吸器を使用しなければならない患者の検査を行う場合もあるため，MRI検査室で使用できる人工呼吸器も準備しておくことが望ましい。

3）その他の医療機器

SpO_2モニタや人工呼吸器以外にも，高磁場環境下で使用できる医療機器を整備しておくことが望ましい。しかし，検査中に容態が急変した場合には，検査室内での処置ではなく，患者を検査室から出すことを第一に考えなければならない。MRI室は非常に強い磁場が発生している環境であり，検査室内での処置は安全性の観点から問題がある。

4）検査室の構造

患者および検査担当者の出入り口の構造を考えること

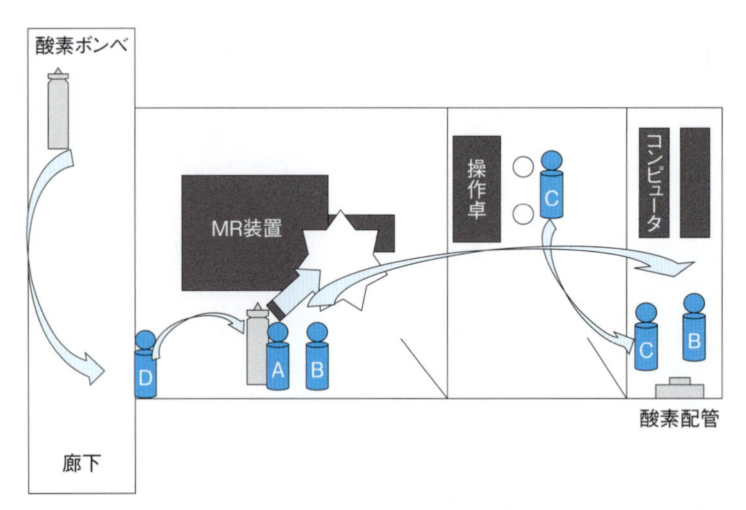

〔文献4）より引用・改変〕

図6　米国での酸素ボンベ吸着事故の状況

酸素が必要になり，技師（B）がMRI検査室から酸素の配管があるコンピュータ室に向かった。この後，廊下にいた看護師（D）が待合室にあった酸素ボンベをMRI検査室に持ち込み，麻酔科医（A）に渡した。麻酔科医が受け取り装置に近づいて吸着事故が発生した

が重要である。できるかぎり，検査担当者の死角となるところに出入り口を設けないように設計する。

4. MRI検査の安全管理教育

MRI検査施行時には，高磁場環境で行う検査であることを，技師だけでなく検査を依頼する医師や，患者に付き添う看護師にも十分認識させる必要がある。緊急検査では必要な検査を短時間で行う必要があるため，撮像プロトコルをあらかじめ決めておき，簡単な操作で検査ができるようにしておく。

とくに，夜間・休日時間帯の緊急MRI検査では，MRIを専門に担当していない技師が1人で検査を施行することも少なくない。患者に対する禁忌事項の確認や，医師・看護師への注意事項徹底などもすべて1人で行わなければならない状況は，強磁性体の吸着事故や体内金属の見逃しなどの原因の一つと考えられ，各施設での工夫・教育が必要である。MRIを専門に担当していない技師に対する緊急MRI検査の教育としては，装置の操作方法の訓練と，安全管理面の訓練が必要であり，まず安全管理面の教育を十分行ったうえで，操作方法の習得に進むべきである。そして，教育終了時にMRIを専門に担当する技師の最終確認を経て，実際の検査を担当する。

また，MRIを専門に担当している技師による安全管理に関する教育や啓発活動，救急患者検査時の操作マニュアル（安全管理を含めた検査手順書）の整備，閉鎖空間で検査を行うため監視体制の整備も必要である。

5. MRI検査における安全管理の実際

1）米国で発生した事故事例

2001年，MRI検査室内に強磁性体の酸素ボンベを誤って持ち込んだことにより，酸素ボンベが患児の頭に衝突して2日後に死亡するという事故が，米国で発生した（図6）[4]。この事故に関しては，発生直後に高原により緊急リポートが報告されている[4]。

事故原因としては，①スキャンルームに酸素配管が配備されていなかったこと（コンピュータルームに酸素配管があった），②MRI検査室の近くに強磁性体の酸素ボンベが配置されていたこと，③医師・看護師などの医療スタッフに対する教育が不足していたこと，④MRI室と操作室の伝達手段が整備されていなかったこと，⑤酸素の供給に対する成文化された方針がなかったこと，などがあげられている。これらに加えて，検査担当技師がMRI検査室内から操作室に移動し，検査室全体を監視する技師がいなくなった点と，廊下とMRI検査室の扉が開放状態になっていた点にも，重大な問題があった。

日常の検査でも，一時的に検査室内から担当技師が離れることがある。また，患者の位置合わせや検査終了後に患者をガントリから出しているときなど，担当技師の死角となる後方から強磁性体を持って検査室内に入られると，気づくのが遅れて重大事故につながる可能性があるため，出入口を閉めておくなど注意が必要である。とくに，夜間・休日時間帯の緊急検査で，限られた人数かつMRIを専門に担当していない技師が検査を行う場合には，このような事故にもっとも注意しなければならない。

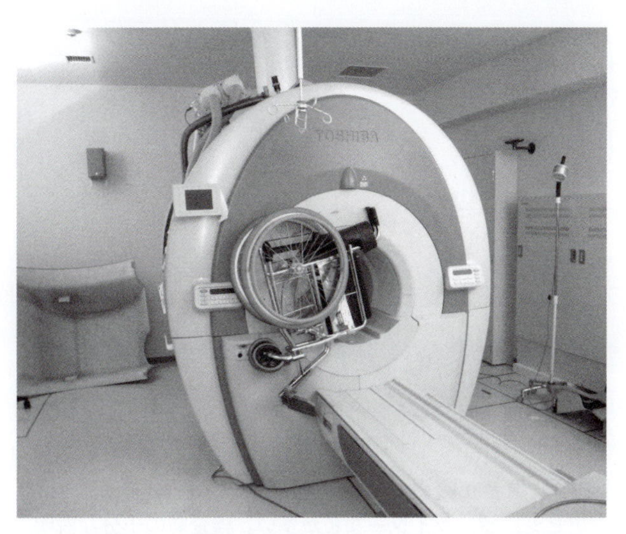

図7　時間外の緊急検査で発生した車椅子の吸着事故

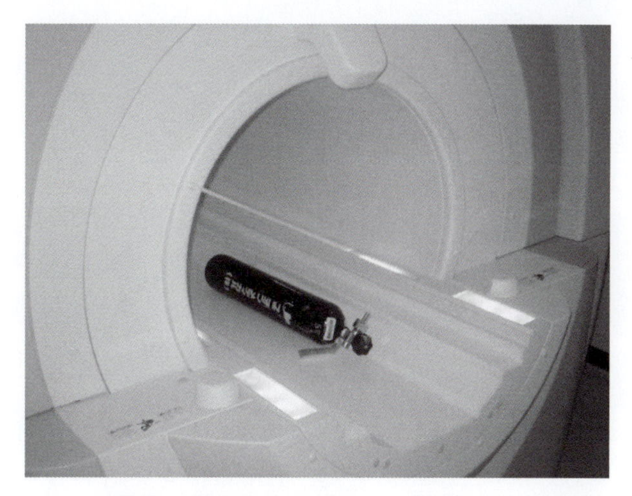

図8　時間外の緊急検査で発生した酸素ボンベの吸着事故

2）日本国内で発生した事故事例

(1) 車椅子吸着事故

勤務時間外に，救急外来の患者を看護師がMRI専用でない車椅子にて搬送した。問診によりペースメーカ，動脈瘤クリップなどの体内金属の有無をチェックした後，問題がないことを当直技師に声をかけて，救急外来へ戻った。当直技師は，看護師がMRI専用の車椅子に移動させたと思い込み，外来用車椅子のまま患者をMRI室に入室させてしまった。患者が車椅子から寝台に移動した瞬間に，車椅子が吸引されガントリに吸着した（図7）。患者がガントリ側ではなく反対側に座ったこと，技師が車椅子の後ろ側にいたことで，患者および技師が負傷することはなかった。MRI専用の車椅子についてはシート部分を青色にすることで他の車椅子と区別していたが，当直技師は気づかなかった。対策として，MRI室用の車椅子の金属部分に赤色のビニールテープを巻きつけることで，一目でMRI専用の車椅子とわかるようにした。

(2) 酸素ボンベ吸着事故

夜間の緊急MRI検査時に発生した事例。患者は医師・看護師の付き添いのもと，MRI専用ストレッチャーで検査室に到着した。当直技師は安全性のチェックが終わるまでその場で待つように伝え，酸素供給の準備を開始するためにMRI検査室内に入室した。技師が振り向いたときに，ストレッチャーが寝台に近づいており，MRI専用のストレッチャーの下に置いてあった酸素ボンベが浮き上がって飛び出そうとしていた。とっさに技師が抑えたが，ガントリに引きずり込まれた（図8）。

3）これらの事例から学ぶべきこと

これらと同様の原因による事故が国内で多発している。MRI専用の車椅子や点滴スタンドは，他の物と区別できるように赤や黒で目立つよう色分けしておくことも必要であろう。また，MRI検査室の扉を開放状態にしておくと，つい入室してしまうことがある。入室直前までは扉を必ず閉じておくなどの対策が必要である。そして，MRI検査室には強磁性体を持ち込んではならないというもっとも基本的なことと，MRI検査室に入室する前の確認の徹底（ダブルチェックなど）の重要性を，繰り返し院内に啓発していくことが何よりも重要である。

各施設で十分注意しながら検査を施行しているものと思われるが，緊急時にMRIを専門に担当していない技師が検査を行う場合などには，思い込みなどから事故が発生するケースもある。点滴スタンドや車椅子などをそもそも検査室内に持ち込まないシステム作りも必要であろう。

例えば点滴スタンドなどは，検査室内の天井に点滴用のレールを取り付ければ室内に持ち込まずにすみ，MRI専用と一般用の間違えも発生しない。車椅子やストレッチャーに関しても，寝台が脱着式の装置であれば，前室あるいは廊下に寝台を出して，そこで患者を乗せ換えて検査室に入るという運用を徹底することで，誤って強磁性体の車椅子やストレッチャーを入れることは防止できる。さらに，MRI検査室内で患者の移動を行わなくてすむため，放射線科以外の看護師や医師が検査室内に入ることもなくなり，スタッフが身に着けている強磁性体の吸着事故や，ストレッチャーに乗せられた強磁性体の吸着事故を防ぐことにもつながる。すべての装置の寝台が脱着式になっているわけではないが，専用のトローリーなどが準備されている場合には同様の運用が可能であろう。

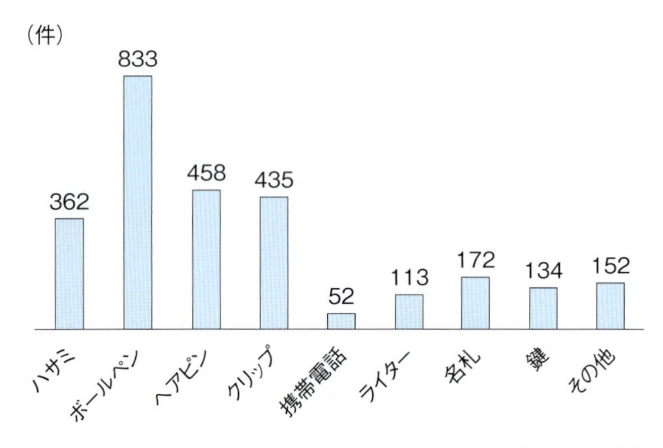

〔文献 5）より引用・改変〕

図 9　医療従事者が吸引させた所持品
ボールペン，ヘアピン，クリップ，ハサミが多い。ハサミなどは患者に当たれば重大な事故につながる可能性がある。MRI 検査室内に入室するときの所持品の確認を徹底しなければならない

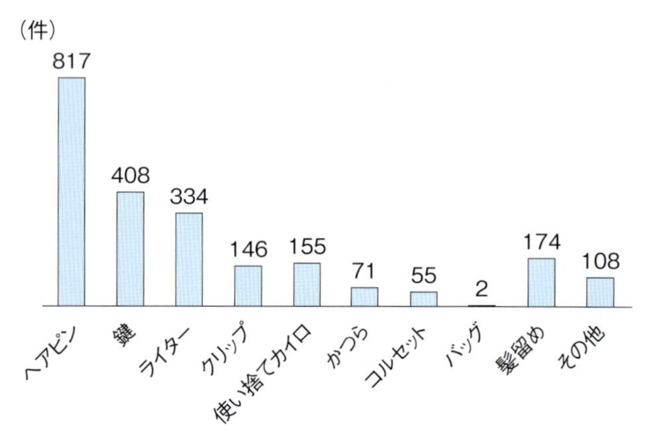

〔文献 5）より引用・改変〕

図 10　患者が吸引させた所持品
ヘアピン，鍵，ライターなどが多い。検査前の十分な説明，検査室に入る前の再度の確認と，二重・三重のチェック体制が必要である。補聴器，携帯電話などを誤って持ち込み，故障やデータの消失などでトラブルになることもある

4）強磁性体の持ち込みに関する注意事項

MRI 装置は非常に強い磁場を利用して画像を作成する。そのため，ハサミやメス，ピンセット，聴診器などの強磁性体医療用器具の MRI 検査室内への持ち込みは絶対に禁止である。

日本放射線技術学会の学術調査研究班（MR 装置の安全管理に関する実態調査班）が行ったアンケート調査の報告によると，医療従事者が身につけていた物ではボールペン，ヘアピン，クリップ，ハサミなど，患者が身につけていた物ではヘアピン，鍵，ライター，髪留め，使い捨てカイロなどの吸着事例が多かった（図 9，10）[5]。検査室内への入室に際しては，これらのチェックを厳重に行う必要がある。

また同報告によれば，点滴スタンドの吸着事故がもっとも多く，続いて酸素ボンベ，ストレッチャー，車椅子の順であった[5]。これらの MRI 検査室内への持ち込みが多いということを検査担当者は十分に認識し，注意しなければならない。

患者を搬送するストレッチャーや車椅子は，MRI 専用の非磁性体でないかぎり検査室には絶対に入れてはならない。医療用ガスボンベ，生体計測装置（心電図，血圧計，呼吸器計），輸液ポンプなどの移動できる医療用品の持ち込みも絶対に禁止である。前述した米国での事例のように，強磁性体でできている酸素ボンベ，点滴台などの持ち込みによる事故が多く発生しており，絶対に検査室内に入れないように注意が必要である。大型の強磁性体は非常に強い力で MRI 装置に引きつけられ，これが人に当たれば重大な事故につながることを，検査担当者は十分理解しなければならない。前述したように，検査室に入れてよい機器・機材には目立つマーカーを付けておくなどの工夫も必要である。

6. 体内インプラントに関する安全管理

1）検査前の安全確認の徹底

体外金属の場合は，検査室に持ち込まなければ問題はなく，安全に検査が施行できる。しかし，体内に留置されているステント，クリップ，条件付き MRI 対応心臓ペースメーカなどの医療器具（以下，インプラント）は，検査時に外すことが不可能であり，安全確保が体外金属より難しい。全身に数多くのインプラントが使用される可能性があることを十分に認識しておく必要がある（表 4）。予約時の担当医師の確認はもちろんのこと，検査直前に問診票などを用いて体内インプラントの有無を必ず確認することが重要である。

しかし，検査依頼時に医師がチェックした内容と検査直前の問診票の記載内容が異なる例もある。動脈瘤クリップやステントなどが挿入されているにもかかわらず，検査予約時には体内インプラントなしの情報で予約をしたり，禁忌である心臓ペースメーカや人工内耳が入っているにもかかわらず予約をしたりすることもある。このようなこともあるということを十分認識し，直前の問診票での最終確認を怠ってはならない。一方で，すべての患者が問診票を記載できるとはかぎらず，とくに救急患者の場合には多くが患者自身から情報を得ることはできないと考えられる。このような場合に，安全性の確認を誰が責任をもって，どのように行うかなど，病院全体で考えておく必要がある。

表4 体内に留置される金属製医療器具の例

脳外科用	動脈瘤クリップ，コイル，圧可変式バルブシャント
眼科用	義眼
耳鼻科用	人工内耳
歯科用	インプラント，矯正器具，磁性アタッチメント
心臓用	ペースメーカ，人工弁，ステント，胸骨ワイヤー
腹部用	コイル，クリップ，クランプ，胆管ステント
整形外科用	プレート，人工関節・骨頭，髄内釘，スクリュー
婦人科用	リング
血管用	ステント，人工血管，フィルタ

これら以外にも多くの体内金属が使用されている可能性がある

2）条件付きでMRI検査が可能な機器への対応

インプラントの多くは，一定の条件下でMRI検査が施行可能な「MR Conditional（条件付きMRI対応）」に分類される。MRIが禁忌であった心臓ペースメーカなどの植込み型不整脈治療デバイスや，移植蝸牛刺激装置（人工内耳），神経刺激装置などでも，条件付きMRI対応製品が薬事承認され使用されている。

しかし，このような情報ならびに検査可能な条件を緊急検査時の限られた時間内で確認することは難しいと思われる。実際に，条件付きMRI対応ペースメーカ使用患者の緊急検査において，ペースメーカをMRI検査用のモードに変更せず検査を施行してしまった例や，1.5 T対応のペースメーカであったにもかかわらず3.0 T装置で検査を施行してしまった例が発生している。MRI適合性は各製品の添付文書で確認できるため，医薬品医療機器総合機構（PMDA）のホームページや「医療機器のMR適合性検索システム」といったサービスを活用し[6]，MRI検査が可能な製品かどうか，可能な場合にはどのような撮像条件があるかなど，MRI検査にかかわる制限事項を事前に把握して検査を施行する必要がある。

緊急検査においては，MRI検査を施行するまでの確認手順を確実に実施することが難しい場合がある。そのため，MRI検査施行の有無を含めた緊急検査における対応をあらかじめ決めておく必要があり，とくに検査を施行する場合の手順は明確にしておくことが重要である。

条件付きでMRI検査が可能なインプラントに関しては，製品ごとの制限条件を守って検査を施行する必要があるため，緊急検査時の対応には注意しなければならない。

また，MRI検査施行時の禁忌事項の確認に関しては依頼科の協力が必要であり，不明な点がある場合には検査を施行しないなどの院内の取り決めも必要である。

7．高周波磁場（RF）に関する安全管理

RFによる熱傷の原因としては，湿った衣服の使用，人体または四肢を送信コイル表面に接触させる，受信コイルおよび心電図導線がループを形成する，適合性のない心電図電極および導線を使用する，左右の大腿の内側・左右のふくらはぎ・両手・手と体幹部・左右の足首など皮膚同士の接触が人体の一部に導電性ループを形成する，などがあげられる（図11）[7]。これらは，検査を担当する診療放射線技師が注意すれば防げるものである。緊急検査ではさまざまなラインが接続されている場合があり，通常のようにコイルなどが設置できないこともある。このような場合でも，RFによる熱傷が起こらないように注意する必要がある。

最近の装置はフェイズドアレイコイルを多用するた

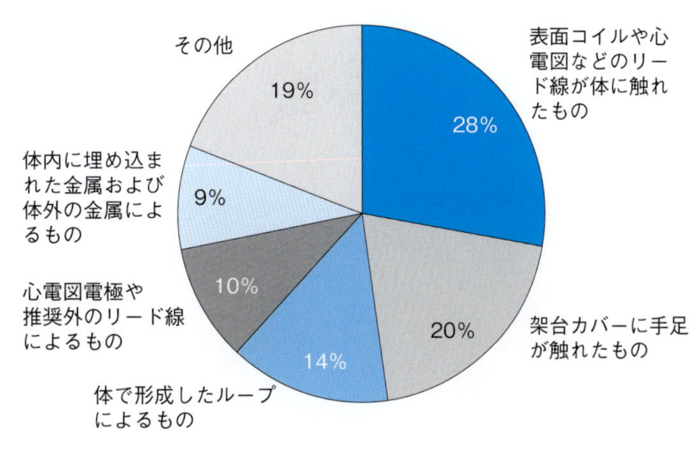

〔文献7）より引用・改変〕

図11 RFによる熱傷原因の分析

め，RF の送信は全身コイルを使用する場合が多い。そのため，頭部検査でも腕を組んだりすると発熱の可能性が高くなる。装置の仕様や進歩に合わせた対応が必要になるため，定期的に研修の機会を設けるべきである。

8. 救急医療における MRI 検査の実際

救急医療における MRI 検査の適応として，急性期の脳梗塞，脊椎・脊髄損傷があげられる。とくに，超急性期の脳梗塞に対しては，2005 年に rt-PA 療法が認可され，MRI での検査適応は重要なものとなった。脳出血の画像診断としてはこれまで，検査時間や時間外の検査体制などの点から，CT 検査が第一選択として行われてきた。しかし，脳出血患者に対する画像診断は MRI 検査のみで十分であるという意見もある。一方で，微小出血に関しては，時間経過によっては CT 検査が有利な場合もあるという意見もある。CT が優先される場合，MRI が優先される場合，あるいは両方が必要な場合など，状況に応じて医師の判断は異なるが，診療放射線技師の責務は緊急検査時の検査環境を整えることである。脊椎・脊髄損傷に関しては，いうまでもなく MRI 検査が画像診断の第一選択となる。

救急医療における MRI 検査は，安全管理面での問題点が多いことは事実であり，医療機器の持ち込み制限がある検査室内に長時間入ることへの対策面の問題もある。また，条件付きで MRI 検査が可能なインプラントが増加しており，その対応も考えなければならない。しかし MRI 検査によって，X 線撮影では評価が難しい脳や脊髄領域などにおいて，他の検査では得られない貴重な情報を得ることができる。これは，早期診断，早期治療につながるものである。

MRI 検査施行に関する安全性の確保は十分に考慮する必要があるが，救急診療における MRI の役割は，今後ますます大きくなっていくであろう。安全に，そして確実に検査できるように，救急検査の安全管理を含めたマニュアルの整備が必要である。そして，全職員を対象とした定期的な安全管理講習会を行うことも必要である。医師・看護師を含めた院内のすべての職員に，検査を行っていないときも常に強い磁場が発生していることや，MRI 検査室に入室するだけで危険な状態になる場合があることなど，MRI 検査の安全管理に関する啓発を行うことも，緊急 MRI 検査を安全に行ううえで必要である。

MRI は，放射線被ばくがない低侵襲的な検査である一方で，装置の管理や使用方法を誤れば非常に危険なものとなる。救急撮影認定技師は，場合によっては死亡事故につながる可能性もある装置ということを認識し，緊急 MRI 検査時の安全管理に努めなければならない。

【文　献】

1）厚生労働省集中治療室（ICU）における安全管理指針検討作業部会：集中治療室（ICU）における安全管理について（報告書），2007.
2）山城尊靖，他：救急時における MRI 検査体制について．日放線技会誌 62：1018-1024，2006.
3）表利知幸，他：早期脳梗塞診断における Diffusion MRI の役割．日放線技会誌 62：1422-1427，2006.
4）高原太郎：米国 MR 室で起こった酸素ボンベ吸着事故について．INNERVISION 16：76-79，2001.
5）土井司，他：MR 装置の安全管理に関する実態調査の報告；思った以上に事故は起こっている．日放線技会誌 67：895-904，2011.
6）藤原康博，他：MRI 検査において体内に留置された金属の適合性に関するデータベース作成と問診の履歴管理システムの開発．日放線技会誌 70：1413-1419，2014.
7）杉本博：MR 装置についての米国 FDA への不具合報告（MDR）について（標準化小委員会だより）．日放線技会誌 61：972-973，2005.

2 医療情報の管理

昨今，病院施設のシステム化は進み，ほとんどの病院では電子カルテを中心に電子化された医療情報を取り扱っている。とりわけ救急診療においては，電子化された医療情報は即時性と可用性をもって，過去の診療記録や放射線画像の閲覧や情報共有にきわめて大きな恩恵をもたらしている。一方でその恩恵が大きいほど，システムの障害は診療業務に致命的な打撃を与え得る。

医療情報システムは，さまざまな機能を取り入れつつ年々進化し，強大化している。利用者にとって医療情報やシステムへの理解を深めておくことは，システム構築や運用にとって非常に重要である。

医療情報の取り扱い

1. 医療情報の取り扱いに関するガイドライン

日本政府の情報化推進策は，2001 年に「e-Japan 戦略」として本格的に始まった[1]。その後，個人情報保護法，e-文書法，電子署名法などの法整備とともに，医療における情報のデジタル化を政府が強力に推進してきている。

医療において，デジタル化された情報は共有・活用が容易な反面，セキュリティ対策が大きな問題として存在している。医療従事者が取り扱う「個人の健康に関する情報」は，患者本人の社会的評価にかかわるおそれが強いため，もっとも厳重に管理されるべき情報である。そのため厚生労働省は，個人情報保護法，e-文書法，電子署名法などを統合し，医療情報を適切に取り扱うための「システム」に関する指針を「医療情報システムの安全管理に関するガイドライン」として明示しており，2017 年に第 5 版が公開されている。

このガイドラインは，医療情報を扱うすべての情報システムと，その導入・運用・利用・保守・廃棄にかかわる人または組織を対象としたものであり，対象者には，システム内で医療情報を適切に取り扱うため，収集・保管・廃棄を通じて法律に定められる義務や要件を満たすことを求めている（要求事項）。また管理者は，情報の保護・管理を適切に行う体制およびシステムを構築し，利用者，すなわち患者に対してその状況を説明することが求められている（管理者の情報保護責任：表 1）。

表 1　管理者の情報保護責任

通常運用における責任	**説明責任**
	・保存された医療情報が「取り扱いの基準」を満たしていることを患者へ説明する責任
	管理責任
	・システム管理状況を定期的に把握する責任 ・個人情報保護の責任者を定めること
	改善を行う責任
	・保護技術が陳腐化しないよう常に改善する責任
事後責任	**説明責任**
	・事態発生の監督機関・社会への報告・公表を行う ・事態の原因と対処法に関する説明責任
	善後策を講ずる責任
	・原因を追及し明らかにする責任 ・損害補塡責任 ・再発防止策を講ずる責任

診療情報の一つとされる放射線画像情報など，電子化されたこれらの情報には，「電子保存の 3 原則」（真正性・見読性・保存性の確保：表 2）が求められる（要求事項）。この要求事項を，どの程度システム化した「技術的対応」と職員による「運用」で実現するかは，施設の管理者が全責任を負う。また管理者は，自己責任のもとにこれを「管理」し，その「結果」に対しては「説明」責任を負っている。

2. 真正性の確保

真正性を担保するうえでは，虚偽入力・書き換え・消去および混同を防止することと，作成の責任の所在を明確にすることが必要とされる。あらゆる放射線検査の画像情報について，いつ・誰が・どの作業を行った時点で「確定保存」となるかということを，第三者に対して明示する必要がある。「確定保存」された画像情報に関しては，ユーザー認証やアクセス管理などで情報の操作が行われないことを監視し，その情報に対する修正や更新に関しては，日時・内容・実施者の履歴を記録する必要がある。

表 2　電子保存の 3 原則

1. 真正性の確保
・作成者の識別および承認 ・情報の確定手順と，作成責任者の識別情報の記録 ・更新履歴の保存 ・代行操作の承認記録 ・1 つの診療録などを複数の医療従事者が共同して作成する場合の管理 ・機器・ソフトウエアの品質管理
2. 見読性の確保
・情報の所在管理 ・見読化手段の管理 ・見読目的に応じた応答時間とスループット ・システムの障害対策
3. 保存性の確保
・ソフトウエア・機器・媒体の管理 ・不適切な保管・取り扱いによる情報の滅失，破壊の防止 ・記録媒体，設備の劣化による読み取り不能または不完全な読み取りの防止 ・媒体・機器・ソフトウエアの整合性不備による復元不能の防止 ・万が一に備えての対策 ・情報の継続性の確保策 ・情報保護機能

3. 見読性の確保

見読性を確保するためには，情報の所在管理，見読化手段と応答時間の確保，システムの障害対策が必要となる。情報の所在管理とは，どの情報がどこに保管されているかを資料として可視化して管理すること，見読化手段とは，情報を表示するための機器・ソフトウエアを示し，適切な応答時間内で表示できるようにすることである。また，システムの障害が生じた場合にも，代替手段をもって情報の確認ができることが求められている。

4. 保存性の確保

保存性については，主に耐障害性やデータバックアップ体制，ウイルス対策などのセキュリティ，障害時の代替運用などが問題となる。一つの端末に侵入した悪意あるウイルスは，ネットワークで接続されたすべての端末・サーバーへ感染可能となり，最悪の場合にはシステムの破壊や停止という事態をまねく。近年では「医療情報システム」を不当にロックし，身代金を要求する「ランサムウェア」による被害も報告されている[2)3)]。病院情報システムとインターネットとを隔離する，可搬媒体を介するウイルスへの防疫対策をとるなど，ウイルスの侵入を許さない体制やシステム作りが非常に重要となっている[4)5)]。

医療情報システムの構成

1. 病院情報システム（HIS）

病院情報システム（hospital information system；HIS）は，コアシステムとも呼ばれる電子カルテとさまざまなシステムの複合体として構成され（図 1），システム間の相互連携のうえで機能している[6)]。

2. 電子カルテシステム（EMR）

電子カルテシステム（electronic medical record；EMR）は，診療録を含む診療記録，診療情報の閲覧（依頼した検査結果の参照），依頼情報の送信などの機能を電子的に実現したシステムとされる[7)8)]。依頼情報の作成・送信を担う機能をとくに「オーダーエントリーシステム」と呼ぶことがあり，放射線検査，手術，処方や注射，検体検査などの依頼や予約を行う。検査予約や依頼時には，検査方法や目的とともに，医療安全上必要となる情報項目の共有方法が重要となる。システム構築時には，造影剤使用検査におけるアレルギー情報や，最新の腎機能指標値，MRI 検査における体内金属情報などが部門システムへ送られることが望ましい。

3. 放射線部門システム

放射線部門システムは，放射線情報システム（radiology information system；RIS）と画像保存通信システム（picture archiving and communication system；PACS）と各種放射線撮影機器から構成される。

RIS は，電子カルテなどの上位システムから検査の依頼・予約に関する情報（依頼情報）を受け，放射線撮影機器へ依頼情報を渡したり，実施された検査の情報（実施情報）を上位システムへ渡すという進捗管理を担う。近年では医療安全対策として，患者認証や線量管理などがシステムに求められつつある。一方で PACS は，撮影した画像を放射線検査機器から受けてサーバーに保管し，ネットワーク上に存在する画像閲覧端末からの要求に応えて画像閲覧を実現する画像管理を担う。

このような，電子カルテから RIS，RIS から放射線撮影機器，機器から PACS といった情報送受信機構をシステムごとに開発していては莫大なコストがかかる。マルチベンダー化が進む近年では，情報の交換形式は標準化されており，主な標準規格として，電子カルテと RIS 間でテキスト交換を中心に利用される HL7® や，医用画像の標準規格として DICOM® が存在する。

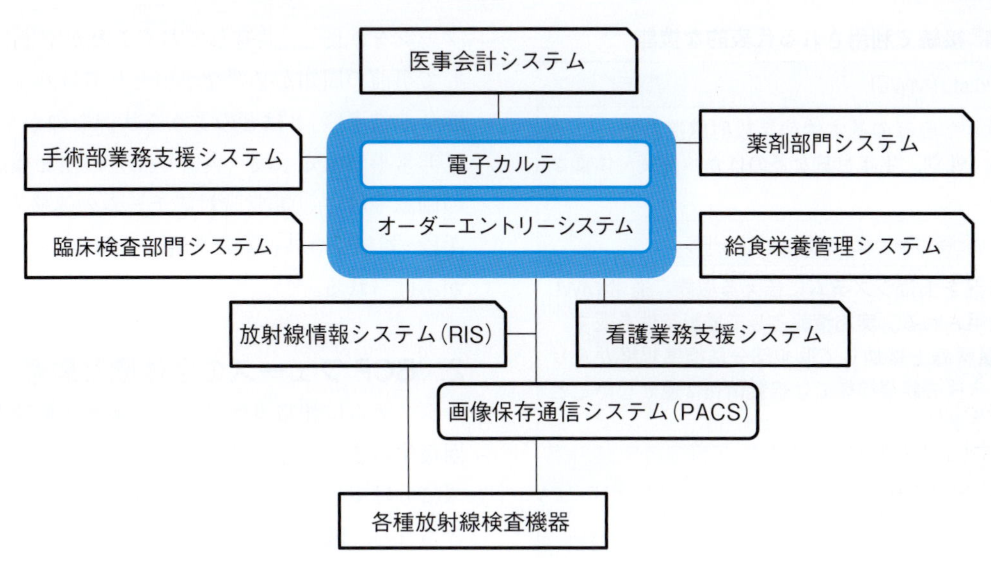

図1　医療情報システムの概略図

Table 0.1 – NETWORK SERVICES

SOP Classes	User of Service (SCU)	Provider of Service (SCP)
Transfer		
CT Image Storage	Yes	Yes
MR Image Storage	Yes	Yes
Secondary Capture Image Storage	Yes	Yes
Grayscale Softcopy Presentation State Storage	Yes	No
Enhanced SR	Yes	Yes
X-Ray Radiation Dose SR – CT Radiation Dose	Yes	Yes
RT Structure Set Storage	Yes	Yes
Positron Emission Tomography Image Storage	Yes	Yes
Query/Retrieve		

図2　DICOM® の適合性宣言書（CS）の例

医用画像領域の標準規格

DICOM®（digital imaging communication in medicine）とは，医用画像データのフォーマットや機器同士を接続する通信方法などの標準規格である。分野別の18パートから構成される「standard」に，各分野で処理対象となるオブジェクトと要求される処理・機能をサービスクラスとして規定して規格化している。サービスクラスとオブジェクトを組み合わせたservice object pair（SOP）をワークステーションやサーバーに実装することにより，画像などの移動や表示が可能になる。

DICOM® に対応した装置は，どの種類の画像を取り扱うことができて，どのような機能が備わっているかを明示する義務があり，これを「適合性宣言書（conformance statement；CS）と呼ぶ。CSを確認することにより，接続装置間で実現可能な機能の範囲を理解することができる。図2にPACSサーバーのCS（一部抜粋）を示したが，SOP Classとしてあげられた CT，MRI，キャプチャー画像，CTの線量情報（RDSR）などを受信・送信することが可能であることがわかる。また，モニタの表示状況を再現するためのファイルであるGrayscale Softcopy Presentation State Storageは受信可能であるが，転送は不可能であることも示されている。

システム構築時には，要求仕様としてSOPなどのDICOM® 接続で実現したい機能を明示することで，システムを施設の理想形態に近づけていくことが可能となる。表3によく利用される代表的な機能を示す[9)10)]。

医療情報システムの運用継続計画（IT-BCP）

2000年に政府の情報セキュリティ対策推進会議が発表した「情報セキュリティポリシーに関するガイドライン」では，緊急時対応計画が述べられ，事業継続計画（business continuity planning；BCP）という概念が導入された。病院施設におけるBCPとは，災害発生時に優先的に取り組むべき重要な業務を継続し，最短で事業の復旧を図るために，事前に必要な資源の準備や対応方針・手段を定めた計画と定義される。また，BCPをもとに教育や訓練を行い，BCPに改定を加えていく手段を「事業

表 3　DICOM® 接続で利用される代表的な機能

Modality Worklist（MWL）
RIS から取得した患者の基本情報を放射線撮影機器に送る。ID，氏名，性別，生年月日などのほか，身長・体重などを指定する
Modality Performed Procedure Step（MPPS）
検査の実施状況を上位システムに伝える機能。通常 MWL と対として利用される。実施情報として撮影条件を返す。2017 年に線量情報を格納して返す部分は標準規格からリタイアした。今後の新規接続では線量情報は返せないことに注意が必要である
CT Image Store
CT 画像の転送（シングルフレーム）
Enhanced CT Image Store
CT 画像の転送（マルチフレーム）
Grayscale Softcopy Presentation State Storage（GSPS）
画像表示条件を再現するための設定ファイルを送る
X-Ray Radiation Dose SR
照射条件や線量情報を格納したファイルを送る

継続マネジメント（business continuity management；BCM）」という。災害拠点病院では，2017 年 3 月 31 日付けで BCP の策定と BCP に基づいた演習の実施が義務化されている。

救急医療にとってこの BCP は命綱ともいえるものであり，多くの施設で導入されることが望ましいが，施設全体での導入が困難な場合には部門や部門システム限定で BCP を導入することも検討の余地がある。前述した「医療情報システムの安全管理に関するガイドライン」では「災害，サイバー攻撃等の非常時の対応」として，医療情報システムに対する BCP（IT-BCP）の作成と訓練についても述べられている。

1．医療情報システムの非常事態

医療情報システムの非常事態とはシステム停止に迫られる状況を指すが，その原因には外因的要素と内因的要素がある。外因的要素とは環境変化によるシステム停止を指し，環境変化の原因としては自然災害や停電，テロなどが想定される。一方で内因的要素としては，システム自体の障害やネットワーク障害などによるシステム停止が想定される[11]。医療情報システムについては，これらの要素による障害に対するリスク分析を行い，代替運用などを取り決めておくことが重要となる。

非常事態が実際に発生してからでは適切な意思決定が困難となるため，事前にできるかぎり多くの意思決定パターンを準備し，共有しておくことが望ましい。BCP として事前の周知が必要な事項としては，①ポリシーと計画（「非常事態」とはどのような状況なのかを定義する），②非常事態検知手段（災害や障害の検知機能と発生情報の確認手段），③非常時対応チームの連絡先リスト・連絡手段・対策ツール，④非常時に公開するべき文書と情報，があげられる。

2．BCP フェーズの全体像と経過

システムに非常事態が生じて業務が継続不可能となり回復するまでの過程では，業務と代替運用などをフェーズに分けて想定し，対応策を取り決めておくことが有効とされる。図 3 に示すように，BCP フェーズは以下の 4 つに分けられる。

1）BCP 実行フェーズ

非常事態を検知し，BCP を実行するか，障害対策を行うかの判断を行うフェーズ。BCP を実行する場合，関係者の招集，対策本部の設置，関連部門への連絡・協力依頼を行い，システムの切り替え・縮退などの準備を行う。このフェーズでは，電子カルテや PACS の使用停止，装置単独使用への切り替えなどを判断する。BCP の具体的な項目として，「基本方針の策定」「発生事象の確認」「安全確保・安否確認」「関係先への連絡」および「影響度の確認」などをあらかじめ提示しておく。

2）業務再開フェーズ

BCP を発動してから代替手段による業務を再開し，起動に乗せるまでのフェーズ。もっとも緊急性の高い業務（基幹業務）から再開する。代替手段への確実な切り替えや，復旧作業の推進が重要となる。BCP の具体的な項目としては，要員などの「人的資源の確保」「代替設備の確保」「再開と復旧活動の両立」などを提示しておく。

3）業務回復フェーズ

もっとも緊急度の高い業務や機能が再開された後，さらに業務の範囲を拡大するフェーズ。業務拡大範囲の見極めに必要な情報収集と判断基準が重要なポイントとなる。BCP の具体的な項目としては，「拡大範囲の見極め」「業務継続の影響確認」「全面復旧のタイミングの決定」「復旧後の制限の確認」などを提示しておく。

4）全面復旧フェーズ

代替設備・手段から平常運用へ切り替えるフェーズ。全面復旧の判断や手続きのミスは，新たな業務中断を引き起こすリスクをはらんでいる。全面復旧が急がれる場合にも，収集された復旧状況などの情報に基づく慎重な判断が必要となる。BCP の具体的な項目としては，「確認事項の整備」「平常運用への切り替えの判断基準」「システム復旧手順の確認」などがある。

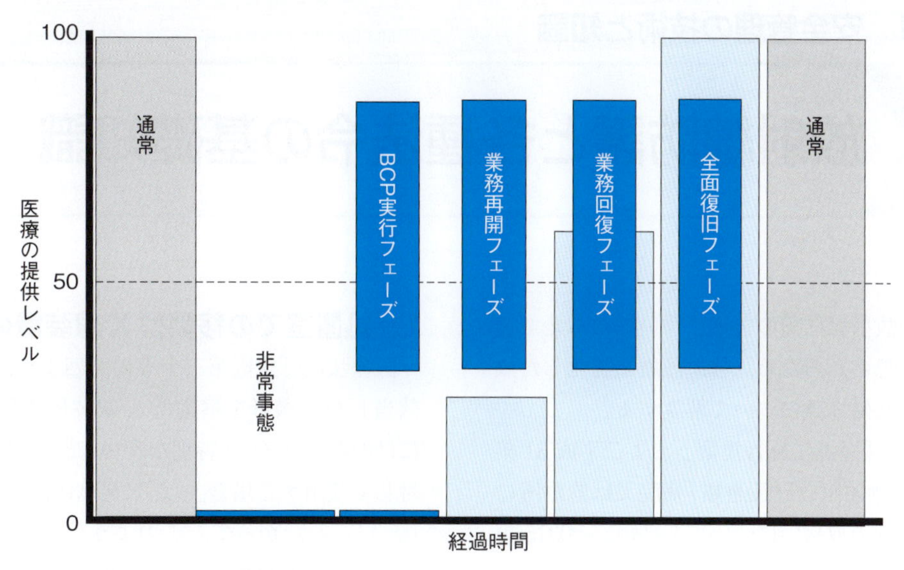

図3 BCPフェーズの全体像

3. BCPの記載方法

BCPは一般的に2種類の文書としてまとめられる。想定される災害や障害規模やリスクを定義し，対象とするシステムを示す「対策計画書」と，フェーズなどに合わせた実際の行動計画や復旧方法などの手順を示す「行動計画書（アクションプラン）」である。

具体的な記載方法は施設規模などによりさまざまであるが，例として東京都福祉保健局が「大規模地震災害発生時における医療機関の事業継続計画（BCP）策定ガイドライン」を公開している。また実際の取り組みの例として，大原らは部門システムを含めたBCPの検討について報告しており[12]，各部門システムの業務再開目標時間（recovery time objective；RTO）を設けて優先度を決定し，優先度の高いシステムの脆弱性を物理的・技術的・人的要件から調査して，フェーズ別のBCPを策定している。放射線部門でも，同様の手法は当てはめることが可能であると考える。

4. BCPの見直し

策定したBCPは，医療サービスやシステムの変化による陳腐化を防ぐため，一定期間ごとに内容を見直してメンテナンスする必要がある。また，防災訓練などでBCPの改善点を洗い出し修正する。このようなPDCAサイクルを利用したBCPの管理運用手順が，BCMである。

ガイドラインを中心に，医療情報管理の基本的な部分として，医療情報の取り扱いとシステム構成，BCPについて解説した。

今や，病院情報システム，放射線部門システム，そして放射線撮影装置の連携なしには効率的な救急医療を提供することはできない。救急診療に従事する診療放射線技師は，放射線撮影機器だけでなく，これら医療情報システムについても仕組みや機能を理解し，より効率的なシステムの構築や非常事態に備えておく必要がある。

【文　献】

1）劉継生：電子政府の構築過程；行政情報化推進50年の歩み．通信教育部論集 12：52-68，2009.
2）本多俊貴，他：ユーザの文書編集操作を考慮したランサムウェア検知に関する一検討．情報処理学会研究報告，2017.
3）高原尚志：日本におけるサイバー攻撃の事例研究．国際地域研究論集 9：39-55，2018.
4）黒田正博：医療機器セキュリティとIoT化への道．安全工学 54：430-435，2015.
5）高林克日己，他：ウイルスによって引き起こされる危機と病院情報システム．医療情報学 27：439-450，2007.
6）奥田保男，他：放射線システム情報学；医用画像情報の基礎と応用，オーム社，東京，2010.
7）日本医療情報学会：電子カルテの定義に関する日本医療情報学会の見解，2003.
8）厚生労働省：標準的電子カルテ推進委員会最終報告，2005.
9）奥田保男監：逆引きDICOM Book，医療科学社，東京，2014.
10）Herman Oosterwijk：DICOM入門，篠原出版新社，東京，2008.
11）日本放射線技術学会：放射線医療技術学叢書；図解 知っておきたい放射線情報システムの構築，2017.
12）大原達美，他：BCPマニュアルの見直し；部門システムを含めたBCP策定の必要性．医療情報学 30：233-239，2010.

3 放射線防護と各種法令の基礎知識

日常の撮影での放射線防護の方策についてはあえて述べる必要はないと思われるため，救急診療に特化した放射線防護や法令の基礎知識について解説する。

法令については，「医療法施行規則」および平成31年3月15日付厚生労働省医政局長通知「病院又は診療所における診療用放射線の取扱いについて」（医政発0315第4号）がとくに重要である。この医政発0315第4号通知は，本書の第2版まで参照されていた平成13年3月12日付厚生労働省医薬局長通知「医療法施行規則の一部を改正する省令の施行について」（医薬発第188号）に代わる位置づけのものである。

処置室での撮影

救急医療の現場ではprimary surveyをはじめとして，初療室・処置室などで撮影が行われることが比較的多い。そして，このような場所には他の患者や多数の医療スタッフが同時に存在していることもしばしばある。少なくとも，放射線源からすべての者に対して2m以上の距離を担保できるようなレイアウトや患者配置を考えるべきである。また，X線管を横に向けて撮影する可能性がある場合には，あらかじめ一番端のスペースに配置するなど，X線錐の延長線上に人が存在しないような配慮を救急スタッフとの間であらかじめ申し合わせておく。

1. 処置室での移動型X線装置の使用

医療法施行規則第三十条の十四より，「特別な場合」に該当しない撮影を移動型X線装置で行うことは基本的には問題がある。「特別な理由」とは「移動困難な患者に対して使用する場合」（医政発0315第4号）でしかない（表1）。したがって，このような「特別な場合」に該当しない患者への撮影を，常態的に移動型X線装置で行ってはならない。

2. 処置室での移動型透視用X線装置の使用

移動型透視用X線装置は，X線診療室での使用が認められているが，使用する場合は据置型透視用X線装置または据置型CT X線装置と同様の扱いとする。すなわち，X線診療室で使用する場合，およびX線診療室以外の放射線診療室で使用する場合，それぞれに定める構造設備の基準および特別な防護措置を満たし，必要な届け出を行わなくてはならない（表2）。

3. 処置室での据付型X線装置の使用

処置室に天井走行型のような据付型のX線撮影装置を設置し，その処置室を管理区域としてしまうケースもあり得る。

医療法施行規則第三十条の十六の二では，「病院又は診療所の管理者は，前項の管理区域内に人がみだりに立ち入らないような措置を講じなければならない」とされているが，救急の処置室では常に人の出入りがあるた

表1　使用の場所等の制限①

第4　管理義務に関する事項　1　使用の場所等の制限（第30条の14） (3) エックス線装置を特別の理由により移動して使用することについて
エックス線装置の使用について，「特別の理由により移動して使用する場合」とは，次のアからウに掲げる場合に限定されること ア　移動困難な患者に対して使用するために，移動型透視用エックス線装置，携帯型透視用エックス線装置及び移動型CTエックス線装置を除く移動型エックス線装置又は携帯型エックス線装置を移動して使用する場合 イ　口内法撮影用エックス線装置を臨時に移動して使用する場合 ウ　手術中の病変部位の位置確認や手術直後に結果の確認等を行うため，手術中又は手術直後にエックス線診療室ではない手術室に移動型透視用エックス線装置，携帯型透視用エックス線装置又は移動型CTエックス線装置を移動して使用する場合

〔医政発0315第4号「病院又は診療所における診療用放射線の取扱いについて」より一部抜粋〕

表2　使用の場所等の制限②

第4　管理義務に関する事項　1　使用の場所等の制限（第30条の14） （3）エックス線装置を特別の理由により移動して使用することについて
当該エックス線装置は，鍵のかかる保管場所等を設けて適切に保管し，キースイッチ等の管理を適切に行うこと
移動型エックス線装置のうち，移動型透視用エックス線装置，携帯型透視用エックス線装置又は移動型CTエックス線装置を放射線診療室において使用する場合は，据置型透視用エックス線装置又は据置型CTエックス線装置と同様の扱いとすること。すなわち，エックス線診療室で使用する場合については（2），エックス線診療室以外の放射線診療室で使用する場合については（4）に定める構造設備の基準及び特別な防護措置を満たし，必要な届出を行うこと

〔医政発0315第4号「病院又は診療所における診療用放射線の取扱いについて」より一部抜粋〕

表3　使用の場所等の制限③

第4　管理義務に関する事項　1　使用の場所等の制限（第30条の14）
ウ　放射線診療室において，放射線診療と無関係な機器を設置し，放射線診療に関係のない診療を行うこと，当該放射線診療室の診療と無関係な放射線診療装置等の操作する場所を設けること及び放射線診療室を一般の機器又は物品の保管場所として使用することは認められないこと。ただし，次に掲げる場合にあっては，その限りでないこと （ア）放射線診療に必要な患者監視装置，超音波診断装置又はその他の医療工学機器等を放射線診療室に備える場合 （イ）診療用高エネルギー放射線発生装置使用室にRI法の許可を受けた放射化物保管設備又は放射化物のみを保管廃棄する保管廃棄設備を備える場合 （ウ）陽電子断層撮影診療用放射性同位元素使用室に陽電子放射断層撮影装置に磁気共鳴画像診断装置（MRI）が付加され一体となったもの

〔医政発0315第4号「病院又は診療所における診療用放射線の取扱いについて」より一部抜粋〕

め，十分な注意が必要であろう。また医政発0315第4号では，放射線診療室に放射線診療と無関係な機器を設置し，放射線診療に関係のない診療を行うこと，および放射線診療室を一般の機器・物品の保管場所として使用することは認められない（ただし，放射線診療に必要な患者監視装置，超音波診断装置，その他のME機器を放射線診療室に備えることは認められる）とされており（表3），この記述の解釈にもよるところであるが，そのまま解釈すれば非常に難しいことになる。

すなわち，処置室にX線室を併設したということであるが，放射線関連法の視点でみるとこのようにX線装置を設置して届け出たならば「放射線診療室」となり，この「放射線診療室」において常態的あるいは停滞して放射線診療と関係のない業務を行ってはならないということになる。したがって，処置室に据付型X線装置を設置した運用は，現実を加味すると法的にはさまざまな面で難しいことになる。さらに，清潔操作も行われる処置室では，X線管やそれに付随するケーブル上に積もったほこりなどにより清潔面・感染対策面でも問題が生じる可能性があり，これらの機器は複雑な凹凸が多いため清掃も容易ではない。

これらのことから，防護的にも，法的にも，衛生的にも，そして患者の安全のためにも，処置室に近いところに専用のX線室を設け，そこで撮影を行うことが望ましいと考えられる。

抑制や介助などに伴う被ばく

救急医療では，重篤な意識障害，泥酔・興奮状態・見当識障害など，通常の診療ではあまり遭遇しない状態の患者や，まだ自制のきかない年齢の乳幼児にしばしば遭遇する。このような患者の場合，抑制や介助を行いつつ撮影しなければならないケースも多々ある。これが夜間であれば，医療スタッフの人数も少なくなり，抑制や介助をしつつポジショニングを行って，さらにX線を照射するということが難しくなる。

ここでは，診療放射線技師法第二十四条「医師，歯科医師又は診療放射線技師でなければ，第二条第二項に規定する業をしてはならない」，および医療法施行規則第三十条の四の二「エックス線診療室の室内には，エックス線装置を操作する場所を設けないこと」（表4）などが関係してくる（表5）。これこそが，救急を担当する多くの診療放射線技師が抱えているジレンマではないかと考える。患者の転倒防止などの安全面，動きなどに起因する再撮影を防止することによる患者への不要な被ばくの回避，そして救急医療の現場が抱える人員配置などの厳しい状況を考慮したとき，上記の医療法施行規則第三十条の四の二の記述については，室内からの操作が可能とならないか，今後検討が必要であろう。もちろんその際には，さらに特別な防護措置が必要となるかもしれない。

救急の現場のスタッフ数は多くの場合に限られた人数

表4　エックス線装置を操作する場所①

医療法施行規則　第三十条の四
二　エックス線診療室の室内には，エックス線装置を操作する場所を設けないこと。ただし，第三十条第四項第三号に規定する箱状のしゃへい物を設けたとき，又は近接透視撮影を行うとき，若しくは乳房撮影を行う等の場合であつて必要な防護物を設けたときは，この限りでない

〔「医療法施行規則」より一部抜粋〕

表5　エックス線装置を操作する場所②

第3　エックス線診療室等の構造設備に関する事項　1　エックス線診療室（規則第30条の4）
(2) 規則第30条の4第2号の「エックス線装置を操作する場所」とは，原則として，画壁等によりエックス線撮影室と区画された室であること。なお，「操作」とは，エックス線をばくしゃすることであること
(3) 規則第30条の4第2号ただし書きのうち，「近接透視撮影を行うとき，若しくは乳房撮影を行う等の場合」とは，次に掲げる場合に限られること ア　乳房撮影又は近接透視撮影等で患者の近傍で撮影を行う場合 イ　1週間につき1,000ミリアンペア秒以下で操作する口内法撮影用エックス線装置による撮影を行う場合 ウ　使用時において機器から1メートル離れた場所における線量が，6マイクロシーベルト毎時以下となるような構造である骨塩定量分析エックス線装置を使用する場合 エ　使用時において機器表面における線量が，6マイクロシーベルト毎時以下となるような構造である輸血用血液照射エックス線装置を使用する場合 オ　組織内照射治療を行う場合
(4) 規則第30条の4第2号ただし書き中，「必要な防護物を設ける」とは，実効線量が3月間につき1.3ミリシーベルト以下となるような画壁等を設ける等の措置を講ずることであること この場合においても，必要に応じて防護衣等の着用等により，放射線診療従事者等の被ばく線量の低減に努めること

〔医政発0315第4号「病院又は診療所における診療用放射線の取扱いについて」より一部抜粋〕

であり，医師なども含めて撮影時に患者の支持・抑制を行う者が特定の者に偏らないよう，被ばく機会の分散への配慮も必要である。頭部CTでの抑制に代表されるが，手指の直接線による被ばくには，とりわけ注意が必要である。可能であれば，患者家族などに協力を要請するなど，被ばくの分散を行うべきである。またその際には，可能なかぎり直接線錐内に手指などを入れないよう工夫する。

なお，このような患者家族などの被ばくは，基本的には医療被ばくとして取り扱うことになっている。救急の現場での被ばくの分散や被ばく低減方策の指導などは，診療放射線技師がマネジメントしなくてはならない。

「被ばく低減」の考え方

多くの施設では，救急における放射線業務は専任制ではなく，当直制などによる輪番でなされているものと推察される。であるならば，日常的に担当していないモダリティや不慣れな装置を操作することも考えられる。モダリティ操作の不慣れによる再撮影や線量過剰，結果的に患者の被ばくが増えることになる画質やその他の不備による後日の再撮影などは，極力避けるよう努力すべきであり，そのためにも診療各科とも協議のうえ，救急診療での検査マニュアルを整備すべきである。「救急当直だからこの程度で…」ということは通用しなくなってきており，たとえ当直制などによる輪番であっても，十分な質の検査が要求される時代となっている。

「被ばく低減」という言葉は従前よりしばしば用いられてきたが，診療放射線技師がなすべき目的の一つは単なる「被ばく低減」ではなく，「防護の最適化」のはずである。国際放射線防護委員会（ICRP）の2007年勧告[1)]でも，「医療被ばくでの防護の最適化（患者線量の管理によってそれを実践する場合）が，必ずしも患者にとって線量低減を意味するわけではない」とし，最適化のために時には線量を増やすこともあり得ると述べている。したがって，安易な「被ばく低減」という考えではなく，線量と画質の「最適化」が主たる任務であることを肝に銘じる必要がある。「被ばく低減」という言葉は，（とくに近年のデジタル化の流れのなかでは）単に線量を減らせばよいとも受け取られかねず，さらには医療での診断レベルの放射線被ばくのリスクを社会に対して過剰に印象づけてしまうおそれもあるため，その使用には注意が必要である。

表6 照射録①

診療放射線技師法（照射録）
第二十八条 診療放射線技師は，放射線を人体に対して照射したときは，遅滞なく厚生労働省令で定める事項を記載した照射録を作成し，その照射について指示をした医師又は歯科医師の署名を受けなければならない
診療放射線技師法施行規則（照射録）
第十六条 法第二十八条第一項に規定する厚生労働省令で定める事項は，次のとおりとする 一 照射を受けた者の氏名，性別及び年齢 二 照射の年月日 三 照射の方法（具体的にかつ精細に記載すること） 四 指示を受けた医師又は歯科医師の氏名及びその指示の内容

表7 照射録②

医療法施行規則の一部を改正する省令の施行等について 4 放射線診療を受ける者の当該放射線による被ばく線量の管理及び記録その他の診療用放射線の安全利用を目的とした改善のための方策
新規則第1条の11第2項第3号の2ハに規定する放射線診療を受ける者の当該放射線による被ばく線量の管理及び記録その他の診療用放射線の安全利用を目的とした改善のための方策として，医療放射線安全管理責任者は次に掲げる事項を行うこと (1) 線量管理について イ 放射線診療を受ける者の医療被ばくの線量管理とは，関係学会等の策定したガイドライン等を参考に，被ばく線量の評価及び被ばく線量の最適化を行うものであること (2) 線量記録について ア 管理・記録対象医療機器等を用いた診療に当たっては，当該診療を受ける者の医療被ばくによる線量を記録すること イ 医療被ばくの線量記録は，関係学会等の策定したガイドライン等を参考に，診療を受ける者の被ばく線量を適正に検証できる様式を用いて行うこと

〔医政発0312第7号「医療法施行規則の一部を改正する省令の施行等について」より一部抜粋〕

線量指標の記録

平成31年3月11日付の厚生労働省令第21号において，医療法施行規則第1条の11の改正が公布された。そこでは，「放射線診療を受ける者の当該放射線による被ばく線量の管理及び記録その他の診療用放射線の安全利用を目的とした改善のための方策の実施」と，線量の管理と記録が義務づけられている。ここでの「線量の管理」とは，後述する「診断参考レベル」による管理を指している。これらの対象は「CTエックス線装置，血管造影検査に用いる透視用エックス線装置，診療用放射性同位元素並びに陽電子断層撮影診療用放射性同位元素を用いた診療が対象」であり[2]，一般撮影は対象ではない。また，この省令の附則では「線量を表示する機能を有しないものに係る放射線による被ばく線量の記録を行うことを要しない」としている。しかし，「上記以外の放射線診療機器についても，必要に応じて，医療被ばくの線量管理及び線量記録を行うこと」とされている[2]。

救急では，患者の詳細情報がはっきりしない状態で撮影を行うことがしばしばある。後になって実は妊娠していたということもあり得るであろうし，子どものけがなどで救急にて撮影を行い，後日になって保護者から放射線に対する不安や（異常なしであったため，レトロスペクティブには不要であった），放射線検査を子どもに受けさせてしまったことに対する後悔などで相談が来ることも少なくはない。もちろん日常の診療でもいえることであるが，後々に患者の受けた線量を測定もしくは推定できるように，線量に関するパラメータとして撮影条件などを記録として必ず残し，記録・管理しておくべきである（表6，7）。近年はX線装置などもデジタル化が進んでいるため，その場合にはモダリティ実施済手続きステップ（modality performed procedure step；MPPS）やRDSR（radiation dose structure report）などによって放射線情報システム（RIS）などに記録する方法もある。

CTについて

現在，世界中で年間約36億件の医療放射線検査が行われている[3]。近年のX線撮影の急速なデジタル化，CTの多列化など，新しいX線技術や手法は臨床的にもますま

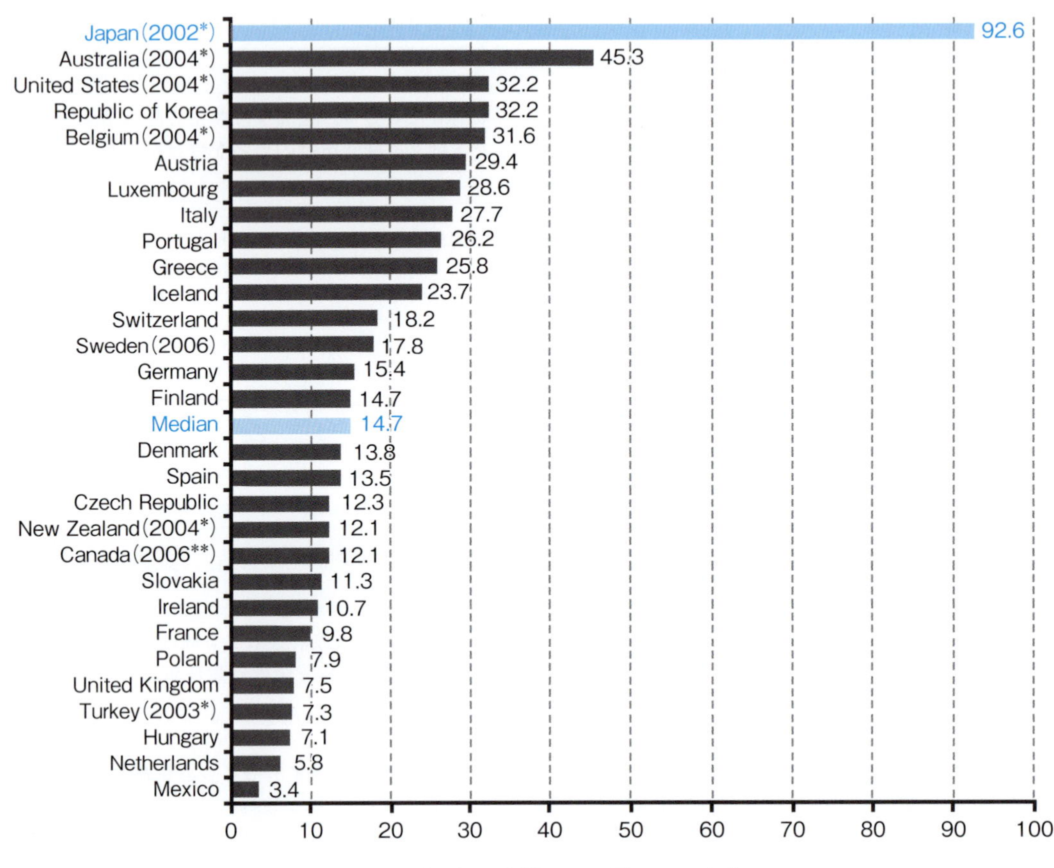

図1　OECD加盟国における人口100万人あたりのCTの台数　〔文献3）より引用〕

す有用となっており，多くの国々で医療放射線検査数は急激に増加し，それゆえに集団線量の著しい増加をもたらしている。

United Nations Scientific Committee on the Effects of Atomic Radiation（UNSCEAR）の2008年報告書[3]において，わが国の全X線検査の3%を占めるに過ぎないCT検査が，医療被ばくの77%を占めていることが述べられた。また，2011年には原子力安全研究協会より，わが国の国民1人あたりの医療放射線による年間実効線量は3.87 mSvに達し，その6割にあたる2.3 mSvをCT検査によって受けていることが報告されている[4]。すなわち，わが国の医療被ばくは自然放射線による被ばくである約2.1 mSvをはるかに超える状況となっており，CT単独で自然放射線に匹敵する被ばくをもたらしていることを示している。これらは，わが国は人口100万人あたりのCT装置台数が92.6と世界でもっとも多いこと（図1）[3]，わが国の医療保険制度によってCT検査へのアクセスも諸外国に比べて容易であることに起因していると考えられる。

医療被ばくの防護体系として，正当化，防護の最適化が存在し，医療被ばくの正当化の判断は，医師・歯科医師の経験的判断，良識に委ねられている[5]。大多数の放射線診療では適切な判断が行われていると考えられるが，短時間に高画質の画像を容易に得ることが可能となり，疾患の見落としを防ぐための安易なX線検査，とくにCT検査が選択され，撮影範囲も広めに検査が行われてしまうことも考えられ，より適切な判断が求められる。CT検査は病気の診断に必要となる詳細な画像情報を提供してくれるものの，医療放射線検査のなかでもっとも高い被ばく線量を与える種類の検査である。しかし，CT検査を依頼する立場の医師の75%は，CT検査の被ばく線量を過小に認識しているという報告もある[6]。一方で，医療被ばくにおける防護の最適化は，適切な照射条件の設定，放射線診療機器の品質管理等によって行われるものであり，これらの行為は撮影を担当する診療放射線技師に委ねられている。

医療では診断画像を得る，癌細胞を死滅させるといった診療上の目的のため，人体に意図的に放射線を照射している。良好な画質を得るためにはある程度の線量が必要であるが，線量が多いほど情報量が増すというわけではない。また，これらの目的を達成できないほどに線量を低減するのは本末転倒であり，そのため患者に対する防護の最適化は「Management of the radiation dose to the patient to be commensurate with the medical purpose（患者の放射線量が医療目的に見合うよう管理すること）」と表現され，これはX線検査の場合では，画質と線量のバランスをとることにほかならない。

CT検査による医療被ばくの増加は国際的にも重大な関心が寄せられており，国際原子力機関（IAEA）は，Radiation Protection of Patients（RPOP）のウェブサイト[7]を立ち上げて医療放射線の安全使用や医療被ばくの最適化の啓発を行っている。また，ICRPは「Managing patient dose in computed tomography.（ICRP Publication 87）」[8]や「Managing patient dose in multi-detector computed tomography.（ICRP Publication 102）」[9]を発行し，CT線量の適正管理に関する勧告を行っている。そのためにも「American College of Radiology（ACR）appropriateness criteria on CT for trauma」のようなCTの適用基準が必要であるかもしれない。Hadleyらは，この「ACR appropriateness criteria on CT for trauma」の使用により，実効線量が44%，撮影コストが39%低減したと報告している[10]。

CT検査の最適化では管電圧，管電流，slice collimation，rotation time，pitch factorなどの撮影条件設定が重要な要素である。必要最小限の線量で適切な画像を提供する，撮影範囲は必要最小限の範囲とする，造影CTの多相撮影は必要最小限とするなどの対応は必須であり，とくに小児では体格を考慮した小児専用の撮影条件設定が重要となってくる。世界のなかでも圧倒的なCT保有率を誇るわが国は，世界で一番CTの恩恵を受けられる国ということでもあり，その有効かつ適正な利用が望まれる。

患者からの放射線に対する質問について

福島第一原子力発電所の事故により，日本国民は突然にかつてないほどの放射線情報の渦のなかに投げ込まれ，「シーベルト」や「ベクレル」は国民にとってとても身近な単位になってしまった。おそらく，医療の現場でも相談や質問を受ける機会が増えているのではないかと考える。患者からの放射線に対する質問については，基本的に以下のような事項を基本に回答するのがよいであろう[11)12)]。

- 大部分のX線診断手技による出生前の被ばく線量で，出生前死亡・奇形・精神発達遅滞のリスクが増加して，自然発生率を上回ることはない。
- 100 mGy以下の胎児線量では，放射線被ばくのために妊娠を中絶する医学的な正当性はない。ほとんどのX線診断においては，この胎児線量を超えることはまれである。
- 100 mGy以下の胎児線量での放射線誘発の小児癌や白血病のリスクは，自然バックグラウンドレベル群と比べてほとんど違いはない。
- 両親のいずれかが受胎前に生殖腺への放射線被ばくがあったとしても，それにより子どもに癌あるいは形態異常が増加するという結果は示されていない。
- 遺伝的影響については，広島・長崎の被爆者を含めても，ヒトでの発生はみられていない。
- 臨床上母体の健康保持に必要であるならば，X線検査は禁忌ではない（母体が健康でないと，良好な状態での出産はできない）。
- 日本の一検査あたりの患者線量は諸外国のデータと比較しても多くはない。CTの線量も以前より低線量で診断に適した画像を得ることができている。
- 小児の検査では，その体格に合わせて線量を調整している。
- 100 mGy以下の被ばくでは，白血病や癌の発生が有意に増加したというデータはみられない。ほとんどの放射線検査はこの線量以下である。
- ヒトの身体には，すばやく作用する修復機能・免疫機能が備わっている。したがって，放射線の影響は単純加算的な蓄積をしない。
- 医療での放射線被ばくには，十分な便益がある。
- 最適化がなされている。

これらに患者個々の状況や臨床的判断などを加味し，医師・看護師などとともに臨機応変に対応すべきである。

非癌影響への防護

放射線による癌以外の影響については，ICRPから2011年に「Early and late effects of radiation in normal tissues and organs：Threshold doses for tissue reactions and other non-cancer effects of radiation in a radiation protection context」なるドラフトや声明文，およびその後に「ICRP Publication 118」が出された[13)～15)]。これらでは非癌影響を中心に述べられているが，とくに救急医療にかかわるものとして以下の2点が重要である。

1．循環器系疾患

現在のエビデンスから，心血管疾患と脳血管疾患では急性被ばくで約0.5 Gy（または500 mSv）のしきい線量があると考えられる。それに基づけば，0.5 Gyの被ばくをした人の約1%が，被ばくの10年以上後に当該の疾患を発病する可能性がある。分割や慢性被ばくにおいてしきい線量が急性被ばくと同じであるかどうかは不明であるため，これら3種類の被ばく形態でしきい線量は同じ(約0.5 Gy)とみなすことにしている。循環器系疾患は，死亡率・罹患率の両者において重要な放射線晩発障害と考えられている。

2. 白内障

放射線によって誘発される白内障や水晶体混濁において，最近の疫学研究では0.5 Gy付近のしきい線量を示している。これは急性被ばくのみならず，分割や慢性の被ばくでも0.5 Gy付近のしきい線量とされている。これは今までのしきい線量の1/10である（表8）[13)～15)]。

これに伴い，原子力規制委員会では放射線審議会のなかに「眼の水晶体の放射線防護検討部会」を立ち上げ，「眼の水晶体に係る放射線防護の在り方について」[16)]を取りまとめた。それを受けて厚生労働省では「眼の水晶体の被ばく限度の見直し等に関する検討会」を立ち上げ，従事者の水晶体の線量限度の引き下げについての議論が行われている。従来150 mSv/年であった水晶体の線量限度を，「定められた5年間の平均で20 mSv/年，かついずれの1年においても50 mSvを超えない」へ変更することが議論されており[17)]，2021年度より法令に取り入れられる予定である。

このようなしきい線量の変更に伴い，水晶体被ばくによる白内障や水晶体混濁は，放射線診療従事者にとって非常に注意しなくてはならない影響となってきた。0.5 Gyという水晶体のしきい線量は，一生涯の放射線診療業務で容易に超えてしまう可能性のある数値であり，透視やIVRのみならず，CTや一般撮影の介助などによる水晶体の被ばくにも十分注意し，防護しなくてはならない。水晶体が曝露する機会が多い救急での放射線診療においては，CT室や一般撮影室などにおいても防護用品として防護コートまたはエプロンと防護メガネを常備し，両者をセットで着用することが重要である。また，血管撮影では防護板などを有効に利用することが，水晶体被ばくの低減に効果的である[17)]。

まずは自施設において，不均等被ばく管理（個人線量計を胸もしくは腹部だけでなく頸部にも装着する）での水晶体の等価線量を確認すべきである。また，プロテクターを着用する（この時点で不均等被ばくの状況）医療従事者に対して不均等被ばく管理がされていない（個人線量計が胸部または腹部のみに1つ）事例も散見されるが，その場合には水晶体等価線量の過小評価が起こり得るため，不均等被ばく管理に切り替えることが必要である。医療法施行規則では，放射線診療従事者への適切な被ばく管理を「管理者の義務」としている（表9）。

表8　ICRPにおける水晶体のしきい線量に関する変更

	白内障（Gy）	水晶体混濁（Gy）
1990年 急性被ばく	5	0.5
1990年 遷延性被ばく	>8	5
2012年 急性および遷延性被ばく	0.5	0.5

表9　管理者の義務

医療法施行規則　第三十条の十八の2
前項の実効線量及び等価線量は，外部放射線に被ばくすること（以下「外部被ばく」という。）による線量及び人体内部に摂取した放射性同位元素からの放射線に被ばくすること（以下「内部被ばく」という。）による線量について次に定めるところにより測定した結果に基づき厚生労働大臣の定めるところにより算定しなければならない 一　外部被ばくによる線量の測定は，一センチメートル線量当量及び七十マイクロメートル線量当量（中性子線については，一センチメートル線量当量）を放射線測定器を用いて測定することにより行うこと。ただし，放射線測定器を用いて測定することが，著しく困難である場合には，計算によつてこれらの値を算出することができる 二　外部被ばくによる線量は，胸部（女子（妊娠する可能性がないと診断された者及び妊娠する意思がない旨を病院又は診療所の管理者に書面で申し出た者を除く。以下この号において同じ。）にあつては腹部）について測定すること。ただし，体幹部（人体部位のうち，頭部，けい部，胸部，上腕部，腹部及び大たい部をいう。以下同じ。）を頭部及びけい部，胸部及び上腕部並びに腹部及び大たい部に三区分した場合において，被ばくする線量が最大となるおそれのある区分が胸部及び上腕部（女子にあつては腹部及び大たい部）以外であるときは，当該区分についても測定し，また，被ばくする線量が最大となるおそれのある人体部位が体幹部以外の部位であるときは，当該部位についても測定すること 三　第一号の規定にかかわらず，前号ただし書により体幹部以外の部位について測定する場合は，七十マイクロメートル線量当量（中性子線については，一センチメートル線量当量）を測定すれば足りること

〔「医療法施行規則」より一部抜粋〕

診断参考レベル（DRLs）

医療における患者の放射線防護は，正当化と最適化2つの大きな放射線防護原則に基づいている。ICRPは，医療被ばくにおいては正当化された検査をALARA（as low as reasonably achievable）原則により，経済的・社会的要因を考慮に入れ，できるかぎり低い線量に保ち，最適化するよう勧告している。その後，ICRPは放射線診断における防護の最適化を推進するために，患者に対する診断参考レベル（diagnostic reference levels；DRLs）の使用を「Publication73」（1996年）で勧告している。

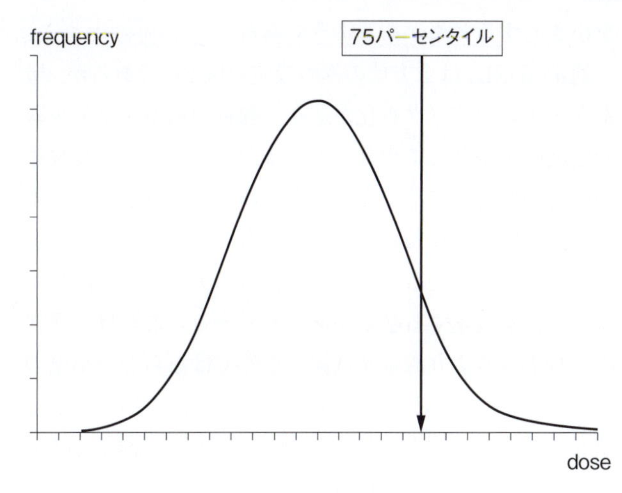

図2　diagnostic reference level

1. 診断参考レベル（DRLs）とは

DRLsは実際の線量調査データに基づいて設定されるものであり，かつ柔軟な運用が認められている。防護の最適化を確認するには最適のツールであると考えられる。以下にその特徴を列記する。

1）基本的事項

- 「ICRP publication73」でその概念が導入された。
- 規制的な目的ではなく，線量限度または線量拘束値ではない。
- 線量の最適値や代表値ではない。
- 対象には放射線診断と診断核医学が含まれ，放射線治療には適用しない。
- 基本的には確率的影響がその対象となる。
- IVRでの診断参考レベルは原則として，不必要な確率的影響リスクの回避に対する患者線量の管理を推進するために用いる。
- IVRでの確定的影響（放射線誘発皮膚損傷など）の管理にまでは適用しない。

2）DRLsの設定

- DRLsの設定は，医療の専門団体によってなされる。
- 患者や標準ファントムにおいて観察された線量分布のパーセンタイル（百分位数）点を用いる（一般的には75パーセンタイルが用いられている：図2）。
- 各施設で確認ができるように，シンプルな標準ファントムや，放射線診断での典型的なサイズの患者の表面における空気カーマまたは組織等価物質の吸収線量のような，簡単に測定できる線量値を用いる（ただし，「ICRP Publication 135」[18]では，ファントムではなく臨床データによるDRLsの設定を推奨している）。
- 一般撮影などにおいては，入射表面線量（entrance surface dose）や面積線量（Air kerma-area product），CTならばCTDIvolやDLPなどのパラメータが，DRLsの表現によく用いられている。
- 診断核医学では投与した放射能量を用いる。

3）DRLsの運用

- DRLsは個々の患者被ばくに適用しない（標準的な患者サイズであるなど，標準ファントムに用いる）。
- DRLsは診断価値を担保した線量値でなくてはならない。
- 患者の臨床状態によっては，その際の被ばくが正当化されるならば線量はDRLsよりさらに高くなってしまってもよく，柔軟な運用が可能である。

4）注意事項

- DRLsは放射線リスクの指標ではない。
- 多くの場合は上方値のみが示されており，下方値は示されていない。
- 良好な診療と不十分な診療を区分する線引きに用いてはならない。
- 小児では，年齢，身長，および体重によって区別した詳細なグループについてDRLsを設定しなければならない。
- DRLsの指標となる値の再評価は，定期的に行われなければならない。
- 国（national）や地域（local）各々で設定することができる（national DRLsとlocal DRLs）。
- local DRLsとnational DRLsが乖離している場合には，再検討が必要である。

2. DRLsに関する新しい展開

1）レベルの設定について

一般的には75パーセンタイル値がDRLsの設定に用いられているレベルである。撮影の標準化も防護の最適化には大変有効であり，線量の標準化が先行しているマンモグラフィをみても，標準化は施設間での線量の分散を小さくする効果があるようである。

通常，DRLsは上方値のみの設定（図2）であるが，撮影システムのデジタル化が進み，線量の過多がフィルムの濃度の過多として現れなくなったことで，適正な線量の概念がわかりにくくなってきている。線量を減らしすぎて，診断能を損ねかねない画像も作成することができるようになっている。そのためにも，デジタルに関しては下方値も設定する必要があると考える。これは，通常のプロトコルより線量を低減しなくてはならない小児のCTでも同様である。このように，上方値に加えて下方値も設定する方法を，診断参考レンジ（diagnostic reference range；DRR）という。

2）Median Value of National Distribution

各施設におけるDRL量の中央値がnational DRL値以下にある場合でもさらなる改善は可能であり，画質と患者の線量を最適化する際の補助として，DRL値とともにnational DRL値を決定する際に使用した分布の中央値を利用することができる（図3）。

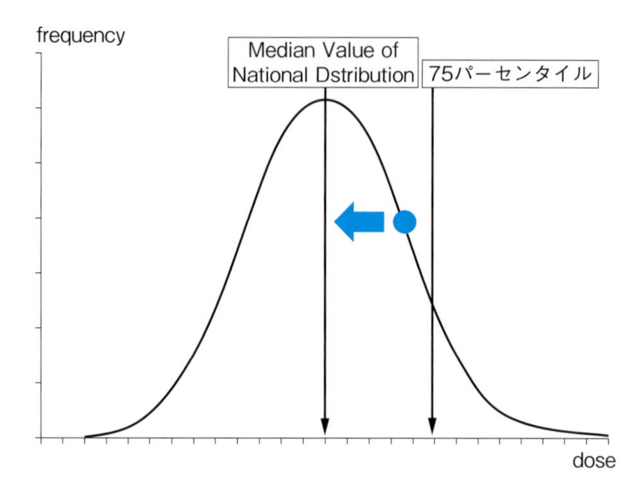

図3　Median Value of National Distribution

3. DRLsの今後

2015年6月，医療放射線関連学会，国立機関，職能団体，行政機関などによる緩やかな連合組織として活動している医療被ばく研究情報ネットワーク（J-RIME）より，わが国初のnational DRLsがリリースされた。DRLsはその性質上，定期的な更新が必要であり，J-RIMEでは2020年のリリースを目指して改訂作業が行われているところである。ここでは救急で用いられる外傷全身CTについてもDRLsが示される予定である。

救急の現場では，患者の状態がはっきりしていないなかで検査を行うことがしばしばある。重篤なケースでは即時性が重要であり，放射線検査を躊躇する必要はまったくない。救命が何よりも最優先されるのは，いうまでもないことである。また，救急医療スタッフの職業被ばくや(IVRまで含めた)患者などの医療被ばくに対して，医師や看護師への助言，提案および被ばく管理を積極的に行うべきであり，他職種に対してもそのような助言や提案ができるよう，スタッフ間で良好な関係を日常から構築していく必要がある。

放射線防護・管理の立場から救急撮影認定技師に求められるものは，①防護の最適化の実践，②法令の知識とその遵守，③医療従事者の被ばくに対するマネジメント，④照射に関する記録の徹底，⑤救急に適した撮影プロトコルの作成，である。また，CTのような複雑なプロトコルを用いる検査では，救急撮影認定技師が有する救急医療の知識と放射線の知識を駆使し，救急医と日常診療でCTを担当する技師の間に立って，救急独自のプロトコルを作成することなども，重要な仕事になるであろう。なぜならば，救急医療と日常診療では，放射線診療による利益の考え方が異なる場合があり，救急撮影認定技師こそが放射線と救急の両者を，バランスよく知っている唯一の職種だからである。

【文　献】

1）International Commission on Radiological Protection (ICRP)：Radiological protection in medicine. ICRP draft Jan 12, 2007.
2）厚生労働省：第7回医療放射線の適正管理に関する検討会資料；医療放射線の安全管理のための指針（案）について，2018.
3）United Nations Scientific Committee on the Effects of Atomic Radiation（UNSCEAR）：Source and effects of ionizing radiation, UNSCEAR 2008 Report：Volume I, 2008.
4）原子力安全研究協会：新版生活環境放射線（国民線量の算定），2011.
5）ICRP：The 2007 recommendations of the International Commission on Radiological Protection. ICRP Publication 103, Ann ICRP 37（2-4）, 2007.
6）Lee CI, et al：Diagnostic CT scans：Assessment of patient, physician, and radiologist awareness of radiation dose and possible risks. Radiology 231：393-398, 2004.
7）International Atomic Energy Agency（IAEA）：Radiation Protection of Patients（RPOP）.
8）ICRP：Managing patient dose in computed tomography. ICRP Publication 87, Ann ICRP 30, 2000.
9）ICRP：Managing patient dose in multi-detector computed tomography (MDCT). ICRP Publication 102, Ann ICRP 37, 2007.
10）Hadley JL, et al：Potential impact of the American College of Radiology appropriateness criteria on CT for trauma. Am J Roentgenol 186：937-942, 2006.

11）大野和子：患者さんの不安に答えた経験から言えること．日放線技会誌 64：601–604，2008.
12）五十嵐隆元：医療被ばく相談；この事例にあなたはどう答えますか．日放線技会誌 64：1398–1403，2008.
13）ICRP：Draft report for consultation, early and late effects of radiation in normal tissues and organs：Threshold doses for tissue reactions and other non-cancer effects of radiation in a radiation protection context. ICRP ref 4844-6029-7736, Jan 20, 2011.
14）ICRP：Statement on tissue reactions. ICRP ref 4825-3093-1464, Apr 21, 2011.
15）ICRP：ICRP statement on tissue reactions/early and late effects of radiation in normal tissues and organs–threshold doses for tissue reactions in a radiation protection context. ICRP Publication 118, Ann ICRP 41（1/2）, 2012.
16）放射線審議会眼の水晶体の放射線防護検討部会：眼の水晶体に係る放射線防護の在り方について，2018.
17）厚生労働省：眼の水晶体の被ばく限度の見直し等に関する検討会報告書，2019.
18）ICRP：Diagnostic Reference Levels in Medical Imaging. ICRP Publication 135. Ann. ICRP 46（1）, 2017.

4　薬剤の副作用

現代医療において，画像診断は疾患の診断から治療方針の決定，効果判定に至るまで，もはや不可欠なものとなっている。造影剤は正常組織とのコントラストを向上させることによって質的診断，進展範囲の評価などに役立つ。また，血管の解剖学的情報を得ることを容易とし，血流動態を含めた機能的情報も得ることができる。造影剤の安全性は一般に高いものの，副作用は一定の割合で発生する。

造影剤の概要

検査ごとに使用される造影剤は異なり，X 線造影剤，MRI 造影剤，超音波造影剤がある。X 線造影剤は，X 線の透過性に影響を及ぼすことで画像にコントラストを与える。MRI 造影剤は，造影剤そのものが画像に写るのではなく，体内のプロトンの緩和時間を短縮することで T1 強調画像または T2 強調画像において異なる組織間コントラストを増強する。超音波造影剤は，造影剤内の微小気泡により超音波の反射・散乱・共振で造影効果が発生する。

1．X 線造影剤

X 線造影剤は，大きく分けて陽性造影剤と陰性造影剤に分けられる。陽性造影剤はヨード系とバリウム系に分けられ，さらにヨード系は油性と水溶性に，水溶性はモノマー型とダイマー型に分けられる（表 1）[1]。

水溶性ヨード造影剤の基本構造は，ヨードがついたベンゼン環である。ヨードのついていない部位の一つにカルボキシル基をもつことで水溶性になる。このとき，水溶液中で陽イオンと陰イオンに解離するため，このような造影剤を「イオン性造影剤」という。

一方，ヨードのついていない部位の一つに水酸基をもつことで水溶性になる造影剤は，水溶液中で解離しないためイオン化しない。このような造影剤を「非イオン性造影剤」という。ヨード造影剤の浸透圧は体積あたりの分子数（モル濃度）に比例するため，イオン性造影剤よりも非イオン性造影剤のほうが同一ヨード量での浸透圧が低い。

トリヨードベンゼン環が一つのものをモノマー型といい，2 つのトリヨードベンゼン環がつながった構造をダイマー型という。モノマー型とダイマー型では，同一ヨード量の場合，ダイマー型はモノマー型の半分の分子数となるため，ダイマー型のほうが浸透圧が低い。しかし，その分子量が大きくなるため粘稠度は高くなる。

現在国内で使用されている血管内投与用のヨード造影剤は，ほとんどが非イオン性モノマー型である。

表 1　X 線造影剤の分類

分類					主要成分	主な使用用途
陽性	注射剤	水溶性	イオン性	モノマー型	ヨード	ERCP，逆行性尿路，特殊管腔
				ダイマー型	ヨード	尿路，血管，胆嚢・胆道
			非イオン性	モノマー型	ヨード	尿路，血管，CT
				ダイマー型	ヨード	脊髄，子宮卵管，関節，一部の血管，ERCP
		油性			ヨード	子宮卵管，リンパ系
	経口剤				バリウム ヨード	消化管
陰性					空気 酸素 二酸化炭素	脳室・脳槽，血管，消化管

〔文献 1）より引用・改変〕

表 2　MRI 造影剤の分類

分類			キレート構造	主な適応部位
注射剤	ガドリニウム製剤	非イオン性	マクロ環型	脳，脊髄，躯幹部，四肢
			リニア型	
		イオン性	マクロ環型	
			リニア型	
	鉄製剤	親水性コロイド		肝
経口剤	鉄製剤	水溶性		消化管
	マンガン製剤			

〔文献 1）より引用・改変〕

2. MRI 造影剤

現在 MRI で使用される造影剤で主なものは静注用であり，その主成分はガドリニウムである。ガドリニウムイオン単体では生体に対する毒性が高いため，ガドリニウムイオンをキレート化した錯体として用いられ，そのキレート構造からリニア（線状）型とマクロ環（環状）型に分類される。さらに，それぞれイオン性と非イオン性に分類される（表 2）[1]。

3. 超音波造影剤

超音波検査では，プローブから体内に数 MHz 帯のパルス波を照射し，反射して戻った超音波を受信して画像化する。超音波造影剤はリン脂質などで被膜した微小気泡（マイクロバブル）を有効成分とした注射剤である。静脈内に投与後，肺の毛細血管を通過して左心系から末梢血管へ運ばれて，超音波造影剤の微小気泡表面に超音波が反射して高エコー（白く）に表示される。

造影剤の薬剤情報

造影剤は薬物効果をもたない診断薬である。その組成はさまざまな化学物質であるため人体にとっては異物であり，副作用の原因となる。添付文書は薬事法第 52 条（添付文書等の記載事項）において記載すべき内容が定められており，造影剤使用者は，造影剤の添付文書の内容について知っておかなければならない。

添付文書の目的は，造影剤の副作用や相互作用を含めた使用上の注意である。ほかにも，医薬品として組成を含めた必要な品質，有効性，安全性に関する情報が記載されており，新しい情報に書き換えられることもある。これにより造影剤の適正使用に寄与し，診療における良質な医療を実現している。しかし，造影剤はさまざまな疾患のさまざまな検査で使用され，最近では IVR などの治療目的でも使用されるため，その使用方法もさまざまであり，そのすべてについて添付文書に記載されているわけではない。したがって，添付文書には情報量の制限があり，すべての情報が記載されているわけではないことを十分に認識しておく必要がある[2]。

造影剤の副作用情報は添付文書以外に，日本医学放射線学会や各製薬会社の医薬品情報担当者，各製薬会社のホームページなどから入手可能である。

以下，一般的に使用頻度が高いヨード造影剤の添付文書を例にして記載する。

1. 警　告

「警告」とは，死に至る，または重篤な後遺症が生じるような可能性がある場合，または生じた副作用によりきわめて重大な事故につながる可能性がある場合など，とくに注意を喚起して，現場に適切な対応を求める必要がある場合に記載される。「警告」は，添付文書の左上に赤い帯に囲まれて記されている。

ヨード造影剤の添付文書において「警告」とされるのは，①ショック等重篤な副作用があらわれることがある，②脳・脊髄腔内に投与すると重篤な副作用が発現するおそれがあるため，脳槽・脊髄造影には使用しないこと，の 2 つである。

①については後述するが，②は脳槽・脊髄用造影剤以外の造影剤に記載されているものであり，イオン性造影剤が脊髄腔内に流入した場合，ATCS 症候群（ascending tonic-clonic seizure syndrome）と呼ばれる筋痙攣や意識障害などを伴う重篤な状態になり，時に死亡することもある。ATCS 症候群は，発生頻度は低いものの，非イオン性造影剤でも発生し得る。

2018 年 5 月に公表された「イオン性ヨード造影剤（ウログラフィン® 等）の誤投与・流入による有害事象」[3]によれば，1991 年に厚生省がウログラフィン® をはじめとした脳槽・脊髄造影の適用外の造影剤に対し，添付文書に赤枠で「本剤を脳・脊髄腔内に投与すると重篤な副作

VI章
安全管理の技術と知識

用が発現するおそれがあるので，脳脊髄造影には使用しないこと」，外箱に「脊髄造影禁止」，容器に「尿路・血管用」（イオン性造影剤は2001年に血管造影の適用外）と表示する行政指導を行った。しかし，脊髄造影の際にウログラフィン® を使用してしまう事故がその後も繰り返し発生しているため，①各施設は，血管外の各種体腔などの造影に使用するすべてのヨード造影剤は，イオン性造影剤の使用を廃止し，より危険の少ない非イオン性造影剤で代替する。②イオン性造影剤の使用をどうしても廃止できない場合は，イオン性造影剤を薬剤部門または放射線部門の管理下に置き，脳槽・脊髄造影，硬膜外造影，椎間板造影，造影剤を使用する脊椎近傍の神経ブロックを実施する際には必ず文書で使用目的や使用部位を明示し，使用者と管理者双方で文書に基づき確認・払い出しを行い，残余造影剤は返却することを含めて管理するとしている。また，国レベルですべての患者に非イオン性造影剤を使用することも提言されており，造影剤誤投与の防止として，脊髄造影の造影剤の準備は検査施行医師が実際に使用する造影剤を確認することが原則とする成書もある[4]。

脳槽・脊髄造影を行う際には，ATCS症候群に迅速に対応できるように，造影剤使用後は少なくとも6時間は30°程度の頭部挙上と下肢の有痛性痙攣の観察など医師の観察下に置き，ATCS症候群が疑われた場合は必要に応じて高次医療機関へ速やかに転送するのが望ましい。

2. 禁　忌[5]

「禁忌」とは，患者の症状，原疾患，合併症，既往歴，家族歴，体質，併用薬剤などから考慮して投与すべきでない患者について記載したものである。また原則として，過敏症以外は設定理由が記載されている。ヨード造影剤の添付文書において禁忌とされているのは，①ヨードまたはヨード造影剤に過敏症の既往歴のある患者，②重篤な甲状腺疾患がある患者（後述）である。

ヨードまたはヨード造影剤過敏症とは，患者の素因や体質に基づいて出現する薬物特異体質，アレルギー様反応による非用量依存性の予測不能な事象と考えられている。

3. 原則禁忌[6]

「原則禁忌」とは，本来ならヨード造影剤の投与を禁忌とすべきではあるが，診断または治療上，ヨード造影剤投与の利益が患者の健康上の損失を上回るとされる場合にはその使用が認められるとされているものである。ヨード造影剤の添付文書によって「原則禁忌」とされている患者を表3に示すが，これらには最新の医学的知識に基づくと問題点も多い。

表3　ヨード造影剤添付文書の「原則禁忌」患者

- 一般状態の極度に悪い患者
- 気管支喘息のある患者
- 重篤な心臓障害のある患者
- 重篤な肝障害のある患者
- 重篤な腎障害のある患者
- マクログロブリン血症の患者
- 多発性骨髄腫の患者
- テタニーのある患者
- 褐色細胞腫のある患者およびその疑いのある患者

気管支喘息のある患者は重篤な副作用発現率が上昇すると報告されており，そのオッズ比は10.09と造影剤副作用既往歴のある患者の4.68よりも高く，原則禁忌とされているなかでももっとも注意すべきである[7]。活動性の気管支喘息，治療中でコントロールが不十分な気管支喘息の患者へのヨード造影剤投与は禁忌とすべきとしているが，気管支喘息の重症度はさまざまであり，また薬剤などで気管支喘息がコントロールされている患者へのヨード造影剤投与については明確な基準がない。ESUR（European Society of Urogenital Radiology）のガイドライン ver. 10.0（以下，ESURver. 10.0）[8]でも，薬物治療が必要な気管支喘息患者へのヨード造影剤投与は急性副作用の危険因子とされているが，具体的にどのような患者について危険とすべきなのか，明確な基準はない。

ヨード造影剤の心臓への作用としては，心筋の収縮性に対する作用と刺激伝導系に対する作用があるといわれている[9]。心筋の収縮性に対する作用では血圧変動を引き起こし，刺激伝導系に対する作用では不整脈を引き起こす。心疾患をもつ患者のヨード造影剤の重篤な副作用発現率は，オッズ比3.02に上昇すると報告されている[7][10]。冠状動脈CT検査では，心拍数を抑える目的でβ遮断薬を使用することが多く，またそもそもβ遮断薬はさまざまな心疾患の治療に利用されている薬剤である。β遮断薬服用患者にアナフィラキシー様ショックが発生した場合，第一選択治療薬であるアドレナリンの効果が得られにくいことが知られている[11]。このような場合にはグルカゴンを投与することで血圧が回復したという報告があるため[12]〜[14]，β遮断薬服用患者に対する造影剤使用検査の際にはグルカゴンを準備しておく必要がある。

褐色細胞腫のある患者およびその疑いのある患者について，ESURver. 10.0では非イオン性ヨード造影剤を使用すべきとし，静脈内投与では特別な準備の必要性はないが，動脈内投与では担当医の監視下でαおよびβアドレナリン遮断薬の経口投与を推奨している[8]。

表4　ヨード造影剤添付文書の「慎重投与」患者

- 本人，または両親，兄弟に気管支喘息，発疹，蕁麻疹などのアレルギーを起こしやすい体質を有する患者
- 薬物過敏症のある患者
- 脱水状態にある患者
- 高血圧の患者
- 動脈硬化のある患者
- 糖尿病のある患者
- 甲状腺疾患のある患者
- 肝機能が低下している患者
- 腎機能が低下している患者
- 急性膵炎の患者
- 高齢者
- 幼児，小児

表5　造影剤の急性副作用

	アレルギー様/過敏性	化学毒性
軽度	・軽度の蕁麻疹 ・軽度の瘙痒 ・紅斑	・悪心/軽度の嘔吐 ・熱感/悪寒 ・不安 ・自然に消失する血管迷走神経反応
中等度	・著明な蕁麻疹 ・軽度の気管支痙攣 ・顔面/喉頭浮腫	・血管迷走神経発作
重度	・低血圧性ショック ・呼吸停止 ・心停止	・不整脈 ・痙攣

〔文献8）より引用して作成〕

4．慎重投与

添付文書においてヨード造影剤の慎重投与とされている患者を表4に示す。しかし原則禁忌にあげられている項目同様に根拠に乏しい項目が多い。

急性膵炎について，以前は「原則禁忌」であり，造影剤使用で急性膵炎が悪化すると重篤な経緯をたどる可能性があるためとされていた。しかし現在では，診療ガイドラインなどでも急性膵炎に対する造影CTが有用とされており，そのほかに造影剤使用を控えるべき問題がなければ投与されている。

造影剤の副作用の基本

造影剤の副作用として，ESURver. 10.0の定義では，造影剤注入後1時間以内に起こるものを急性副作用，1時間～1週間までの間に起こるものを遅発性副作用，1週間以降に起こるものを超遅発性副作用とされている[8]。ただし，副作用のほとんどは造影剤投与後数分以内に発生する。

造影剤の副作用リスクは検査前の問診で判明することも多く，これを怠ってはならない。また，検査室で診療放射線技師や看護師が患者に確認して初めて明らかになることもあり，医療安全の観点から積極的に確認すべきである。確認された副作用情報は電子カルテシステムなどに記録し，施設内で共有して正しく活用すれば，その後は警告機能などによる注意喚起が可能になる。

急性副作用

ヨード造影剤，ガドリニウム造影剤，超音波造影剤の投与後に発症する急性副作用は同様であり，発生率はヨード造影剤でもっとも高く，超音波造影剤がもっとも低い。その発生率は，非イオン性造影剤で約3％である[10]。

急性副作用はアレルギー様/過敏性反応と化学毒性反応に分けられる。アレルギー様/過敏性反応はIgEが関与する場合もあればそうでない場合もあるとされており，化学毒性反応は造影剤の浸透圧などで生じる（表5）[8]。発症が軽度であっても，それが重度の前駆症状の場合もあるため，注意深く観察することが必要である。

1．リスク因子

急性副作用のリスクが高い患者は，①ヨードまたはガドリニウム造影剤に対して中等度または重度の急性副作用の既往歴をもつ患者，②薬剤治療が必要な喘息患者，③薬剤治療が必要なアトピー患者である。

非イオン性低浸透圧造影剤であれば，造影剤の種類・濃度・投与量による急性副作用発生率の差は認められない。ガドリニウム造影剤では，副作用のリスクと造影剤の浸透圧は相関せず，検査時に低用量で使用されるため，その浸透圧負荷も小さい。また，ガドリニウム造影剤の種類による急性副作用発生率の差は認められない。

ヨード造影剤による急性副作用のリスク低減のためには，すべての患者に非イオン性ヨード造影剤を使用し，副作用のリスクが高い患者に対しては造影剤を使用しない代替検査を考慮する。また，造影剤副作用の既往歴のある患者に造影剤使用検査を再度行う場合は，以前に副作用が発生した際とは異なる造影剤を使用する。

前投薬について，ESURver. 9.0までは有効性に関するエビデンスは限られているとしながら，プレドニゾロン30 mg（またはメチルプレドニゾロン32 mg）を造影剤投与の12時間前と2時間前に経口投与する方法が推奨されていたが，ESURver. 10.0ではその有効性に関するエビデンスがないとして推奨されていない。検査前の脱水

表6　検査室に準備しておくべき緊急治療薬剤・器具

薬剤・器具	効果・用途
アドレナリン1 mg/ml 溶液（1：1,000）	アナフィラキシーショックでの第一選択薬
抗ヒスタミン H_1剤注射薬	蕁麻疹・痒みの抑制
アトロピン	迷走神経反射の抑制
β_2刺激薬定量噴霧式吸入器	気管支の拡張
静脈内輸液（生理食塩液またはリンゲル液）	重要臓器血流の維持
抗痙攣薬（ジアゼパム）	筋痙攣症状の抑制
血圧計	急変時の血圧測定
一方向式人工呼吸補助具	呼吸停止時の蘇生

〔文献8）より引用して作成〕

を防ぐ意味で，検査前の水分補給は有用とされている[15]。胆道系の検査以外では造影剤投与前の絶食は推奨されない。患者の不安が副作用の発生率を上昇させるという報告もあり，医療スタッフはその点についても考慮しなければならない[16]。造影剤の検査前の加温については，副作用低減のデータは限られているが，患者にとって快適と考えられているため可能であれば行うべきである。

急性副作用のための準備としては，すべての患者に対して蘇生用の薬剤と装置を常に，すぐに使用できる状態にしておき，造影剤投与後30分間は患者の急変に備えて，ただちに処置ができるよう施設内に留め置くようにする。

2. 基本的な対処法

ヨード造影剤，ガドリニウム造影剤，超音波造影剤のいずれの急性副作用でも対処法は同様であり，表6[8]に示す薬剤や器具を準備する。実際に急性副作用が発生したときに滞りなく対処できるよう，救急カートは放射線部内ですぐに使用できる状態に保ち，欠品や器具の故障がないようにしなければならない。検査室内には，施設内で定められた緊急時対応の連絡先を貼っておく。また，関連する医療スタッフも急性副作用発生時の手順確認や蘇生法の学習など定期的な研修を受けておくべきである。

急性副作用が起きた場合には，血圧・脈拍を確認し，呼吸困難の有無，気管支痙攣確認のための聴診を行う。患者の服を脱がして皮膚の紅斑や蕁麻疹を確認し，悪心や嘔吐に対処する。静脈確保については，造影剤を投与していた耐圧チューブからの薬剤投与は避け，新たに静脈ルートを確保するのが望ましい。造影剤を投与していた耐圧チューブから投与する場合は，耐圧チューブ内の造影剤を吸引し，破棄した後に使用する。

3. アナフィラキシー反応/アナフィラキシー様反応の対処法

アナフィラキシー反応とは，アレルゲンなどの侵入により全身の複数臓器にアレルギー症状が現れ，生命に危機を与え得る過敏反応のことであり，アナフィラキシーショックとは，アナフィラキシーに血圧低下や意識障害を伴う場合をいう[17][18]。造影剤の急性副作用は造影剤投与初回でも発症することもあり，免疫学的メカニズムとは異なる場合もあるため，「アナフィラキシー様反応」または「アナフィラキシーショック様」といわれることが多い。しかし，実際にはアナフィラキシー反応とアナフィラキシー様反応の区別は困難であり，対処方法も同じことから，これらは区別せずに扱う。また，アナフィラキシー様反応と造影剤投与量は無関係であり，ごく少量の造影剤でも重度のアナフィラキシー様反応が発症することもあり，常にアナフィラキシー発症の可能性を念頭に置きながら，少なくとも造影開始5分間は注意深く患者の容態を観察する。

アナフィラキシーの治療は一刻を争うため，造影剤投与後に皮膚症状に限らず患者の容態が変化した場合には，確定診断を待たずにアナフィラキシーを疑ってただちに造影剤投与を中止する。第一選択薬であるアドレナリンを準備し，ためらわずにアドレナリン標準量（成人で0.3 mg）を患者の大腿部前外側部に筋注する[19]。ここで重要なのは，アナフィラキシーを疑った時点でアドレナリンを筋注すべきであるという点である。アナフィラキシー症状としては皮疹が有名であるが，アナフィラキシーに必ずしも皮疹を伴うわけではなく，その診断に皮膚症状は必須ではない。アナフィラキシーの初期対応ではバイタルサインの測定や施設内の救急蘇生チームに連絡すると同時に，酸素投与や静脈ルート確保よりもアドレナリンの筋注を優先する。

アナフィラキシーに対する抗ヒスタミン薬と副腎ホル

モン薬はあくまで第二選択薬であり，それらが救命に寄与するエビデンスはない。アナフィラキシーによる死亡の多くはアドレナリン投与の遅延などが関与しており[20]，アドレナリン0.3 mg筋注で有害事象が起きる可能性は非常に低いとされている。なお，アドレナリンの静脈内投与はアドレナリン血中濃度が急上昇し，重篤な心筋虚血や不整脈，肺水腫などを引き起こす可能性があるため，アナフィラキシーの初期治療では推奨されない[21]。

注射部位についても，一般的に骨格筋は血流豊富で血中濃度の上昇が早く，大腿部は肩よりも筋注後のアドレナリン至適血中濃度が速やかに得られるため，アナフィラキシーの初期治療に適している。とくに，大腿骨大転子と膝蓋骨中央を結んだ線の中央部付近の大腿部前外側部（外側広筋）が望ましい。また，アドレナリンのプレフィルドシリンジは1 ml（1 mg）であるため，0.7 mlを廃棄した後に0.3 mlを一度に筋注する方法が，手技的な間違いがない。

4．その他の急性副作用の対処法[8]

1）悪心・嘔吐

軽度のものや一過性のものは対症的に対応し，とくに治療は必要ない。重度のものや持続性のものは適切な制吐剤の使用を考慮する。アナフィラキシーで重度の嘔吐が起きることもあり，注意を要する。

2）蕁麻疹

散在する一過性のものは経過観察を含む対症療法を行い，持続性のものや全身性のもの，血管浮腫性のものは適切な抗ヒスタミンH_1剤注射薬の筋注や静脈投与を行う。抗ヒスタミンH_1剤注射薬投与後は傾眠または低血圧が生じる可能性があるため，車の運転や機械操作を避けさせる。

3）気管支痙攣

酸素投与（6～10 L/min）やβ_2刺激薬定量噴霧式吸入器による吸入（2～3回深く吸入）を行い，血圧正常の場合にはアドレナリンを0.1～0.3 mg筋注，血圧低下例の場合はアドレナリンを0.5 mg筋注する。冠動脈疾患患者や高齢患者の場合には減量する。

4）喉頭浮腫

酸素投与（6～10 L/min）やアドレナリン0.5 mg筋注を行い，必要に応じて繰り返す。

5）血圧低下

血圧低下のみの場合は患者の下肢を挙上し，酸素投与（6～10 L/min），生理食塩液またはリンゲル液を2 Lまで急速静脈内投与する。治療に反応しない場合はアドレナリンを0.5 mg筋注し，必要に応じて繰り返す。迷走神経反射（低血圧と徐脈）の場合は，上記の処置にアトロピン0.6～1.0 mgを静脈内投与し，必要に応じて3～5分後に成人では3 mgまで（0.04 mg/kg）を繰り返し，治療に反応しない場合はアナフィラキシーとしての治療を行う。

遅発性副作用

造影剤の遅発性副作用の発生機序についてはいまだ不明な部分も多いが，ヨード造影剤によって発生する。発生率は非イオン性造影剤で0.52～50.8％と報告に大きな幅があり[22]，不明確である。症状の多くは紅斑，瘙痒，腫脹，斑状丘疹状皮疹で，他の薬疹と類似した皮膚反応が起きるが，通常は重症化や慢性化せず自然治癒する。過去には遅発性副作用としてさまざまな不定愁訴（頭痛，発熱，悪心・嘔吐，めまい，筋肉痛など）が報告されてきたが，現在ではその多くが造影剤の遅発性副作用ではないとされている。

遅発性副作用のリスクは，造影剤による遅発性副作用歴，インターロイキン-2（IL-2）による治療，非イオン性ダイマー型造影剤の使用である。造影剤使用の際は，可能であれば副作用を発症した造影剤と異なる造影剤を使用する。

検査後には遅発性副作用が起きる可能性を患者に説明し，問題ある場合には施設または医師に連絡するよう伝える。対処法は通常の薬剤性皮膚反応の場合と同じく，抗ヒスタミン薬，外用ステロイド薬，皮膚軟化薬の使用とされている。

超遅発性副作用

1．甲状腺中毒症

重篤な甲状腺疾患がある患者にヨード造影剤が投与された後，甲状腺機能亢進症，甲状腺クリーゼを発症したという報告がある[23,24]。正常な甲状腺はヨード造影剤が投与されてもホルモン産生を増やすことなくヨード過剰に対応できるが，甲状腺に異常がある場合は自己調節メカニズムが機能せず，甲状腺中毒症などをきたすおそれがある。このような危険性は，造影剤のヨードやヨウ化物の量によって決定されると考えられている。

ヨード誘発性甲状腺機能亢進症は，ヨード造影剤投与から数週間ないし数カ月後に発生し，未治療のバセドウ病患者，多結節性甲状腺腫で甲状腺機能の自律性亢進がみられる患者（とくに高齢者）でリスクが高い。したがって，明らかな甲状腺機能亢進患者にヨード造影剤を投与するかどうかには，慎重な臨床的判断が必要である。

どの程度の機能異常を「重篤な甲状腺疾患」とするか

については明確な基準がなく，一般的には甲状腺機能が良好にコントロールできていない患者ではヨード造影剤投与を可能なかぎり避けるべきである。一方で，薬物治療などにより甲状腺機能が良好にコントロールできている患者については慎重投与であり，リスクを最小限にするために可能であれば甲状腺疾患の治療終了を待って造影剤投与を行い，造影剤投与後も甲状腺ホルモン値を確認することが望ましい[5]。

2. 腎性全身性線維症（NSF）[25]

腎機能に障害のある患者，とくに透析患者の場合，ガドリニウム造影剤を投与されると，数日以上が経過した時点，時には数年後に，四肢とくに下肢の皮膚発赤や腫脹，疼痛などの症状が現れることがある。これを腎性全身性線維症（nephrogenic systemic fibrosis；NSF）と呼ぶ。NSFが発症すると線維化によって皮膚がしだいに肥厚・硬化し，進行すると横紋筋や腱に石灰化が生じて関節拘縮を起こす。頭頸部を侵すことはないが，四肢の皮膚病変と関節拘縮は時に重篤化し，患者のQOLは著しく低下する。皮膚の疼痛は慢性的で，生涯残存する。現状，NSFは発症すればその治療法はなく，死亡例もあるため，予防が重要となる（表7）[8]。

NSFの発生機序については明らかでない点も多いが，正常腎機能患者については報告がなく，すべての報告が腎機能障害患者からである。ガドリニウム造影剤に使用されているガドリニウムは毒性が強いが，ガドリニウム造影剤はガドリニウムをキレート化して安全性を高めたうえで使用されている。腎機能が正常の場合，ガドリニウム造影剤は投与後24時間以内にその90％以上が体外に排泄されて問題になることはないが，腎機能障害患者ではガドリニウム造影剤の排泄が遅延し，体内でキレートから遊離したガドリニウムイオンが何らかの物質と結合し〔リン酸ガドリニウム（$GdPO_4$）を形成すると推定されている〕，これに対する異物反応と考えられている。すなわち，一種の重金属中毒ともいわれている。

NSFのリスクは使用する造影剤によって大きく異なり，安定性の低いリニア型キレートのガドリニウム造影剤がもっとも高く（重篤な腎障害患者での発症率はGadodiamideで3～18％）[8]，一方で安定性の高いマクロ環型キレートのガドリニウム造影剤によるNSFの報告はほとんどない。また，ガドリニウム造影剤の大量投与や複数回投与もリスクとしてあるが，わが国ではガドリニウム造影剤の大量投与は一般的ではない。

ESURver. 10.0では，腎機能に障害のある患者において，血液透析がNSFの予防に有効とするエビデンスはないものの，血液透析患者についてはガドリニウム造影剤投与後できるかぎり早く造影剤除去のための血液透析を行うことを推奨し，腹膜透析患者については血液透析の必要性を担当医と協議することとしている[8]。

表7　腎性全身性線維症（NSF）のリスク

患者関連のリスク
・腎機能障害患者，とくにeGFR＜15 ml/min/1.73 m^{2}の患者 ・透析患者
造影剤関連のリスク
【リスク最大：リニア型キレート】 ・Gadodiamide（Omniscan®） ・Gadopentetate dimeglumine（Magnevist®） 【リスク中程度：リニア型キレート】 ・Gadoxetate disodium（Primovist®） ※肝胆道系画像診断に限定すべき 【リスク最小：マクロ環型キレート】 ・Gadobutrol（Gadovist®） ・Gadoterate meglumine（Magnescope®） ・Gadoteridol（ProHance®）

〔文献8）より引用して作成〕

腎の副作用

水溶性ヨード造影剤の体外排泄はそのほとんどが腎を経由して行われる。造影剤腎症（contrast induced nephropathy；CIN）とはヨード造影剤による腎機能障害であるが，最近では，CINは急性腎障害（acute kidney injury；AKI）の一種であるとの考え方から，AKIの診断基準を用いた評価もなされている。わが国唯一の造影剤と腎機能について記したガイドラインである『腎障害患者におけるヨード造影剤使用に関するガイドライン2018』[26]では，AKIの診断基準を用いることは有用としながらも，造影剤腎症の診断基準として広く認められているとはいえないとしてCINとAKIを併記している。一方でESURver. 10.0では，それまでのCINを用いた評価からAKIを基本とした造影後急性腎障害（PC-AKI）に変更されている（表8）[8]。なお，ガドリニウム造影剤もそのほとんどの排泄が腎を経由して行われるが，承認されている使用量では腎機能障害を生じるリスクは非常に低い。

1. リスク因子

ヨード造影剤による腎機能障害にはさまざまなリスク因子があり，例えば，造影剤の投与が経動脈的なのか経静脈的なのかなどによっても異なる。とくにESURver. 10.0では，左心室造影・胸腹大動脈造影・選択的腎動脈

表 8　ヨード造影剤による腎機能障害の定義

造影剤腎症（CIN）
ヨード造影剤投与後，72 時間以内に血清クレアチニン値が前の値より 0.5 mg/dl 以上または 25%以上増加
造影後急性腎障害（PC-AKI）
ヨード造影剤造影剤投与後，48～72 時間以内の血清クレアチニン値が前の値より 0.3 mg/dl 以上増加，または前の値の 1.5 倍以上の上昇を認める

〔文献 8）より引用して作成〕

造影など，造影剤が比較的希釈されない形で腎動脈に到達するものを「ファーストパスで腎が曝露される動脈内投与」とし，右心室造影・肺動脈造影・冠動脈造影・頸動脈造影など，造影剤が肺や末梢循環を経て希釈された状態で腎動脈に到達するものを「セカンドパスで腎が曝露される動脈内投与」として区別している（表 9）。

2. 予防法

ヨード造影剤による腎障害を確実に予防する方法はない。しかし，脱水状態が好ましくないことは明らかであるため，リスクが高いと考えられる患者については造影前後に輸液を実施する（表 10）。ただし，飲水などの単独での経口補液はその確実性が不透明であり，推奨されない。

表 9　ヨード造影剤による腎機能障害のリスク

	わが国のガイドライン[26]	ESURver. 10.0[8]
慢性腎不全患者（CKD）（eGFR＜60 ml/min/1.73 m^2）	CIN 発症のリスク	造影剤血管内投与前に eGFR を確認*
急性腎不全またはその疑いのある患者		PC-AKI 発症のリスク
経動脈的造影剤投与	eGFR＜60 ml/min/1.73 m^2で CIN 発症のリスクが高い	eGFR＜45 ml/min/1.73 m^2であって，ファーストパスで腎が曝露される動脈内投与の患者または ICU の患者は PC-AKI 発症のリスクが高い
ファーストパスで腎が曝露される動脈内投与およびその高用量造影剤使用		PC-AKI 発症のリスクが高い
経静脈的造影剤投与	eGFR＜30 ml/min/1.73 m^2の場合は予防策を講じることを推奨	eGFR＜30 ml/min/1.73 m^2で静脈内投与またはセカンドパスで腎が曝露される動脈内投与の患者は PC-AKI 発症のリスクが高い
加齢	CIN 発症のリスク	
糖尿病	CKD を伴う場合 CIN 発症のリスク	造影剤血管内投与前に eGFR を確認*
蛋白尿，高血圧，高尿酸血症		造影剤血管内投与前に eGFR を確認*
NSAIDs などの腎毒性薬剤	使用を推奨しない	使用中止を推奨しない
ビグアナイド系糖尿病薬	一時的な休薬など適切な処置を行うことを推奨	・eGFR＞30 ml/min/1.73 m^2で急性腎障害の証拠がない患者において，静脈内投与またはセカンドパスで腎が曝露される動脈内投与場合は継続可能 ・eGFR＜30 ml/min/1.73 m^2の患者において，静脈内投与またはセカンドパスで腎が曝露される動脈内投与の場合，ファーストパスで腎が曝露される動脈内投与，急性腎不全の患者については造影剤投与時から休薬し，造影剤投与後 48 時間以内の eGFR が有意に変化ない場合は再開する
片腎	明らかではない	腎の手術歴のある患者は，造影剤血管内投与前に eGFR を確認する*
短時間での複数回造影剤投与	短時間（24～48 時間）複数回投与は推奨しない	48～72 時間以内の複数回投与は PC-AKI 発症のリスク

*緊急検査はこの限りではない

表 10　ヨード造影剤による腎機能障害の予防法

わが国のガイドライン[26]
以下の患者は CIN 予防のため輸液を考慮する ・静脈からの非侵襲的造影では eGFR＜30 ml/min/1.73 m^2 ・ICU や重症救急外来患者では eGFR＜45 ml/min/1.73 m^2 ・動脈からの侵襲的造影では eGFR＜60 ml/min/1.73 m^2 　a）生理食塩液を造影剤投与前 6 時間と投与後 6～12 時間，1 ml/kg/hr 投与する。0.9％生理食塩液を推奨 　b）緊急症例では，炭酸水素ナトリウム約 150 mEq/L を造影剤投与前に 3 ml/kg/hr で 1 時間投与し，投与後 6 時間，1 ml/kg/hr 投与
ESURver. 10.0[8]
リスクを有する患者において以下のことを考慮する ・ヨード造影剤を使用しない代替の画像検査を考慮する ・静脈内投与またはセカンドパスで腎が曝露される動脈内投与では，以下のいずれかの方法で補液する 　a）炭酸水素ナトリウム 1.4％（5％ブドウ糖液を用い 154 mEq/L に調整）を造影剤投与前に 3 ml/kg/hr で 1 時間投与 　b）0.9％生理食塩液を造影剤投与前 3～4 時間と投与後 4～6 時間，1 ml/kg/hr 投与 ・ファーストパスで腎が曝露される動脈内投与では，以下のいずれかの方法で補液する 　a）炭酸水素ナトリウム 1.4％を造影剤投与前に 3 ml/kg/hr で 1 時間投与し，投与後 4～6 時間，1 ml/kg/hr 投与する 　b）0.9％生理食塩液を造影剤投与前 3～4 時間と投与後 4～6 時間，1 ml/kg/hr 投与 ・重度の心不全（NYHA 分類Ⅲ-Ⅳ）や CKD ステージⅤの患者における予防的補液は担当医が判断する

血液透析でヨード造影剤を除去することは可能であるが，ヨード造影剤による腎機能障害の予防に血液透析が有効とするエビデンスはなく，検査後にただちに血液透析を実施するといった対応は推奨されない。

また，ヨード造影剤による腎機能障害を恐れるあまり，患者にとって必要な造影検査が実施されないとすれば，そのほうが臨床的に問題である。造影剤腎症の発生について警戒することは重要であるが，造影検査によって得られる利益について勘案したうえで造影剤使用の可否を決定すべきである。

造影剤の血管外漏出

造影剤の血管外漏出が造影剤の注入速度と相関するという報告はなく，血管を傷つけたかどうかで決まるとされ[27]，さまざまなリスク要因があげられている（表 11）。また，すでに使用されていた点滴ラインからの造影剤注入は，静脈炎を起こしている場合があるためリスクが高いとされる。

血管外漏出防止のためには血液の逆流の確認を行うことがもっとも重要であり，血液の逆流が不良の場合は再穿刺も考慮する。造影剤注入中，患者には穿刺部の疼痛や違和感のないことを確認し，それらがある場合には速やかに知らせるよう説明する。

肘静脈の穿刺については，比較的太い静脈であること，造影剤の血管外漏出が起きた場合でも肘静脈付近は皮下組織結合が緩く潜在的容量も大きいため，重篤な合併症を起こす可能性が非常に低い。肘静脈からの造影剤注入では，右尺側肘静脈からの造影剤注入が望ましい[28]。

表 11　造影剤血管外漏出のリスク

手技関連のリスク
・静脈留置針の先端が血管外にある ・同じ静脈を何回も穿刺 ・針先が静脈弁に当たっている ・細い血管など最適でない血管確保
患者関連のリスク
・意思疎通ができない ・脆弱または損傷のある静脈 ・肥満
リスク軽減のためにすべきこと
・検査目的に合った最適な径の静脈留置針を使用 ・側孔付静脈留置針の使用を考慮 ・肘静脈を穿刺する ・静脈留置針のカテーテルハブや造影チューブを含めたフィルムドレッシングを考慮 ・造影剤注入前に生理食塩液で試験注入を行う ・造影剤注入に際し常に注入部位を観察し，インジェクタの圧モニタを確認する

造影剤の血管外漏出は，そのほとんどの障害は発赤や腫脹のみであり，対処法も血管外漏出した部位の挙上，冷罨法の実施，注意深い観察などの保存療法が主で，その後吸収される。しかし，非常にまれではあるものの，皮膚潰瘍，軟部組織壊死，コンパートメント症候群などの重症例もあるため，その場合は外科医や整形外科医に

コンサルトしなければならない。また，血管外漏出の状態を把握するためにX線撮影やCT撮影，MRI撮影などを行うことが有益な場合がある。

その他

T1強調像において小脳歯状核が高信号に見えることがあることは以前より知られていたが，その原因は不明であった。しかし，2014年にこの現象とガドリニウム造影剤との関連が報告され[29]，小脳歯状核の他にも淡蒼球，尾状核などが高信号化するとされている。これらの部位は生理的に鉄沈着が起こりやすい部位としても知られており[30]，ガドリニウム造影剤が金属として沈着していると疑われている[31]。この現象は腎機能に関係なく，多数回投与で認められる。ガドリニウムが血液脳関門（blood-brain barrier；BBB）を越えて脳内に蓄積される過程は不明であるが，ガドリニウム造影剤からガドリニウムが解離していると推測されている。

2018年に厚生労働省は，この現象に対する日本医学放射線学会への意見聴取の回答として，リニア型造影剤は蓄積するがマクロ環型造影剤はほとんど蓄積しないこと，ガドリニウムの脳内蓄積による明確な健康被害や脳組織への障害は現在のところ明らかではないことなどから，以下のような見解を示している。

1）ガドリニウム造影剤の使用は，必要な場合に限り，最小限の投与量とする。

2）マクロ環型造影剤を用いることを強く推奨する（ただし，肝腫瘍造影剤用のガドキセト酸ナトリウムはリニア型であるが，代替薬がないため対象外とする）。

3）何らかの医学的理由で（肝腫瘍造影剤用のガドキセト酸ナトリウム以外の）リニア型造影剤を使用せざるを得ない場合に限り，必要最小限の投与量を例外的に使用する。

したがって，何らかの理由でマクロ環型造影剤を使用できない場合に限り，リニア型造影剤の使用が許容される。

【文　献】

1）成田浩人：診療放射線技師のための医療安全管理学，ピラールプレス，東京，2018.
2）早川克己，他：造影剤の現状；X線造影剤を中心に．日獨医報61：93-118，2016.
3）医療安全国共同行動：薬剤有害事象の軽減・再発防止提言；イオン性ヨード造影剤（ウログラフイン®等）の誤投与・流入による有害事象，2018.
4）桑鶴良平：超実践知っておきたい造影剤の副作用ハンドブック，第2版，ピラールプレス，東京，2016.
5）早川克己，他：造影剤添付文書の「禁忌」を考える．臨床画像23：96-102，2007.
6）早川克己，他：造影剤添付文書の「原則禁忌」を考える．臨床画像23：358-365，2007.
7）Katayama H, et al：Full-scale investigation into adverse reaction in Japan：Risk factor analysis：The Japanese Committee on the Safety of Contrast Media. Invest Radiol 26 Suppl 1：S33-S36, 1991.
8）European Society of Urogenital Radiology：ESUR Guidelines on Contrast Agents 10.0, 2018.
9）林宏光，他：造影剤が臓器に及ぼす影響②；心臓．臨床画像23：820-825，2007.
10）Katayama H, et al：Adverse reactions to ionic and nonionic contrast media：A report from the Japanese Committee on the Safety of Contrast Media. Radiology 175：621-628, 1990.
11）Wittbrodt ET, et al：Prevention of anaphylactoid reactions in high-risk patients receiving radiographic contrast media. Ann Pharmacother 28：236-241, 1994.
12）Zaloga GP, et al：Glucagon reversal of hypotension in a case of anaphylactoid shock. Ann Intern Med 105：65-66, 1986.
13）Javeed N, et al：Refractory anaphylactoid shock potentiated by beta-blockers. Cathet Cardiovasc Diagn 39：383-384, 1996.
14）Downes MA：Glucagon. Emerg Med（Fremantle）15：480-485, 2003.
15）Morcos SK, et al：Contrast-media-induced nephrotoxicity：A consensus report：Contrast Media Safety Committee, European Society of Urogenital Radiology（ESUR）. Eur Radiol 9：1602-1613, 1999.
16）津留英子：水溶性ヨード造影剤の副作用の発生機序に関する検討．臨床看護15：1815-1820，1989.
17）日本アレルギー学会Anaphylaxis対策特別委員会：アナフィラキシーの評価および管理に関する世界アレルギー機構ガイドライン．アレルギー62：1464-1500，2013.
18）日本アレルギー学会Anaphylaxis対策特別委員会：アナフィラキシーガイドライン，2014.
19）日本医療安全調査機構：医療事故の再発防止に向けた提言（第3号）；注射剤によるアナフィラキシーに係わる死亡事例の分析，2018.
20）Xu YS, et al：Anaphylaxis-related deaths in Ontario：A retrospective review of cases from 1986 to 2011. Allergy Asthma Clin Immunol 10：38, 2014.
21）Simons FE：Anaphylaxis, killer allergy：Long-term management in the community. J Allergy Clin Immunol 117：367-377, 2006.
22）Bellin MF, et al：Late adverse reactions to intravascular iodine based contrast media：An update. Eur Radiol 21：2305-2310, 2011.
23）de Bruin TW：Iodide-induced hyperthyroidism with computed tomography contrast fluids. Lancet 343：1160-1161, 1994.
24）樽谷康弘，他：造影剤が誘因と考えられた甲状腺クリーゼの一例．Jpn Circ J 62：973，1998.
25）対馬義人：ガドリニウム造影剤安全情報UP TO DATE.

日小児放線会誌 33：91-96，2017.
26）日本腎臓学会，他編：腎障害患者におけるヨード造影剤使用に関するガイドライン 2018，東京医学社，東京，2018.
27）市川智章編：CT 造影理論，医学書院，東京，2004.
28）亀田順一，他：造影剤の血管外漏出に関する検討．映像情報 Medical 39：1020-1023，2007.
29）Kanda T, et al：High signal intensity in the dentate nucleus and globus pallidus on unenhanced T1-weighted MR images：Relationship with increasing cumulative dose of a gadolinium-based contrast material. Radiology 270：834-841, 2014.
30）Welk B, et al：Association between gadolinium contrast exposure and the risk of parkinsonism. JAMA 316：96-98, 2016.
31）Kanda T, et al：Brain gadolinium deposition after administration of gadolinium-based contrast agents. Jpn J Radiol 34：3-9, 2016.

5 生体モニタの基礎知識

心電図モニタ

1. 心臓の刺激伝導系と自動能

心臓には，洞結節で発生した電気刺激を心臓全体に速やかに伝えるための刺激伝導系と呼ばれる心筋と，収縮・弛緩にかかわる心筋がある。正常の心臓では洞結節に始まった電気的刺激は結節間伝導路→房室結節→ヒス（His）束→左右脚枝と伝搬され，心室内のプルキンエ（Purkinje）線維に刺激が達すると心室筋に興奮が伝わり収縮が起こる（図1）。

洞結節は右心房と上大静脈接合部付近に存在し，自発的に刺激を出すことのできる細胞群を有しており，この細胞から発生する刺激によって心臓のリズムが形成される。この細胞の能力を，自動能と呼ぶ。自動能は刺激伝導系に存在し，成人の正常な心臓の場合，1分間に60〜100回と刺激発生頻度がもっとも高い洞結節が心臓全体のリズムを支配している。正常の心臓では心房筋と心室筋に自動能はないが，虚血が起こると心房筋・心室筋でも異常自動能が発生しやすくなる。

2. 異所性ペースメーカ

正常の心臓では刺激発生頻度のもっとも高い洞結節がペースメーカとなるが，洞結節からの刺激が出なくなる，刺激伝導系が途絶（ブロック）されるなどした場合，洞結節より下位の自動能を有する心房，房室結節，ヒス束，プルキンエ線維，心室がペースメーカとなって心臓を動かすことになる。これを，異所性ペースメーカという。ペースメーカが下位になるにしたがって刺激発生回数が減り，心拍数は減少する（図2）。

3. 心電図波形

心電図波形とは，心筋細胞が興奮・弛緩するときに発生する活動電位を，心臓全体について体表面から記録したものである。

心臓の部位によって活動電位が異なるため，記録される波形も異なる。これらの形の異なる波形は，アルファベットのP，Q，R，S，Tで表される（図3）。P波の始まりから次のP波の始まりまでを一直線に結んだ線を基線（等電位線）と呼び，活動電位が0の状態を示す。体

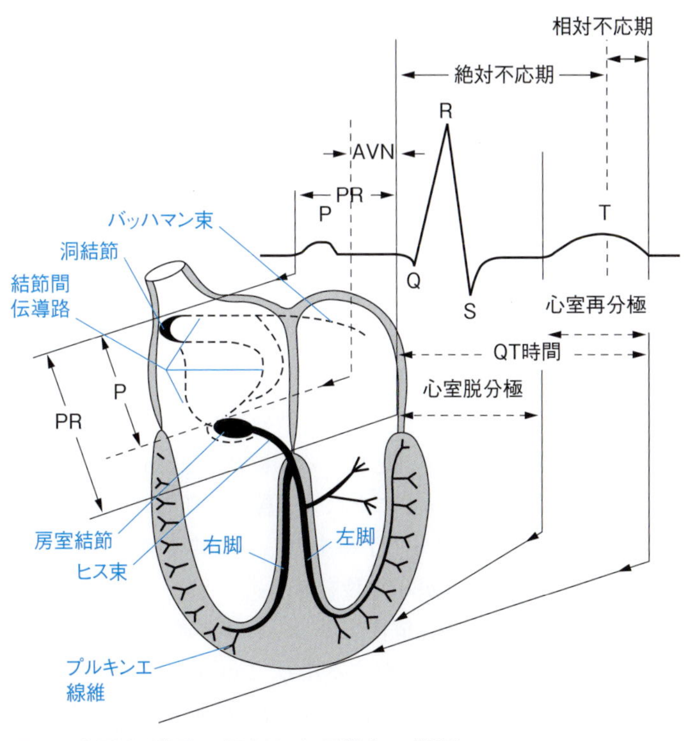

図1　刺激伝導系の解剖と心周期との関係

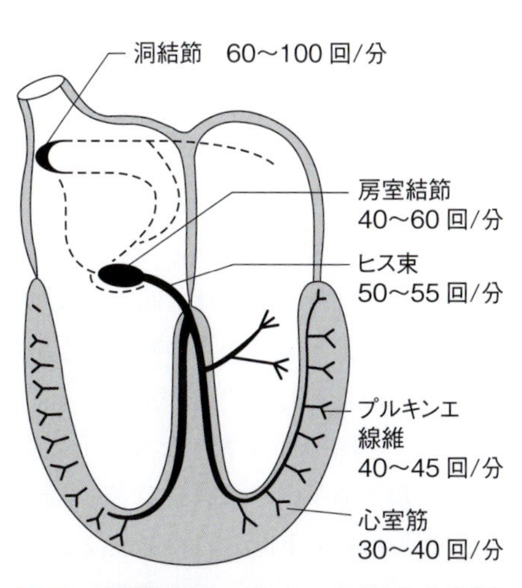

図2　心臓のペースメーカ部位と刺激発生回数

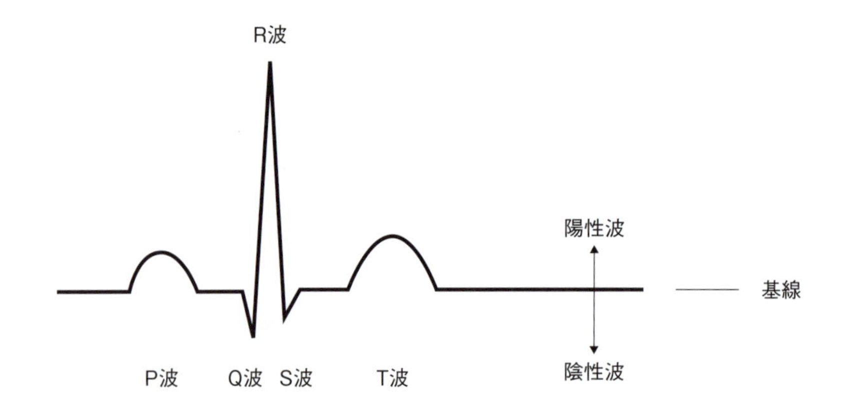

図3　心電図の基本波形

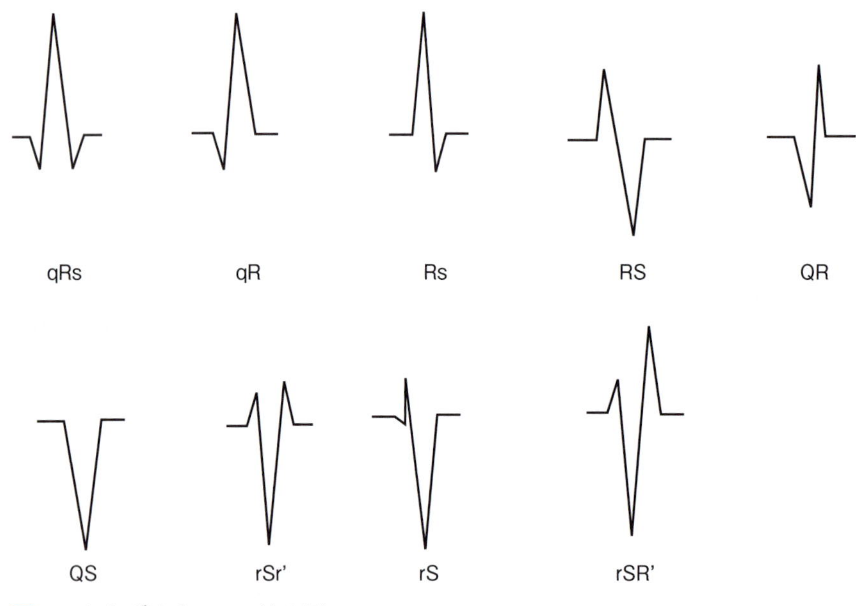

図4　さまざまなQRS波の形

表に張った電極の方向に刺激が向かってくると基線に対して上向きの振れ（陽性波）になり，電極から遠ざかると基線に対して下向きの振れ（陰性波）と記録される。

P波は，心房の興奮を示す小さくなだらかな波で，心電図はP波から始まる。正常では右心房の興奮が左心房の興奮よりも速く，P波の開始1/3は右心房，後ろ1/3が左心房，中心の1/3が両心房の興奮を示している。右心房または左心房に伝導障害がある場合，P波の形が変化する。正常の心電図ではP波は上向きの波形として記録されるが，房室結節や心室からの興奮が心房に逆に伝わると，下向きの波形としてP波が出現する。

QRS波は心室の興奮を示す大きなスパイク波で，P波の後に最初に出現する下向きの谷をQ波，最初の上向きの山をR波，R波に続く下向きの谷をS波という。QRS波は疾患や心電図の誘導によってさまざまな形を示し，同じ波が複数ある場合には2番目の波にダッシュ（´）をつけ，大きい波は大文字，小さい波は小文字で表す（図4）。

T波はQRS波の後に出現するなだらかな上向きの波で，心室が興奮からさめる過程を示し，心疾患や電解質異常などで形が変形する。

4. 心電図の見方

心電図は一般的に25 mm/秒の速度で記録され，記録紙の横軸は時間を表している。横軸は1 mmごとに区切られており，5 mmごとに太い線で区切られている。そのため太枠5個分で1秒を表し，太枠1個は0.2秒，1 mmの細枠1個が0.04秒を表す。

記録紙の縦軸は電位を表しており，通常は1 mV＝10 mmの基準感度で記録するため，1 mm＝0.1 mVを示す。以上のことをもとにして，心電図の重要な波形の間隔（時間）と電位は以下のようになる。

表1　標準12誘導心電図の誘導名と記号

誘導名	各誘導につけられている記号	記号の数
標準（双極）肢誘導	Ⅰ，Ⅱ，Ⅲ	3
単極肢誘導	aVR，aVL，aVF	3
単極胸部誘導	V_1，V_2，V_3，V_4，V_5，V_6	6

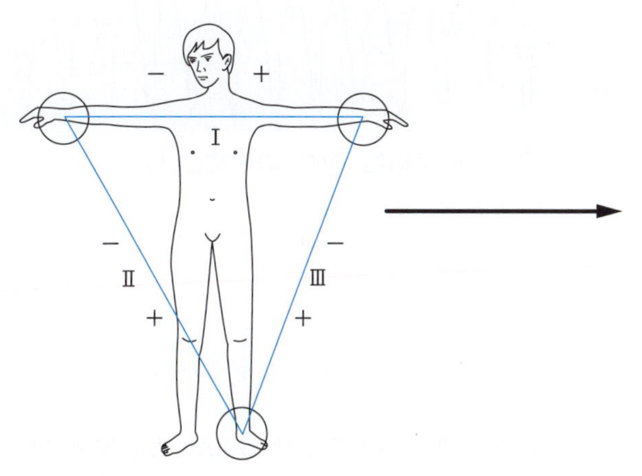

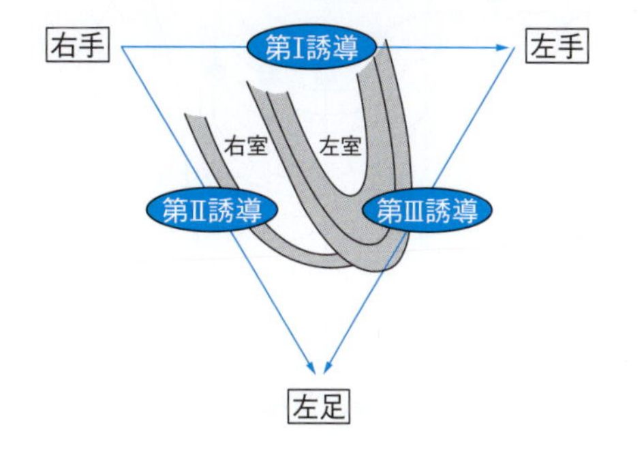

図5　胸郭上のアイントホーフェンの三角形

1）P波の幅

P波の始まりから終了まで。時間0.08〜0.10秒（0.11秒未満），電位0.25 mV未満。

2）PQ時間

P波の始まりからQ波の始まりまでの間隔。Q波が判別できない場合はR波の始まりまで（P−R間隔）を測定する。時間0.12〜0.20秒未満。

3）QRS時間

QRS波の始まりから終了まで。時間0.06〜0.08秒（0.1秒未満）。電位はまちまち。

4）ST部分

QRS波の終わりからT波の始まりまで。時間間隔は臨床的には意味がなく，上昇と下降が問題となる。基線と一致しているのが原則であるが，健常者でも2 mmまでの上昇はみられる。

5）T波の幅

T波の始まりから終了まで。時間0.2〜0.3秒。電位はまちまち。

6）QT時間（間隔）

QRS波の始まりからT波が基線に戻るまでの間隔。時間はR−R間隔の1/2。

5. 心電図誘導（標準12誘導）

標準12誘導心電図は心臓を12カ所から眺めたもので，10カ所に電極をつけて感知できる，12通りの電気の流れを記録したものである。記録された心電図は表1に示すように呼ばれる。

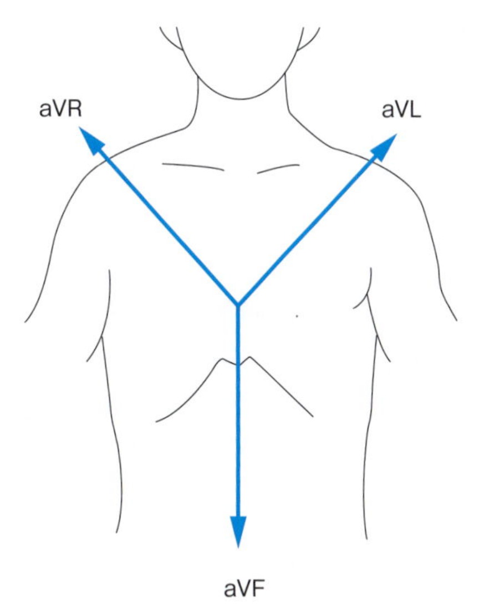

図6　単極肢誘導

標準（双極）肢誘導とは，アイントホーフェンの三角形（Einthoven's triangle：図5）と呼ばれる右手，左手，左足を結ぶ三角形において，Ⅰ誘導は左手→右手，Ⅱ誘導は左足→右手，Ⅲ誘導は左足→左手との電圧の差を記録している。なお，右足の電極はアースである。

また，単極肢誘導はaVR，aVL，aVFの3誘導からなり（図6），aVRは右手のほうから単独で右心室，aVLは左手のほうから単独で左心室，aVFは足のほうから単独で心臓の下側を眺めている。

単極胸部誘導は，電極を直接胸部の心臓の周囲につけて，心臓から胸部のV1〜V6に向かってくる電圧をみている（図7）。電極に向かってくる刺激は陽性の波になり，離れていく刺激は陰性の波となる。

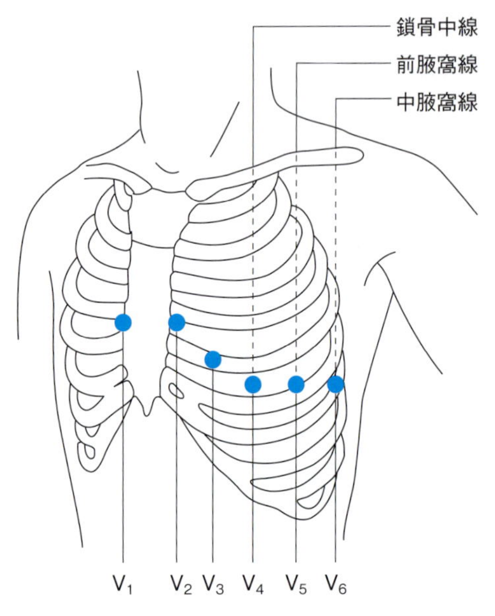

図7　単極胸部誘導の電極位置

6. 知っておきたい致死性不整脈[1)]

1）心室細動（VF）

もっとも重篤な不整脈の一つであり，心室のあらゆるところから刺激が発生して心室が細かく震え，心臓のポンプ機能が完全に失われた致死性不整脈である。VF の心電図は P 波，QRS 波，T 波の区別ができず，基線が不規則に揺れた心電図となる（図8）。ただちに胸骨圧迫を開始し，早期の電気的除細動が必要である。

2）心室頻拍（VT）

心室頻拍は，心室の同じ場所から刺激が繰り返し発生し，心室だけの興奮が続く不整脈である。VT の心電図は波形の一定した幅の広い QRS 波が繰り返し出現し，R−R 間隔はほぼ等しく，P 波がないのが特徴である（図9）。VT が出現した場合，まずは患者の意識を確認することが重要であり，意識がない場合には VF と同様にただちに胸骨圧迫を開始し，早期の電気的除細動が必要である。

3）無脈性電気活動（PEA）

PEA とは心電図上に波形はみられるが，脈拍や血圧を伴わないリズムである（図10）。診断には頸動脈の触知を行って脈拍を確認し，脈拍が触れなければただちに胸骨圧迫から CPR を開始する。PEA の蘇生では心停止の可能性のある原因を探ることが重要であり，表2に示す暗記法によって治療可能な心停止の原因を簡単に思い出し，迅速に鑑別診断を行うことができる。PEA に除細動の適応はないが，早く原因検索を行って診断・治療を行うことによって救命できる可能性がある。

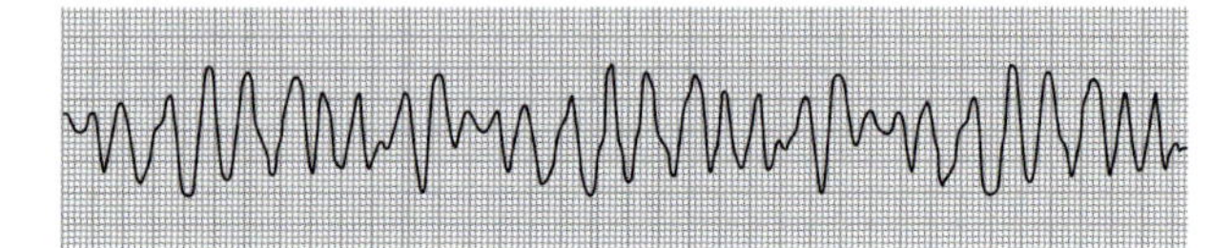

図8　心室細動（VF）の心電図波形

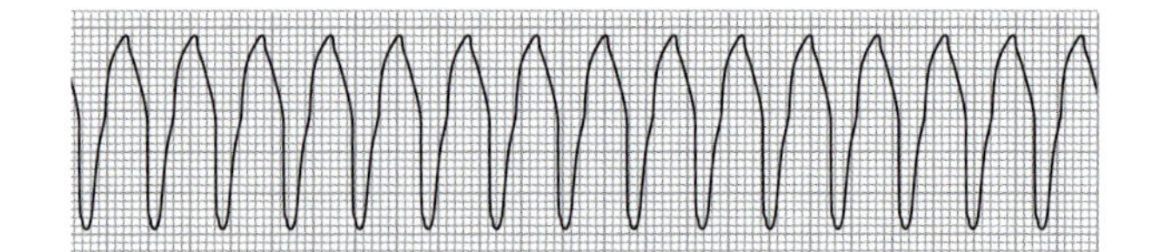

図9　心室頻拍（VT）の心電図波形

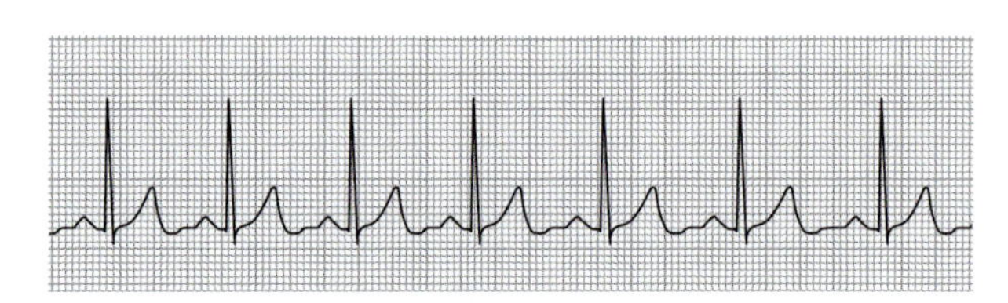

図10　無脈性電気活動（PEA）の心電図波形

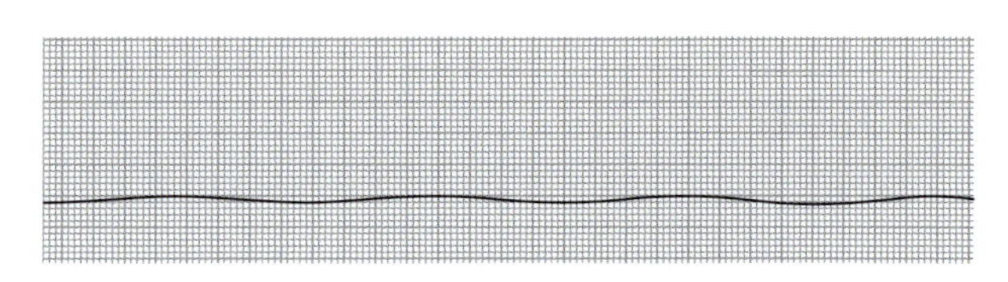

図11　心静止（asystole）の心電図波形

表2　PEA の原因検索のための H と T

原因検索のための H
・Hypovolemia：循環血液量減少
・Hypoxia：低酸素症
・Hydrogen acidosis：水素イオンアシドーシス
・Hyper/Hypokalemia：高/低カリウム血症
・Hypoglycemia：低血糖
・Hypothermia：低体温
原因検索のための T
・Toxins：毒物
・Tamponade, cardiac：心タンポナーデ
・Tension pneumothorax：緊張性気胸
・Thrombosis coronary, pulmonary：血栓症
・Trauma：外傷

4）心静止

心静止では心室の収縮活動がまったくなく，心電図は平坦（フラット）な波形を示す（図11）。心静止には除細動の適応はなく，ただちに胸骨圧迫からのCPRを開始する。心静止に至った患者の生存率はきわめて低いが，心電図モニタや除細動器の電源が「切」になっていないか，心電図リードの接続に問題がないか，モニタのゲインが低すぎないかなど，技術的・操作上の問題から誤って心静止と判断して蘇生を中止しないよう，本当に心静止波形なのかを確認する必要がある。

血流計

心拍出量（cardiac output；CO）の測定にはフィック法，指示薬希釈法，超音波ドップラーなどさまざまの方法があるが，臨床現場では指示薬希釈法と超音波ドップラーが主に用いられている。ここでは臨床現場で行われることの多い指示薬希釈法について解説を行う。

1. 指示薬希釈法

指示薬希釈法とは，あらかじめ量がわかっている薬剤（指示薬）を心臓近くの血管内に一度に注入することで血液と完全に混和させ，末梢に流れることによる濃度変化を経時的に記録することによって心拍出量を計算する方法である。心臓カテーテル検査室では，指示薬に0℃に冷却した生理食塩液や5%ブドウ糖液を用いる熱希釈法がもっとも多く利用されている。

2. 熱希釈法

0℃に冷却した生理食塩液を一度に注入して間欠的にCOを求めるBCO（bolus cardiac output）法と，血液をパルス上に加温し，COを連続的に測定するCCO（continuous cardiac output）法がある。

BCO法では先端孔，側孔，バルーン孔，サーミスタという4つの内腔をもつ肺動脈カテーテル（Swan-Ganzカテーテル）を用い，右心系の心内圧と心拍出量の測定を行う。先端バルーンを拡張させることで血流に乗せてSwan-Ganzカテーテルを誘導し，先端孔で右心系の圧測定を行う。また，肺動脈主幹部にSwan-Ganzカテーテルの先端が位置すると，先端から30 cmの側孔が右心房内に位置するため，0℃に冷却した5%ブドウ糖液や生理食塩液を側孔から一気に注入し，肺動脈内に位置するサーミスタで肺動脈血の温度変化を測定して，熱希釈曲線を利用してCOを算出する[2)]。

血圧計

1. 血圧とは

血圧とは，心臓の収縮によって血液が押し出されるときに血管内に生じる圧力である。血圧は心臓が血液を押し出しているときがもっとも高く，心臓が拡張するにつれて低下していく。血液を押し出すときのもっとも高い圧力を収縮期血圧（最大血圧）とよび，心臓が拡張して血液の流れが緩やかになったときのもっとも低い圧力を拡張期血圧（最小血圧）と呼ぶ。

血圧は心拍出量と末梢血管抵抗によって決まり，心拍出量の増大や末梢血管の収縮による血管抵抗の増大によって血圧は上昇する。また，血管の弾性力も血圧に影響を与え，動脈硬化によって血管の弾性が失われた場合には最高血圧は上昇し，最低血圧は低くなっていく。さらにこれら以外にも，神経系，内分泌系，血管内皮細胞などの多くの因子によって血圧が調節されている。

2. 血圧測定の原理

血圧はすべての血管に存在するが，通常は上腕の動脈圧のことを指す。前述したように血圧は多くの因子によって調節されており，血圧測定によって各因子の状態を把握することで，病気の診断や治療に役立てることができる。血圧の測定方法には，直接法（観血法）と間接法（非観血法）がある。

1）直接法

液体で満たされた閉鎖系内を圧力が伝搬されていく性質を応用し，血管内に挿入したカテーテルを通じて血管内の圧力を体外で接続した圧トランスデューサに伝搬させて血圧を測定する方法。トランスデューサに伝搬された圧力は圧力に応じた電気信号に変換され，ポリグラフ装置に圧波形として表示される。この際，トランスデューサのゼロ点の高さが基準となる右心房の高さと差が生じると，高さの差に相当した水圧が加わり，測定値が変化してしまうので注意が必要である。直接血圧測定法での誤差要因とその対策を表3[3)]に示す。

2）間接法

間接法とは，血圧を感知するマンシェット（カフ）を巻き付け，空気を入れて加圧して血管を圧迫し，この際に発生する血管音（コロトコフ音）を聴診器によって聞き取ることにより，最高血圧と最低血圧を測定する方法である。非観血式血圧計はマンシェットと送気球，表示部から構成され，主に上腕部にマンシェットを巻きつけて血圧を測定する。聴診法によるマンシェット圧とコロトコフ音の関係を図12に示す。

間接法では，上腕に適切な幅のマンシェットをきつめに巻いて動脈部に聴診器を当て，マンシェットを加圧してコロトコフ音を確認する。コロトコフ音が確認されたら音が聞こえなくなるまでマンシェットを加圧し，圧力表示をみながら徐々に減圧していく。最初に音が聞こえた点をコロトコフ音の第1相と呼び，このときの圧が収縮期血圧（最高血圧）を示す。さらにマンシェットを減圧していくとコロトコフ音が徐々に小さくなっていき，最後に音が消失する点をコロトコフ音の第5相と呼び，このときの圧が拡張期血圧（最低血圧）を示す。

表3　直接血圧測定法の誤差要因とその対策

誤差要因	測定される血圧値			対　策
	最　高	最　低	平　均	
トランスデューサの位置が右房の位置より高すぎる（低すぎる）	下がる（上がる）	下がる（上がる）	下がる（上がる）	トランスデューサを右房の高さ（胸郭の約1/2）に設定する
ゼロ点がドリフトする	同じ方向へ同じだけずれる			トランスデューサを大気開放にしてゼロ点をチェックする
CRバランスのとり方が不十分である（必要のない装置も多い）	同じ方向へずれる（程度は違う）			CRバランスを取扱説明書に従って再調整をする
カテーテル内やトランスデューサのドーム内に気泡が入っている	下がる	上がる	変化なし	気泡抜きを十分に行う
カテーテル先端がつまったり，先が血管壁に当たっている	下がる	上がる	変化なし	フラッシングを行う（3時間に1回以上），少しカテーテルを引き抜く
カテーテルとトランスデューサの全体の系が共振する	上がる	下がる	変化なし	適切な系と取り替える　カテーテルをブラブラさせない
カテーテル先端で圧力の反射などによって血圧値が変わる	状況によって上下する		変化なし	本質的な問題であり，容易には取り除けない

〔嶋津秀昭：血圧計．日本生体医工学会ME技術教育委員会監，MEの基礎知識と安全管理，第6版，南江堂，2014，p182．より許諾を得て転載〕

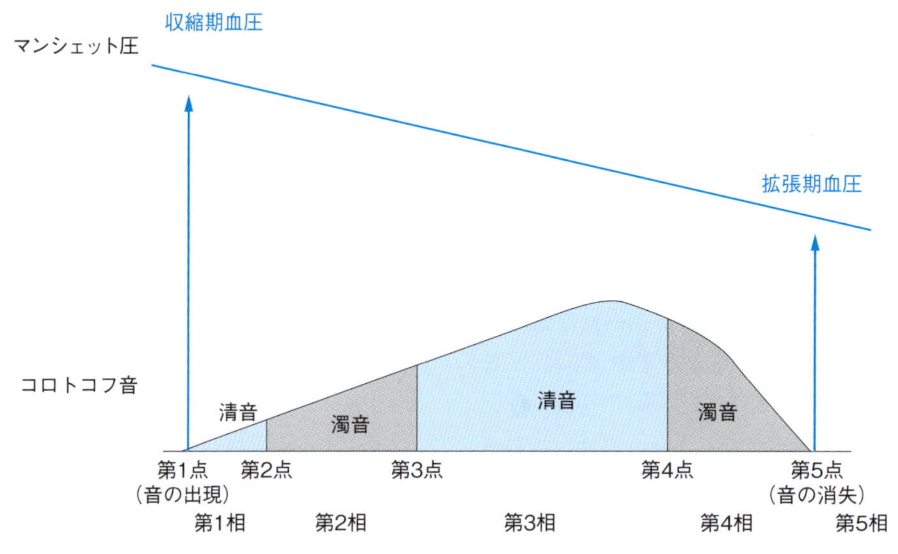

図12　マンシェット圧とコロトコフ音の関係

パルスオキシメータ

1．測定原理

血液中には酸素と結合したヘモグロビン（酸化ヘモグロビン：HbO_2）と，酸素と結合していないヘモグロビン（還元ヘモグロビン：Hb）が存在し，酸化ヘモグロビンは赤外線付近の光をよく吸収し，還元ヘモグロビンは赤色光付近の光をよく吸収する特徴を有している（図13）[4]。パルスオキシメータは両者の異なる波長の光を照射して透過光をセンサーで受け，それらの透過光の比から血液中の酸素飽和度（SpO_2）を測定している。また，透過した光の変化から動脈の脈波を取り出すことで，脈拍の測定も行うことができる。

2．取り扱い上の注意

パルスオキシメータは透過した光の変動成分を利用して測定を行っているため，血流が低下して冷感を伴う末梢部位では透過光の変動成分を十分に感知できず，正確な値の測定が難しくなる。このような部位ではセンサーを装着する部位を暖める，あるいは他の血流のよい部位で測定するなどの対応が求められる。さらに，血流低下部位ではセンサーの発熱による低温やけどの危険性もあ

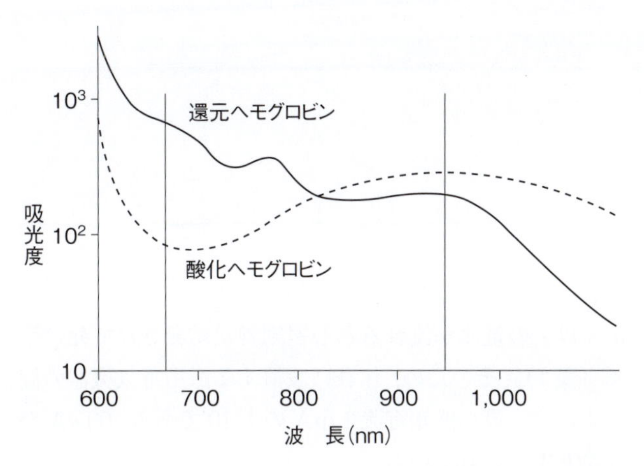

〔文献 4）より転載〕

図 13　ヘモグロビンの吸光スペクトル

るため，長期間にわたってセンサーを装着する場合には測定部位を定期的に確認することも必要である。

また，爪にマニキュアが塗られていると透過光を吸収してしまうため，センサーが感知する透過光が変化することで測定値に影響を与えてしまう。また，一酸化炭素中毒患者の血液中に流れる一酸化炭素ヘモグロビン（HbCO）は HbO_2 と色調が近いため，測定値に誤差を生じ高値となる。

【文　献】

1）中村惠子，他監：ナースのための心電図の教室，学習研究社，2001.
2）堀川宗之：血流計．MEの基礎知識と安全管理，改訂第6版，日本生体医工学会ME技術教育委員会監，南江堂，2014，p191.
3）嶋津秀昭：血圧計．日本生体医工学会ME技術教育委員会監，MEの基礎知識と安全管理，第6版，南江堂，2014，p182.
4）諏訪邦夫：パルスオキシメーター，中外医学社，1989.

6 電撃傷対策

電撃傷とは

電撃傷は，高圧線や家庭内の電源や電気機器の漏電による感電や落雷によって生じる。電撃傷の多くは皮膚から電流が生体内に侵入し，電流が生体内を通過することによって発生する組織障害と，それに伴う二次損傷も含んだ病態である。人体の電気抵抗は骨＞皮膚＞筋肉＞血管＞神経の順に抵抗が小さくなり，生体内に侵入した電流は皮膚よりも深い部位を流れやすくなる。

電撃反応の周波数特性

人体には電流の周波数が高くなるほど電撃を感じにくくなる特性が存在し，これを「電撃反応の周波数特性」と呼ぶ。直流から 1 kHz の低周波電源による電撃ではほぼ等しい反応を示し，もっとも電撃反応を起こしやすいのは 50〜60 Hz の商用交流電源の周波数である。電源周波数が 1 kHz を超える電流には，電流の周波数に比例して感電の閾値が上昇するため，電撃を受けていても感じにくくなる。この特性は，高周波を用いる電気メスなど，大電流を流して組織の切開・凝固を行う機器で利用されている。

電撃傷事故の分類

1．マクロショック事故

マクロショック事故とは，皮膚を介して体内に電流が流れる電撃傷である。人体に 1 mA の電流が流れるとビリビリ感じはじめるため，この電流値を「最小感知電流」と呼ぶ。体内を流れる電流値が増すにつれて反応が強くなり，10〜20 mA の電流が流れると手足の筋肉が勝手に収縮してしまうため手が離せなくなり（離脱電流），100 mA 以上の電流が流れると心室細動が誘発されて死に至る（表 1）。そのため，体表に設置する医用電気機器の漏れ電流は，最小感知電流 1 mA の 1/10 である 100 μA が安全基準とされている。

2．ミクロショック事故

ミクロショック事故とは，体内に挿入された電極やカテーテルを通じて直接心臓へ電気が流れる電撃傷である。ミクロショック事故では最小感知電流の 1/10 の 0.1 mA 以上と，われわれが感じることのできないほどのわずかな電流が流れることによって，心室細動が誘発されて死に至る。そのため，心臓に直接用いられる医用電気機器の漏れ電流には，10 μA という非常に厳しい安全基準が設定されている。また，機器自体から漏れ電流を発生させないだけでなく，外部からも流入しないような設計（フローティング回路）がなされている。

電撃傷事故の防止対策

医療現場では，身動きや意思疎通がとれない重症患者に多くの医用電気機器が使用されることが多いため，マクロショック・ミクロショックなどの電撃傷を防ぐためにも機器の絶縁による保護機構だけでなく，追加のアース線を設けるなど，保護機構による電気的安全性が担保された医用電気機器を用いる必要がある。現行の医用電気機器は保護アースをとることによって安全性を担保するクラスⅠ機器がもっとも多いが，これらの機器を使用する際には保護接地がなされている 3P 式の医用コンセントを用いなければならない。

また，施設面の電撃傷事故対策として，前述した医用電気機器が安全に使用できる医用接地設備を用意する必要がある。すなわち，医用電気機器が用いられるすべて

表 1　マクロショックによる人体の電撃反応

電流値（mA）	人体の反応
1	ビリビリ感じはじめる（最小感知電流）
10〜20	手が離せなくなる（離脱電流）
100	心室細動が誘発される

の部屋において，クラスⅠ機器が使えるように3P式の医用コンセントを設備しなければならない。さらに，心臓に直接電極やカテーテルを挿入して検査を行う心血管撮影室やICUなどでは，ミクロショック事故の防止対策として等電位接地設備を設けなくてはならない。これらの接地設備は，日本工業規格（JIS）のT1022（病院電気設備の安全基準）によって規格化されている。

医用電気機器を安全に使用するためには，機器や設備の安全性を確保することはもちろん，医用電気機器を使用する医療従事者に対して操作訓練や安全教育を継続して行うことも，マクロショック・ミクロショックなどの電撃傷に対する重要な事故防止策である。

7 感染対策

現在，すべての医療現場で認められる感染は「医療関連感染（healthcare-associated infection；HAI）」と呼ばれ，従来使用されていた「院内感染」という表現は病院内で獲得した感染のみに限定して用いられる。

放射線部門のスタッフは外来や病棟の患者と接触し，病室や救急室，手術室にも出かけて業務を行う。また，部門内ではIVRも行われ，とくに血管カテーテル検査室に関しては手術室に準じた管理をしている施設が多い。そのため感染対策の知識や手技を十分に理解し，HAIの媒体とならないようにすることはもちろん，スタッフ自身も感染しないようにする必要がある。放射線部門では，日々感染性疾患患者の診療が行われ，結核疑いの患者，外傷や熱傷など周囲に体液汚染しやすい状態の患者などの撮影も行わなければならない。ほとんどの放射線診療は管理区域内で行われるため複数患者が同時にいることはないが，同じ部屋を救急患者や一般外来患者，入院患者が出入りするため，患者ごとの徹底した感染対策が求められる。

しかし救急撮影においては，患者の重症度と緊急度が高く，迅速性が求められるがゆえに感染対策が十分になされないこともある[1)]。既知の感染症のほか，新たな感染症にも対策しなければならず，感染症の情報がない状態で感染対策も行わないのは，患者やスタッフ，そして施設全体を危険に晒すということを認識しなければならない。

感染対策はなぜ必要か

感染症が発症するには，①病原体，②宿主，③感染経路という3つの要素が揃う必要があり，これがつながると感染症が発症する。これを「感染の連鎖」という。感染対策の原則はこの感染の連鎖を断ち切ることであり，感染の連鎖のどこかを切れば感染症は発症しない。このうち，感染経路を絶つのがもっとも容易かつ効果的であり，経済的にも優れている。

患者が感染症を発症しやすい要因は，患者自身がもつ基礎疾患と，医療行為による医原的要因に分けられる（表1）。基礎疾患だけでなく，各種医療行為に伴って患者（宿主）の感染抵抗力は低下しており，感染症を発症した場合には重症化や入院期間の延長など，医療コストも増大する。さらに，医療機関での感染症は，感染している患者から職員に，逆に感染症を発症した職員から患者に伝播することもある。職員が患者から感染しないよう予防を行うと同時に，職員が感染源とならない対策も必要である。そして，医療機関内で病原体が広がればさまざまな対応に追われることになるため，本来の診療にも支障が出てくる。

表1　患者が感染症を発生しやすい要因

基礎疾患	医原的要因
・悪性腫瘍 ・血液疾患 ・糖尿病 ・免疫不全疾患 ・外傷，熱傷	・抗悪性腫瘍薬投与 ・免疫抑制薬投与 ・ステロイド薬投与 ・人工呼吸器管理 ・カテーテル挿入 ・手術・臓器移植

表2　標準予防策

・手指衛生 ・防護用具（PPE） ・呼吸器衛生，咳エチケット ・鋭利な物品の安全な廃棄と使用および受傷後の応急処置 ・血液汚染後の処理	・器具の除菌と洗浄 ・廃棄物の処理 ・リネンの処理 ・安全な注射手技 ・腰椎穿刺手技での感染制御 ・職員の健康と衛生

感染対策で基本となるのが，標準予防策と感染経路別予防策である[2)]。標準予防策はすべての患者を対象に，どの患者も何らかの病原体をもっているものとして対応する。感染経路別予防策は病原体の種類に応じて個々の患者に行われ，接触感染予防策，飛沫感染予防策，空気感染予防策がある。これらは標準予防策を実施したうえで行われ，感染経路別予防策単独では効果がない。

標準予防策

標準予防策（standard precaution）は，米国疾病予防管理センター（Centers for Disease Control and Prevention；CDC）が発表した方法である（表2）。

患者の血液・体液，分泌物，排泄物，傷のある皮膚，

表3 手指衛生の種類

種類	目的	特徴
日常的手指衛生	日常生活の行動に伴う手指衛生で，通常の交差感染を予防する	流水と石けんまたはアルコール製剤で，汚れ，有機物，一過性細菌叢を除去する
衛生的手指衛生	医療行為の前に行う手指衛生	流水と石けんまたはアルコール製剤が基本であるが，必要に応じて消毒薬スクラブを使用する
手術時手指衛生	一過性細菌叢を確実に除去し，常在細菌叢をできるかぎり減らす。手術中に手袋が破損した場合でも手術野の汚染を防止する	アルコール製剤または消毒薬スクラブを使用する。2～6分擦り込みまたは揉み洗いする

粘膜には病原体が存在するかもしれないため，感染性があるものとして扱う。感染症未検査の患者やウインドウピリオド，さらには新興の感染症も考慮した場合，感染症が認められないとして対策をしないと感染が広がるおそれがあるため，感染症があるという前提のもと標準予防策を行うほうが感染症予防につながるという考え方である。

なお，本来の標準予防策では汗は対象外であるが，近年エボラウイルス病の汗からの感染が確認されたため，現在は汗を含めた対応が望ましいと考えられる。

1. 手指衛生

1）目的と効果

標準予防策のなかでもっとも重要なのが手指衛生である。皮膚には一定の微生物が生息し，常在細菌叢と一過性細菌叢に分けられる。常在細菌叢は皮膚の比較的深部に存在するため，手指衛生で常在細菌叢を除去・無菌化することはできないが，常在細菌叢は一般的に毒素生産性が弱いためHAIの原因菌にはなりにくい。ただし，免疫力が低下した患者では日和見感染を起こすことがあるため注意は必要である。一過性細菌叢は比較的表層部に存在し，患者やドアノブ，スイッチなどとの接触により容易に獲得・移動する。

手指衛生はこの皮膚表層部の一過性細菌叢除去に有効であり，一過性細菌叢に分類される細菌には，黄色ブドウ球菌や緑膿菌などHAIの原因菌になるものが多く含まれる。医療機関における手指衛生には表3に示す3種類があり，目的によって使い分ける。日常的手指衛生は日常業務全般で実施する。通常の交差感染予防には日常的手指衛生が行われていることが重要であり，すべての手指衛生の基本である。衛生的手指衛生は一過性細菌叢の除去および常在細菌叢の一部を除去する目的で行われる。

どのタイミングで手指衛生を行うかについては，世界保健機関（WHO）が「手指衛生5つのタイミング」として，①患者に触れる前，②清潔/無菌操作の前，③体液に曝露された可能性のある場合，④患者に触れた後，⑤患者の周囲の物品に触れた後，を推奨している[3]。医療行為の前後に手指衛生を行い，患者や患者の周囲に触れた後にも手指衛生を行うことで，HAIを低減することができる。

2）方 法

CDCのガイドラインでは，流水＋石けんによる手指衛生よりも，擦式アルコールによる手指衛生が推奨されている[2)4)]。

流水＋石けんでの手指衛生は，手を拭いて乾燥まで含めると60秒ほどかかり，これが有効とする文献の多くも30～60秒かけて行った場合の評価に基づいている。しかし，実際の医療現場では多忙のために非常に短い時間で手指衛生を行っているのが現状であり，短い時間での手指衛生が有効であるとは考えにくい。

一方で，擦式アルコールによる手指衛生は，流水＋石けんによる手指衛生に比べて短時間で行うことができ，エタノール溶剤の蒸発後にも配合された消毒成分が手に残るため，持続的な効果も見込める。また，擦式アルコールによる手指衛生は流し台のない現場でも行うことができ，小さなアルコール消毒液を詰めた容器を持ち運んで使用することも可能であるというメリットもある。擦式アルコールによる手指衛生で注意すべき点は，手指全体を濡らすのに十分な量のアルコール製剤を受けて，摩擦熱が出るまでよく刷り込むことである。しっかりと擦り合せることによって消毒液が皮膚の角質層まで浸透し，消毒液が乾燥するまで時間がかかるため，消毒の3要素（濃度，温度，時間）を満たすことができる（図1）。

ただし，アルコール製剤には物理的な洗浄・除去効果はないため，目に見える汚染には使用できない。目に見える汚染がある場合には流水＋石けんによる手指衛生を行う。アルコールによる消毒効果が期待できない芽胞形成性病原体（*Clostridium difficile* など）の手指衛生の場合にも流水＋石けんによる手指衛生を行う。

流水＋石けんによる手指衛生を行う場合，使用する石けんは消毒薬成分が入ったもののほうが，普通の石けん

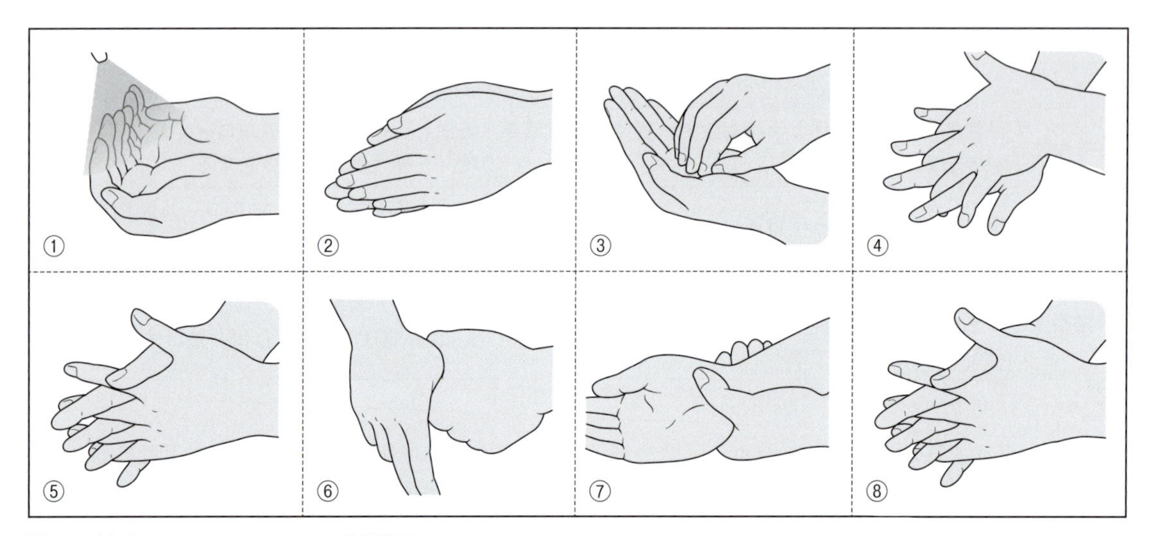

図1　擦式アルコールによる手指衛生
①指を曲げながら適量の速乾性アルコールを手に受ける，②手のひらを擦り合わせる，③指先・指の背をもう片方の手のひらで擦る（両手とも），④手の甲をもう片方の手のひらで擦る（両手とも），⑤両手の指を組んで指の間を擦る，⑥親指をもう片方の手で包んで擦る（両手とも），⑦両手首まで丁寧に擦る，⑧乾くまで刷り込む

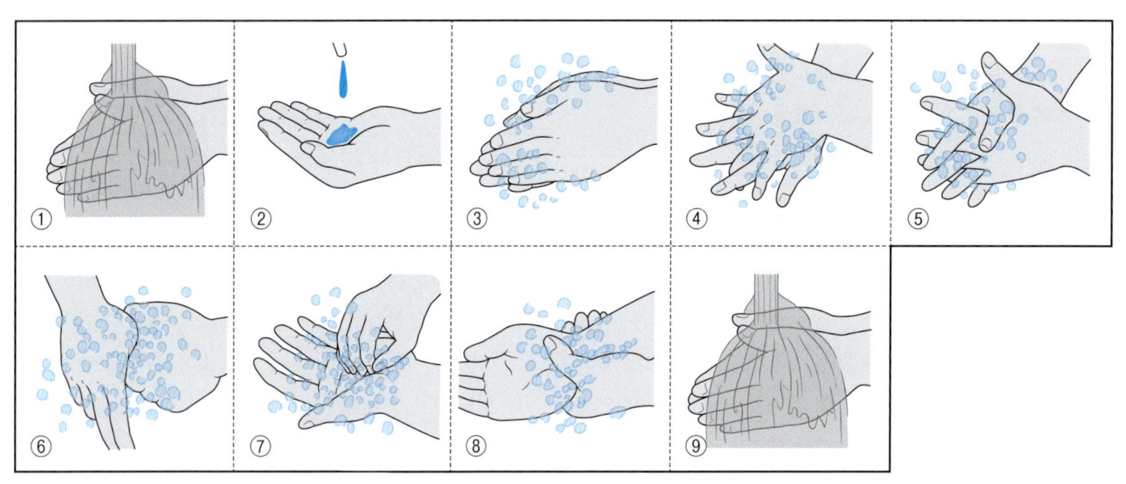

図2　流水＋石けんによる手指衛生
①手指を流水で濡らす，②適量の石けん液を手で受ける，③手のひらを擦り合わせてよく泡立てる，④手の甲をもう片方の手のひらでもみ洗う（両手とも），⑤両手の指を組んで指の間をもみ洗う，⑥親指をもう片方の手で包んでもみ洗う（両手とも），⑦指先をもう片方の手のひらでもみ洗う（両手とも），⑧両手首まで丁寧にもみ洗う，⑨流水でよくすすぎ，ペーパータオルで水分をしっかり拭き取る

よりも除菌効果に優れている。手指を乾燥させるときは，手指表面に残った微生物や古い死滅皮膚細胞を効果的に取り除くため，ペーパータオルで乾燥させる（図2）。その後は，手指の再汚染を防止するため使用済みのペーパータオルを使用して水道を操作し，ペーパータオルをごみ箱に捨てるときは足で操作できるごみ箱を用いて，一般廃棄物として処理する。

3）注意点

医療従事者は手指衛生を頻繁に行うため，皮膚炎などの手荒れを起こしやすい。手に皮膚炎があると手指衛生を躊躇するばかりでなく，細菌叢の定着を促進しやすくなり，手指衛生を行ってもHAIを起こしやすくなるため，頻繁に使用する消毒薬は手荒れにも配慮したものを選択する。石けんで手荒れ予防を重視する場合には，普通の石けんのほうが消毒薬成分の入ったものよりも優れている。

擦式アルコールによる手指衛生は流水＋石けんによる手指衛生より手荒れを起こしやすいように思われるが，実際にはその逆である。擦式アルコールによる手指衛生に使用するアルコール消毒薬も，近年では手荒れ防止成分が含まれているものが多い。

また，流水＋石けんによる手指衛生の後に擦式アルコールによる手指衛生を行うこと，その逆の順序で行うことも，手荒れを促進するため推奨されない。

2. 防護用具

防護用具（個人防護具，personal protective equipment；PPE）は，自らを感染から守るために使用する。

防護用具の着脱の際には，汚染を防ぐための順番がある。装着順は，①手指衛生，②ガウン・エプロン，③マスク，④ゴーグル・フェイスシールド，⑤手袋であり，もっとも汚染しやすい手袋を最後に装着する。

脱ぐ際は，①手袋，②手指衛生，③ゴーグル・フェイスシールド，④ガウン・エプロン，⑤マスク，⑥手指衛生の順番である。手袋を最初に外し，手指衛生を忘れずに行う。また，各防護用具に汚染がある場合には，それぞれを外したときにも手指衛生を行う。

1）手　袋

手袋は，医療行為の際に患者あるいは汚染物質などを触る可能性がある場合に装着する。通常は非滅菌の使い捨て手袋を使用する。同じ患者の対応中であっても，汚染部位からそうでない部位に触れる場合や，汚染物質に触れた可能性がある行為の後に撮影装置に触れる場合などには，手袋を交換する。

また，手袋を手指衛生の代用としてはならず，手袋を装着すれば手指衛生の必要がなくなるわけではない。救急現場では手袋の装着率は高いものの装着前の手指衛生実施率が低いという報告[5]もあるため，日常的に注意すべきである。

使用後は，手袋表面が汚染しているものとして，以下の手順で適切に廃棄する。

(1) 片方の手袋の袖口をつかむ。
(2) 表裏が逆になるように手袋を外す。
(3) 手袋を外した手を反対の手袋の袖口に差し込む。
(4) 表裏が逆になるように手袋を外す。
(5) 使用済み手袋を廃棄し，手指衛生を行う。

2）ガウン・エプロン

撥水性の素材のものが推奨される。患者ごとに交換し，汚染された場合には衣服の汚染を防ぐため，できるかぎり早めに交換する。使用後は表面が汚染されているとして，以下の手順で触れないように廃棄する。

(1) 首ひもをちぎる。
(2) 汚染面が内側になるように，腰の辺りで折りたたむ。
(3) 袖から両腕を抜く。
(4) 適当な大きさにまとめ，腰ひもをちぎって外す。
(5) 廃棄し，手指衛生を行う。

3）マスク

サージカルマスクとN95マスクの2種類がある。サージカルマスクは医療現場で一般的に使用され，主に飛沫感染予防を目的とするが，患者の体液などが飛散する可能性のある場合にも用いられる。N95マスクは空気感染予防，高病原性病原体などに対して使用される。使用後は表面が汚染されているものとして扱い，触れないように廃棄する。

4）キャップ

患者の湿性生体物質などで頭部が汚染される可能性がある場合に使用する。使用後は表面が汚染されているものとして扱い，触れないように廃棄する。

5）ゴーグル・フェイスシールド

患者の湿性生体物質などが飛散して目が汚染される可能性がある場合に使用する。使用後は表面が汚染されているものとして扱い，触れないように廃棄する。

6）シューズカバー

靴への汚染の可能性がある場合に使用する。使用後は表面が汚染されているものとして扱い，触れないように廃棄する。

3. 呼吸器衛生・咳エチケット

2003年にSARSが世界的に流行した際，救急外来における患者・家族によるSARSコロナウイルスの伝播に対して，最初の受診時から気管内分泌物を封じ込める感染源制御を行うことが重要とされた。呼吸器衛生・咳エチケットはすべての呼吸器感染症の伝播を予防するものであるため，感染の可能性がある患者を受け入れる初期段階から実施する。放射線部門には外来・病棟患者，職員，清掃員，患者家族など多種に及ぶ人々が集まるため，重要な感染対策の一つである。

呼吸器衛生・咳エチケットの具体的な方法は，以下のとおりである。

(1) 咳やくしゃみは，マスクで口と鼻を覆う。
(2) 咳やくしゃみをする際にマスクをしていない場合は，ティッシュペーパーやハンカチで口と鼻を覆う。
(3) 使用したティッシュペーパーは速やかに廃棄する。
(4) 咳やくしゃみをする際にティッシュペーパーやハンカチで口と鼻を覆うのが間に合わない場合には，腕で覆って飛沫拡散を防止する。
(5) 呼吸器分泌物に触れた場合，手指衛生を行う。
(6) 呼吸器衛生・咳エチケット啓発のポスターを掲示する。
(7) 咳をしている人がマスクを装着できる状態であれば，サージカルマスクを装着させる。
(8) 呼吸器症状のある人は分離する。

呼吸器衛生・咳エチケットには患者・家族などの協力も必要であるため，医療機関全体で取り組まなければならない。

感染経路別予防策

医療機関では，血液媒介感染，接触感染，飛沫感染，空気感染の4つの感染経路対策が重要である。ほとんどの感染症は感染経路が特定されているため，その感染経路別に対策するのが効率的であるが，感染症によっては複数の感染経路をもつ場合もあるため注意が必要である。

なお，血液媒介感染対策については前述した標準予防策を適応すればよいため詳述しない。

1．接触感染予防策

接触感染は，患者に直接触れたり，患者周囲の環境物に触れたりすることで伝播するものである。接触感染予防策は多くの耐性菌や一般細菌，ウイルスに対して行われるものであるが，患者や患者周囲に触れる部分の標準予防策をより積極的に行うと考えればよい。

患者は個室管理とし，個室管理が不可能な場合には同じ微生物による感染症患者を同じ部屋に集めて管理する。標準予防策に従って，入室時には手袋，ガウン・エプロンを装着し，退室時にはそれらを外して手指衛生を行う。

接触感染予防策が必要な疾患としては，ウイルス性出血熱（エボラ，ラッサなど），急性ウイルス性出血結膜炎，単純ヘルペスウイルス感染症，疥癬，蜂窩織炎，帯状疱疹，ロタウイルス感染症，ノロウイルス感染症，腸管出血性大腸菌感染症，*Clostridium difficile* 感染症（*Clostridium difficile* infection；CDI）のほか，メチシリン耐性黄色ブドウ球菌（MRSA），多剤耐性緑膿菌（MDRP），多剤耐性アシネトバクター（MDRA）などの耐性菌感染症がある。

2．飛沫感染予防策

飛沫感染は，咳，くしゃみ，会話，気管吸引，気管支鏡検査に伴って発生する病原体を内包した飛沫が，経気道的に口腔や咽頭などの粘膜に付着して感染するものである。飛沫直径は5 μm 以上であるため飛散する範囲は約1～2 m 以内であり，床に落ちると感染性はなくなる。

患者は個室管理とし，個室管理が不可能な場合は同じ微生物による感染症患者を同じ部屋に集めて管理する。患者から1～2 m 以内で作業する際にはサージカルマスクを着用し，標準予防策に従って入室時には手袋，ガウン・エプロンを装着する。退室時にはそれらを外し，手指衛生を行う。患者の移送時には，患者にサージカルマスクを着用させて病原体の拡散を制御する。

飛沫感染予防策が必要な疾患としては，インフルエンザ，風疹，マイコプラズマ肺炎，髄膜炎菌性髄膜炎，ジフテリア，流行性耳下腺炎，溶血性連鎖球菌感染症などがある。飛沫感染予防策対象の疾患と聞くと飛沫感染対策のみをすればよいと思いがちであるが，実際には飛沫を浴びる感染よりも飛沫が落下・付着した物からの接触感染が多いため，同時に接触感染予防策を行わなければならない。

3．空気感染予防策

空気感染は，病原体を含む直径5 μm 以下の飛沫粒子が空中を浮遊し，空気の流れで拡散するものである。空気感染予防策が必要な疾患としては，結核，麻疹，水痘があげられる。このうち，麻疹・水痘は飛沫感染と接触感染もあるため，同時に対策しなければならない。

結核に関しては，対応するスタッフはN95マスクを着用する。N95マスクを正しく使用するためには，フィットテストとユーザーシールチェックを行わなければならない。なお，結核は飛沫感染や接触感染の可能性がないため，結核患者対応に使用するN95マスクは，製品によっては汚染・破損のおそれがなければ複数回の使用が可能である。

麻疹・水痘に関しては，罹患歴があるかワクチン接種により十分量の特異抗体価を有しているスタッフが優先的に患者対応にあたり，特異抗体が陰性または不十分な抗体価のスタッフにはワクチン接種を行う。特異抗体が陰性または不十分な抗体価のスタッフが対応する場合には，N95マスクを着用し，手袋，ガウン，キャップ，ゴーグルなどの防護用具を適宜装着する。水痘だけでなく，免疫不全患者の播種性帯状疱疹については，気道粘膜でウイルスが増殖するため，空気感染と接触感染の両方がある。また，帯状疱疹の病巣部からのウイルス飛散も報告されているため注意が必要である[6)]。

患者は，周辺よりも陰圧設定にした空調設備を有する空気感染隔離室で管理し，病室のドアは常に閉めておく。個室管理ができない場合は同じ微生物による感染症患者を同じ部屋に集めて管理するが，多剤耐性結核菌感染症（MDR-TB），超多剤耐性結核菌感染症（XDR-TB）が疑われる場合には同室管理を避けるべきである。

感染症別の対応

標準予防策や感染経路別予防策だけでなく，日常診療でみかける感染症ごとの知識や対策を習得しておくことは，その感染症に遭遇したときに素早く対応し，感染の拡大を防止することにつながる。

1. MRSA感染症

MRSA（メチシリン耐性黄色ブドウ球菌）感染症は，医療現場でもっとも多くみられる感染症である。MRSAは皮膚や上気道に存在する常在菌で通常は無害であるが，免疫力の低下した患者で感染しやすい。感染の形態は，肺炎や敗血症などの重症感染症に及ぶ。

MRSA感染症はほとんどの抗菌薬治療に抵抗を示し，有効な治療が期待できないため，HAIとして重大な問題である。MRSAの主な感染経路は医療従事者の手指や医療器具，衣服などであるため，標準予防策に加えて接触感染予防策を徹底して行う。

2. インフルエンザ

インフルエンザは，発熱，鼻水，咳，咽頭痛，筋肉痛，倦怠感などの症状を示す感染症で，ウイルスの感染力が非常に強いためしばしば市中や医療機関で集団感染を引き起こす。主な感染経路は飛沫感染であるが接触感染もあるため，飛沫感染予防策と接触感染予防策が必要である。インフルエンザの予防には，ワクチン接種の効果が大きい。医療従事者は患者，とくに免疫力の低下した患者にインフルエンザを伝播させないように，また，罹患による出勤停止で医療機関の機能を低下させないように，積極的にインフルエンザワクチンの予防接種を受けることが望ましい。

新型インフルエンザについてもほぼ同様であり，主な感染経路は飛沫感染であるが接触感染もある。しかしながら，A/H7N9など感染経路が不明のものもあるため，その場合には飛沫感染予防策・接触感染予防策のほか，空気感染の可能性も考慮して空気感染予防策も行うのが対策として実践的である。

3. 結　核

結核は決して過去の疾患ではなく，わが国の結核罹患率は現在も欧米に比べて高い。1999年には厚生省より「結核緊急事態宣言」が出されており，再興感染症として認識する必要がある。感染予防としては，空気感染予防策を行う。結核患者の感染性は，喀痰中の排菌量が多いほど，咳の持続期間が長いほど高い。したがって結核対策には，いかに早く結核発病者を発見し，空気感染予防策を行えるかが重要になる。ただし，気道の結核以外の肺外結核患者には空気感染予防策は必要ない。

結核の感染対策でとくに注意すべきなのは，①結核菌を含んだ飛沫核が大量に発生する肺結核や気道の結核（気管支結核，咽頭結核，喉頭結核），②激しい咳や気管支ファイバーなど咳を誘発する手技，③胸部X線画像に空洞がある，④喀痰塗抹検査で陽性，などである。

ツベルクリン反応とBCGについて，ツベルクリン反応は結核感染とBCG陽転を区別できないこと，成人に対するBCGの有効性は不明な点が多いことなどから，ツベルクリン反応やBCG接種歴の有無にかかわらず，空気感染予防策を施行している結核患者の病室に入る場合には，N95マスクを装着する。

放射線診療における感染対策

放射線診療における感染対策でも基本となるのは標準予防策と感染経路別予防策であり，それらに加えて各感染症特有の対策を考慮することに変わりはない。

1. 滅菌と消毒

滅菌とは，すべての微生物を物理的または化学的な方法で完全に取り除く工程であるが，確率的概念である。滅菌工程終了後の1個の微生物の生存確率が10^{-6}を基準としている。撮影室などの放射線部門内でこのような無菌状態は不可能であるのでここでは扱わない。

一方で消毒とは，目的の微生物を殺菌または減らす処置であり，医療衛生的に問題にならず，感染症伝播を防御できる数まで微生物を殺菌または減らすことを基準としている。ただし，消毒では物理的な汚染を除去できないため，適切な汚染物除去を行った後に消毒を実施することで高い効果が得られる。放射線部門内では，施設内の他部署と同様に基本的には清掃を行って，必要に応じて一連の消毒を行うのが環境消毒として相応である。

しかし，放射線部門には放射線発生機器や制御器，パソコンのキーボードやマウスなどの画像診断機器が数多く存在し，それらは電子制御されているため，消毒方法によっては機器に障害が発生する可能性がある。Spaulding の分類（表4）は，水平感染を防ぐ意味でも医療器材・環境の消毒を行う際の基準となるが，求められる以上の水準で消毒をしないことに注意が必要である。消毒薬は一般的に強力なほど毒性が強く，装置などに対しても腐食など故障の原因となる。Spauldingの分類の基準に照らし合わせれば，一般的な放射線部門内の環境消毒は低水準消毒薬で十分である。

しかし近年，MDRPやMDRAなどの多剤耐性菌の環境消毒においては，低水準消毒薬では効果が不十分という報告もあり[7]，放射線部門内の環境消毒に中水準消毒薬のペルオキソ一硫酸水素カリウム配合除菌洗浄剤を使用している施設もある。ペルオキソ一硫酸水素カリウム配合除菌洗浄剤はパソコンのキーボードやマウスなどの環境消毒には不向きとされているが，2%調合薬に7日間ステンレスを浸しても腐食を起こさず，アクリル素材に

表 4　Spaulding の分類

クリティカル器材
経皮的に生体に挿入や血管に挿入するもの 【器材例】手術用具，血管造影カテーテル，針など 【消毒分類】汚染除去後に滅菌
セミクリティカル器材
粘膜や創傷皮膚と接するもの 【器材例】a：喉頭鏡，蘇生バッグなど　b：口腔体温計，マウスピースなど 【消毒分類】a：汚染除去後に高水準消毒　b：汚染除去後に中水準消毒
ノンクリティカル器材
創傷のない皮膚と接するが粘膜とは接しない，または皮膚とも接しない 【器材例】ベッド柵，テーブル，ドアノブ，パソコンのキーボードやマウスなど 【消毒分類】汚染除去後に低水準消毒

高水準消毒薬：グルタラール，フタラール，過酢酸
中水準消毒薬：エタノール，イソプロパノール，次亜塩素酸ナトリウム，ポビドンヨード，ペルオキソ一硫酸水素カリウム
低水準消毒薬：ベンゼトニウム塩化物，ベンザルコニウム塩化物，クロルヘキシジングルコン酸塩，オラネキシジングルコン酸塩，アルキルジアミノエチルグリシン塩酸塩

対しても劣化を示さないため[8)]，X 線発生装置などでも内部に浸み込むほどの量で環境消毒しなければ影響が小さいと思われる。また，ペルオキソ一硫酸水素カリウム配合除菌洗浄剤は次亜塩素酸ナトリウムのような金属腐食や刺激臭もなく，エタノールのような高い揮発性もないため，複数回の清拭は必要ない。さらに，界面活性剤を含んでいるため洗浄効果も期待できる。医療環境は少なくとも 1 日 1 回の定期的な清拭が必要とされているが[9)]，ペルオキソ一硫酸水素カリウム配合除菌洗浄剤のワイプの使用では 1 方向 1 回清拭で MRSA やノロウイルスの除去効果が期待でき[10)]，乾燥後 24 時間まで MDRP や MDRA に対して持続的な殺菌作用が認められている[11)]。

2. 針刺し・切創の対策

放射線部門内では，IVR や患者の処置の際に金属針などの鋭利な物品を使用することも多い。感染防止のため，針などは安全機能付き器材を使用する。針刺し・切創の 60％は作業手順のみでは防止できないとされており，安全機能付き器材の使用は有効である[12)]。

使用後の鋭利な物品は，個々の責任において安全かつ確実に廃棄することを徹底する。使用済みの針はリキャップ禁止とし，使用済みの金属針などの鋭利な物品は針捨てボックスに廃棄する。針捨てボックスは，職員が使用済みの鋭利な物品を持って歩き回らないように可能なかぎり使用場所から近い場所に置き，廃棄物が容易に取り出せないような構造のものが望ましい。廃棄物がボックスの 2/3 を超えると針の先端がボックスから出て危険であるため，その前に新しいものに交換する。また，落ちた針などにより足指でも針刺し・切創は起きるため，予防のために足指の露出がない靴を履くようにする。

2015 年に診療放射線技師の業務範囲の見直しがなされ，静脈路に造影剤注入装置を接続する行為（静脈路確保のためのものを除く），造影剤を投与するために当該造影剤注入装置を操作する行為，当該造影剤の投与が終了した後に抜針および止血を行う行為が新たに追加された。抜針および止血を行う行為では，針刺し・切創によるＢ型肝炎やＣ型肝炎，HIV などの感染症を引き起こす危険性がある。その予防策としては，何よりも前もって患者情報を確認しておくことである。患者情報で血液媒介感染症の存在が確認された場合，より注意深く抜針作業を行う。抜針の際には患者の急な体動を防止するため，患者によく説明したうえで必ず手袋を装着し，手袋を外した後には手指衛生を行う。手袋を装着すれば曝露リスクは 45～85％減少するといわれている[13)]。また，血液が飛散するおそれがある場合には，防護用具を適宜装着する。プラスチックカニューレなどの廃棄については，感染性廃棄物など各施設で定められた手順に従って処理する。

針刺し・切創が発生した場合には，速やかに血液を搾り出し，流水＋石けんで洗浄する。可能であれば消毒液で消毒してもよいが，消毒のために洗浄を遅らせてはならない。その後は各施設で定められた手順に従って処理する。

表 5 各撮影室の感染対策と環境消毒の例

撮影室	患者の感染対策	医療職員の感染対策	環境消毒
一般撮影室	検査着の着用	手袋の着用 手指衛生の施行	始業時に接触部を低水準消毒薬等で拭き取り 検査ごとに低水準消毒薬等で拭き取り
X 線 TV 室	検査着の着用 使い捨て不織布の使用	手袋の着用 手指衛生の施行 PPE 着用	始業時に接触部を低水準消毒薬等で拭き取り 検査ごとに低水準消毒薬等で拭き取り
CT 室，MRI 室，エコー室など	検査着の着用 寝台マットを検査ごとに拭き取り	手袋の着用 手指衛生の施行 PPE 着用	始業時に接触部を低水準消毒薬等で拭き取り 検査ごとに低水準消毒薬等で拭き取り
血管造影室	検査着の着用 使い捨て不織布の使用 寝台マットを検査ごとに拭き取り	手袋の着用 手指衛生の施行 PPE 着用	始業時に接触部を低水準消毒薬等で拭き取り 検査ごとに低水準消毒薬等で拭き取り

3. 患者や環境に合わせたその他の対策

各撮影室の感染対策と環境消毒の一例を表 5 に示す。

血管造影室などで滅菌器材が展開されている場合や腰椎穿刺に立ち会う場合などは術者以外のスタッフもサージカルマスクを着用する[14)15)]。血管造影室や，透視下内視鏡検査，注腸検査，尿路系検査などを行う X 線透視室では血液や体液に汚染される可能性が高いため，接触感染予防策を行う。

患者移動の際には，採尿バッグは逆流を防ぐため必ず膀胱より低い位置で管理し，ドレーンも逆行性感染を防ぐためにバッグを高くしたり，ドレーンを患者の身体の下で屈曲させたりしない。患者が直接触れるシーツは，裏側に血液や体液が浸透しないラミネート加工を施した使い捨ての不織布を，検査ごとに交換する。血液などにより汚染された寝台，環境表面などは，手袋を使用してペーパータオルなどで除去した後に消毒を行う。使用済みリネン交換の際は，埃を立てず，ユニホームに触れないように扱う。血液などによって汚染されたリネンはビニール袋に入れ，何に汚染されているのかを明記して，各施設で定められた手順に従って処理する。

環境整備では，X 線撮影装置はその構造上，レールや配管チューブなどに埃がたまりやすく，清掃も忘れがちであるため注意する。滅菌物は汚染されないよう，床から 30 cm 以上の高さで扉の閉まる棚などに収納する。また，手袋の箱も取り出し口に埃などが入りにくいように，上向きに置くのではなく，壁や棚などに垂直に設置するようにする。手袋やカセッテ（FPD），グリッド，撮影補助具を覆う厚手のビニール袋など，感染対策に使用する物品はすぐに使用できるよう，撮影中に取り出しやすい場所に設置する。

接触感染予防策や飛沫感染予防策，空気感染予防策を講じる場合には，原則的に病室内検査とする。CT 検査など放射線部門で検査を行う場合は，できるかぎり最後の時間に検査を実施するようにし，やむを得ず最後の時間にできない場合には他の患者と接触しないようにする。

接触感染患者の創部はドレープで覆うなど，必要に応じて対応する。撮影に携わる技師は，必要に応じて手袋，ガウン・エプロンを着用し，可能であれば装置を扱う技師と患者に携わる技師を分けて複数で対応する。とくに患者に直接触れるカセッテ（FPD）やグリッド，撮影補助具は厚手のビニール袋で二重に覆い，撮影後に患者に携わる技師が厚手のビニール袋を中のカセッテ（FPD）やグリッドに触れないように外して，装置を扱う技師に渡すようにする。検査が終了したら，患者が接触した可能性のある場所は汚染除去の後に消毒する。

飛沫感染患者にはサージカルマスクを着用させ，撮影に携わる技師もサージカルマスクを着用し，必要に応じてゴーグル・フェイスシールドを装着する。可能であれば装置を扱う技師と患者に携わる技師を分けて複数で対応する。飛沫感染する疾患は接触感染もするため，接触感染予防策も同時に必要となる。

空気感染患者にもサージカルマスクを着用させ，撮影に携わる技師は N95 マスクを着用する。患者がサージカルマスクを着用していない状態で放射線部門内の検査を行った場合には検査室内の換気を行い，換気が終了するまでは入室禁止とする。結核の場合は特別な環境消毒は必要ないが，麻疹や水痘の場合には可能であれば装置を扱う技師と患者に携わる技師を分けて複数で対応し，飛沫感染予防策と接触感染予防策を行う。

継続的な感染対策のために

放射線部門で感染対策を継続的に行うためにはスタッフへの教育が重要であり，そのためには各施設の感染対策マニュアルを基本とした教育が適している。感染対策は，スタッフだけでなく，患者・家族，付添人，清掃員なども含むすべての関係者が継続的に正しい対応をしなければ効果がない。施設全体で感染対策を継続的に行うために，他部門のスタッフや感染対策担当者などと連携し，放射線部門も施設内の一部署であることを認識してともに行動していくことが重要である。

救急外来部門の多くは時間や情報に制約がある状態で感染対策を行っており，それは容易なことではない。このような現状をふまえ，日本救急医学会は「救急外来部門における感染対策検討委員会」を2015年に設置し，日本臨床救急医学会や日本感染症学会，日本環境感染学会，日本臨床微生物学会とともに合同のワーキンググループを結成している。このワーキンググループの目標は救急外来部門における感染対策の標準化であり，チェックリストの作成なども行われている[16)]。

【文　献】

1）Pittet D, et al：Effectiveness of a hospital-wide programme to improve compliance with hand hygiene：Infection Control Programme. Lancet 356：1307-1312, 2000.
2）CDC：Guideline for isolation precautions：Preventing transmission of infectious agents in healthcare settings, 2007.
3）WHO：WHO guidelines on hand hygiene in health care, 2009.
4）Boyce JM, et al：Guideline for hand hygiene in health-care settings：Recommendations of the Healthcare Infection Control Practices Advisory Committee and the HICPAC/SHEA/APIC/IDSA Hand Hygiene Task Force：Society for Healthcare Epidemiology of America/Association for Professionals in Infection Control/Infectious Diseases Society of America. MMWR Recomm Rep 51：1-45, 2002.
5）橋本丈代，他：多剤耐性菌対策ガイドラインで推奨される接触予防策と患者周辺環境対策遵守の実態．日環境感染会誌 28：325-333，2013.
6）国公立大学附属病院感染対策協議会編：病院感染対策ガイドライン 2018年版，じほう，東京，2018.
7）La Forgia C, et al：Management of a multidrug-resistant Acinetobacter baumannii outbreak in an intensive care unit using novel environmental disinfection：A 38-month report. Am J Infect Control 38：259-263, 2010.
8）岡上晃，他：複合型塩素系除菌・洗浄剤の各種環境表面素材に対する影響に関する検討．日環境感染会誌 30：325-330，2015.
9）CDC：Guideline for disinfection and sterilization in healthcare facilities, 2008.
10）小倉憂也，他：複合型塩素系除菌・洗浄剤の各種微生物に対する有効性．日環境感染会誌 30：391-398，2015.
11）河口義隆，他：MDRP および MDRA に対する複合型塩素系除菌・洗浄剤の有効性．日環境感染会誌 31：366-369，2016.
12）Pugliese G, et al：Evaluating sharps safety devices：Meeting OSHA's intent：Occupational Safety and Health Administration. Infect Control Hosp Epidemiol 22：456-458, 2001.
13）Mast ST, et al：Factors predicting infectivity following needlestick exposure to HIV：An in vitro model. Clin Res 39：58, 1991.
14）Chambers CE, et al：Infection control guidelines for the cardiac catheterization laboratory：Society guidelines revisited. Catheter Cardiovasc Interv 67：78-86, 2006.
15）O'Grady NP, et al：Guidelines for the prevention of intravascular catheter-related infections. Clin Infect Dis 52：e162-e193, 2011.
16）佐々木淳一：「救急外来部門における感染対策」の標準化を目指す；救急部門と感染制御部門の連携．感染対策 ICT ジャーナル 13：46-50，2018.

索 引

数 字

A

B

C

D

E

F

G

H

I

J

L・M

N

P

Q・R

S

T・U

V

W

X

あ

い

う

え

お

か

き

す

せ

そ

た

ち

つ・て

と

な

に

ね

の

は

ひ

ふ

へ

ほ

ま

み・む・め

も

ゆ・よ

ら

り

ろ・わ

改訂第３版 救急撮影ガイドライン
救急撮影認定技師標準テキスト

定価(本体価格 5,800 円＋税)

2011 年 12 月 13 日 第 1 版第 1 刷発行
2016 年 5 月 10 日 第 2 版第 1 刷発行
2019 年 3 月 1 日 第 2 版第 3 刷発行
2020 年 4 月 30 日 第 3 版第 1 刷発行
2021 年 10 月 15 日 第 3 版第 2 刷発行
2024 年 3 月 27 日 第 3 版第 3 刷発行
2025 年 5 月 19 日 第 3 版第 4 刷発行

監 修／日本救急撮影技師認定機構
発行者／長谷川 潤
発行所／株式会社 へるす出版
〒164-0001 東京都中野区中野２-２-３
電話 03-3384-8035〈販売〉 03-3384-8155〈編集〉
振替 00180-7-175971
印刷所／三報社印刷株式会社

ISBN978-4-89269-999-3